D0185164

MIRA

Der Preis dieses Bandes versteht sich einschließlich
der gesetzlichen Mehrwertsteuer.

*Umwelthinweis:*
Dieses Buch wurde auf chlor- und säurefreiem Papier gedruckt.

**Michael H. Schenk** wurde 1955 geboren und arbeitet in Bonn, wo er auch ganz in der Nähe lebt. Der Autor ist geschieden, aber in einer festen Beziehung und hat eine Tochter.

Nach mehreren Jahren als Augenoptiker machte er sein Ehrenamt im Rettungswesen schließlich zu seinem Beruf und wurde Ausbilder für Rettungskräfte, zu dem noch eine Lehrtätigkeit zur Ausbildung von Lehr- und Einsatzkräften hinzukam. Inzwischen arbeitet er im Informationsbereich einer Bundesbehörde.

Sein besonderes Interesse gilt den Menschen und ihrer Entwicklungsgeschichte, woraus sich auch seine Idee zur Reihe der Pferdelords entwickelt hat. Im Bereich der Fantasy geht es ihm vor allem darum, eine fantasievolle Umgebung zu schaffen, die jedoch noch immer so realistisch wirkt, dass sie vom Leser als natürlich empfunden wird. Dazu gehört auch die Entwicklung einer Historie, von Landschaften, Lebensformen und von Personen, mit denen sich der Leser bei aller Unterschiedlichkeit immer noch identifizieren kann und die ihn zusammen mit einer spannenden und aktionsgeladenen Handlung gleichermaßen fesseln.

Die Pferdelords und der Sturm der Orks

MIRA® TASCHENBUCH
Band 65001
1. Auflage Oktober 2006

MIRA® TASCHENBÜCHER
erscheinen in der Cora Verlag GmbH & Co. KG,
Axel-Springer-Platz 1, 20350 Hamburg
Originalausgabe


Homepage: www.pferdelords.de
Die Veröffentlichung dieses Werkes erfolgt auf Vermittlung der Autoren- und Verlagsagentur Peter Molden, Köln

Konzeption/Reihengestaltung: fredeboldpartner.network, Köln
Umschlaggestaltung: pecher und soiron, Köln
Lektorat: Dr. Heike Fischer
Illustrationen: Alexander Jung, Hamburg/
pecher und soiron, Köln
Satz: Buch-Werkstatt GmbH, Bad Aibling
Druck und Bindearbeiten: Ebner & Spiegel, Ulm
Printed in Germany

ISBN 3-89941-356-3

*Michael H. Schenk*

# Die Pferdelords und der Sturm der Orks

Fantasyroman

N
W
O
S
Eternas
Hochmark
25 Tausendlängen
Horngrundweiler
Balwin
Quellweile
Halfar
Südpass
Pfad
Alte Festung
Eodar
Hammerturm
Furten des Eisen
Westmark

Die versteinerten Wälder

NORDMARK

REITERMARK

Die Völker
Das Kaltmeer
Die weißen Sände
Zwerge
Elfen des Waldes
Tarsilan
Pferdelords
Enderona
Die Barbaren des
Dünenlandes
Das Königreic
Die westlichen Wasser
Gedaneris
Das verloren
Das Südmeer
250 Tausendlängen
Grenze
Hauptfluss
Handelsroute

N
W
O
S
Das Eisvolk
Die Nachtläufer
Orks
Das Volk der
Lederschwingen
Alneris
lnoa
Orks
Die Sandbarbaren
önigreich

# Die Festung

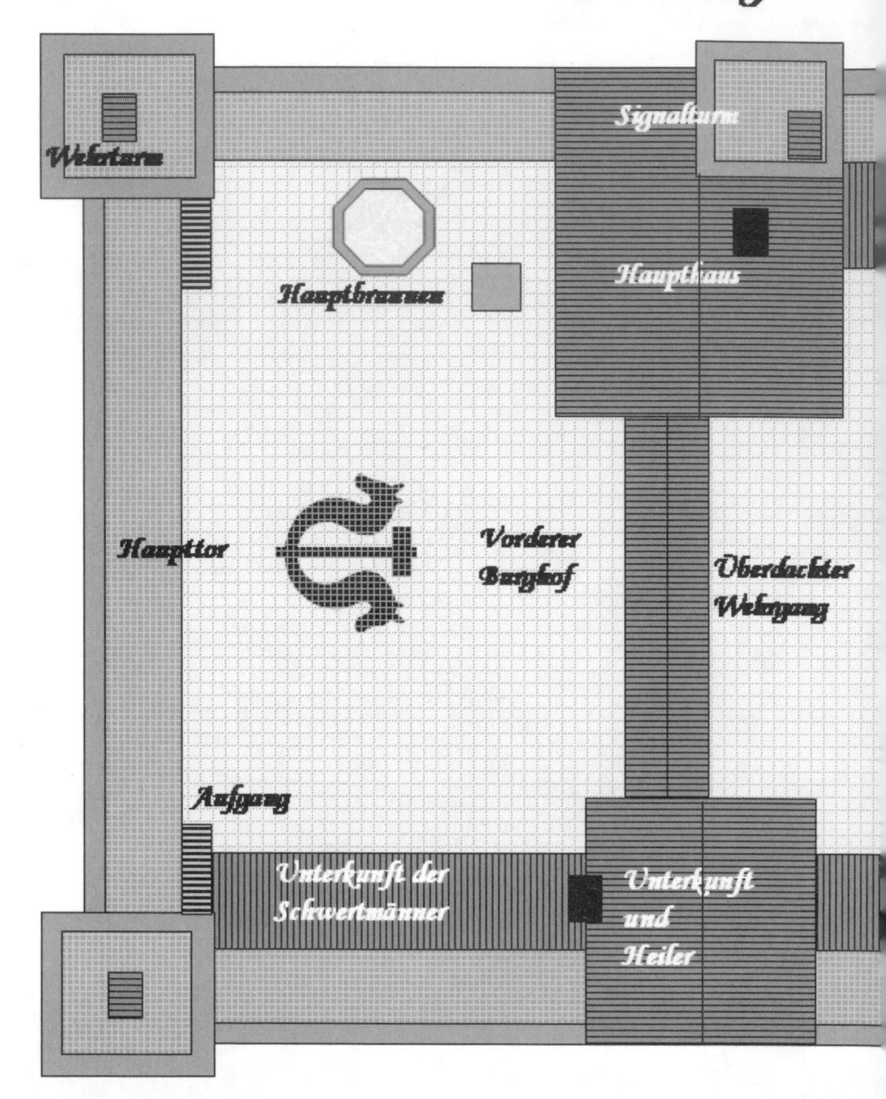
Wehrturm
Signalturm
Hauptbrunnen
Haupthaus
Haupttor
Vorderer
Burghof
Überdachter
Wehrgang
Aufgang
Unterkunft der
Schwertmänner
Unterkunft
und
Heiler

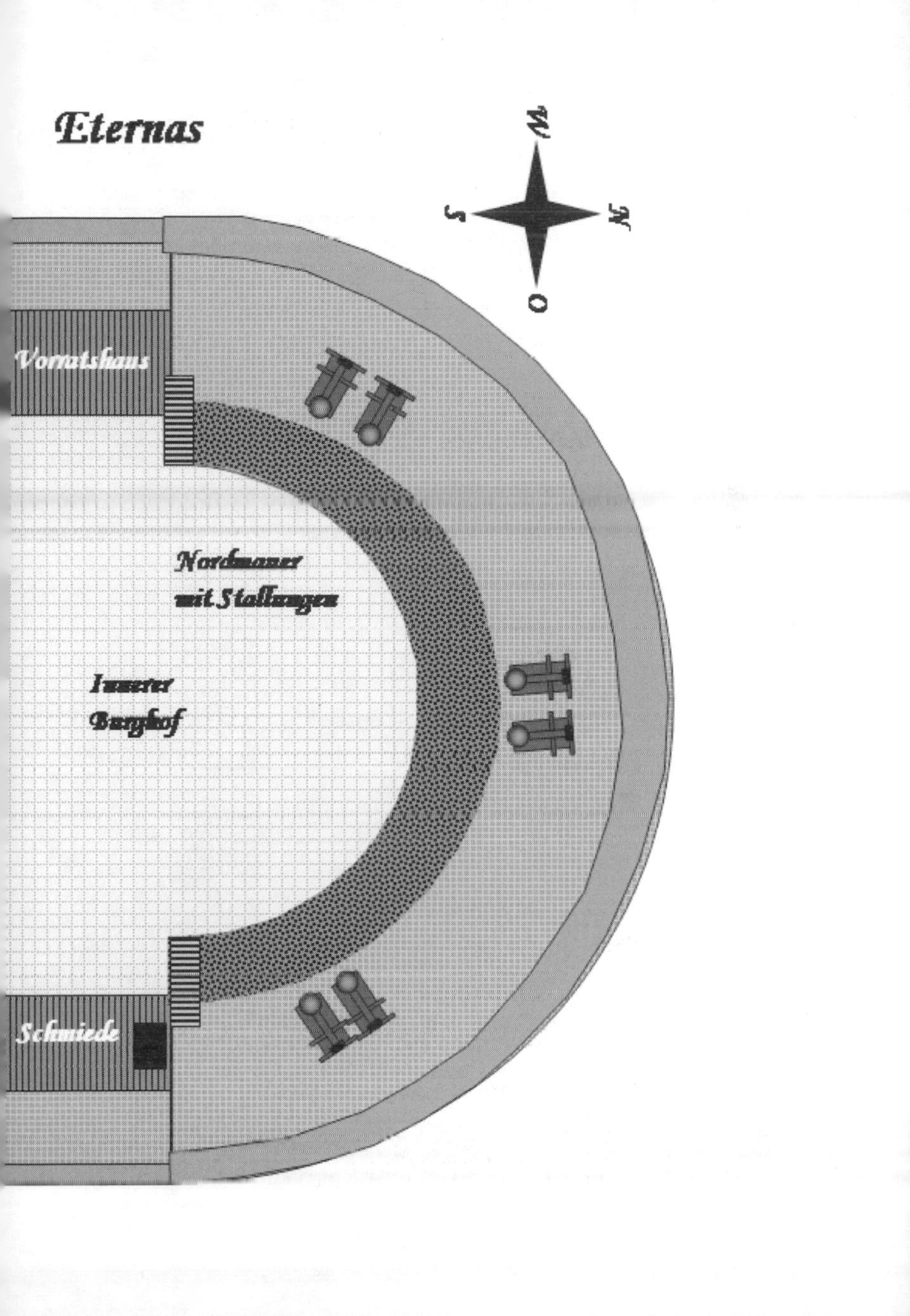
Eternas
W
S
N
O
Vorratshaus
Nordmauer
mit Stallungen
Innerer
Burghof
Schmiede

# 1

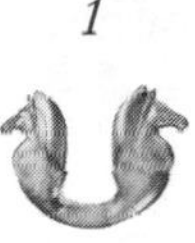

Das Haus war kaum zu entdecken, obwohl seine Erbauer sich keine Mühe gegeben hatten, es zu verbergen. Es schien ein natürlicher Bestandteil des riesigen Baumes zu sein und seine Strukturen schmiegten sich förmlich zwischen die Äste und Blätter, so als seien sie gleichsam mit diesen verwachsen. Treppen und Gemächer folgten dem Wachstum des Stammes und doch boten sie alle Bequemlichkeiten, nach denen es ein menschenähnliches Wesen verlangen mochte. Der Baum war mächtig und sehr alt, und Gleiches galt auch für das Haus. Es war das Haus Elodarions und er zählte zu den weisesten und kraftvollsten des gesamten Elfenvolkes.

Auf den ersten Blick konnte man Elodarion für einen Mann in den besten Jahren halten. Er war groß, von schlankem Wuchs und seine Gesichtszüge waren noch eben. In seinen Augen hingegen lag die Weisheit vieler erlebter Menschenalter, und seine spitz geformten Ohren bezeugten seine Abstammung vom elfischen Volk. Jenem Volk, welches die aufstrebende Menschheit von Anbeginn an begleitet und den Aufstieg und Fall schon so vieler Stämme der Menschenwesen erlebt hatte. Elodarions weißblonde Haare fielen ihm lang und glatt über den Rücken und wurden im Nacken von einer Spange gehalten, welche die Form einer erblühten Lilie hatte. Diese Lilie war das Symbol seines Hauses und wiederholte sich in den feinen Mustern seines langen Gehkleides und des blauen Umhanges, der die Schultern des Elfenmannes verhüllte.

Elodarion war alt, selbst für die Begriffe der Unsterblichen, und er zählte zu den begünstigten Elfen seines Volkes, denn seine Gefährtin hatte ihm vor nunmehr fünfhundert Jahren das Glück geschenkt und ihm zwei Kinder geboren. Kinder waren selten im Volk der Elfen, und noch dazu deren zwei im selben Haus waren ein Segen, der nur sehr wenigen Gefährten zuteil wurde.

Elodarion trat auf einen der kleinen Balkone seines Hauses und legte eine Hand auf das fein geschnitzte Geländer. Die Holzkonstruktion wirkte so zierlich, dass sie kaum in der Lage zu sein schien, einen Sturz aufzufangen, doch sie war aus bestem Steinholz und ihr glatter Handlauf verriet, dass er schon oft von Händen berührt worden war. Der Elfenmann zog den blauen Umhang enger um seine Schultern, als fröstele es ihn, obwohl ein sanfter und warmer Wind über die kleine Waldlichtung strich, auf der sich Baum und Haus erhoben. Elodarion blickte nach Osten, als könne er durch den Wald und die Lande dort jenen Ort erkennen, dessen Macht er wachsen spürte. Eine düstere Bedrohung, der das elfische Volk vor so vielen Menschenaltern und dem Bruchteil eines elfischen Lebens schon einmal begegnet war.

Elodarion strich mit der Hand über den Handlauf des Balkons, so als wolle er sich vergewissern, dass dieser Bestand haben und mit ihm das Haus Elodarions unbeschadet der dunklen Macht widerstehen würde. Er spürte, wie seine Gefährtin hinter ihn trat. „Schon einmal haben wir es gespürt“, sagte er leise. „Das Wachsen der Dunklen Macht. Und lange haben wir ihm zugesehen.“

„Und schon einmal wurde sie besiegt.“ Seine Gefährtin trat neben ihn, und ihre Gestalt wirkte vollendet und anmutig. Nach all den gemeinsam verbrachten Jahren waren sie einander zutiefst verbunden, gleichsam als seien sie ein einziges Wesen, und sie verspürten die gleiche Sorge.

„Damals waren die Stämme der Menschenwesen kraftvoll und zahlreich. Heute gibt es deren nur noch wenige. So viele fielen zurück in die Barbarei und entzweiten sich. Der alte Bund ist zerfallen und existiert nicht mehr. Das Streben nach Macht und Glück erfüllt die Menschen, und in ihrer Gier danach kennen sie kein Maß mehr."

Sie legte ihre Hand auf die seine, und für einen Moment gaben sie sich stumm ihrer Verbundenheit hin. „Sie haben so wenig Zeit, ein Maß zu finden", sagte Eolyn schließlich leise. Eolyn, Tau, der den Morgen streichelt. Für Elodarion konnte es keinen zutreffenderen Namen für seine Gefährtin geben.

„Das Bündnis konnte einst die Dunkle Macht bezwingen. Nun ist diese erneut erstarkt und stärker als je zuvor. Die Macht breitet sich aus und eines Mondes wird sie auch die Häuser des Elfenvolkes erreichen."

Eolyn lächelte sanft. „Unsere Häuser mögen dann schon weit jenseits der Meere stehen."

„Nein." Elodarion schüttelte langsam den Kopf. „Du weißt, dass dies ein Trugschluss ist. Eines Tages wird die Dunkle Macht selbst über die Meere hinweg reichen. Wir müssen ihr entgegentreten. Jetzt, solange wir noch die Kraft dazu finden und es noch Menschenwesen gibt, mit denen wir den Bund erneuern können."

„Werden die Menschenwesen dies auch tun? Spüren sie denn die Drohung, die von der Dunklen Macht ausgeht, und werden sie sich ihr widersetzen oder aber sich ihr hingeben?" Eolyn sah ihren Gefährten zweifelnd an. „Nur gemeinsam mit den Menschenwesen werden wir der Dunklen Macht erneut widerstehen können. Doch die meisten Stämme der Menschenwesen sind zerfallen und nur wenige haben sich einen Teil ihrer einstigen Macht bewahrt."

„Der Rat hat beschlossen, den alten Bund mit den Menschenwesen zu erneuern." Elodarion wies mit einer weit ausholenden Geste über den Wald. „Die Häuser des Waldes und der See haben ihre Männer versammelt und die Bogenschützen des elfischen Volkes werden in den Kampf ziehen. Das Schicksal wird zeigen, ob wir dies erneut in der Gemeinschaft eines Bundes tun werden." Er blickte Eolyn ernst an und umschloss ihre Hand. „Lotaras und Leoryn sind erwählt worden, Kontakt zu den Königen der Menschenstämme aufzunehmen und den Bund zu erneuern."

„Lotaras und Leoryn?" Für einen Augenblick zeigte sich Sorge im Gesicht Eolyns. „Sie währen erst fünfhundert Jahre und haben bislang noch nie Kontakt zu den Menschenwesen gehabt."

Elodarion lächelte. „Ich spüre deine Sorge wohl, Eolyn. Doch sie wissen, was auch wir wissen, sind im Gegensatz zu uns aber nicht voreingenommen, da sie die alten Könige der Menschen nicht kannten. Sie werden den neuen Herrschern unbelastet entgegentreten. Jene Menschenwesen, die unser Volk noch kennen, wissen um die besondere Bedeutung der Kinder für unsere Häuser. Wenn wir unsere Kinder folglich als Botschafter zu ihnen entsenden, werden sie diesen Umstand als besondere Ehre werten. Und habe keine Sorge. Auf dem Weg nach Süden und später nach Osten werden sie von den Bogenschützen unserer Häuser begleitet."

Eolyn blickte nachdenklich nach Osten, als könne auch sie durch die Bäume des Waldes hindurch den Ort der Gefahr erblicken, und die Luft schien ihr plötzlich schwer und kühl.

## 2

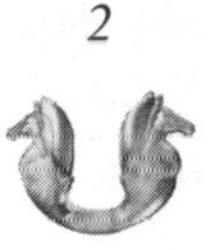

Zunächst sah es danach aus, als habe sich einer der zahllosen Gesteinsbrocken von den steilen Hängen des Pfades gelöst. Aus der Ferne war jedenfalls nur das typische ungleichmäßige Grau eines großen Steines mit seinen grünen Stellen zu erkennen, die vom Moosbewuchs herrührten. Aber als die fünf Reiter langsam näher kamen, wurden zusätzlich auch bräunliche Flecken sichtbar, und die Pferde spürten noch vor den Männern, dass dies kein gewöhnlicher Felsen war. Kormunds grauer Hengst schnaubte leise, und der stämmige Mann beugte sich ein wenig vor, um den Hals seines Tieres beruhigend zu tätscheln. Reiter und Pferd nahmen jetzt beide den leichten Geruch von Kupfer wahr. Den Geruch von vergossenem Blut.

„Ganz ruhig, mein Alter", sagte Kormund leise. „Ich weiß ja, was du meinst."

Der kräftige Reiter hielt den Blick aufmerksam auf den zweifelhaften Felsen und die umgebenden Hänge gerichtet und hob dann seine rechte Hand leicht an. Er hörte das leise Pochen der Hufe, als die anderen vier Reiter rechts und links von ihm zur Kampfformation ausschwärmten. Wobei Parem, der noch unerfahren war, sein Pferd zu weit vortrieb, doch ein missbilligender Blick seines benachbarten Reiters ließ ihn errötend seine Position korrigieren. Nichts war zu hören, außer dem steten Wind, der hier über die Hänge der Hochmark strich, und dem gelegentlichen Knarren des ledernen Sattelzeugs. Der Wind der Hochmark ließ auch die langen grünen Umhänge der Reiter unruhig auswehen, als seien sie eigenständige Lebewesen. Sie alle trugen die grünen Umhänge der Pferdelords und vor ihren rechten Schenkeln hingen die typischen Rundschilde ihres Volkes vom Sattelknauf. Grüne Schilde mit dem Wappen der Hochmark des Königs, einem doppelten Pferdekopf mit einem Schmiedehammer, und diese gekreuzten Symbole wiederholten sich auch auf den Brustharnischen der Männer. Blaue Rosshaarschweife waren an den Kämmen ihrer runden Helme befestigt. Die Reiter trugen Lanze und Schwert der Wache des Pferdefürsten Garodem. Schwertmänner nannte man sie, und sie waren stolz auf diesen Ehrentitel. Von Kormunds erhobener Lanzenspitze wehte der lange dreieckige Wimpel der Pferdelords aus und zeigte an, dass er der Führer eines Beritts war. Der Wimpel bildete ein weißes Pferd auf grünem Grund ab, wobei der Kopf des Tieres stets nach vorne, dem Feind entgegen wies, und er war rundherum mit einer schmalen dunkelblauen Borte eingefasst. Dem dunklen Blau der Hochmark.

Kormund ließ sein Pferd im Schritt auf den vermeintlichen Felsbrocken, der vor der Patrouille auf dem Weg lag, zugehen, und als die Gruppe näher kam, wurde der faulige und süßliche Geruch der Verwesung, der von dem Klumpen ausging, zunehmend für alle riechbar. Insekten begannen sich von dem Gegenstand zu erheben, und nun wussten sie, dass hier wohl ein menschliches Lebewesen den Tod gefunden haben musste, denn der Klumpen vor ihnen war zu klein für ein Pferd und zu groß für ein Schaf, aber genau richtig für einen Menschen.

Die Gruppe hielt neben dem Toten an, und Kormund und sein Freund und Stellvertreter Lukan schwangen sich aus den Sätteln. Sie stießen die Lanzenenden in den Boden und gingen nebeneinander zu den menschlichen Überresten hinüber.

„Einer der unseren“, brummte Lukan und rümpfte wegen des Gestanks die Nase, als er den Toten herumzog. Jetzt wurden die Konturen der Gestalt deutlicher, ebenso wie die Verletzungen, die der Mann erlitten hatte. Auch der vom Wind herangewehte feine Staub löste sich teilweise und entblößte nun die Kleidung und Wunden des Toten. Lukan zupfte an dem grünen Umhang der Leiche. „Ein Pferdelord."

Kormund nickte. „Einer der unseren. Aber nicht aus der Hochmark. Habt Ihr den Saum gesehen?"

„Natürlich." Der Umhang war mit einem goldenen Saum eingefasst, was ihnen zeigte, dass es sich bei dem Reiter, der vor ihnen lag, um einen Mann aus der Mark des Königs gehandelt haben musste. Sein Gesicht war unkenntlich. „Ich denke, er dürfte fünf oder sechs Tage hier liegen. Jedenfalls noch keinen Zehntag." Er sah sich um. „Kein Helm. Er hat seinen Helm verloren. Seltsam."

Der Helm hätte ihnen verraten können, ob der Mann direkt vom Hofe des Königs gekommen war, denn alle Schwertmänner der königlichen Wache trugen keine blauen, sondern helle Rosshaarschweife an ihren Helmkämmen. Die Augen und größere Gewebeteile des Toten waren bereits von Aasfressern und Insekten weggefressen worden. Lukan knurrte missmutig und starrte in den halb offenen Mund der Leiche. „Die Zähne sind noch in Ordnung. Es muss ein junger Mann gewesen sein. Was, beim Dunklen Turm, hat ein Pferdelord des Königs hier bei uns verloren?"

„Ja, das würde mich auch interessieren." Kormund bückte sich neben seinem Freund und begann die Leiche zu untersuchen. „Aber zunächst interessiert mich, was ihn getötet hat. Seht Ihr diese parallelen Risse in seiner Kleidung? Sieht ganz nach den Krallen eines Pelzbeißers aus."

Lukan wiegte den Kopf. „Ein Pelzbeißer? Hier bei uns? Ich weiß nicht, die Mark liegt ziemlich hoch im Gebirge. Ein Pelzbeißer findet hier nicht viel, was er fressen kann, und würde wohl ziemlich hungrig bleiben. Oder aber in seinem Hunger eine der Herden anfallen und danach ein rasches Ende finden, denn die Herdenwächter sind nicht zimperlich."

„Vielleicht ein alter Einzelgänger, der aus den tiefen Marken zu uns hoch kam und hungrig genug war, um einen Mann anzufallen."

Lukan grinste. „Stellt den jungen Parem auf die Probe und nicht mich, mein alter Freund. Ihr seht selbst, dass hier nur kleine Aasfresser ihr Werk verrichtet haben. Ein hungriger Pelzbeißer hätte sich einen ordentlichen Happen genommen."

Lukan sah seinen stämmigen Freund kopfschüttelnd an und zupfte dann an den Überresten der Kleidung des Toten. Der faulige Gestank verstärkte sich noch, als er dessen Bekleidung schließlich mit dem Dolch zerschnitt und auseinanderzog. Unter Harnisch und Wams war der Körper bereits aufgedunsen und sichtlich in Verwesung übergegangen. Aber die vielen tiefen Schlitze im Leib waren dennoch gut zu erkennen. Es gab jeweils vier tiefe Furchen, die bis zu den Organen vorgedrungen waren.

Lukan hielt eine Hand mit gespreizten Fingern über die Wunden und nickte dann. „Sieht wirklich nach einem Pelzbeißer aus. Ein sehr großes Exemplar. Jedenfalls sehe ich nichts, was auf Schwert, Pfeil oder Lanze hindeutet. Nein, ich denke, es muss wohl doch ein Raubtier gewesen sein."

„Jedenfalls werden wir nun wohl schwerlich erfahren, was der arme Kerl bei uns wollte." Kormund erhob sich und trat mit seinem Freund zur Seite, um dem Gestank etwas auszuweichen. „Ein Pferdelord des Königs. Seit über dreißig Jahren ist kein Mann des Königs mehr in der Hochmark gewesen."

„Mit Sicherheit kam er nicht ohne Grund. Doch darüber

mag sich der Pferdefürst den Kopf zerbrechen." Lukan stieß seinen Dolch einige Male in den Boden, um ihn zu säubern, und steckte ihn danach wieder in die Scheide an seinem Gürtel zurück. „Was meint Ihr, Kormund, mein Freund, soll die Schar weiter an der Grenze entlangreiten oder sollen wir vorzeitig nach Eternas zurückkehren?"

„Wir suchen nach Raubzeug und Eindringlingen, Lukan. In der letzten Zeit sind einfach zu viele Schafe gerissen worden. Die Menschen in den Gehöften und Weilern sind unruhig. Vielleicht ist es dieser Pelzbeißer, der all das verursacht hat, und wir sind ihm nun endlich auf der Spur."

„Fünf oder sechs Tage. Eine recht kalte Spur, alter Freund."

Kormund zuckte die Achseln. Er sah die anderen Reiter an. „Wir sehen uns erst einmal hier um, ob wir in der Nähe noch andere Spuren finden. Achtet auf den Krallenabdruck eines Pelzbeißers." Er blickte zu der Leiche hinüber. „Und begrabt den Mann in Ehren."

Natürlich war es Parem, der noch unerfahrene Pferdelord, dem die undankbare Aufgabe zufiel, ein Grab vorzubereiten. Er saß mit den anderen Männern ab und zog seinen Dolch, um am Rand des Pfades eine flache Grube auszuheben, die man danach mit Steinen bedecken würde. Der Rest der Schar schwärmte aus und suchte nach Spuren. Aber der Boden war hart und steinig, so dass es nicht leicht war, etwas zu finden. Doch das waren die Männer der Hochmark gewöhnt, und sie brauchten nicht viel, um Hinweise zu finden. Ein Stein, der umgedreht worden war und dessen mit Moos bewachsene Seite nach oben zeigte, ein paar helle Kratzer auf den Felsen, vielleicht sogar ein Abdruck an den wenigen weichen Stellen im Boden … Wenn es etwas gab, würden es die erfahrenen Männer auch finden. Es war ihre Aufgabe, denn die Schafe stellten den Reichtum der Hochmark dar. Die Schafe und das Erz, das man hier reichlich fand. Aber Erz konnte man nicht essen und der Verlust von Schafen bedeutete eine große Gefahr. Nein, die Männer nahmen ihre Aufgabe ernst.

Der schlaksige junge Parem, dessen rotblonde Haare unter dem Rand seines Helmes herausschauten, hatte mittlerweile eine flache Grube fertig ausgehoben und blickte angewidert, als ihm nun auch noch die unangenehme Aufgabe zufiel, die Leiche dorthin zu schaffen. Kormund sah zu ihm hinüber und verzog das Gesicht. Doch er konnte dem jungen Mann keinen ernsthaften Vorwurf machen. Also ging er zu Parem hinüber, um ihm zu helfen.

„Ich weiß, es ist keine angenehme Pflicht“, knurrte er und packte mit an. „Aber ein Pferdelord verdient auch im Tode eine ehrenvolle Behandlung. Keiner der Unseren bleibt für das Raubzeug liegen. Atme stärker durch den Mund ein, das macht es etwas leichter.“

Sie legten die Leiche in die flache Grube, und Kormund war erleichtert, als ihnen dies auf Anhieb gelang. Er hatte schon anderes erlebt. Damals, als es noch Kämpfe und große Schlachten gegen den Feind gegeben hatte, hatte man für manchen Toten mehrere Handreichungen machen müssen. Sie hüllten die Leiche notdürftig in den zerfetzten grünen Umhang mit dem goldenen Saum der königlichen Wache ein. Der Scharführer sah Parem zögern. „Was ist?“

„Seine Waffe“, murmelte der junge Pferdelord verwirrt. „Ich kann keine Waffe finden. Wir müssen ihm doch seine Waffe in die Hand geben, nicht wahr? So will es doch die Tradition.“

Kormund fluchte unterdrückt. Warum war ihm das nicht aufgefallen? Ihm als altem Krieger und erfahrenem Pferdelord hätte dies sofort auffallen müssen. Wo waren die Waffen des Toten? Kein Pferdelord ging ohne Waffen durchs Leben und kein Pferdelord ging ohne Waffen zu den Goldenen Wolken. Wo waren die Waffen?

Kormund richtete sich auf und erhob seine Stimme. „Seine Waffen fehlen! Lukan, wie weit kann einem Mann im Kampf ein Schwert aus der Hand geschleudert werden?"

„Vier, vielleicht auch fünf Längen", kam Lukans Antwort.

„Dann sucht auf zehn Längen um die Fundstelle herum", rief Kormund. „Seine Waffen müssen zu finden sein. Zumindest *eine* Waffe."

Denn wenigstens eine Waffe mussten sie dem Toten in die Hand geben, damit er als Pferdelord ehrenvoll zwischen den Goldenen Wolken voranstürmen konnte. Also begannen die Männer nach dem Schwert, der Lanze oder dem Bogen des Mannes zu suchen. Doch sie fanden nicht einmal seinen Dolch. Nach einer Weile erfolglosen Suchens rief Kormund die Männer zu sich zurück.

„Kein Raubtier entwendet Waffen", knurrte Lukan grimmig. „Also muss jemand vorbeigekommen sein und sie dem Toten abgenommen haben."

„Und wer es auch war, dieser Jemand war kein Pferdelord, denn kein Pferdelord würde einem Toten jemals die Waffe nehmen", bestätigte Kormund mit finsterem Gesicht. „Ein Dieb ist in der Hochmark. Vielleicht ein Geächteter oder Plünderer aus den fernen Ländern."

„Oder Orks", wandte Parem ein.

Lukan musterte den jungen Reiter auflachend. „Orks. Seit einem Menschenalter sind keine Orks mehr in die Marken des Königs eingedrungen. Wer von euch, außer Kormund und mir, hat denn überhaupt schon einmal einen Ork zu Gesicht bekommen?" Lukan spuckte aus. „Orks. Vor vielen Jahren haben wir sie niedergeritten, und wir taten es ruhmreich. Nie wieder werden Orks das Land der Pferdelords beschmutzen. Sie gehören ins Land der Sage."

„Wie die Elfen", knurrte ein anderer Reiter.

„Das ist etwas anderes", erwiderte Lukan. „Elfen gibt es noch." Er zuckte die Achseln. „Sagt man jedenfalls", schränkte er ein. „Irgendwo in den westlichen Landen und im Norden. Der Pferdefürst selbst hat einst einige von ihnen am Hofe des Pferdekönigs gesehen. Nein, Elfen gibt es noch. Aber Orks? Unsere Klingen haben sie in die Flucht geschlagen und die Hufe unserer Pferde haben sie in den Boden gestampft."

„Das ist wohl wahr", sagte Kormund leise. „Dennoch mag es noch welche geben. Aber sie würden es nicht wagen, jemals wieder unser Land zu betreten. Doch es gibt mehr als genug Söldner, Plünderer und Barbaren, die auf dem Raubzug sein könnten. Hinter dem Tod des Mannes vom Hofe des Königs scheint mir mehr zu stecken, als ich zunächst gedacht habe." Der Scharführer reckte sich nachdenklich. „Auch wenn es nur eine kleine Handvoll Eindringlinge sein mag, so bilden sie doch für die abgelegenen Gehöfte eine Gefahr. Der Pferdefürst muss davon erfahren."

„Also kehren wir nach Eternas zurück", stellte Lukan fest.

Kormund nickte. „Das tun wir." Er blickte auf das unvollendete Grab. „Zunächst erweisen wir jedoch dem Toten unsere Ehre."

Sie traten an das offene Grab heran und blickten sich dann zögernd an. Sie wussten, was zu tun war, doch kein Pferdelord gab gerne seine Waffe aus der Hand. Schließlich stieß Kormund ein leises Knurren aus. Er konnte von seinen Männern nicht erwarten, was er selbst nicht zu vollbringen bereit war. Mit einem leisen Zischen fuhr die Klinge seines Schwertes aus der Scheide und er bückte sich, um die Hand des Toten um den Griff der Waffe drücken zu können.

Lukan legte seinem Freund die Hand auf die Schulter. „Wohl getan, mein alter Freund."

Kormund seufzte leise. „Es gibt noch viele andere gute Klingen. Die Hochmark ist reich an Erzen und dieser Mann muss Ehre haben."

Sie sprachen die rituellen Worte, zu denen sie ihre Toten in die Goldenen Wolken entließen, und schichteten im Anschluss darauf sofort mehrere Steine über die Leiche, damit kein Raubtier sie schänden konnte. Danach standen sie in Linie an dem einsamen Grab und schlugen ihre Waffen im Takt eines galoppierenden Pferdes an die Rundschilde. So begleitete der symbolische Hufschlag den Ritt des Toten zu den Goldenen Wolken.

Kormund zog seine Lanze mit dem flatternden dreieckigen Wimpel aus dem Boden, trat an die linke Seite seines Pferdes und saß auf. Routiniert schob er den rechten Schenkel hinter den grünen Rundschild und stellte die Lanze in den eisernen Köcher am Steigbügel. Er wandte sich den anderen Männern zu.

„Nach Eternas."

Kormund ritt an und die anderen folgten dem flatternden Wimpel. Hinter ihnen blieb das einsame Grab zurück, das den Scharführer zunehmend beschäftigte. Es ging etwas vor sich in der Hochmark, und dieses Etwas gefiel ihm nicht.

## 3

Einst hatte Balwin einen großen Baum gefunden. Dieser große Baum hatte sein Leben verloren, als Balwin den Tragebalken für die Decke seines Hauses aus ihm gefertigt hatte, und so war aus dem großen Baum ein großes Haus geworden. Es gab nicht viele große Bäume in der Hochmark und in der Regel schon gar keine, die es erlaubten, einen dicken Balken von fünf Längen aus ihnen herauszuschälen. Die Hochmark war reich an Schafen und Erzen, sogar an üppigen Weiden, doch nicht an Bäumen. Natürlich gab es Bäume, vor allem an der Südgrenze der Hochmark, doch diese waren meist klein und wirkten leicht verkrüppelt, denn sie hatten um ihr Leben zu kämpfen.

Nedeam war froh, dass sein Vater ein großes Haus gebaut hatte, denn so besaß der Zwölfjährige eine eigene Kammer. Wahrscheinlich waren auch seine Eltern, Balwin und Meowyn, nicht unglücklich über diesen Umstand, da die eigene Kammer des Sohnes ihnen eine gewisse Bewegungsfreiheit ließ. Gelegentlich konnte Nedeam dies dem Knarren der Bettstatt seiner Eltern entnehmen. Er war durchaus schon in einem Alter, in dem er wusste, warum es Männer und Frauen zueinander zog, und gelegentlich zog es seine Eltern ganz besonders zueinander hin. Dann stöhnten und seufzten seine Eltern recht stark, weshalb Nedeam davon ausging, dass beide Schmerzen leiden mussten. Erblickte er sie dann aber am nächsten Morgen, schienen sie beide gleichermaßen ein eigenartiges Lächeln im Gesicht zu tragen, und Nedeam fragte sich, was das wohl für Schmerzen sein mussten, die auch Freude bereiteten und glücklich machten. Er selbst hatte sich vor einem Jahr einmal mit dem Hammer auf die Hand geschlagen und dabei trotz der Schmerzen keinerlei Freude empfunden.

Nedeam hatte nicht gut geschlafen. Nicht nur wegen des Knarrens, sondern weil er aufgeregt war, denn heute sollte ein besonderer Tag für ihn werden, das hatte ihm sein Vater angekündigt. So war Nedeam schon in aller Frühe aufgestanden und hatte sich an den Tisch gesetzt, der im Wohnraum stand. Der Tisch war alt, und seine massive Platte mit den zahllosen Kratzern bewies, dass er der Familie seit langem diente. Eine Scharte war besonders tief und lang und rührte daher, dass sein Vater einmal mit seinem Schwert in den Tisch gehauen hatte. Das Schwert war ebenso massiv wie sein Träger Balwin und Balwin zudem mit einem außergewöhnlichen Temperament gesegnet. Aber der Tisch hatte gehalten, so wie auch Nedeams Mutter Meowyn wohlweislich ihren Mund gehalten hatte.

Der große Wohnraum war behaglich eingerichtet. Neben dem großen Tisch und der Bank standen hier noch drei Schemel aus gutem Holz. Auf dem gestampften Boden lagen sorgfältig behauene Steinplatten, die im Winter zwar kalt sein mochten, dafur aber verhinderten, dass sich Nager ihren Weg durch den Boden zu den Vorräten gruben. Der Boden war im Winter tatsächlich kühl, aber man gewöhnte sich daran. An einer Wand stand die in der Hochmark übliche große eisenbeschlagene Familientruhe, in der jede Familie ihre wertvollen Besitztümer aufbewahrte. In Balwins Fall waren dies seine Waffen. Nur sein mächtiges Rundschild lehnte neben der Tür an der Wand, und sein Schwert lag nachts griffbereit in der Kammer, direkt neben seiner Bettstatt.

In der gemauerten Kochstelle mit der eisernen Abdeckung glimmten noch die Reste des letzten Feuers und der Junge ging hinüber und blies prüfend in die Glut. Sie war noch stark genug, und so legte er schnell einen getrockneten Schaffladen nach. Wo Holz knapp war, gewöhnte man sich rasch an den Geruch getrockneten Dungs. Sein verstorbener Großvater Windemir hatte Nedeam einmal erzählt, wie er sich mit einem Pferdelord aus einer anderen Mark geschlagen hatte, da dieser behauptet hatte, dass man die Männer der Hochmark schon an ihrem Geruch erkennen könne. Der aufgelegte Dung fing erst zu knistern und dann ein wenig zu rauchen an, als die Restfeuchtigkeit verdampfte, bis er schließlich sanft flackernd zu brennen begann.

Man verschwendete nichts in der Hochmark. Getrockneter Dung wurde niemals knapp und das reichlich vorhandene Moos war nicht nur ein gutes Heilmittel, sondern in getrocknetem Zustand auch ein guter Zunder.

Nedeam ging fröstelnd zur Tür und nahm seinen Umhang vom Haken. Ein wenig neidisch blickte er dabei auf den grünen Umhang des Vaters, der sich so sehr von seinem eigenen braunen unterschied. Der Umhang war aus schwerer grüner Wolle und knöchellang. Sein Saum war mit feinen Stickereien von dunkelblauer Farbe eingefasst, die verschlungene Muster zeigten. Der Großvater hatte einmal behauptet, diese Muster seien elfischen Ursprungs und würden noch aus der Zeit des alten Bundes stammen. Am Hals wurde der Umhang durch eine Spange geschlossen, die zwei einander abgewandte Pferdeköpfe zeigte. Diese Pferdeköpfe waren das Symbol des Volkes der Pferdelords, und der Umhang versinnbildlichte somit all die Traditionen, für die sein Träger einstand. Doch irgendwann würde auch Nedeam den Umhang eines Pferdelords tragen dürfen. Reiten konnte er bereits, wie fast alle in der Hochmark, aber er durfte noch keine Waffen tragen. Der Dolch, den jeder in der Mark trug, diente ihm lediglich als Besteck, als Werkzeug und zur Körperpflege. Und nur wenn Nedeam die kleine Herde hütete, durfte er einen Bogen mit sich führen. Balwin hatte ihm beigebracht, wie man einen Pfeil ins Ziel brachte, und schließlich sogar zugeben müssen, dass sein Sohn ein ausgesprochenes Geschick darin besaß, mit dem Bogen umzugehen. Doch bis Balwin ihn auch im Umgang mit Schwert oder Axt unterweisen würde, würden noch Jahre vergehen.

Nedeam verspürte ein drängendes Bedürfnis und hob den schweren Riegel der Tür aus seiner Verankerung. Kalte Luft strömte ihm entgegen, als er sie öffnete und vor das Haus trat. Das Haus war massiv, wie alle Gebäude in der Hochmark. Es war niedrig und lang gestreckt, um genügend Raum zu bieten und zugleich den Stürmen des Winters zu trotzen. Der Mangel an Bauholz hatte dazu geführt, die Bauten aus Stein und Fels zu errichten, denn auch daran war die Hochmark reich. Aber die Männer und Frauen hatten aus der Not eine Tugend entwickelt. Die Steine wurden nicht einfach grob zusammengefügt, sondern kunstvoll bearbeitet und mit Verzierungen versehen, die oftmals Motive aus der jeweiligen Familiengeschichte zeigten. So zeigte Balwins Haus im Türsturz das Bild eines Mannes über einem getöteten Pelzbeißer. Nedeams Großvater Windemir hatte den pelzigen Räuber einst mit einem Dolch getötet, und die ganze Familie war stolz darauf, denn es gab nicht viele, die sich rühmen konnten, ein solches Untier jemals mit blanker Klinge besiegt zu haben.

Die Tür selbst war aus massiven Bohlen und mit starken Eisenbeschlägen versehen, die ebenfalls kunstvoll geschmiedet waren. Neben der Tür befanden sich eiserne Ringe, die in die Hauswand eingelassen waren und es einem Reiter erlaubten, die Zügel seines Pferdes daran zu befestigen, auch wenn das

Pferd eines richtigen Pferdelords eine solche Vorrichtung gar nicht brauchte, denn es war darauf trainiert, sich niemals weit von seinem Herrn zu entfernen. Einige Längen vor dem Haus stand die Tränke und Nedeam sah eine dünne Eisschicht auf dem Wasser.

Er schüttelte sich fröstelnd und sah zu dem kleinen Verschlag hinüber, der ein Stück neben dem Haus stand. In ihm konnte man sich erleichtern, ohne das Haus im Sommer mit unangenehmen Gerüchen zu erfüllen. Nedeam trat an den Verschlag heran und schob das Fell am Eingang zur Seite und ließ es rasch wieder hinter sich zuschlagen. Er mochte die Kälte des frühen Morgens nicht, vor allem, wenn er sein Gesäß entblößen musste. Der Knabe vergewisserte sich, dass die gewaschenen Wolltücher bereitlagen, und widmete sich dann seiner Verrichtung. Sorgsam reinigte er sich, wusch die Wolltücher in dem bereitgestellten Wassereimer aus und nahm ein weiteres Tuch, um sein Gesäß zu trocknen. Anschließend reinigte er seine Hände in einem zweiten Eimer. Seine Mutter legte größten Wert auf diese Reinlichkeit, obwohl Nedeam sich manchmal dachte, dass seine Hose genauso gut dazu geeignet war, sich an ihr die Hände zu trocknen. Aber Meowyn war da stur wie ein rossiger Hengst.

Nedeam verließ den Verschlag und kehrte zum Haus zurück. Noch immer frierend, schlang er sich seinen braunen Umhang um die Schultern und setzte sich wieder an den Tisch. Das Licht war trübe, denn die Fettlampe war über Nacht ausgegangen, und obwohl es draußen bereits hell wurde, ließ das Fenster nicht viel Licht herein. Balwin hatte dessen hölzernen Rahmen mit dem Darm eines Schafes bespannt, und Meowyn hielt ihn regelmäßig sauber, aber die transparente Haut filterte das Licht trotzdem immer trübe. Nedeam klopfte unruhig mit den

Fingerspitzen auf die Tischplatte. Heute würde ihm sein Vater erstmals eine große Verantwortung übertragen. Er würde nach Eternas reiten und dort die Stadt und die Burg des Pferdefürsten Garodem sehen, ohne dass seine Eltern ihn mit Argusaugen beobachten konnten.

Der Zwölfjährige hörte ein vernehmliches Gähnen und Schnauben, einen leisen Fluch, als etwas hörbar gegen die Bettstatt der Eltern stieß, und schließlich das leise Murmeln seiner Eltern. Kurz darauf wurde das dicke Schafsfell zurückgeschlagen und Balwin trat aus der Schlafkammer in den Wohnraum. Er runzelte die Stirn, als er seinen Sohn am Tisch sitzen sah, und grinste dann.

„Eternas ruft, was, mein Sohn?“ Balwin lachte gutmütig und blickte zur Feuerstelle. Er sah den frischen Schaffladen brennen und nickte zufrieden. „Nun, du solltest dich stärken. Du wirst drei Tage lang fort sein, wenn alles glatt verläuft.“ Balwin erhob seine Stimme. „Meowyn, Weib, erhebe dich.“

So grob und starkknochig sein Vater Balwin wirkte, so zart und zierlich war Meowyns Gestalt, die kaum zu der ihres Mannes zu passen schien. Mechanisch glättete sie ihre langen blonden Haare mit ihrem Hornkamm, während sie das Schafsfell zur Seite drückte und ihren Kopf in den Raum schob. „Ja, mein Gebieter“, sagte sie mit leiser Stimme und zwinkerte Nedeam dabei fröhlich zu.

„Ihr habt wieder geknarrzt“, entschlüpfte es Nedeam.

Meowyn errötete ein wenig und Balwin sah seinen Sohn stirnrunzelnd an. Er drohte ihm grinsend mit dem Finger und sah dann seine Frau an. „Verdammtes Weib. Ich habe dir schon so oft gesagt, dass du dabei nicht einen solchen Lärm machen sollst.“

„Binde die Bettstatt neu“, erwiderte Meowyn spöttisch.

„Oder leichtere dich."

„Ich brauche meine Muskeln", knurrte Balwin mit gespielter Empörung. „Und eil dich endlich, unserem Jungen etwas Ordentliches aufzutischen. Er muss heute die Arbeit eines Mannes verrichten und nach Eternas reiten."

Balwin nahm sich den eisernen Eimer und ging damit zur Tür. „Am besten wirst du dir nach dem Frühstück Stirnfleck satteln. Er ist ein gutes Pferd, stark und ausdauernd."

Nedeam nickte stumm und sah zu, wie sein Vater das Haus verließ, um Wasser aus dem nahe liegenden Bachlauf holen zu gehen. Meowyn trug noch immer ein Lächeln ob der vergangenen Nacht in den Augen, als sie den Kessel auf die Feuerstelle stellte und Brot aus der verzierten Vorratstruhe nahm, die Nedeam einst auch als Wiege gedient hatte. Im Gegensatz zu Balwin führte sie eine sanfte Stimme und Nedeam war sich keineswegs sicher, wer von seinen Eltern wirklich im Haus gebot. Balwin liebte es, seine Stimme zu erheben, aber wenn Meowyn ihn anlächelte, beruhigte sich sein Wesen seltsamerweise sofort.

„Wir werden Salz brauchen", sagte seine Mutter, während sie das Frühstück vorbereitete. „Dein Vater wird dir dafür zum Handeln ein paar Felle und Wolle mitgeben." Sie lächelte ihren Sohn an. „Vielleicht fällt sogar etwas Süßwurzel für dich ab."

Nedeam grinste erfreut. Er liebte Süßwurzeln. Man musste sie zwar ordentlich kauen, bis sie ihren Saft endlich freigaben, aber danach waren sie ein köstlicher, wenn auch seltener Genuss. Balwin brachte das Wasser herein und setzte sich dann zu Nedeam an den Tisch. Er beugte sich ein wenig zu ihm vor und senkte dabei seine Stimme, damit Meowyn nicht alle seine Worte verstehen konnte. Was schwer war, denn Nedeam wusste, wie gut seine Mutter hören konnte. Vor allem jene Dinge, die sie eigentlich nicht hören sollte.

„Hör zu, mein Sohn, das mit dem Knarrzen … halte es für dich. Es macht deine Mutter verlegen, wenn du darüber sprichst.“ Balwin bemerkte den Blick seiner Frau und errötete ein wenig. Verlegen zupfte er an seinem dunklen Vollbart. „Nun, wie auch immer.“ Er räusperte sich. „Du wirst an meiner Stelle zum Eisenschmied nach Eternas reiten und dort ein neues Messer für die Schafschur besorgen. Guntram ist ein alter Gauner. Er wird versuchen, dich übers Ohr zu hauen. Aber gib ihm keinesfalls mehr als ein Fell. Der alte Gauner hat mehr als genug Eisen und die Arbeit tut ihm nur gut. Und achte darauf, dass die Klinge des Messers gut geschärft ist.“

„Natürlich, Vater“, sagte Nedeam ernsthaft. „Ich werde darauf achten. Soll ich auch die alte Schurklinge mitnehmen, damit sie nachgeschmiedet werden kann?“

Balwin nickte. „Das ist eine gute Idee. Ich schärfe sie zwar regelmäßig, aber langsam wird sie dünn und schartig. Es wäre tatsächlich besser, wenn Guntram ihre Schneide neu schlagen würde.“ Balwin schlug seinem Sohn freundlich auf die Schulter und der Schlag durchfuhr den schmächtigen Jungen. „Du denkst richtig, Nedeam, und das ist gut so. Denn irgendwann wirst du ein eigenes Haus gründen und dazu musst du wissen, wie ein Herdenhüter denkt.“

„Das hat wohl noch ein wenig Zeit“, wandte Meowyn ein und brachte Brot, Schmalz und Schafskäse zum Tisch.

„Hast Recht, Meowyn“, sagte Balwin auflachend. „Pferde mag er schon besteigen. Das andere hat noch Zeit.“ Er lachte, bis seine Frau sich räusperte.

Nedeam spürte, dass da noch etwas anderes im Raum stand, das für ihn wohl noch ein Geheimnis bleiben sollte, aber er konnte sich schon denken, dass dies mit dem Knarrzen zu tun hatte, und er lächelte verstohlen. Nedeam nahm die flachen

Schüsseln entgegen und verteilte sie, während sein Vater große Stücke vom Brot brach.

„Zwei tote Schafe bei uns und eines bei Halfar, das gefällt mir nicht“, brummte Balwin und biss in Brot und Käse. Seine Stimme wurde ein wenig undeutlich, als er fortfuhr. „Gelegentlich findet eine Raubkralle ihren Weg zu uns oder ein Schaf verendet. Damit müssen wir leben. Aber hier geht es um drei Schafe in nur einem Zehntag.“ Balwin schluckte und nahm einen Becher Wasser zum Nachspülen. „Bald ist Lammzeit, da sind die Herden besonders schutzlos.“

Meowyn sah ihn ernst an. „Du willst Ausschau halten, nicht wahr? Dich hat das Jagdfieber gepackt, ich kenne doch diesen Blick bei dir.“

Balwin wischte sich den Mund. „Wir können kein Raubzeug zwischen den Herden gebrauchen, das weißt du, Meowyn. Und Halfar kann sich nicht darum kümmern. Seine Frau bekommt bald ihr Kind und seine Tochter ist noch zu klein, um die Herde zu hüten.“

Meowyn lächelte. „Also werde ich unsere Herde hüten und mein großer und stattlicher Mann wird auf die Jagd gehen.“

„Du denkst wie eine richtige Herdehüterin“, brummte Balwin. „Wenn da draußen wirklich eine Raubkralle ist, dann werde ich sie finden und erlegen.“

Nedeam dachte an die tote Raubkralle, die er im Vorjahr gesehen hatte, als ein Beritt des Pferdefürsten vorbeigekommen war. Es war ein schlankes und schönes Tier gewesen, etwa so groß wie ein Schaf, doch mit tödlichen Krallen und einem mörderischen Gebiss mit langen Reißzähnen ausgestattet. Es hatte ein goldgelbes und unglaublich weiches Fell besessen. Schon eine einzelne Raubkralle war nicht zu unterschätzen, doch meist lebten und jagten sie in einem Rudel von drei oder vier Tieren.

Balwin spürte die Besorgnis der anderen und lächelte aufmunternd. „Ich habe einen guten Bogen und scharfe Pfeile. Außerdem einen starken Arm und eine scharfe Klinge. Es wird schon gut gehen."

„Jedenfalls solltest du nicht allein gehen", sagte Meowyn besorgt. „Wenn es mehrere sind, wirst du rasch in Bedrängnis kommen. Du weißt, dass sie angreifen, wenn sie sich bedroht fühlen oder hungrig sind."

Nedeams Vater zuckte die Schultern und strich sich durch den dichten Bart. „Keine Sorge, Weib, ich werde auf mich achten." Er sah sie an und nickte dann. „Das werde ich wirklich." Plötzlich lachte Balwin dröhnend auf und schlug vergnügt mit der Faust auf den Tisch. „Was rede ich da von Raubkrallen, wo doch heute noch etwas viel Gefährlicheres geschieht? Unser Sohn geht alleine in die Stadt, *das* nenne ich Gefahr." Er schlug Nedeam erneut auf die Schulter. „Ah, er wird stumpfe Klingen zu überteuerten Preisen kaufen", knurrte er und zwinkerte Nedeam dabei zu. „Er wird nur auf Unsinn achten, und statt guter Messer wertlose Süßwurzeln erstehen, nicht wahr?"

Nedeam sah das besorgte Gesicht seiner Mutter und nickte mechanisch.

Für einen Moment aßen sie schweigend, bis Balwin seine Schüssel von sich schob und Meowyn auffordernd ansah. „Ich denke, es ist an der Zeit. Nedeam, du gehst Stirnfleck satteln, das ist deine Aufgabe, deine Mutter wird dir währenddessen etwas Ordentliches zu essen einpacken." Und zu Meowyn gewandt: „Gib ihm etwas von dem getrockneten Pferdefleisch mit, es ist haltbar und nahrhaft. Ich werde inzwischen die Felle und die Wolle holen."

„Und die alte Klinge" erinnerte ihn Nedeam.

Balwin nickte. „Und die alte Klinge, junger Herdenhüter."

Nedeam folgte ihm nach draußen, während Meowyn den Reiseproviant packte: Brot, Schafskäse und getrocknetes und leicht gesalzenes Pferdefleisch. Im Land der Pferdelords gehörte Pferdefleisch zu den Grundnahrungsmitteln, aber kein Pferdelord verzehrte jemals das Fleisch des eigenen Pferdes. Verstarb ein Tier, so schenkte man das Fleisch dem Nachbarn.

Ein Stück vom Haus entfernt befand sich die kleine Koppel, in der die Pferde der Familie standen und in deren einer Ecke ein offenes Mauergeviert errichtet worden war, das mit Grassoden und Steinen abgedeckt war. Wurde die Witterung im Winter zu stürmisch, oder aber setzten die schweren Regenstürme ein, die gelegentlich mit Eiskörnern versetzt waren, zogen sich die Pferde dorthin zurück. Selbst die Tiere in den Tälern suchten dann Schutz zwischen den Felsen. Doch die Pferde der Hochmark waren bekannt dafür, dass sie ungewöhnlich zäh und robust waren. Und sie waren Kämpfer, denn die Männer der Hochmark trainierten ihre Reittiere für den Kampf. Ihr Huf und ihr Gebiss konnten ebenso tödlich sein wie Pfeil, Lanze oder die blanke Klinge.

Nedeam trat in die Koppel, sprach mit den Pferden, die ihn freudig begrüßten und ihre Köpfe an ihm rieben. Doch an diesem Tag interessierte ihn nur ein einziges Pferd: Stirnfleck. Der große braune Hengst hatte einen lang gezogenen weißen Fleck an seiner Stirn und war das stärkste ihrer Reittiere. Normalerweise wurde er nur von Balwin geritten und so war dieser Tag für Nedeam in doppelter Hinsicht außergewöhnlich, würde er doch nicht nur alleine nach Eternas reiten, sondern auch noch auf dem Hengst seines Vaters. Der Hengst tänzelte aufgeregt, als er begriff, dass er nun bald aus der beengenden Koppel herauskommen würde. Stirnfleck liebte lange Ausritte und als ihm Nedeam Satteldecke und Sattel auflegte, verharrte der Hengst bereitwillig. Nedeam zog den Sattelgurt straff und sah dabei wehmütig auf den leeren Lanzenschuh am rechten Steigbügel und die leere Halterung für den Schildriemen. Noch vier lange Jahre würde es dauern, bis er endlich als Kämpfer geschult werden und den Umhang des Pferdelords erhalten würde. Vier Jahreswenden!

Nedeam seufzte leise und legte Stirnfleck das Zaumzeug an. Der Hengst schnaubte leise, als er die großen Tragetaschen über die Kruppe aufgelegt bekam, denn er mochte die Beengung durch diese Lastbehälter nicht. Zuletzt befestigte Nedeam die großen Ledertaschen noch am Riemen des Sattels, so dass sie nicht verrutschen konnten. Dann nahm er Stirnfleck am Zügel und führte ihn aus der Koppel.

Balwin trat gerade aus dem kleinen Anbau des Hauses und trug gegerbte Häute und Felle sowie Nedeams Jagdbogen über dem Arm. Sorgfältig schob er Felle und Häute in die Tragetaschen und band den Bogen zusammen mit einem Pfeilköcher am Sattel fest. „Biete dem Eisenschmied erst die zweite Wahl an", sagte Balwin. „Seine Augen sind nicht mehr besonders und er wird ohnehin versuchen, dich zu übervorteilen. Achte auf rostige Stellen an den Klingen, die er dir bietet. Kratze den Rost sorgfältig ab. Manche sagen, Guntram biete Klingen an, die beschädigt seien, und überdecke die Bruchstellen mit Schmutz." Balwin lächelte. „Ich glaube nicht, dass Guntram wirklich solch ein Gauner ist, aber er ist immerhin Eisenschmied und ein elender Feilscher."

Balwin sah Meowyn mit dem Proviantsack aus dem Haus treten. „Und lass deiner Mutter etwas von der Süßwurzel übrig, mein Sohn. Das wird sie freuen."

Meowyn reichte Nedeam den Proviant und dieser schwang sich in den Sattel. Mechanisch schob er den Jagdbogen in die richtige Position und prüfte, ob die Pfeile richtig im Köcher saßen. Sie durften sich beim Ritt nicht lösen, mussten aber jederzeit griffbereit sein.

„Wahre die richtige Form, Nedeam", ermahnte sie ihn. „Das Du ist nur in der Familie erlaubt, jedem anderen gebührt die höfliche Anrede. Achte stets darauf, guter Herr oder gute Frau zu sagen, damit man dich nicht für ungehobelt hält."

„Ich weiß, Mutter", versicherte Nedeam.

„Sollte dir der Heiler begegnen, so nenne ihn Hoher Herr."

„Was auch für den Ersten Schwertmann gilt", warf Balwin lächelnd ein. „Ach, Meowyn, Weib, er weiß doch wohl, wie er sich zu benehmen hat."

„Ja, das tue ich", bestätigte Nedeam und reckte sich im Sattel.

Balwin grinste beifällig. „Schneller Ritt und scharfer Tod."

Nedeam sah seinen Vater zustimmend an, doch Meowyn legte ihre Hand auf Balwins Arm. „Noch ist dein Sohn kein Pferdelord, Balwin." Sie sah Nedeam aufmunternd an. „Auch wenn er jetzt fast schon so aussieht."

Der Zwölfjährige reckte sich stolz und strahlte glücklich. In diesem Augenblick war es ihm gleichgültig, dass die Farbe seines Umhangs noch Braun war und nicht das Grün der Pferdelords aufwies. So verabschiedete er sich von seinen Eltern, zog Stirnfleck herum und trabte von dem kleinen Gehöft in Richtung auf die große Stadt Eternas und seinem Abenteuer entgegen.

Balwin legte den Arm um seine Frau Meowyn und zog sie zärtlich an sich. „Keine Sorge, Weib. Er reitet ins Innere der Mark. Dort ist er sicher."

Meowyn seufzte leise. „Die toten Schafe beunruhigen dich mehr, als du eingestehst."

Balwin erwiderte nichts. Aber das brauchte er auch nicht.

## 4

Die Sonne stand hoch am Himmel und die Felsen warfen das Licht seltsam gleißend zurück, so dass es unangenehm rasch blendete. Trotzdem war es nicht heiß, denn der stete Wind der Hochmark brachte eine Linderung, die Kormund als angenehm empfand. Sie ritten über einen der zahlreichen Pässe der Hochmark in die Ebene von Eternas ein, und das Bild der Landschaft verwandelte sich vor ihren Augen in ein saftiges Grün. Die Ebene, die in der Mitte von einem Gebirgsfluss geteilt wurde, zog sich zwischen steil aufragenden Bergen entlang, und wer die Fruchtbarkeit ihrer Weiden sah, erkannte rasch, warum es sich hier gut leben ließ. Obwohl die Schafherden die Weiden rasch abgrasten, wuchs ihr Gras schnell genug nach. Außerdem war nahezu die gesamte Ebene von einem dichten Ring seltener Gebirgswälder umgeben, die unter dem strengen Schutz des Pferdefürsten Garodem standen. Um die Stadt selbst zog sich ein leuchtend gelber Gürtel aus Getreidefeldern, deren Ernte kurz bevorstand. Man sah zahlreiche Männer und Frauen, die sich zwischen den hoch aufragenden Halmen bewegten. Die Ähren standen voll und es würde wieder eine gute Ernte geben, denn der Boden Eternas' war fruchtbar.

Eternas war eine offene Stadt ohne Befestigungsanlagen, denn noch nie hatte sich ein ernsthafter Feind bis hierher vorgewagt und die Häuser der Stadt wirkten durch ihre zwei- und dreigeschossige Bauweise und ihre zahlreichen Schrägen und Winkel nahezu verspielt. An fast jedem Dachgiebel waren die gekreuzten Pferdeköpfe, das Symbol des Landes der Pferdelords, ausgearbeitet, und oft waren diese Verzierungen aus blankem Metall geschmiedet. Der Reichtum der Hochmark zeigte sich in seinem verschwenderisch wirkenden Umgang mit Metallen, und viele der Türen und der Fensterrahmen waren aus geschmiedetem Eisen. Holz hingegen war seltener zu sehen und je mehr des kostbaren Rohstoffes an einem Haus verarbeitet war, desto höher war die gesellschaftliche Stellung seines Bewohners einzuschätzen. Ja, Stein und Metall dominierten das Bild von Eternas, aber dennoch wirkte die Stadt nicht kalt. Pflanzen und Blumen zierten fast jedes Haus und die Freundlichkeit der Bewohner tat ein Übriges.

„Reitet langsam und blickt immer freundlich", ermahnte Kormund seine Männer. „Es gibt keinen Grund, die Leute zu beunruhigen."

Er führte seine Schar die Hauptstraße entlang und wirkte dabei vollkommen entspannt. Der Scharführer achtete darauf, dass sein grüner Umhang die leere Scheide seines Schwertes verdeckte. Denn nachdem sich kein Pferdelord jemals ohne triftigen Grund von seiner Klinge trennte, würde es Fragen geben, sobald jemand die leere Lederhülle zu sehen bekäme. Niemand sah ihm seine sorgenvollen Gedanken an, die immer mehr zunahmen, je näher sie der Burg Eternas kamen, welche sich hinter der Stadt erhob. Kormund kannte die Stadt des Pferdekönigs, deren überwiegend hölzerne Bauten sich auf einem kegelförmigen Berg in einer ganz ähnlichen Ebene erhoben, und er hatte auch dessen Fluchtburg gesehen, die in die gewaltige Spalte eines steilen Berges hineingebaut worden war. Aber die Burg Eternas war anders.

Massiv und aus kantigen Felsquadern errichtet, ragte sie in stumpfem Grau am Ende der Stadt auf. Ihre hohen und mit Zinnen bewehrten Mauern wurden nur noch von den beiden Ecktürmen und dem Hauptturm überragt. Und selbst von der unteren Stadt aus konnte man die schlanke Nadel aufragen sehen, an deren Spitze sich das Signalfeuer befand. Ein Feuer, das nur im Falle der Gefahr entzündet wurde. Es gab eine ganze Kette ähnlicher Feuer, die bis zum fernen Königshaus der Pferdelords führte. Und Kormund wusste, dass die Kette sogar noch weiter, bis zur weißen Stadt der alten Könige reichte.

Er war stolz auf seine Männer, die sich ihre Sorge ebenfalls nicht anmerken ließen, lediglich der junge Parem wirkte nervös. Doch das mochte ein unbefangener Beobachter durchaus auch daraufhin zurückführen, dass sein Interesse schon auf die jungen Frauen im bindungsfähigen Alter gerichtet war. Die Schar ritt nun durch das Handwerkerviertel und zahlreiche geschmiedete oder gegossene Wappen zeugten von der Kunstfertigkeit der hier Ansässigen. Kormund sah den alten Guntram vor seine Schmiede treten. Obwohl schon etwas gebeugt, war der alte Mann noch immer muskulös und die Narben an seinem nackten Oberkörper bewiesen, dass er ein altgedienter und bewährter Pferdelord war. Nur seine Augen versagten ihm zunehmend den Dienst, was er gerne durch seine spitze Zunge wettmachte. Er galt zudem als streitsüchtig, aber seine Arbeiten waren noch immer die besten.

Als Kormund dem alten Schmied zunickte, grinste dieser breit und zeigte einen fast zahnlosen Mund. „Nun, Scharführer, habt Ihr nicht ein paar stumpfe Klingen, die es zu schärfen gilt? Etwas Zerbrochenes, das ich schmelzen und neu schmieden kann?“ Der Schmied ging neben Kormund her. „Die Eisen eurer Pferde scheinen zu klappern. Sicher sind sie lose und müssten neu befestigt werden. Am besten überlasst Ihr mir die wertlosen alten, guter Herr Scharführer, und nehmt dafür ein paar wundervoll geschmiedete neue Eisen.“

„Unsere Eisen und Klingen sind noch scharf, guter Herr

Guntram“, erwiderte Kormund und lächelte auf den alten Schmied herab. „Doch bald steht die Schafschur an, da werdet Ihr wohl genug zu tun bekommen.“

„Schurklingen und Messer“, seufzte Guntram. „Das ist kein Handwerk für einen rechten Schmied. Ein gutes Schwert, das allein ist wahre Schmiedekunst. Hart muss es sein und doch elastisch.“ Er seufzte erneut. „Doch wer braucht schon wahre Handwerkskunst, wenn kein Blut mehr fließt.“ Guntram sah die Männer der Schar an. „Fast fünfzig Jahreswenden Frieden und dreißig Jahreswenden ohne Feldzug für den König. Ihr jungen Männer werdet euer Handwerk nicht mehr beherrschen, wenn es einst gefordert wird.“ Guntram grinste Kormund zahnlos an. „Zu meiner Zeit, Scharführer, da haben wir Orks gejagt. Und Barbaren. Da sind wir mit der scharfen Klinge mitten in den Feind hineingaloppiert. Da haben wir dunkles Blut vergossen.“

„Ja, ich weiß“, sagte Kormund gutmütig. „Ihr wart ein rechter Pferdelord. Doch seid froh, dass die Dunkle Bedrohung nicht mehr existiert und unsere Frauen und Kinder in Freiheit leben können.“

Guntram machte eine wegwerfende Geste. „Bah. Schurklingen und Messer. Das ist kein rechtes Handwerk.“

Kormund lachte leise auf, trieb dann sein Pferd an und seine Schar folgte ihm. Sie ritten an den Häusern der Gerber vorbei, in denen Männer und Frauen Häute und Felle säuberten und danach weich machten. Es stank nach Urin, denn dieser war noch immer das beste Gerbmittel, und es gab Spötter, die behaupteten, die Gerber tränken nur deshalb so viel Wein, damit sie besseres Leder produzieren könnten. Kormund war erleichtert, als sie endlich aus dem Gestank der Häuser herauskamen und die freie Ebene zwischen der Stadt und der Burg Eternas überqueren konnten. Der Weg war breit und seine Fahrspuren mit geebneten Steinen ausgelegt, damit die Wagen auch bei schlechtem Wetter ihre Waren bequem und sicher transportieren konnten. Er führte zwischen zwei erntereifen Feldern hindurch. Während die Hufe der Pferde über die Steine pochten, musste Kormund erneut an den alten Schmied denken. Der hatte vor Jahren einmal behauptet, der Weg sei nur gepflastert, damit die betrunkene Wache des Pferdefürsten auch den Heimweg fände. Das hatte dem muskulösen Schmied ein sehr persönliches Gespräch mit dem Ersten Schwertmann des Pferdefürsten und zwei fehlende Schneidezähne eingebracht. Doch seine Zunge war noch immer scharf. So scharf, dass mancher Pferdelord gelegentlich seine Klinge gerne daran erprobt hätte.

Das große Tor der Burg Eternas stand offen und das gewaltige schmiedeeiserne Fallgitter war hochgezogen. Keine Wachen standen bereit, um ihnen den Zutritt zu verwehren, nur über dem Tor winkte ein Schwertmann der Wache freundlich zu ihnen herunter, als Kormund seine kleine Gruppe auf den Innenhof führte. Erst wenn es dunkelte, würden mehr Wachen aufziehen. Es gab keine Bedrohung der Burg und die Wachen übten ihre Kriegsfertigkeiten lediglich, indem sie lästige Schnellläufer, Nager und Raubtiere verjagten.

Es gab zwei Burghöfe. Den vorderen, in dem sie sich nun befanden, und einen zweiten, der durch eine Zwischenmauer vom hinteren Hof abgeteilt war. Der vordere Innenhof wurde an drei Seiten von festen Wehrmauern umschlossen. Diese waren nicht besonders hoch, doch sehr massiv und ihre Mauerkrone war breit genug, um mehreren Reihen von Männern auf ihr Platz zu gewähren. Die der Stadt zugewandte Südmauer wies in der Mitte den mächtigen Rundbogen des Haupttores auf und wurde an ihren Eckpunkten von den beiden Wehrtürmen begrenzt. Dort führten auch jeweils zwei breite, steinerne Treppen zum Wehrgang hinauf. Der Innenhof war vollständig mit dem typischen grauen Stein der Hochmark gepflastert. Doch in dieses Pflaster war aus schwarzem Stein, den man sorgfältig ausgewählt hatte, das Wappen der Hochmark eingelegt worden. Pferdeköpfe und Schmiedehammer bildeten ein Symbol von fast zwanzig Längen im Durchmesser.

Halb links erhob sich die große Steinstatue des ersten Königs der Pferdelords. Vor ihr befand sich der Hauptbrunnen der Burg, der nach Larwyns, des Pferdefürsten Gemahlin, Vorstellungen gestaltet worden war. Eine niedrige Einfassung von achteckiger Form, auf der man auch bequem sitzen konnte, umgab ein drei Längen messendes Becken, in das ein springendes Pferd aus seinem Maul Wasser spie. Die Ränder des Beckens waren mit den Wildblumen der Hochmark bepflanzt.

Die Nordseite des vorderen Innenhofes wurde vom Haupthaus, der mittleren Wehrmauer und der Unterkunft der Schwertmänner eingenommen. Das Haupthaus war ein massiger Bau mit drei Stockwerken, dessen Erdgeschoss ein wenig zurückgesetzt war, so dass die Obergeschosse eine Art Vordach über dem Eingangsbereich bildeten und durch schwarze Säulen aus Stein abgestützt wurden. Zwischen diesen Säulen führten breite Stufen zum zweiflügeligen Haupteingang des Hauses, neben dem es noch eine weitere, massiv wirkende Tür gab, die zu einem schmalen Treppenhaus führte, welches an der mittleren Wehrmauer endete. Das Erdgeschoss des Haupthauses besaß keine Fensteröffnungen oder Schießscharten. Dafür waren die Fenster in den oberen Stockwerken breit und wurden von kleinen Rundbögen gestützt, die mehr der Aussicht als der Verteidigung zu dienen schienen. Dort, wo das Obergeschoss an die westliche Wehrmauer stieß, befand sich eine schmale Tür, die

Mauerabschnitt und Haus miteinander verband.

In dem kurzen Mauerabschnitt, der das Haupthaus und die Unterkunft der Schwertmänner miteinander verband, befanden sich drei kleine Tore, die durch den hölzernen Wehrgang geschützt wurden, der sich zwischen den Gebäuden erstreckte und der vollkommen überdacht war. Hier postierte Bogenschützen konnten gleichermaßen den vorderen wie den hinteren Burghof und deren Mauerabschnitte bestreichen.

Hier drinnen, im Burghof, spürte Kormund auch zum ersten Mal die Hitze des Tages. Der stete Wind der Hochmark war hier nur schwach zu fühlen und die Mauern speicherten und gaben die Wärme wieder ab. Kormund saß ab und übergab die Zügel seines Pferdes an Lukan. Die beiden Männer sahen sich an und verstanden sich ohne weitere Worte.

„Ich werde darauf achten, dass die Pferde gesattelt bleiben, alter Freund", murmelte Lukan. „Tränken, füttern und ein wenig führen. Keine Sorge, sie werden keine Wasserbäuche haben, sollten wir sie rasch wieder benötigen." Lukan nahm den runden Helm ab und seine verschwitzten roten Haare wurden sichtbar. „Und ich werde Euch ein anderes Schwert aus der Rüstkammer holen."

Kormund schnallte seinen Schwertgurt mit der leeren Scheide ab und überreichte ihn Lukan, damit dieser ein passendes Schwert aussuchen konnte, dann nickte er dem alten Kämpen zu. Er ging die breiten Stufen des Hauptgebäudes hoch und erreichte den Schatten des Vorbaus. Hier, am Eingang zum Sitz des Pferdefürsten, standen zwei Schwertmänner. Im Gegensatz zu den normalen Pferdelords, die für den Krieg ausgebildet wurden, aber nur im Kriegsfall einberufen wurden, waren die Schwertmänner des Pferdefürsten, wie auch die des Pferdekönigs in der fernen Hauptstadt, disziplinierte Berufssoldaten, die stets im Dienst waren. Sie wussten, dass Kormund viel zu früh von seiner Patrouille an der Außengrenze zurück war, doch sie stellten keine Fragen, sondern öffneten ihm schweigend die Tür.

Kormund trat durch den schmalen Flur in den unteren Raum des Hauptgebäudes und in die große Halle ein, in welcher schon manches Fest und manche Zeremonie stattgefunden hatten. Im Gegensatz zu dem Rot, Grün und Gold der Halle des Königs der Pferdelords wirkte die Halle von Eternas jedoch kühl. Säulen aus schwarzem Stein erhoben sich vor grauen Mauern und trotz ihrer Kapitelle und Verzierungen wirkten sie kalt. Einige winzige Fenster an der Westseite, die eher Schießscharten ähnelten, ließen nur trübes Licht in die Halle einfallen, und allein wenn man die riesigen Leuchter unter der Decke entzündete, füllte sich der Raum wirklich mit Licht. Zwischen den Bögen standen die dreieckigen Wimpel der Beritte mit ihren Lanzen und an der Stirnseite hing als Farbtupfer ein riesiges grünes Tuch mit den Insignien der Hochmark. An den Wänden entlang standen Bänke und Tische, die aber nicht benutzt wurden. Die Besatzung der Burg verwendete andere Räumlichkeiten für ihre täglichen Verrichtungen. So hallten Kormunds Schritte seltsam hohl von den Wänden wider, während er an der rechten Wand und ihrem riesigen gemauerten Kamin vorbei zur Treppe hinüberging, die in den eigentlichen Amtsraum des Pferdefürsten führte. Er stieg die steinernen Stufen hinauf, erwiderte den Gruß der dort postierten Ehrenwache und klopfte an die massive Holztür.

Als er den kurzen Ruf aus dem Inneren vernahm, trat Kormund in das Amtszimmer des Herrn der Hochmark ein und legte die Hand zum Gruß an seine Hüfte, wo sich normalerweise der Griff seines Schwertes befand. „Scharführer Kormund vom ersten Beritt, Hoher Lord“, meldete er, obwohl ihm bewusst war, dass der Pferdefürst jeden seiner Männer sehr genau kannte. Doch gerade in der kleinen Gemeinschaft der Hochmark war gegenseitiger Respekt lebenswichtig und die Pferdelords der Wache bewahrten die alten Traditionen.

Garodem, der Pferdefürst der Hochmark, blickte von seinem breiten Arbeitstisch auf. Er war eine eindrucksvolle Gestalt. Nicht besonders groß und muskulös, aber durchaus stattlich, strahlte er eine enorme Kraft aus und sein Gesicht war gleichermaßen würdevoll wie freundlich. Als Pferdefürst hatte er sich den Respekt der Bevölkerung verdient, aber Kormund wusste, dass es vor allem der Mensch Garodem war, den die Männer und Frauen der Hochmark schätzten. Der Pferdefürst war nun Mitte der fünfzig und sein einst blondes Haar war inzwischen ergraut. Falten hatten sich in sein Gesicht gegraben, die gleichermaßen von seinen Sorgen und seinem Sinn für Humor zeugten. Garodem trug einfache Stiefel und Beinkleider und nur sein dunkelblauer Überwurf mit dem golden eingestickten Symbol der Mark zeigte, welchen Status sein Träger hatte.

„Ihr seid mir willkommen, Kormund, alter Freund." Der Pferdefürst legte die Feder ab, mit der er gerade geschrieben hatte, und blickte Kormund aufmerksam an. Dieser wiederum sah fasziniert auf die Feder, die Garodem gerade abgelegt hatte.

Garodem hatte etwas geschrieben und Kormund begriff nicht, wie Worte durch dunkle Tinte und eine Feder auf ein Pergament fließen und von anderen Menschen verstanden werden konnten. Er wusste sehr wohl, dass dies die Kunst des Schreibens und des Lesens war, doch der Sinn dieser Kunst war ihm verschlossen geblieben. Garodem hatte ihm einmal erklärt, dass er auf diese Weise Dinge festhalten und für spätere Generationen lesbar machen könne. Nun, es war richtig, der Pferdefürst hatte keine Eltern mehr, die die Aufgabe übernehmen konnten, ihren Enkeln von der Geschichte ihres Volkes zu berichten, aber der Grund, eine schriftliche Botschaft über einen Boten zu übermitteln, erschien Kormund trotzdem absurd. Warum sollte dieser ein Pergament benutzen, wo er doch einen Mund zum Sprechen hatte? Zwar wäre es vielleicht nicht von Übel gewesen, wenn er bei dem toten Reiter des Königs eine schriftliche Botschaft hätte finden können, welche Garodem wiederum hätte lesen können, aber trotzdem war die Schreibkunst für Kormund eine Kunst, für die er keine Zukunft sah, zumal es selbst am Hofe des Königs nur wenige gab, die sie beherrschten. Ja, die grauen und die weißen Magier, sie mochten diese Kunst benötigen, denn diese weisen Männer horteten uralte Schriften, die noch aus den Zeiten der Vorväter stammten. Doch was sollte ein Pferdelord mit einem sprechenden Papier, wo er einen Mund und eine Klinge hatte, um seine Meinung kundzutun?

„Ich habe Euch erst in einigen Tagen zurückerwartet", schreckte der Pferdefürst den Scharführer aus seinen Gedanken. „Und es scheint mir, als brächtet Ihr sorgenvolle Gedanken mit. Zudem seid ihr ungedeckt, mein Freund." Er wies auf Kormunds Hüfte. „Es sieht mir ganz danach aus, als hättet Ihr Verwendung für Eure Klinge gefunden."

„Das ist wohl wahr", erwiderte der Scharführer und entspannte seine Haltung. Er trat näher an den Tisch heran. „Wir fanden am Pass zur Nordmark einen Toten. Wie es aussieht, einen Boten des Königs. Der Mann gehörte dessen Wache an."

Garodem kniff die Augen zusammen und lehnte sich in seinem Stuhl zurück. „Einen Boten des Königs? Seid Ihr Euch sicher?"

„Lukan denkt ebenso."

Garodem lächelte knapp. „Dann war es auch ein Bote des

Königs. War etwas zu finden? Eine Botschaft? Irgendein Hinweis darauf, was er hier wollte?"

„Nein, Garodem, mein Herr." Kormund räusperte sich und der Pferdefürst winkte ihn näher heran und füllte ihm einen Becher mit kühlem Wein. „Es sieht aus, als sei er von einem Pelzbeißer angefallen und getötet worden."

Garodem nickte. „Und Ihr bezweifelt das. Ich höre es an Eurer Stimme. Kommt schon, Kormund, alter Freund, wir sind schon zusammen geritten. Also zögert nicht, Eure Gedanken frei auszusprechen."

„Wir fanden keine seiner Waffen."

„Verstehe." Garodem erhob sich aus seinem Stuhl und begann im Raum auf und ab zu gehen. Dabei legte er seine Hände auf dem Rücken zusammen und schien schon kurz darauf vollkommen in sich versunken zu sein. Es war dies eine Eigenheit des Pferdefürsten, wenn er sich intensiv mit einem Problem befasste, und für Kormund war es ein gutes Zeichen, zeigte es ihm doch, dass Garodem den Tod des Boten als ebenso bedrohlich empfand wie er selbst. Garodem hielt für einen Moment inne. „Ihr seid Euch absolut sicher, dass es ein Mann der Wache des Königs war? Kein Geächteter oder Räuber?"

„Es war ein Mann Theo..."

„Nicht den Namen, Kormund", unterbrach Garodem ihn mit ungewohnt scharfer Stimme.

Kormund räusperte sich und nahm einen erneuten Schluck, um seine Verlegenheit zu verbergen. „Es war ein Mann des Königs, mein Herr. Der Harnisch seiner Leibwache und der goldene Saum am Umhang ..."

„Ich verstehe." Garodem nahm seine Wanderung wieder auf.

Kormund verstand den Zwist nicht, der Garodem noch immer von seinem Bruder, dem König der Pferdelords, fernhielt. In ihrer Jugend sollten die Brüder unzertrennlich gewesen sein, bis irgendetwas dazu geführt hatte, dass die beiden in einem heftigen Streit auseinandergegangen waren. Sein Bruder, der König, hatte Garodem daraufhin die Hochmark übergeben und dieser war mit seinem Gefolge in das Hochland gezogen. Vielleicht wussten die Brüder inzwischen selbst schon nicht mehr, worum es bei ihrem Streit gegangen war, aber eine weitere Eigenheit Garodems wurde dadurch augenfällig – seine unglaubliche Sturheit, wenn er erst einmal einen Entschluss gefasst hatte.

Garodem hatte den Kontakt mit dem Königshaus vollkommen abgebrochen und sich auf den gelegentlichen Handel mit den anderen Marken des Landes der Pferdelords beschränkt. Seitdem durfte niemand mehr den Namen seines Bruders oder seines Amtssitzes aussprechen. Dennoch war und blieb er ein Pferdelord und dem König treu, was auch die Einrichtung der Signalfeuer bewies.

Auch Garodem schien in diesem Augenblick an die Signalfeuer zu denken. „Wenn er in Schwierigkeiten ist und Hilfe braucht, dann wird sich die Hochmark nicht verweigern“, knurrte er und sah Kormund an. „Wir sind und bleiben Pferdelords und stehen zusammen. Er wird mich nicht umsonst um Hilfe bitten.“

Garodem verharrte neben seinem Schreibtisch und blickte auf die Landkarte, die an einer Wand des Raumes aufgespannt war. Sie war aus bestem Pergament und sorgfältig bemalt und geölt worden, um sie witterungsbeständig zu machen. Sie zeigte die Marken des ganzen Landes, doch der Name der Hauptstadt war sorgsam übermalt worden. Garodem führte seinen Finger auf der Karte entlang und Kormund erkannte, dass der Finger den Positionen der einzelnen Signalfeuer folgte.

„Hat das Feuer gebrannt?“ Garodem sah Kormund fragend an. „Hier in Eternas haben wir kein Feuer gesehen. Er hätte es entzünden lassen, wenn das Land in Not wäre.“

„Kein Feuer, mein Herr.“

„Er hätte es entzündet, wenn er in Not wäre“, murmelte Garodem. „Er hätte die Feuer entzündet und keinen Boten geschickt. Also war der Bote nicht hier, um Hilfe zu holen. Und ich werde nur dann zu *ihm* reiten, wenn er Hilfe benötigt und mich darum bittet. Egal, ob als Bruder oder als Lehnsmann.“ Garodem trat erneut an die Karte. „Nein, er hätte die Feuer entzündet.“ Er hörte, wie Kormund sich abermals räusperte, und fuhr zu ihm herum. „Ihr seid anderer Meinung?“

„Vielleicht wurde die Signalkette unterbrochen und es gab nur noch den Weg, einen Boten zu schicken“, wandte der Scharführer ein.

Garodem nickte und neigte bedächtig seinen Kopf. „Ich muss Eurem Einwand zustimmen. Zwar behagt mir der Gedanke gar nicht, denn er zwingt mich, selbst Kontakt zum König aufzunehmen. Aber ich muss mich einfach vergewissern, was der Bote wollte. Beim Dunklen Turm, Kormund, die Sorgen gefallen mir nicht, die Ihr mir da bringt.“

Der Pferdefürst trat an die hölzerne Wand, die seinen Amtsraum von den hinteren Räumen des Obergeschosses trennte, und schlug dagegen. Zwei Augenblicke später trat ein Schwertmann der Wache ein.

„Holt den Ersten Schwertmann Tasmund, ich muss ihn sprechen. Sofort.“ Garodem schenkte sich und Kormund Wein nach und blickte dann durch das große Fenster auf den vorderen Burghof hinunter. „Was Ihr mir berichtet, beginnt mir immer weniger zu gefallen“, seufzte er. „Dreißig Jahreswenden hatten wir Ruhe und Frieden und nun bringst du mir düstere

Gedanken ins Haus." Er wandte sich Kormund zu. „Nun, wir werden uns allem stellen, was immer es auch sei."

Schritte hallten auf der steinernen Treppe und hinter Kormund trat der gerufene Tasmund in den Raum. Er nickte dem Scharführer kurz zu. „Ihr habt mich gerufen, mein Hoher Lord?"

„Kormund hat auf seinem Ritt etwas gefunden. Darüber wird er Euch nun berichten. Ich werde dazu schweigen und Ihr werdet mir Eure Meinung offen sagen, Tasmund."

Tasmund war der Erste Schwertmann der Wache des Pferdefürsten und somit der Befehlshaber der Burgbesatzung und der Pferdelords der Hochmark, sofern der Pferdefürst diese nicht selbst führte. Der schlanke und hochgewachsene Mann mit den tiefschwarzen Haaren hörte sich Kormunds Schilderung an. Kormund wusste, was Garodem von ihm erwartete, und gab deshalb lediglich die Fakten wieder, ohne eigene Vermutungen hinzuzufügen. Tasmund hörte schweigend zu und blickte dann zu der Landkarte. Er schritt hinüber und Kormund beobachtete, wie der Erste Schwertmann ebenso wie der Pferdefürst zuvor mit seinem Finger der Linie der Signalfeuer folgte. Dann richtete Tasmund sich auf und sah den Pferdefürsten an.

„Die Kette der Signalfeuer kann unterbrochen worden sein, mein Hoher Lord, und dann hätte der König allen Grund dafür gehabt, einen Boten um Hilfe zu entsenden. Aber auch für den Fall, dass es einen anderen Grund für den Boten gab, so müssen wir doch immer vom Schlimmsten ausgehen und davon, dass der König uns um Hilfe ruft."

Garodem nickte. „Ich sehe das genauso. Wenn der König uns ruft, so muss es schlimm stehen und er wird jeden Mann brauchen. Aber wenn er uns *nicht* um Hilfe gerufen hat, entblößen wir die Hochmark grundlos um all ihre wehrfähigen

Männer und lassen Frauen und Kinder schutzlos zurück." Er seufzte. „Vielleicht ist es ein Fehler gewesen, jeden Kontakt abzubrechen", meinte er schließlich widerwillig und man merkte, wie schwer ihm dieses Eingeständnis fiel. Er sah Tasmund und Kormund an. „Ich brauche weitere Anhaltspunkte. Ich muss wissen, ob das Land wirklich in Gefahr ist. Kormund, ich habe Eure Schar im Hof gesehen. Sie scheint bereit zu sein."

„Das ist sie, mein Herr."

„Gut." Garodem blickte wieder auf die Karte. „Die Besatzungen der Signalfeuer sind vor fünf Tagen abgelöst worden. Der nächste Wechsel wird erst in einem Zehntag fällig." Garodem gab sich einen Ruck und trat wieder hinter seinen Schreibtisch. „Kormund, Ihr nehmt Euren Beritt und kontrolliert die Wachen am inneren und äußeren Signalfeuer des Passes. Reitet nicht weiter, denn selbst das wird drei Tage dauern. Die Posten hätten die Feuer entzündet, wenn sie ein Signal des Königs gesehen hätten. Aber sollte sie etwas daran gehindert haben, so muss ich es wissen. Kormund, alter Freund, Eile ist geboten."

Kormund erhob sich und stellte den Becher mit Wein auf den Tisch zurück. „Schneller Ritt ..."

„... und scharfer Tod", vervollständigten Garodem und Tasmund den Satz ohne Lächeln.

Während Kormund zu seinen Männern in den Hof eilte, winkte Garodem seinen Ersten Schwertmann zu sich heran. „Wir müssen vom schlimmsten Fall ausgehen, Tasmund, mein Freund, und das heißt, dass wir die Pferdelords der Hochmark zusammenrufen müssen. Wie viele Männer können wir zusammenbekommen?"

„Knapp fünfzig Schwertmänner der Wache und zweihundertfünfzig Pferdelords." Tasmund sah den Pferdefürsten an und lächelte. „Mit den Knaben und älteren Männern werden wir vielleicht 350 Mann bekommen. Aber dann werden wir schon die Wiegen auskratzen müssen."

Garodem seufzte. „Wie viele von ihnen werden kämpfen können?"

Tasmund zuckte die Achseln. „Alle. Doch siegen können nur die ausgebildeten Pferdelords, mein Herr. Es bleibt nicht viel Zeit, sie für den Kriegseinsatz fähig zu machen, und nur wenige haben noch Kampferfahrung, so wie Kormund und einige andere."

Der Pferdefürst blickte aus dem Fenster und ließ seinen Blick über die Zinnen der Wehrmauer zur Stadt hinwandern. „Ich weiß. Die ganzen langen Jahre des Friedens hindurch habe ich die Pferdelords nicht mehr zu Waffenübungen einberufen. Das rächt sich nun. Waffen beschert uns die Mark genug, aber uns fehlen die ausgebildeten Männer, sie zu tragen."

Der Erste Schwertmann schaute in Richtung der Karte und ging dann zu ihr hinüber. „Kämpfen können die Männer wohl. Sie sind auch nicht ungeschickt im Umgang mit den Waffen. Was ihnen fehlt, ist die Übung, als geschlossener Verband zusammen zu wirken. Schwerter, Rüstungen und Helme haben wir genug. Auch Bogen für die Schützen. Was allein fehlt, sind Lanzen, denn wir verfügen nicht über ausreichend gerade Hölzer, die auch noch lang genug sind, um sie daraus herstellen zu können. Außerdem könnte es nicht schaden, zusätzliche Pfeile zu produzieren."

Unten im Hof hörten sie, wie knappe Kommandos erklangen, sowie Kormunds Gruppe, die aus dem Burghof ritt. Das Klappern der Hufe kündete von Eile, die dieses Mal auch den Bewohnern von Eternas nicht verborgen bleiben würde.

Garodem langte nach seinem Becher mit Wein, stellte ihn jedoch, ohne getrunken zu haben, wieder zurück. „Bereitet eine

Gruppe vor, die im geschützten Wald den Holzeinschlag vornimmt. Und sendet die Waffenschmiede und die Stadtältesten zu mir. Ich werde mit ihnen sprechen. Was auch geschieht, ich will, dass die Hochmark so gut wie möglich auf alles vorbereitet ist."

„Soll ich schon Boten entsenden, um die Pferdelords einzuberufen?"

Garodem schüttelte den Kopf. „Nein, ich will zunächst abwarten, was Kormund uns berichten wird. Sind die Wachen am Pass wohlbehalten und das Feuer intakt, so wollte der Bote wohl doch keinen Hilferuf, sondern eine andere Botschaft zu uns bringen. In diesem Fall werde ich eine Schar entsenden, um beim König um die Botschaft anzuhalten – die Wehrfähigen brauchen wir dann aber nicht."

Tasmund wies zu der Karte hin. „Die Schar Kormunds fand den Toten innerhalb der Hochmark, mein Herr. Er muss also die Wachen passiert haben."

„Wir müssen Kormunds Bericht abwarten, Tasmund. Und bereit sein, notfalls rasch zu reagieren."

Dem hatte Tasmund nichts hinzuzufügen.

# 5

Nedeam war rasch geritten und freute sich ebenso wie Stirnfleck über den gestreckten Galopp, den der Hengst auf freien Flächen hielt, denn nur allzu oft mussten sie sich ihren Weg auch über steinige Flächen suchen, und Nedeam wusste, wie rasch ein Pferd auf losen Steinen ausrutschen und sich verletzen konnte. Kamen sie an eine solche Stelle, saß er ab und führte Stirnfleck, obwohl der Zwölfjährige sich manchmal unsicher war, wer von ihnen wen wirklich führte. Der Hengst schien den Weg nach Eternas instinktiv zu kennen, doch er war, im Gegensatz zu dem Knaben, auch schon öfters in der Stadt gewesen. Zwei Tage nahm die Reise zur Stadt und wieder zurück gewöhnlich in Anspruch. Zwei Tage, in denen Balwin seine Frau und seinen Sohn alleine auf dem Gehöft allen möglichen Gefahren ausgesetzt wusste. Nein, Balwin war nicht oft nach Eternas geritten, und noch seltener war dies bei Meowyn oder ihrem Sohn der Fall gewesen. So freute sich der Zwölfjährige auf seinen ersten Besuch, bei dem er die Stadt zudem auch noch alleine besichtigen und erkunden konnte. Sicher würde es viel für ihn zu entdecken geben.

Auf seinem Ritt in die Hauptstadt der Hochmark kam er an einzelnen Gehöften und einer kleineren Ansiedlung, einem Weiler, vorbei, hielt sich dort aber nicht länger auf, sondern übernachtete lieber kurz im Freien, um Eternas schon beim ersten Tageslicht vor sich liegen sehen zu können. Als er von einem Hang über der Stadt in die Ebene hinunterblickte, war er fasziniert von dem, was sich seinen Augen bot. Begeistert trieb er Stirnfleck über die grüne Ebene und seine Augen leuchteten vor Erwartung, als er in die Hauptstraße einritt.

Der erste Eindruck der Stadt war für Nedeam einfach überwältigend.

Ihm wurde bewusst, wie groß und hoch die Häuser hier waren, und er konnte sich nicht satt sehen an all den Eindrücken, die auf ihn einströmten. Und so ließ er das ungewohnt quirlige Leben und stete Geschrei der Bewohner, die bunten Farben ihrer Kleidung und die zahllosen Gerüche auf sich einwirken. Vieles davon war für ihn neu und aufregend, doch anderes wurde ihm rasch lästig. Vor allem die Häuser, die ihn auf den ersten Blick so beeindruckt hatten, begannen mit der Zeit seltsam bedrohlich auf ihn zu wirken. Ihre Wände waren so hoch und so steil, dass er das Gefühl bekam, als wollten sie sofort auf ihn niederstürzen. Sicher, er war Höhen gewöhnt. Aber Berge fielen in der Regel nicht *so* steil ab. Zudem standen die Häuser dicht aneinander, und die Straßen und Gassen zwischen ihnen verstärkten nochmals Nedeams Empfinden, eingeengt zu werden. Instinktiv spürte er, dass ihm das Leben in der Stadt wohl nicht sonderlich gefallen würde, und er war erleichtert, als er schließlich den Außenbezirk mit seinen Handwerksbetrieben und dem Geruch, der dieses Viertel wie eine Dunstwolke umgab, erreichte.

Er brauchte sich nicht erst an den Wappenschildern der Handwerker zu orientieren, um die Eisenschmieden zu finden. Das helle Klingen der Schmiedehämmer war weithin zu hören, und jetzt, so kurz vor der Schafschur, stand ohnehin kaum eine Esse still. Nedeam folgte den Geräuschen und fragte sich, wie ein Mensch diesen Lärm nur den ganzen Tag über aushalten konnte. Doch womöglich hatten die Schmiede ja halb taube Ohren oder aber sie stopften sich Gras in sie hinein, um den Krach dadurch zu dämpfen. Aber als er Stirnfleck endlich vor Guntrams Schmiede zügelte, sah er, dass keine seiner Vermutungen zutraf. Guntram hatte weder Gras noch übermäßig Haare in seinen Ohren, und sie schienen auch ebenso wenig verkümmert zu sein wie seine allseits bekannte scharfe Zunge. Der alte Schmied hatte die Arme in die Hüften gestemmt, und der Schweiß rann ihm über seinen nackten Oberkörper, während vor ihm eine ältere Frau mit einem Schurmesser herumfuchtelte.

„Scharf nennt Ihr das", keifte sie wütend. „Soll ich meinen armen Tieren damit vielleicht die Haare rupfen?"

„Mir ist egal, ob Ihr Eure Schafe rupfen wollt", murrte der alte Schmied. „Andere Leute nehmen ein Messer, wie Ihr es in der Hand haltet, und scheren die Schafe damit."

„Scheren?" Die Frau beäugte das Schurmesser wie ein seltsames Tier. „Vielleicht kann ich damit meinen Garten umgraben. Zu mehr taugt es jedenfalls nicht."

„Ihr habt keinen Garten, Weib", knurrte Guntram. „Und wenn Ihr weiter so keift, hören Euch Eure Schafe und laufen auch noch fort. Dann habt Ihr keine Schafe mehr zum Scheren. Zudem fertige ich die besten Schurmesser in der Hochmark. Jeder weiß das." Guntram erblickte Nedeam, der grinsend auf Stirnfleck saß und dem lautstarken Disput zuhörte. „Selbst dieser junge Herr weiß meine Schurmesser zu schätzen und kommt extra von weit her angereist, um meine Ware zu erhalten." Guntram sah Nedeam grimmig an. „Ist es nicht so?"

„Äh", machte der Junge unsicher und Guntram nickte.

„Da hört Ihr es. Auch er weiß meine Handwerkskunst zu schätzen. Trollt Euch also, Weib, denn ich habe ernsthaft zu arbeiten. Quält Eure Schafe, aber verschont mich." Guntram nahm der Frau das Messer aus der Hand und hielt es Nedeam entgegen. „Nun, junger Mann, ist die Klinge scharf? Natürlich ist sie scharf." Der Schmied drehte sich wieder zu der Frau um. „Förmlich hindurchsehen kann man durch die Schneide", brüllte er, „so scharf ist sie." Er sah Nedeam durchdringend an. „Nicht wahr, das ist sie?"

„Nun", begann Nedeam wiederum zögernd, doch Guntram hob die Hand.

Der Schmied atmete mehrmals tief durch und schien sich zur Ruhe zu zwingen. „Da hört Ihr es, Weib." Er nahm das Messer und führte es flach über seinen Arm. Nedeam sah staunend, wie dabei die grauen Haare von der Haut abgetrennt wurden. Guntram blickte das Messer zufrieden an und wandte sich erneut der Frau zu. „Ich werde es selbst behalten. Die Klinge ist zu scharf für Euch. Ihr könntet Euch verletzen."

„Das Messer ist gut", meinte sie rasch. „Ich nehme es."

„Unsinn. In Eurem Alter ist es zu gefährlich, eine solche Klinge zu führen. Für Euch und andere Leute."

„Ich nehme es", wiederholte die ältere Frau hastig und zog das Schurmesser wieder aus Guntrams Hand. Dann warf sie dem Schmied und Nedeam einen giftigen Blick zu und hastete davon.

Guntram lachte leise. „Eine wahre Seele, nicht wahr?"

Nedeam zuckte die Schultern. „Ihr seid sicher froh, sie nicht zum Weib zu haben."

Guntram lachte brüllend auf und schlug Nedeam so heftig auf den Schenkel, dass dieser fast aus dem Sattel stürzte. „Aber sie ist mein Weib, der Dunkle Turm möge sie verschlingen." Er grinste breit. „Und ich sage Euch, junger Herr, es gibt kein besseres Weib in ganz Eternas. Sie hat Feuer wie eine Esse."

Guntram sah Nedeam nicht unfreundlich an. „Leider ist sie manchmal auch ebenso laut. Doch nun zu Euch, junger Herr. Ihr kommt mir bekannt vor. Lasst mich nachdenken. Das Pferd kenne ich. Stirnlocke … nein, Stirnfleck. Ihr müsst Balwins Sohn sein, nicht wahr?“ Als Nedeam nickte, wies der alte Schmied zu seiner Werkstatt. „Hier gibt es nur das beste Eisen und ich mache es zu bestem Stahl. Ihr wollt sicher ordentliche Klingen für die Schafschur haben, richtig? Dann steigt ab, junger Freund.“

Nedeam schwang sich aus dem Sattel, und der Schmied lachte erneut, als der Junge sich in seinem langen braunen Umhang verfing. Errötend schlug Nedeam das Kleidungsstück über die Schulter zurück. „Ich habe Felle, Wolle und Häute.“

Guntram schlug leicht gegen eine der Tragetaschen an Stirnflecks Hinterhand. „Ja, und offensichtlich hat Euer Vater eine gute Aufzucht und eine gute Jagd gehabt. Nun, zwei der Felle werden reichen, um meine Kosten abzudecken.“

„Zwei Felle?“ Nedeam dachte an die Worte seines Vaters und schüttelte dann den Kopf. „Mein Vater warnte mich schon davor, dass Ihr solches fordern würdet. Doch ein Fell ist genug. Es sind gute Felle.“

„Und ich habe gute Klingen“, wandte Guntram ein. Sein Gesichtsausdruck wurde geschäftsmäßig und er zog nach Nedeams Nicken das obere Fell hervor. Kritisch begutachtete er es. „Nun gut, netter Wuchs, dichtes Fell … aber hier, junger Freund, man kann den Einstich des Pfeils sehen. Beim Dunklen Turm und seinem Schwarzen Lord, es sieht eher aus, als habe Euer Vater eine Schlachterlanze in das arme Tier gerammt. Mit einem solchen Riesenriss ist das Fell nahezu ruiniert.“ Er schüttelte bedauernd den Kopf. „Mindestens zwei Felle, junger Freund. Und nur aus Freundschaft, da Ihr mir eben bei meinem Weibe so tapfer beigestanden habt.“

„Mein Vater sagte mir aber, er habe den Wildläufer einst mit einer Eurer Pfeilspitzen erlegt und die seien die schärfsten und schmalsten Klingen.“

Guntram knurrte, da diese Bemerkung ihn gleichermaßen rügte wie lobte. Würde er nun weiterhin auf einem zu großen Riss im Fell des Tieres beharren, würde er damit auch die Qualität seiner eigenen Arbeit schmälern. Missmutig kratzte er sich im Nacken. „Ihr seid unzweifelhaft Balwins Sohn, junger Herr." Er seufzte entsagungsvoll. „Nun, mein Weib könnte den Riss nähen und das Schlimmste verdecken. Dann soll es also sein, ein Fell für eine neue Schurklinge."

Nedeam griff in die andere Tragetasche und zog das alte Schurmesser hervor. „Und diese könntet Ihr gleich neu schärfen." Er sah Guntram treuherzig an. „Da ich Euch bei Eurem Weibe so beistand."

Guntram begann erneut zu lachen. „Ich hoffe, junger Freund, Ihr werdet nicht zu oft zu mir kommen. Sonst wird meine Großzügigkeit mich noch in den Ruin treiben." Er winkte Nedeam zu. „Dann kommt, junger Freund. So sei es."

Nedeam befestigte Stirnflecks Zügel an einem der eisernen Ringe, die ein Stück seitlich in die Hauswand eingelassen waren, wo Lärm und Funkenflug der Schmiede die Tiere nicht belästigen konnten. Neugierig sah er zu, wie Guntram den großen Blasebalg aus vernähten Tierhäuten betätigte und frische Luft in das Feuer der Esse trieb. Der alte Schmied hielt das von Nedeam mitgebrachte Schurmesser in die Flammen, dicht über die Glut, und wartete, bis sich das Metall erhitzte.

„Eine gute Klinge", sprach Guntram mehr zu sich selbst. „Oft benutzt und noch immer scharf. Aber die Schneide ist ein wenig dünn geworden." Er drehte das Schurmesser mit seiner langen Zange. „Ich werde die Schneide ein wenig breit hämmern und dann nachschleifen. Keine große Sache, mein junger Freund. Wie war noch Euer Name?"

„Nedeam."

Guntram stieß ein leises Grunzen aus, zog kurz darauf die Zange wieder zurück und legte das glühende Eisen des Schurmessers über seinen Amboss. Mit nur wenigen Schlägen schlug er die schmale Schneide in eine breitere Form und hämmerte sie neu, während Nedeam in den Hintergrund der Schmiede blickte und dort die Konturen von Harnischen und Helmen wahrnahm. Er ging nach hinten und zog einen Harnisch mit dem Wappen der Hochmark hervor. Der Harnisch glänzte nicht mehr und wirkte stumpf. An etlichen Stellen konnte Nedeam außerdem Rost erkennen.

Guntram sah zu ihm herüber. „Keine Sorge, junger Freund. Es ist die Luft bei uns. Die Luftfeuchtigkeit setzt dem Metall zu, aber werden die Rüstungen erst einmal benötigt, werden sie auch bald wieder wie neu aussehen., und dann werden sie ebenso schimmern wie unsere Klingen, die dem Feind den Tod bringen werden." Der alte Schmied seufzte. „Sollte es je wieder dazu kommen."

Nedeam blickte auf eine Anzahl von Streitäxten, deren Klingen noch nicht gestielt waren. „Ihr habt einst gekämpft, oder? Ich meine, gegen richtige Orks."

„Oh ja." Guntram sah kurz auf, lächelte und hämmerte dann wieder auf das Eisen ein. „Es ist schon viele Jahre her. Damals gab es noch die großen Horden des Dunklen Turms, die Legionen des Schwarzen Lords. Ah, Ihr hättet sehen sollen, wie wir ihnen den Tod brachten. Schneller Ritt und …"

„… und scharfer Tod", ergänzte Nedeam.

Guntram blickte ihn forschend an. „Und scharfer Tod, ja. Habt Ihr von Eurem Vater, nicht wahr? Ist ein guter Pferdelord, der Balwin. Wie sein Vater. Ah, Ihr hättet Euren Großvater reiten sehen sollen. Er brachte wirklich den scharfen Tod. Egal ob mit dem Bogen oder der Lanze."

„Wie sind die Orks?“ erkundigte sich Nedeam neugierig. Er trat wieder an den Schmied heran und musterte die zahlreichen Narben, die an Guntrams nacktem Oberkörper zu sehen waren. „Ich habe noch nie einen gesehen.“

„Dann seid froh, junger Freund. Wahrscheinlich werdet Ihr auch niemals mehr einen zu Gesicht bekommen. Denn wir sind über ihre Horden hinweggeritten und haben sie in den Boden gestampft.“ Guntram stieß das alte Schurmesser in eine Tonne mit Öl, um es zu härten. Während das Metall abkühlte, schienen die Gedanken des Schmieds in die Vergangenheit zu gleiten, und ein merkwürdig grimmiges Lächeln zeigte sich auf seinem Gesicht. „Man darf die Orks nicht unterschätzen, junger Freund. Einzeln sind sie gar nicht so gefährlich, aber ihre Anzahl macht es. Sie überschwemmen die Schlachtfelder in Massen, so dass man kaum ein Pferd zwischen sie drängen kann. Orks.“ Guntram spie aus. „Da gibt es die Rundohren. Das sind große und kräftige Bestien, die keine Furcht kennen und vorwärts drängen. Mit mächtigen Rüstungen und großen Schlagschwertern, Spießen und dergleichen. Manche tragen auch gestohlene Rüstungen und Waffen erschlagener Gegner, die sie zusätzlich mit ihrem eigenen Mist verzieren. Aber diese Rundohren sind Hohlköpfe. Sie haben wenig Hirn. Schlimmer sind da die kleineren Spitzohren. Das sind hinterlistige, kleine Bastarde. Ein bisschen feige, aber gut mit dem Bogen. Man muss es einfach auf sich zukommen lassen, wenn man gegen sie reitet, und ihre Pfeile hinnehmen. Aber wenn man erst mal zwischen ihnen ist …“ Guntram grinste verzerrt. „Es ist ihre Anzahl, die sie gefährlich macht.“

Der Schmied zog das alte Schurmesser aus dem Öl, nickte zufrieden und ging damit zum Schleifstein hinüber, wo er das Pedal trat und die Schneide über den rotierenden Stein zog. Funken begannen zu sprühen.

„Nun, Ihr werdet dergleichen wohl niemals zu Gesicht bekommen, junger Freund." Der Schmied lachte. „Habe ich Euch schon erzählt, wie ich einmal eine Elfenklinge schmiedete?"

„Eine Elfenklinge?" Nedeam riss die Augen auf.

„Oh ja", erwiderte Guntram mit sichtlichem Stolz. „Das war vor vielen Jahren und kurz vor einer der Schlachten, in denen Elfen und Menschen noch gemeinsam kämpften. Damals war ich ein junger Schmied und noch voller Kraft, nicht so schwächlich wie heute. Der Schmied der Elfen war getötet worden und einige ihrer Waffen mussten ausgebessert werden. Das hat zwar einer der ihren gemacht, aber er ließ mich dabei helfen, eine der beschädigten Klingen neu zu schmieden und zu härten." Guntram seufzte. „Ich habe guten Stahl, junger Freund. Wirklich guten Stahl. Doch nichts lässt sich mit elfischem Metall vergleichen. Dennoch habe ich unseren elfischen Freunden einiges abgucken können, junger Freund. Die Klinge eines Schwertes entsteht aus einem Stück Eisen. Es wird erhitzt und geschlagen, dann gefaltet und wieder geschlagen. Je öfter man das glühende Metall faltet und schlägt, desto haltbarer und zugleich elastischer wird die Klinge später sein. Man muss hartes und weiches Eisen miteinander verbinden, Ihr versteht? Wir falten unseren Stahl wohl an die zweihundert Mal, doch die Elfen tun dies ungleich öfter." Guntram wies auf den Amboss. „Mit einer Elfenklinge durchtrennt Ihr jede Rüstung und sogar diesen Amboss. Mit einem einzigen Hieb. Ein einfaches Schwert würde dabei zerbrechen, wenn es kraftvoll geführt ist. Aber kein Elfenschwert."

Guntram wies zu den Rüstungsteilen und Waffen im Hintergrund der Schmiede. „Ich mache gute Schwerter und falte sie oft. Die zerbrechen nicht, junger Freund. Aber sie werden trotzdem nie so gut wie eine Elfenklinge werden, selbst wenn ich sie noch so oft falte und hämmere. Es steckt eben zusätzlich eine besondere Elfenmagie in ihrem Metall, die wir nicht besitzen."

„Könnt Ihr sie nicht von den Elfen bekommen?"

Guntram lachte gutmütig. „Sie teilen ihre Magie nicht mit gewöhnlichen Menschen. Zudem leben sie weit im Westen und hoch im Norden. Sehr weit im Westen und sehr weit im Norden." Er seufzte. „So es überhaupt noch Elfen gibt." Der Schmied gab sich einen Ruck. „Und nun genug geschwätzt, Nedeam, mein junger Freund. Das alte Schurmesser ist wieder wie neu. Ach was, es ist neu. Aber Ihr wollt ja auch noch ein anderes, neues Schurmesser, nicht wahr? Nun, lasst uns sehen, was ich da habe." Guntram schüttelte den Kopf. „Und das alles für ein Fell mit einem gewaltigen Riss. Junger Freund, Ihr werdet mein Ruin sein, wirklich."

Einen Zehnteltag später streifte der Zwölfjährige durch die Straßen und Gassen Eternas', und während er erneut staunte, verspürte er seinen wachsenden Hunger. Zudem musste es hier, das wusste er, auch irgendwo Süßwurzeln geben. Nedeam lenkte Stirnfleck durch den Bezirk der Handwerker. So vieles gab es hier für ihn zu bestaunen. Guntram war nicht der einzige Schmied Eternas'. Es gab noch zwei weitere, die ihre Fertigkeiten anboten und Waffen und Dinge des täglichen Bedarfes anpriesen. Vieles, was in den anderen Marken des Pferdekönigs aus Holz gefertigt war, wurde in der erzreichen Hochmark aus Metallen geschmiedet und oftmals liebevoll verziert. Löffel, Kessel und Kannen, feine Stechnadeln zum Nähen und scharfe Klingen für die verschiedensten Verrichtungen. Beschläge für Türen und Fenster, bis hin zu vollständigen Rahmen. Teile des Sattelzeuges und Spaltklingen zum Bearbeiten der Felder, Becken und Lampen für Fett und Brennstein und viele andere

Dinge mehr. An einer der Schmieden stand eine Gruppe von Männern mit ihren Pferden, die neu beschlagen werden mussten. Jedes halbe Jahr musste ein Pferd frisch beschlagen werden, denn die Hufeisen nutzten sich rasch ab, oder ihr Sitz lockerte sich, und so waren die Schmiede stets damit beschäftigt, neue Eisen zu schmieden und sie den Hufen der Pferde anzupassen. Die Eisen durften dabei nicht zu groß und nicht zu klein sein und die Nägel, mit denen sie an den hornigen Hufen befestigt wurden, durften das Tier nicht verletzen.

Am Ostrand der Stadt, dem Flussufer zugewandt, lag eine kleine Töpferei, in der der Lehm des Ufers zu Tellern und Kannen geformt und gebrannt wurde. In ihrer unmittelbaren Nähe fand Nedeam ein kleines Haus, vor dem einige Fallen und Schlageisen hingen und zudem die Felle einiger toter Nager an einem Rahmen zum Trocknen ausgespannt waren. Nager konnten zu einer wahren Plage werden, denn die Felder und Vorratskammern der Stadt boten reichlich Nahrung und die kleinen Biester vermehrten sich unglaublich. Nedeam erkannte einen stämmigen Mann, der soeben aus dem Haus trat und dabei tief in ein Gespräch mit einem anderen vertieft war. Dem Knaben fiel die mächtige Keule auf, die der muskulöse Mann in einer Hand hielt. Von Neugier gepackt, ritt er näher.

„... wirklich, mein guter Herr, diese Biester sind nicht dumm“, hörte er die Stimme des hünenhaften Mannes. „Nach einer Weile kennen sie die Fallen, und Ihr mögt den besten Schafskäse als Lockmittel nehmen, sie werden den Köder verweigern. Doch mit mir und meiner braven Keule, damit rechnen sie nicht, so wahr ich Barus heiße.“

„Ach, Ihr wollt mir doch wohl nicht erzählen, dass Ihr mit Eurer Keule Nager erschlagen könnt. Diese flinken Biester weichen Euren Hieben doch aus.“

Der stämmige Mann schlug die Keule in seine flache Hand, und es gab einen vernehmlich klatschenden Laut. „Hiebe? Ich, Barus, guter Herr, der beste Nagerjäger der ganzen Stadt ..."

„Ihr seid auch der einzige", warf der Mann skeptisch ein.

Barus musterte ihn kopfschüttelnd. „Habt Ihr ein Problem mit den Nagern in Eurem Keller, guter Herr, oder habe ich eines? Wie erwähnt, als bester Nagerjäger der Stadt schlage ich nicht einfach mit meiner Keule zu. Seht her."

Der stämmige Mann machte urplötzlich eine Bewegung, die so schnell war, dass Nedeam sie mit seinen Augen nicht einmal wahrgenommen hatte. Jedenfalls lag die Keule auf einmal etliche Längen entfernt am Ufer, wo Barus sie aufhob und in der anderen Hand unvermittelt den Kadaver eines kleinen Nagers hielt. „Seht Ihr, guter Herr? Ich werfe die Keule wie der Blitz."

Nedeam und der andere Mann waren gleichermaßen verblüfft. Der Nagerjäger wischte die Keule im Gras sauber und brachte sie dann zusammen mit dem erlegten Nager zu seinem Haus. Dort zückte er einen Dolch und begann das kleine Pelztier unverzüglich auszunehmen. „So ärgerlich die kleinen Burschen auch sind, guter Herr, ihr Pelz ist weich und warm und gibt ein hervorragendes Futter für ein Winterwams ab."

Der Mann begann mit Barus darüber zu feilschen, was dieser für seine Dienste haben wollte. Nedeam war noch immer überrascht, auf welche Weise der stämmige Mann den Nager erlegt hatte. Dergleichen hatte er noch nie zuvor gesehen. Doch wie mochte der Nagerjäger dies wohl in einem dunklen Kellerraum vollbringen oder in einem der kaum beleuchteten Vorratshäuser, am Südrand der Stadt?

Als Nächstes sah Nedeam ein paar Frauen zu, die ihre Wäsche am Fluss wuschen, wozu sie jene Schlagbretter nutzten, gegen die man auch nasses Leder schlug, um es geschmeidig zu machen. Der Schaum verriet, dass die Frauen eine Mischung aus Fett und Asche nutzten, um die Kleidung zu säubern. Aber das Waschen war Frauensache und interessierte Nedeam nicht wirklich, weshalb er zurück in die Stadt ritt, vorbei an einer Schneiderei und einer Schuhmacherin, die gerade die weichen Stiefel des Pferdevolkes fertigte. Harte, doch nicht zu feste Ledersohlen, an denen die beiden Oberteile mit feinen Lederriemen festgenäht wurden. Während die Stiefel der Männer meist sehr schlicht und rein funktionell gearbeitet waren, wiesen die der Frauen oft feine Prägungen und Stickereien auf. Die Schuhmacher der Hochmark fertigten außerdem auch feine Gürtel und Waffenscheiden, die sie mit Metallen verzierten. So begutachtete Nedeam ein wenig neidisch eine Schwertscheide aus bestem rotem Leder, welche mit Metallbeschlägen verziert war. Er wusste, dass es auch metallene Schwertscheiden gab, doch das Pferdevolk bevorzugte weiche Lederscheiden. Denn war die Klinge erst einmal gezückt, passten sich die Scheiden den Körperbewegungen an und verliehen dem Reiter auf dem Pferderücken dadurch mehr Bewegungsfreiheit.

Der Knabe spürte das unmerkliche Knurren seines Magens und machte sich nunmehr endgültig auf, um etwas zu essen und eine Unterkunft für die Nacht zu finden. Und etwas Süßwurzel. Rasch fand er einen Laden, in dem Backwaren und andere Lebensmittel angeboten wurden und wo er im Tausch gegen vier Häute und ein kleines Fell Mehl und Salz sowie ein paar Süßwurzeln erstehen konnte. Auf einer von ihnen genussvoll kauend, machte er sich zuletzt auf die Suche nach einer Bleibe für die Nacht. Der Händler hatte ihm beschrieben, wo er diese finden würde.

Es gab nur eine einzige kleine Herberge in Eternas, die eigentlich nicht mehr als ein Wohnhaus war, in dem eine Familie lebte, die immer dann Bewirtung für Reisende anbot, wenn es welche gab. Denn die Hochmark lebte schon zu lange in der Isolation, so dass nur wenige Menschen aus den abgelegenen Gehöften und Weilern, die in die Stadt kamen, um Handel zu treiben, über Nacht blieben.

„Nun, für ein Fell werden wir uns schon einig werden, junger Herr“, sagte die Wirtin freundlich und wies auf einen kleinen Anbau. „Hier drüben könnt Ihr Euer Pferd unterstellen und versorgen. Wasser und guten Hafer findet Ihr dort reichlich und Ihr selbst scheint mir auch einen Bissen vertragen zu können.“ Sie sah Nedeam nachdenklich an. „Ich werde Euch einen guten Eintopf machen, mein junger Herr. Gutes Grünkraut, Hafer und ein wenig fettes Schaffleisch … Ach, Ihr könntet ruhig ein wenig Speck auf Euren Rippen vertragen.“

Nedeam versorgte Stirnfleck und ließ die Tragetaschen unbesorgt in dem kleinen Stall stehen, denn kein Mensch des Pferdevolkes nahm einem anderen etwas fort. Und schon bald, nachdem er in der Wohnstube der vierköpfigen Familie den schmackhaften Eintopf gegessen und einen verdünnten Wein getrunken hatte, begab er sich zur Ruhe.

## 6

Das Schwert am Sattel drückte leicht gegen Meowyns Knie, als sie ihr Pferd antrieb, um ein ausgerissenes Schaf zur Herde zurückzutreiben. Sie war es gewöhnt, Waffen zu führen, und wusste sie auch zu gebrauchen. Fast alle Frauen im Land der Pferdelords hatten sich einst auf den Gebrauch von Waffen verstanden und zu kämpfen gewusst. Wenn ihre Männer in den Krieg geritten waren, waren es die Frauen gewesen, die ihre Familien und ihr Eigentum geschützt hatten. Aber nach über dreißig Jahreswenden Frieden hatten viele Frauen die alte Gewohnheit abgelegt, sich im Umgang mit Waffen zu üben. Nicht jedoch Meowyn. Axt und Lanze waren nicht nach ihrem Geschmack, doch sie verstand sich leidlich auf das Schwert und gut auf Pfeil und Bogen. Im Schießen hatte sie schon manchen spielerischen Wettstreit mit Balwin ausgetragen, und keiner von ihnen war sich am Ende sicher gewesen, wer von ihnen beiden wohl der bessere Schütze war. Mit dem Schwert allerdings brauchte sie nicht gegen ihren Mann anzutreten. Auch wenn sie gute Reflexe ihr Eigen nannte, so besaß Balwin doch mehr Schnelligkeit und Ausdauer, um die schwere Klinge über einen längeren Zeitraum hinweg handhaben zu können.

Meowyn genoss es, wenn der Reitwind ihr langes blondes Haar auswehen ließ und ihr Gesicht streichelte. Vergnügt trieb sie das Pferd und das protestierend vor ihr blökende Schaf an und trabte zur Herde zurück. Sie tätschelte den Hals ihres Pferdes und sah sich in dem kleinen Tal um, das der Herde als Weide diente. Noch zwei oder drei Tage, und sie würde die Herde in das nächste Tal hinübertreiben müssen, damit sich der Graswuchs hier erholen konnte. In dieser Region der Hochmark waren die Täler klein und leicht zu überwachen, und hier wuchsen auch die schmackhaften Wildkräuter, die die Schafe fraßen und die ihrem Fleisch den würzigen Geschmack verliehen, den man in Eternas so schätzte. Balwins und Meowyns Tiere brachten stets einen guten Preis.

Die blonde Frau griff in ihre Satteltasche und zog ein Stück Brot hervor, das sie zerbrach und sich Stück für Stück in den Mund schob. Das Pferd begann zu äsen und Meowyn achtete kaum noch darauf, wie es Schritt um Schritt langsam durch das Tal wanderte. Ihre Blicke schweiften über die steinigen Hänge. Irgendwo, in einem der benachbarten Täler, streifte Balwin umher und versuchte die Raubkralle zu töten, die schon mehrere Schafe gerissen hatte. Balwin mochte grobschlächtig erscheinen, aber er war ein geschickter Jäger. Meowyn hoffte nur, dass er nicht einem ganzen Rudel der Raubtiere begegnen würde.

Sie schluckte erneut ein Stück Brot hinunter und dachte daran, dass sie wohl bald ein neues backen musste. Sie zogen selbst ein wenig Getreide neben dem Haus, aber es war nicht allzu viel. Und so würde Balwin wahrscheinlich bald Mehl von dem kleinen Weiler erwerben müssen, der auf halber Strecke nach Eternas lag. Plötzlich hörte Meowyn ein leises Poltern und blickte instinktiv in die Richtung des Geräusches. Sie konnte nichts erkennen und normalerweise hätte sie das Geräusch auch nicht besonders alarmiert, denn hier lösten sich ständig irgendwelche Steine oder Felsen von den Hängen und kullerten hinab ins Tal. Wie oft war Meowyn diesen springenden Brocken schon ausgewichen. Der Gedanke an die Raubkralle, welche Balwin jagte, ließ die blonde Frau jedoch aufmerksam den entsprechenden Hang mustern. Dort war nichts zu erkennen. Dennoch glaubte sie zu spüren, dass etwas sie oder die Herde beobachtete. Es war ein unbestimmtes Gefühl, aber es veranlasste sie dazu, das Brot in die Tasche zurückzustecken und sich ein wenig nach vorne zu beugen, um das am Sattel hängende Schwert in seiner Scheide zu lockern.

Meowyn sah zur Herde hinüber, ihre Augen glitten über die Tiere hinweg und sie spürte erneut, dass etwas nicht stimmte. Sie zählte die Schafe und stutzte. Eines der Tiere fehlte. So zählte sie erneut und als sie zum gleichen Ergebnis wie zuvor kam, fluchte sie leise. Keines der Tiere hatte geblökt und damit angezeigt, dass es in Gefahr war. Wahrscheinlich hatte sich das fehlende Schaf nur verlaufen. Viele Möglichkeiten hierzu gab es allerdings nicht. Allenfalls die größeren Felsblöcke am Fuß der umgebenden Hänge boten genug Sichtschutz, damit sich ein Schaf hinter ihnen verstecken konnte.

Sie drückte die Schenkel unmerklich zusammen, ihr Pferd reagierte bereitwillig und trabte im Schritt auf den Hang zu, den Meowyn als ersten absuchen wollte. Wie die meisten Männer und Frauen im Land der Pferdelords verstand sie es, ihr Pferd mit den Schenkeln zu lenken, damit die Hände für den Waffengebrauch frei waren. Meowyn zog den kurzen Jagdbogen von ihrer Schulter und legte einen Pfeil lose an die Sehne. Besser einmal zu vorsichtig als tot. Das lernte man schnell in der Hochmark und vor allem auf den abgelegenen Gehöften.

In der Herde blökte ein Schaf, doch da es nur ein einzelnes war, ließ Meowyn sich nicht ablenken. Den Blick über das Umfeld schweifen lassend, ritt sie auf den Hang zu und begann langsam daran entlangzureiten. Gelegentlich stieß der Huf ihres Pferdes an einen Stein, doch sonst war nichts zu hören. Meowyn hörte einen Flugstecher an ihrem Ohr summen und schüttelte kurz ihre Locken, um ihn zu vertreiben. Ihre Hände ruhten auf Pfeil und Bogen, als sie hinter sich ein leises Pochen hörte. Instinktiv wirbelte sie im Sattel herum, den Bogen schussbereit gespannt und ebenso rasch ließ sie ihn wieder sinken.

„Ich denke, mein Fell wäre keine rechte Zierde für das Haus", begrüßte Balwin sie schmunzelnd, als er wenig später sein Pferd neben dem ihren zügelte.

„Nein, eher für die Bettstatt", erwiderte sie und für einen Moment lächelten sie einander an. Dann wurden sie sofort wieder ernst, denn Meowyn drehte sich wieder mit entspanntem Bogen dem Hang zu. „Eines der Schafe fehlt. Es ist höchstens einen halben Zehnteltag her."

„Und du hast nicht gesehen, wo es hinlief?" Eine leise Kritik schwang in Balwins Stimme mit. „War denn aus der Herde nichts zu hören?"

Meowyn schüttelte nur den Kopf. Balwin zog den grünen Umhang des Pferdelords um seine Schultern und befreite dann sein Schwert aus der Scheide am Gürtel. Sofort hielt Meowyn etwas Abstand zu ihm und deckte ihren Mann so mit dem Bogen, während Balwin sein Pferd leicht antrieb. So ritten sie hintereinander den Hang des kleinen Talkessels entlang, bis sie fanden, wonach sie gesucht hatten.

Balwin starrte grimmig auf das tote Schaf, das hinter einem größeren Felsblock lag und dessen Blut den Boden tränkte. Blutspritzer bedeckten die umliegenden Felsen.

„Verfluchte Raubkralle." Balwin stieg ab und musterte die umliegenden Felsen, bevor er sich zu dem Kadaver hinunterbückte. „Der Räuber muss noch ganz in der Nähe sein. Nun, er wird mir nicht entkommen."

Balwin schwang sich erneut in den Sattel. „Und es war nichts zu hören?" Meowyn schüttelte erneut den Kopf und Balwin fluchte. „Bei all dem Blut und den tiefen Wunden … Wäre es nur eine Raubkralle gewesen, so hätte dies eine Zeit gedauert und du hättest etwas hören müssen. Ich fürchte, es ist doch kein Einzelgänger."

„Du kannst es nicht mit einem ganzen Rudel aufnehmen", sagte Meowyn besorgt. „Verständige Halfar oder einen der anderen Nachbarn. Jagt sie gemeinsam."

„Du weißt, dass Halfar mir nicht helfen kann, und bis die anderen kommen, werden die Raubkrallen längst woanders sein. Jetzt sind ihre Spuren noch frisch. Ich werde ihnen also über die Hänge folgen. Ich gehe zu Fuß, nimm du mein Pferd nachher zurück zum Hof." Er sah Meowyn eindringlich an. „Keine Sorge, Weib, ich werde mich nicht mit ihnen anlegen, sondern sie aus der Ferne jagen. Gegen Abend werde ich bestimmt zurück sein. Es hat keinen Zweck, die Biester im Dunkeln weiter zu verfolgen."

Nein, das wussten sie beide. Denn im Dunkeln würde aus dem Jäger bald der Gejagte werden. Balwin räusperte sich und ergriff für einen kurzen Augenblick Meowyns Hand. „Achte auf die Herde und sei vorsichtig, mein Weib."

Meowyn lächelte gequält. „Und achte du auf dein eigenes Fell, mein Gebieter."

Balwin nahm seine Waffen auf und ließ den grünen Rundschild am Sattel zurück. Meowyn sah ihn den Hang hinaufsteigen, und er winkte ihr noch einmal kurz zu, bevor er über dem Kamm verschwand. Meowyn nahm sein Pferd am Zügel, und der leere Sattel wirkte auf sie wie ein schlechtes Omen.

## 7

Die Männer seiner Schar waren ermüdet und allmählich spürte selbst Kormund, wie sehr der scharfe Ritt ihn anzustrengen begann. Erst die Grenzpatrouille und ihre schnelle Rückkehr zurück nach Eternas und nun der Kontrollritt zu den Signalfeuern, der in noch größerer Eile erfolgte. Obwohl sie das Leben im Sattel gewohnt waren, spürten sie alle eine steigende Müdigkeit und mit der Müdigkeit würde auch ihre Konzentration nachlassen, das wusste Kormund. Er warf einen Blick zurück auf Parem, der jetzt am Ende der kurzen Reihe ritt und schon ein wenig im Sattel wankte.

Bereits vor mehreren Zehnteltagen hatten sie in der Ferne den winzigen Punkt gesehen, der hoch über einem der Gipfel aufragte und der ihr Ziel war. Das innere Passfeuer der Signalkette.

Nun durchritten sie ein lang gestrecktes und weites Tal, mit dichtem Baumbewuchs am Ostrand. Aber es handelte sich um die üblichen, seltsam verkrüppelt wirkenden Bäume der Hochmark, die nicht zu vergleichen waren mit den Baumriesen, die in der Ebene Eternas' heranwuchsen. Trotz des dichten Bestandes und der vielen Blätter bot der Wald hier keinen wirklichen Sichtschutz, wollte sich eine Horde übler Gestalten darin verstecken. Kormund blieb also entspannt, doch er sah, wie die anderen Männer sich im Sattel reckten und den Sitz ihrer Waffen zum wiederholten Male überprüften. Ein Stück voraus sah er die Spuren eines älteren Holzeinschlages im Wald, wo man das Holz für das vorausliegende Signalfeuer gefällt hatte.

„Wir sind bald am inneren Passfeuer, Männer", wandte er

sich den nachfolgenden Reitern zu. „Dort werden wir eine Rast einlegen."

„Wird auch höchste Zeit", knurrte Lukan hinter ihm. „Mein Magen hängt schon tiefer als der Sattelgurt meines Pferdes. Parem scheint sich übrigens den Hintern wund geritten zu haben. Habt Ihr noch etwas von der Fettsalbe, die wir für die Pferde verwenden?"

Kormund grinste. „Es wird ziemlich brennen."

„Dafür entzündet sich die Wunde nicht", meinte Lukan feixend. „Und danach gibt es eine gute, dicke Haut. Unser Zarthintern scheint sie zu benötigen."

„Er ist erst ein paar Zehntage bei uns Schwertmännern, Lukan, mein Freund", brummte Kormund. Vor ihnen liefen die Hänge des Tales aufeinander zu, und dazwischen zeigte sich die dunklere Öffnung des breiten Passes. Über der rechten Steilwand des Passes erhob sich die Spitze des Signalturms. „Auf, ihr Pferdelords, nur ein kurzer Ritt, dann können sich Pferd und Mann erholen."

Einen halben Zehnteltag später erreichten sie den breiten Einschnitt, der in den Pass führte. Er verband die Hochmark mit der Westmark und an seinem Ende führte ein weiterer Weg zu den geheimnisvollen Bergen, wo einer der Weißen Zauberer in seinem Turm lebte. Der Turm des Signalfeuers ragte nun direkt über ihnen auf und wirkte dadurch höher, als er in Wirklichkeit war. In nur wenigen Augenblicken würden sie den schmalen Weg erreichen, der zwischen steilen Felswänden nach oben führte und den man zu Fuß, die Pferde hinter sich, emporsteigen musste. Der kurze Weg reichte unmittelbar bis an den Fuß des Turmes. Das zweite Signalfeuer am anderen Ende des Passes war dagegen lediglich auf einem kleinen Fundament errichtet worden, da man, von dem dortigen Felsplateau aus, einen guten Überblick über die beginnende Westmark hatte und die fernen Berge erkennen konnte.

Kormund bemerkte es als Erster und versteifte sich. „Die Pferde der Wachen sind fort."

Er blickte zu dem hohen grauen Turm über sich. Dort war nichts zu sehen und weder zwischen den wenigen Schießscharten noch oben auf der Plattform zeigte sich Bewegung. „Seid auf der Hut. Die Wache wäre niemals, ohne ihre Ablösung abgewartet zu haben, weggeritten."

Einer der Männer hüstelte nervös, als sie die Pferde zügelten und absaßen. Instinktiv duckten sich die Männer zusammen, als sie nacheinander mit den Pferden in den engen Weg traten, der zum Turm führte. Die Schritte von Mann und Pferd hallten verstärkt von den engen und steil aufragenden Felswänden zurück und sie alle fürchteten in diesem Augenblick nichts anderes, als dass oben am Rand ein Feind auftauchen und Felsen auf sie herabstürzen könnte. Doch nichts geschah und Kormund atmete auf, als er sein Pferd wieder ins Freie auf das kleine Plateau hinaufführte, auf dem sich auch der Turm erhob.

Hinter dem Turm stand ein bescheidenes Gehölz aus Büschen und einigen verkrüppelten Bäumen. Vor unzähligen Jahreswenden musste wohl einer der Stürme ein Samenkorn bis zu diesem kleinen Plateau getrieben haben, wo es gekeimt und als zartes Pflänzchen seinen Halt in einer der Spalten am Boden gefunden hatte. Irgendwie war es dem Pflänzchen gelungen, zu überleben, und aus dem kleinen Gewächs war im Laufe vieler Jahre dieses Gehölz entstanden. In den Jahren, seitdem es die beiden Signalfeuer des Passes gab, hatte man kein Holz von hier geschlagen, sondern es aus dem vor dem Pass liegenden Tal herangeholt. Nur im äußersten Notfall, wenn der Weg ins Tal versperrt wäre, das Signalfeuer aber brennen musste, würde man dieses Holz schlagen. Bislang hatte keiner der Pferdelords dieses Gebot jemals verletzt. Vielleicht, weil jeder von ihnen zu respektieren gewusst hatte, wie es war, wenn jemand um sein Überleben kämpfen musste.

Der Turm aus dem grauen Stein der Hochmark war gute zwanzig Längen hoch, maß jedoch kaum vier Längen im Durchmesser und verjüngte sich nach obenhin. Seine bescheidene Einrichtung bestand aus der Wachstube im unteren Geschoss, mit den Schlafgelegenheiten und Vorräten für eine fünfköpfige Wache, sowie der steilen Wendeltreppe, die zur Plattform hinaufführte. Dort befand sich das gestapelte und mit Öl getränkte Holz, welches im Gefahrenfall entzündet und zum Signalfeuer wurde.

Noch immer war keine einzige Bewegung oder irgendein Laut wahrzunehmen und die Stille wurde den fünf Männern zunehmend unheimlich.

„Hier steht Kormund, vom ersten Beritt des Pferdefürsten der Hochmark“, rief Kormund mit lauter Stimme und zog instinktiv sein Schwert aus der Scheide. Hinter ihm erklang sogleich das leise Zischen anderer Schwerter, die gezogen wurden, und Lukan nahm seine große Kriegsaxt schlagbereit auf die Schulter.

„Die Tür steht offen“, knurrte Lukan. „Und sie scheint mir unbeschädigt.“

„Sehen wir nach, was das Schweigen zu bedeuten hat.“ Kormund drückte die massive Eisentür des Turmes auf, in die das Wappen der Hochmark eingearbeitet war.

Sie waren nun alle darauf gefasst, das ein oder andere Schrecknis zu Gesicht zu bekommen, doch was sie vorfanden, war nichts als Leere – was furchtbar genug war. Lukan stieg bis zur Plattform hinauf und kam mit grimmigem Gesicht wieder herunter. „Die Plattform ist leer. Dort oben ist nichts, versteht Ihr? Kein Holz, kein Öl, keine Wache."

Von diesem Turm aus würde es also so rasch kein Signalfeuer geben können. Doch wo war die Wache? Was war hier vorgefallen? Auch der Aufenthaltsraum im Turm war gespenstisch leer. Tische und Bänke, sogar die Bettstätten waren von hier entfernt worden. Nur noch ein paar Abdrücke im staubigen Boden verrieten, wo sie gestanden hatten. Die Möbel waren ebenso spurlos verschwunden wie die fünf Wachen.

Kormund nickte langsam. „Man hat alles entfernt, was brennen könnte."

„Es soll kein Signalfeuer von hier aus gehen", stimmte Lukan zu. „Keine Warnung."

Sie suchten nun den Boden und die Wände nach Spuren eines Kampfes ab und endlich wurden sie fündig. Dort, wo eines der Betten gestanden hatte, fanden sie ein paar eingetrocknete Flecken.

„Blut", brummte Lukan und betrachtete die Flecken. „Es sieht so aus, als habe man eine der Wachen im Bett getötet." Er sah zu Kormund auf. „Wahrscheinlich überfiel man sie in der Nacht, überwältigte irgendwie die Türwache, drang in den Turm ein und tötete, bevor die Schlafenden sich ernsthaft wehren konnten." Lukan erhob sich und trat nahe an die Wand heran, wo er die Decke musterte. Er wies auf weitere kaum sichtbare Streifen bräunlicher Färbung, die an der Decke entlang führten. „Schwert oder Axt, und man hat mehrmals zugeschlagen. Nein, Freund Kormund, wir werden hier keine Wachen mehr finden. Zumindest keine lebenden."

Die anderen Männer warteten nervös vor dem Turm und Lukan wollte gerade wieder zu ihnen hinausgehen, als sein Freund ihn zurückhielt. „Wir müssen uns vergewissern, ob dies auch für das vordere Feuer am Eingang des Passes gilt", sagte Kormund missmutig. „Ich weiß, mein Freund, dass es wahrscheinlich so sein wird. Aber Garodem braucht Gewissheit."

„Wenn es hier Brennbares gäbe, Freund Kormund, dann würde ich jetzt ein Feuer anzünden." Lukan stützte sich auf seine Axt. „Danach könnten wir immer noch zum Passeingang reiten. Wenn wir reiten, ohne Eternas gewarnt zu haben, dann könnten wir in eine Situation kommen, in der uns das später nicht mehr gelingt."

Kormund scharrte mit der Fußspitze im Staub des Bodens. „Und wenn dies nur der Überfall einiger Geächteter war? Die nur ein paar Tage Zeit gewinnen wollten, um ungestört ein wenig plündern zu können?"

Lukan lachte spöttisch auf. „Ihr wisst selbst, dass dies kein kleiner Trupp Geächteter war. Eine Handvoll Männer hätte sich nachts einfach vorbeigeschlichen. Hier steckt mehr dahinter, und das wisst Ihr."

Kormund schlug seinem Freund auf die Schulter, von der etwas Staub aufstieg. „Aber gilt es uns, der Hochmark? Oder gilt es der Westmark und dem Land des Königs? Ihr wisst, was davon abhängt, dies in Erfahrung zu bringen. Am vorderen Ende des Passes werden wir einen Teil der Westmark bis hin zu den Feuern des Königs überblicken können. Dann werden wir auch wissen, wo der unbekannte Feind zuschlagen will."

„Dann schickt wenigstens einen Boten, der Garodem berichtet, was wir hier entdeckt haben." Lukan spuckte auf den Boden und strich Kormunds Hand von seiner Schulter.

„Wir reiten zuerst zum vorderen Feuer", entschied Kormund. Er war sich nicht sicher, ob diese Entscheidung richtig war, und spürte gleichzeitig zum ersten Mal, dass Lukan bereit war, sich ihm zu widersetzen. Doch er, Kormund, war der

Scharführer und musste daher die Entscheidung treffen. „Wir werden vorsichtig und kampfbereit sein und beim ersten Zeichen von Gefahr kehren wir um, das verspreche ich Euch, mein Freund."

Lukan rang mit sich und nickte dann zögernd. „Gut. Wenn Ihr es so entscheidet. Doch dann lasst mich die Spitze einnehmen, meine Instinkte scheinen mir besser als die Euren zu sein. Und lasst den jungen Parem ganz hinten reiten. Er ist der jüngste und leichteste von uns allen, und sein Pferd ist noch am frischesten."

„So machen wir es", stimmte Kormund in versöhnlichem Tonfall zu. „Und jetzt lasst uns eilen. Es bleibt noch lange genug hell, um das vordere Feuer zu erreichen und danach wieder hierher zurückzukehren."

Der lange dreieckige Wimpel, dessen grüne und weiße Farben an Kormunds Lanze flatterten, schien etwas Tröstliches auszustrahlen, als die fünf Männer der Schar sich unten im Pass formierten. Lukan ritt auf seinem grobknochigen Wallach an der Spitze, die Axt schlagbereit, und zehn Längen hinter ihm folgte Kormund, flankiert von den beiden anderen Pferdelords. Abermals zehn Längen zurück folgte Parem, dem man seine Angst zunehmend anzusehen begann. Ihre Sinne waren angespannt und sie alle fühlten sich unbehaglich und waren kampfbereit. Kormund fühlte Schweiß an seiner Hand, mit der er den Griff des Schwertes umklammerte, und wischte sie rasch an seinem grünen Umhang ab.

„Haltet euch bereit, Pferdelords", wiederholte er immer wieder. „Achtet auf die Ränder des Passes. Wenn uns Gefahr droht, wird sie von dort kommen."

Doch der Feind war offenbar um Einiges trickreicher, als Kormund dies bedacht hatte.

Sie hatten die lange Schlucht des Passes schon fast zur Hälfte durchquert, als sich plötzlich der Boden vor ihnen zu bewegen begann. Selbst der erfahrene Kämpfer Lukan wurde davon vollkommen überrascht. Schemenhafte Gestalten erhoben sich, warfen dabei die mit Erde und Staub bedeckten Decken der ermordeten Turmwachen von sich und stürzten brüllend auf Lukan zu.

Auch dieser brüllte und schwang im Reflex seine Streitaxt im Kreisbogen von der Schulter. Dunkles Blut spritzte und ein bleicher Schädel löste sich von den Schultern einer stämmigen Gestalt in schwarzer Rüstung. Für einen kurzen Moment schien die kopflose Gestalt noch weiterzulaufen, bevor sie schließlich haltlos vornüberfiel. Schon schwang die Axt Lukans herum und traf die Rüstung eines anderen Gegners, rutschte jedoch ab, weil dieser sich im gleichen Augenblick drehte. Lukans Pferd war ein erfahrenes Kampfross, doch ebendies wurde seinem Reiter zum Verhängnis, denn der Wallach, der merkte, dass der angegriffene Gegner unbeschadet geblieben war, stieg auf und drehte dabei auf der Hinterhand, damit seine Vorderhufe mit vernichtender Wucht treffen konnten. Lukan, noch immer von dem unerwarteten Hinterhalt überrascht, reagierte etwas zu spät und verlor den Halt. Mit einem wütenden Aufschrei stürzte er aus dem Sattel und entging dabei nur knapp dem Schwertstreich eines dritten Angreifers.

„Orks“, schrie Kormund nun auf. „Es sind Orks, verdammte Brut.“

Instinktiv trieb er sein Pferd auf den Feind zu, und die anderen Reiter folgten ihm ebenso instinktiv. Nur der junge Parem zögerte, doch dann folgte auch er den anderen. Kormund spürte das Schwert in seiner linken Hand, und es fühlte sich nicht richtig an. Sein altes Schwert war besser ausgewogen gewesen, während das einfache, das er nun führte, zu jenen Dutzenden gehörte, welche die Schmiede für den Fall gefertigt hatten, dass der Pferdefürst die Wehrfähigen unvermittelt einberufen und bewaffnen musste. Seine rechte Hand hielt die Lanze mit dem knatternden grünen Wimpel der Pferdelords aufrecht und das weiße Pferd darauf schien sich dem Feind entgegenzustrecken. Neben ihm trieben die anderen Männer ihre Reittiere an und legten die Waffen zum ersten Schlag an ihre Schultern. Die Schilde schlugen im Takt gegen die Schenkel der Reiter. Würde es zum Kampf zu Fuß kommen, würden die Männer die Schilde benutzen, doch beim Kampf zu Pferd waren sie nur hinderlich. Man brauchte Kraft und Bewegungsfreiheit, um vom Pferderücken aus zu kämpfen und Mann und Pferd zur tödlichen Waffe werden zu lassen.

Kormund und die anderen Pferdelords hatten den gestürzten Lukan fast erreicht, der sich schon wieder vom Boden erhob und dabei zugleich den Schlag eines Angreifers mit der eigenen Klinge blockierte. Die Wucht des Hiebes warf den rothaarigen Veteranen erneut auf den Rücken, doch er konnte seine Klinge drehen und sie von unten in den Leib des Orks rammen. Der Ork erstarrte, aufgespießt auf dem Schwert, und sein dunkelgrünes Blut lief die Klinge entlang auf Lukans Hand zu. Dann stürzte die leblose Gestalt vornüber. Erneut bewegte sich Lukan, drehte sein Schwert in dem toten Kadaver, damit die Klinge freikam, und rollte sich zur Seite. Neben ihm stieß eine Lanzenspitze in den Boden und prallte mit hellem Klingen auf einen Stein, als ein paar Dutzend Längen hinter den ersten Angreifern weitere dunkle Gestalten auftauchten und brüllend heranrannten.

Kormund wusste instinktiv, dass ihnen nur wenig Zeit bleiben würde, der nun mehrfachen Übermacht zu entkommen. Er klemmte die Lanze mit dem Wimpel zwischen Arm und Leib, hob sich leicht im Sattel und beugte sich vor. Mit voller Wucht traf die Lanzenspitze die Rüstung eines Ork, durchschlug sie mit hellem Ton und drang bis zum Wimpel in den Leib des Feindes ein. Schon war Kormunds Pferd an dem Getroffenen vorbei und Kormund drehte unbewusst den Arm, befreite die Lanze, während er zugleich mit dem linken Arm einen Schwertstreich gegen den nächsten Gegner führte. Rechts und links von ihm befanden sich die anderen beiden Pferdelords und die Wucht ihrer Attacke trieb die überraschten Orks für einen Moment auseinander.

Äxte, Schwerter und Lanzen prallten aufeinander, schlugen gegen Rüstungen oder drangen in Leiber. Einer von Kormunds Männern wurde vom Fanghaken eines orkischen Schlagschwertes getroffen und vom Pferd gezerrt. Der aufbrüllende Pferdelord verschwand unter den Leibern mehrerer Feinde und Kormund selbst wurde zu stark bedrängt, um ihm Hilfe leisten zu können. Er zog sein Pferd herum und sah den anderen Reiter an. „Zu Lukan", schrie er über das Getümmel des Kampfes hinweg, „und dann zurück."

Der Reiter nickte und seine Axt spaltete Schädel und Brust eines Orks. Der Pferdelord bekam sie jedoch nicht schnell genug wieder frei und stieß deshalb wütend mit einem Fuß gegen den Getöteten. Endlich löste sich die Klinge. Da traf ein Schlagschwert den Schenkel des Mannes, trennte ihm das Bein fast ab und verwundete auch sein Reittier, das grell wiehernd aufstieg. Doch irgendwie gelang es dem Schwerverletzten, dennoch im Sattel zu bleiben und seine Axt in den nächsten Feind zu treiben.

Lukan hatte bereits seinen vierten Feind gefällt, als ihn ein Lanzenstoß von hinten traf. Der Schock warf ihn erneut auf die

Knie und er hörte das Splittern von Holz, als er sich drehte und dabei den Lanzenschaft abbrach. Der Schmerz war überwältigend, doch es strömte noch genug Adrenalin durch Lukans Adern, dass er zornig aufbrüllen und nach dem Ork schlagen konnte, der noch immer verwirrt auf die zerbrochene Lanze starrte. Die rötlichen Augen des Orks wurden leblos, und er sackte tot zusammen, als Lukan sein Leben beendete. Keuchend kniete der rothaarige Veteran am Boden und fand nicht mehr die Kraft dazu, sich zu erheben. Seine Hand ertastete die Klinge der Lanze, die vorne aus seinem Leib herausragte. Da fiel schon der Schatten des nächsten Orks auf ihn, und Lukan fand kaum noch die Kraft, sein Schwert zu heben. Ungläubig starrte er auf das Schwert, das der Ork in seiner Hand hielt. Es war Kormunds Klinge, die dieser dem toten Boten des Königs bei der Bestattung eigenhändig in die Hand gegeben hatte. Die Bestie hatte also die Ruhe des Toten gestört und ihm die Waffe geraubt. Der aufsteigende Hass verlieh Lukan zum letzten Mal Kraft und er stieß sein Schwert nach oben, doch der Ork grunzte nur, wich zur Seite aus und schlug selbst von oben zu. Kormunds Schwert traf Lukans Nacken, trennte ihm den Kopf vom Rumpf, und für ein paar Sekunden sah der alte Veteran noch, wie die Welt um ihn herum zu kreisen begann, bevor seine Sinne für immer schwanden.

Kormund kämpfte sich aus der Gruppe der Orks frei, die ihn und den anderen verwundeten Pferdelord umzingelt hatte, und schlug mit der flachen Klinge auf die Kruppe des verletzten Pferdes des anderen Reiters. Der Mann hielt sich nur noch mühsam in seinem von Blut getränkten Sattel. Auch die Flanke des Pferdes war mit dessen eigenem Blut und dem des Pferdelords bedeckt, aber noch weigerten sich Ross und Reiter zu sterben und so galoppierten sie neben Kormund aus dem Kampfgetümmel heraus.

Kormund schrie wütend auf, als er seinen toten Freund Lukan am Boden liegen sah, und schlug im Vorbeireiten nach dem Ork, der neben der Leiche stand und ihn triumphierend anschrie, doch er verfehlte die Bestie. Ein Stück voraus sah der Scharführer Parem. Der junge Reiter hatte sein Pferd gewendet und war vor der Übermacht geflohen. Kormund spürte Zorn in sich, obwohl der junge Mann vielleicht richtig entschieden hatte, denn Parem ritt schnell genug und würde von den Orks nicht eingeholt werden können. So würde der Pferdefürst Garodem wenigstens Nachricht darüber erhalten, was am Pass geschehen war.

Der Scharführer blickte zurück und sah, dass die Bestien zurückfielen. Neben ihm ertönte ein protestierendes Wiehern und Kormund sah gerade noch, wie das verletzte Tier des anderen Reiters im vollen Galopp strauchelte und dann zusammenbrach. Der verwundete Pferdelord konnte sich nicht halten, wurde nach vorne geworfen und schlug schwer zu Boden. Kormund zügelte sein Pferd, warf einen Blick zu den wieder näher kommenden Orks und saß ab. Doch dem Schwerverletzten war nicht mehr zu helfen.

„Schneller Ritt und scharfer Tod, Pferdelord, mein Freund“, murmelte Kormund zum Abschied, dann saß er wieder auf, schrie die Orks wütend an und folgte dann Parem, der ihm ein gutes Stück voraus war.

Sein Pferd war erschöpft und die Orks würden, obwohl sie nur zu Fuß waren, bald zu ihm aufschließen. Das Ende war nur noch eine Frage der Zeit. Aber Kormund würde als Pferdelord sterben und Parem dadurch die Zeit verschaffen, welche dieser benötigte, um zu Garodem zu gelangen und ihn zu warnen.

Orks!

Die Bestien aus der Vergangenheit waren wieder in der Hochmark. Was war nur geschehen? Vor langer Zeit waren die rotäugigen Ungeheuer vernichtet worden, wie hatten sie nun in die Hochmark zurückgelangen können? Die Orks kamen weit aus dem Osten, aus dem Dunklen Land des Schwarzen Lords. Es gab nur zwei Wege, über die die Orks in die Mark eindringen konnten: den südöstlichen Gebirgspfad von der Nordmark des Königs her oder die alte südliche Straße, die an den westlichen Grenzen des Pferdelandes und am Hammerturm vorbei ins Hochgebirge führte. Doch in Hammerturm lebte der große Weiße Zauberer, der ein Freund der Menschen und ein Feind der Orks war und außerdem zu mächtig, als dass die orkische Horde sich mit ihm eingelassen hätte. Nein, der Feind musste aus der Nordmark und von Südosten hergekommen sein. Das Land des Pferdekönigs war somit in Gefahr und vielleicht sogar schon überrannt worden.

Kormunds Reittier wurde immer langsamer. Vor ihm war Parem nur noch als kleine Staubwolke zu erkennen. Der Flüchtende würde Garodem warnen und doch hätte Kormund dem feigen Reiter am liebsten die Klinge in den Leib gerammt. Parem war es nicht wert, den grünen Umhang eines Pferdelords zu tragen. Erneut blickte Kormund über seine Schulter zurück. Nur eine Handvoll Orks war noch auf seiner Fährte. Sie liefen in ihrem kräfteschonenden Trab, der sie langsam, aber stetig näher kommen ließ. Nicht mehr lange und sie würden ihn eingeholt haben. Wahrscheinlich genau dort, wo der verlassene Signalturm stand. Vielleicht konnte Kormund sich in dem schmalen Pfad, der zum Turm hinaufführte, gegen die Verfolger verteidigen.

Über seinem Kopf knatterte der lange dreieckige Wimpel an seiner Lanze, und ein Teil des grünen Tuchs und des weißen Pferdes darauf war von trocknendem Orkblut bedeckt. Die

Schatten wurden länger und die Schlucht des Passes wurde zunehmend dunkel. Nicht mehr lange und die Sonne würde untergehen. Kormund wusste, dass die Dunkelheit ihm nur wenig Schutz bieten würde. Denn im Gegensatz zu den Menschen liebten die Orks den Schutz der Nacht. Ihre rötlichen und lichtempfindlichen Augen sahen im Dunkel weitaus besser als die eines Menschen. Besser, er brachte es jetzt zu Ende und stellte sich den Verfolgern, bevor das schwindende Licht seine Chancen noch weiter verschlechtern würde. Vor sich konnte er bereits den Einschnitt in der Felswand unterhalb des Signalturms erkennen, der den kleinen Pfad markierte. Er trieb sein müdes Pferd an, um sich dort dem Feind ein letztes Mal zu stellen.

Die Handvoll Orks hinter ihm merkte, dass sie aufholte, und die Bestien stießen ein triumphierendes Gebrüll aus. Langsam kamen sie näher. Kaum ein Dutzend Längen vor dem Pfad erkannte Kormund, dass er ihn nicht mehr rechtzeitig erreichen würde. Also hielt er an, tätschelte kurz den Hals seines Reittieres und saß dann ab. Mit einem Ruck stieß er die Lanze mit dem Wimpel in den steinigen Boden des Passes, zog den grünen Rundschild vom Sattel, schob ihn auf den linken Arm und nahm das Schwert mit festem Griff in seine rechte Hand. Mochten sie ihn auch niederringen, er würde ihnen einen guten Kampf liefern. Den Kampf eines Pferdelords. Die Orks vor ihm brüllten erneut und begannen zu rennen.

„So sei es also“, murmelte Kormund und dachte flüchtig an seinen toten Freund Lukan. Bald würden sie gemeinsam zwischen den Goldenen Wolken stürmen. „Auf bald, mein Freund. Schneller Ritt und scharfer Tod.“

Da hörte er auf einmal ein leises Zischen hinter sich, das sich zu den heranstürmenden Orks hin ausbreitete. Ein seltsam flirrender Schatten flog vorüber, traf eine der Bestien im vollen

Lauf und fällte sie auf einen Schlag. Als ein weiterer Pfeil heranzischte und die Kehle einer Bestie durchschlug, stutzten die Orks noch für einen Augenblick, doch dann brüllten sie wütend auf und stürzten nach vorne.

Kormunds Schwert prallte mit der Lanze eines Feindes zusammen, zerschlug den hölzernen Schaft, um dann mit einer Drehung in den ungeschützten Hals der Bestie zu fahren. Er duckte sich unter einem Schwertstreich und hörte wiederum ein metallisches Klingen, als ein weiterer Pfeil gegen den Brustpanzer eines Orks schlug, ihn jedoch nicht durchdrang. Die rundohrige Bestie brüllte noch einmal wütend in die Richtung, in der sich der fremde Schütze befinden musste, bevor ihr ein weiterer Pfeil in den weit aufgerissenen Mund drang, ein paar Zähne zerschlug und zuletzt das Gehirn traf. Den letzten der Angreifer spießte Kormund mit seinem Schwert auf, und er genoss es zu spüren, wie die Klinge in den Leib der Bestie glitt. Langsam stieß er sie noch weiter nach oben, während der Ork ihn nurmehr hilflos anbrüllte und sein fauliger Atem Kormund ins Gesicht traf.

Dann war es vorbei.

Schwer atmend ließ Kormund sein von Orkblut bedecktes Schwert sinken und wandte sich dem Dunkel des Pfades zu, von wo aus die Rettung gekommen war. Dort tauchte nun ein stämmiger Mann auf, dessen langes schwarzes Haar staubbedeckt und nass geschwitzt war. Der Mann war ohne Schild und Helm, aber er trug sein Schwert am Gurt und einen kurzen Jagdbogen in der Hand. Der grüne Umhang des Reiters verriet den Pferdelord.

„Ihr habt ein gutes Gefühl dafür, im rechten Augenblick aufzutauchen“, sagte Kormund und lächelte erschöpft.

„Ich bin Balwin aus dem Hesara-Tal, Sohn des Windemir,

und ich war eigentlich auf ein anderes Wild aus", erwiderte der stämmige Mann und legte Kormund zum Gruß die Hand auf die Schulter.

„Ein wohlbekannter Name. Ich ritt einst mit Eurem Vater, Balwin. Er war ein guter Mann und ein vorzüglicher Pferdelord." Kormund suchte sich eine weiche Stelle im Boden, in die er sein Schwert ein paarmal hineinstieß, um es vom Blut zu säubern. „Ich bin Kormund, Scharführer des ersten Beritts."

Balwin ging zu den Toten hinüber und zog seine Pfeile aus ihren Kadavern heraus. Gutes Holz für gute Pfeile war rar in der Hochmark und ein guter Pferdelord verschwendete es nicht. „Was haben Rundohren in der Hochmark zu suchen, Scharführer? Ich dachte, die Bestien wären vor langer Zeit für immer besiegt worden."

„Das dachten wir wohl alle", knurrte Kormund grimmig. „Doch als Erstes muss jetzt der Pferdefürst erfahren, dass die Bestien zurückgekehrt sind."

„Das wird wohl der Reiter besorgen, den Ihr zurückgeschickt habt." Balwin, der seine Pfeile mit angewidertem Gesichtsausdruck säuberte, schien ganz offensichtlich anzunehmen, dass Kormund den fliehenden Parem als Boten nach Eternas geschickt hatte. „Aber auch die Höfe müssen gewarnt werden." Er lachte trocken. „Seit Wochen werden uns Schafe gerissen. Ich dachte, es seien Raubkrallen, aber nun fürchte ich, dass es die Späher der Orks gewesen sind. Ich verfolgte ein paar frische Spuren, die mir so gar nicht nach einer Raubkralle aussahen, und die Spuren führten mich hierher. Wurde die Besatzung denn vom Turm abgezogen? Der Turm ist leer, wie ich sah."

„Erschlagen", brummte Kormund widerwillig.

„Dann sollte ich mich wohl auf den Weg machen und die Höfe warnen", sagte Balwin nachdenklich. „Ich fürchte, wenn die Orks schon die Signalfeuer zerstört haben, dann werden sie mehr als nur einen kleinen Plünderungszug vorhaben und auch mehr sein als diese Handvoll hier."

Kormund blickte in die Schlucht zurück, deren Grund kaum noch zu erkennen war. Bei diesen Schatten würde es schwer sein, einen Feind zu erkennen, der sich ihnen näherte. „Ich würde Euch gern mein Pferd geben, Balwin, damit Ihr schneller seid. Doch es ist zu erschöpft, um Euch noch nützen zu können."

Der Pferdelord und Schafzüchter schüttelte den Kopf. „Ich nehme meinen Weg über die Berge. Ich kenne Pfade, auf denen ich schneller bin, als wenn ich durch den Talgrund reite. Nehmt Ihr nur Euer Pferd, Kormund. Ich werde die Höfe warnen und dann mit den meinen nach Eternas kommen, denn Garodem wird nun wohl die Pferdelords einberufen."

Kormund nickte. „Ja, das wird er. Die Orks sind auf Blut aus und Blut werden wir ihnen geben."

Der Scharführer schob sein Schwert in die Scheide zurück, nahm die Lanze mit dem Wimpel auf und ergriff die Zügel seines Pferdes. „Gebt auf Euch Acht, Balwin, Windemirs Sohn."

„Schneller Ritt und scharfer Tod", erwiderte dieser und lächelte kurz.

Der rasche Lauf, mit dem Balwin sich entfernte, erinnerte Kormund an den ausdauernden Trab der Orks. Dann blickte er erneut in die Schlucht zurück, die nun vollkommen von Dunkelheit erfüllt war. Aber es gab keine Alternative und er konnte hier nicht länger verweilen. So begann er sein erschöpftes Reittier am Zügel aus dem Pass hinaus und in das Land der Hochmark hineinzuführen und er wusste, dass ihm die Orks bald folgen würden.

# 8

Das Haus Elodarion zählte zu den ältesten des Elfenvolkes und man behauptete sogar, dass es seine Linie bis ganz zu den Anfängen elfischen Lebens zurückverfolgen konnte. Von Anbeginn an hatte es die Geschichte des Menschenvolkes begleitet. Manchmal kritisch und skeptisch, manchmal amüsiert und hoffnungsvoll hatte es das wachsende Geschick der Menschenwesen beobachtet.

Die Menschenwesen wuchsen unglaublich rasch heran und ebenso vermehrten sie sich auf unvorstellbare Weise. Doch zugleich waren sie schrecklich vergänglich. Elodarion selbst hatte ungezählte Generationen von Menschenwesen erblühen und vergehen sehen. Manche Menschen hatten dabei sein besonderes Interesse erweckt und er hatte ihren Weg so lange begleitet, bis sie verwelkt waren. Er hatte dies meist aus der Ferne getan, denn das elfische Volk mied die Nähe der Menschenwesen – nicht aus Überheblichkeit, sondern aus Trauer darüber, wie rasch ein Lebewesen verging, das man schätzte. Der Verlust eines Lebens war für das elfische Volk stets mit tiefer Trauer verbunden, denn alles Leben war ihnen unendlich kostbar.

Das elfische Volk selbst war unsterblich und unvergänglich, es sammelte Wissen, widmete sich den geistigen Fähigkeiten und hatte ein tiefes Empfinden für Harmonie und Schönheit entwickelt. Seine Fertigkeiten in allen Künsten waren legendär, wenn auch nur wenige Menschenwesen jemals ihre Werke zu Gesicht bekommen hatten. Denn jene Menschenwesen, mit denen die Elfen Freundschaft schlossen, empfanden in der Nähe ihres eigenen Todes Neid angesichts der Unsterblichkeit des Elfenvolkes. Sie begehrten das ewige Leben ohne zu wissen, welcher Fluch damit verbunden war.

Die Unsterblichkeit war für die Elfen mit zwei Flüchen belegt, die ihnen ein hoher Preis für ihr ewiges Leben zu sein schienen: die geringe Geburtenzahl ihres Volkes und die Erinnerungen, die mit einem unendlichen Leben verbunden waren.

Nichts wurde wirklich vergessen. Weder die Freuden von Tausenden von Jahren noch das Leid, das sich während dieser Zeit angesammelt hatte. Ihre Erinnerungen hätten die Elfen erdrückt, hätten sie im Laufe der Zeit nicht die Fähigkeit der Schröpfung entwickelt. Denn so hoch die Fähigkeiten eines elfischen Gehirns auch entwickelt sein mochten, waren seinen Möglichkeiten dennoch Grenzen gesetzt. In der Zeit seiner Schröpfung brachte ein Elf all seine Erinnerungen zu Papier, damit nichts Wesentliches verloren ging, und die fein gebundenen und gemalten Bücher des Elfenvolkes füllten zahllose Längen von Regalen und Schränken. Eine Schröpfung währte viele Vollmonde und sie wurde von anderen Elfen begleitet, damit jede Gefahr ausgeschlossen war, dass ein schröpfender Elf all sein Wissen einbüßte. Denn hatte er erst einmal sein Wissen zu Papier gebracht, wurde er erneuert und das bisherige Wissen zu wesentlichen Teilen aus seinem Gehirn gelöscht. Aus diesem Grund wusste ein einzelner Elf niemals alles, doch das Volk der Elfen insgesamt verfügte über das Wissen von Jahrtausenden.

Die Geburt eines elfischen Kindes war ein Geschenk an das ganze Volk, welches dieses Glücksgefühl jedoch nur selten empfinden konnte, weshalb ihm auch das Leben jedes Einzelnen so wertvoll war. Trotz des ewigen Lebens war der Tod eines Elfen etwas Unwiderrufliches und der Tod konnte einen Elfen auf vielfache Weise ereilen. Das Volk kannte Unfälle und Krankheiten wie auch den gewaltsamen Tod im Kampf. Denn die Elfen waren ein wehrhaftes Volk, auch wenn sie sich scheuten, eigenes oder fremdes Blut zu vergießen.

Schon oft hatten sie ihre Gründe gegen Feinde schützen müssen und die elfischen Männer waren geübt im Umgang mit der blanken Klinge und dem Bogen, der in Verbindung mit den schnellen Reflexen und guten Augen eines Elfen zu einer unübertrefflichen Waffe wurde. Es gab kein Wesen, das weiter, schneller und treffsicherer schoss als ein Elf und der Ruf der Elfenmänner als Krieger war legendär. Ja, das Leben eines Elfen war kostbar, doch war das gesamteVolk bedroht, setzten die Elfen ihr Leben rücksichtslos ein, um das Überleben ihrer Häuser zu sichern. Der Kampf war die Domäne der elfischen Männer, während es die Aufgabe der elfischen Frauen war, Leben zu schenken und zu bewahren.

All diese Tugenden und Fertigkeiten vereinten Lotaras und Leoryn, Bruder und Schwester aus dem Hause Elodarions, auf vollkommene Art und Weise, und so waren sie mit einer Botschaft ins Land der Menschenwesen entsandt worden. Denn Gefahr drohte dem Elfenvolk und den Menschenwesen, eine Gefahr, die alles freie Leben auf der Welt bedrohte. Und so hatte der weise Rat der Elfen beschlossen, die Waffen erneut zu erheben und einer Gefahr entgegenzutreten, der sie vor so langer Zeit schon einmal begegnet waren.

Damals hatte es den Bund zwischen dem elfischen Volk und den Völkern der Menschenwesen gegeben. Gemeinsam war man gegen die Horden des Schwarzen Lords marschiert und hatte sie besiegt.

Doch schon bald hatten sich die Menschenwesen als schwach erwiesen. Der Bund war zerfallen, und über die Menschenwesen waren Machtgier und Verrat gekommen. Ihre Völker hatten sich zu bekriegen begonnen und waren zerfallen, und das Volk der Elfen hatte sich aus dem Bündnis gelöst. Danach hatte sich das Bild der Welt unter den Händen der Menschenwesen geändert und die Elfen hatten in ihrer Weisheit erkannt, dass sie der wachsenden Macht der Menschen weichen mussten.

Seit langem schon war die große Reise an die fernen Küsten vorbereitet worden und viele Hauser des Elfenvolkes hatten ihre Heimstätten bereits verlassen. Nun aber hatte die Dunkle Macht erneut ihr Haupt erhoben. Lange Zeit hatte der weise Rat mit dem Entschluss gerungen, ob man den Menschenwesen erneut beistehen, oder ob man sie aber der Macht des Dunklen überlassen und sich in die fernen Lande zurückziehen sollte. Aber der Rat wusste, dass dies nur einen zeitlichen Aufschub mit sich brachte und dass irgendwann, in Tausenden von Generationen, die Dunkle Macht auch über die Meere reichen würde, wenn man sie jetzt nicht endgültig bezwingen würde. So gab es für die verbliebenen Häuser des elfischen Volkes nur einen Weg.

Der Bund zwischen Elfen und Menschen musste erneuert werden.

Lotaras und Leoryn aus dem Hause Elodarions hatten dem König der Pferdelords diese Botschaft überbringen sollen. Doch die dunkle Macht war ihnen bereits zuvorgekommen. Die Marken des Pferdekönigs hallten wider vom Kampfgeschrei der Horden und dem Marschtritt ihrer Legionen und Kohorten. Gehöfte und Weiler brannten und eine gewaltige Streitmacht der Orks bewegte sich zwischen den Elfen und ihrem Ziel, der Stadt des Pferdekönigs.

Der Anführer der Bogenschützen, welche die Geschwister auf ihrem Weg begleiteten, hatte sich mit Lotaras und Leoryn beraten, dann stand sein Entschluss rasch fest. „Der König der Pferdelords ist kein Narr. Schon oft wurde sein Land bedroht und jedes Mal hat er sein Volk in der Bergfestung versammelt und dem Feind dort standgehalten. Auch dieses Mal wird der Pferdekönig wieder in die Feste marschieren, damit sein Volk überleben kann. Wir werden uns dorthin begeben, um den Bund mit ihm zu erneuern. Ihr jedoch habt eine andere Aufgabe. Wendet euch nun nach Norden und sucht dort das verborgene Haus."

Alsdann trennten sich die Wege der Geschwister und der elfischen Bogenschützen.

Die Kolonne der elfischen Schützen kam gut voran, denn sie verfügten alle über die sprichwörtliche Ausdauer des elfischen Volkes und scheuten den anstrengenden Marsch nicht, der sie durch das große Gebirge führte. Die Bergfestung des Pferdekönigs war ihnen gut bekannt und wer von ihnen sie nicht persönlich gesehen hatte, kannte sie zumindest anhand der Erinnerungen seines Volkes. Die Truppe der dreihundert Bogen durchquerte gerade ein schmales Tal, als der Anführer vor ihnen plötzlich eine Staubwolke ausmachte, die schnell näher kam. Rasch schätzte er die Breite des kleinen Tales ein und befahl dann seiner Truppe kehrtzumachen und zu einer besonders schmalen Stelle zurückzueilen. Die elfischen Schützen hasteten zu der Engstelle, in der kaum mehr als achtzig Männer nebeneinander Platz fanden, und stellten sich entsprechend den Anweisungen ihres Führers in vier hintereinander gestaffelte Reihen auf. Zwei elfische Kundschafter eilten außerdem die steilen Hänge hinauf, damit die Truppe nicht von hinten überrascht werden konnte, dann warteten die dreihundert Elfen ab.

Sie führten alle den überlangen Bogen der Elfen mit sich, der eine besondere Reichweite und Durchschlagskraft hatte. Ihre langen blauen Umhänge bewegten sich leicht im steten Wind, der durch das Tal strich, und an ihren hohen Helmen funkelten die goldenen Embleme ihrer Häuser. So waren neben der aufragenden Lilie des Hauses Elodarion dort auch Farne, Rosen, Vogelschwingen und andere Zeichen zu sehen, welche die Macht des Elfenvolkes symbolisierten.

Einer der elfischen Kundschafter legte die Hand vor den Mund. „Ein orkischer Trupp. Drei Kohorten stark."

Der Anführer nickte. Er stand mit gezogenem Schwert an der äußersten linken Flanke seiner Schützen. Über ihm, an einer goldenen Lanze, wehte ein rundes Banner in der Form eines zartblauen Schildes aus. „Sollen sie nur kommen."

Er musste keine gesonderten Anweisungen geben. Seit unendlichen Zeiten kannten die Elfen den Kampf, und auch wenn sie ihn nicht suchten, verstanden sie sich doch bestens in der Kunst, ihn mit einer Erfahrung und Treffsicherheit anzufechten, die keinen Vergleich fand.

Der Staub kam immer näher, bis schließlich die ersten dunklen Gestalten sichtbar wurden. Die Elfen warteten, den Bogen zu ihrer Rechten auf den Boden gesetzt, den Pfeilköcher gleich an ihrer rechten Hüfte. Die Kohorten der Orks erkannten nun, dass die Elfen den Pass vor ihnen versperrten, und waren dumm genug anzugreifen. Vielleicht fühlten sie sich mit sechshundert Schädeln dem halb so starken Feind überlegen, auch hatten sie wohl noch niemals gegen Elfen gestanden. Also stürmten sie los.

In einer Distanz von drei Hundertlängen lösten die Elfen die ersten Pfeile. Zwei Minuten würde die kleine Horde der Orks benötigen, um die Elfen zu erreichen, und zwanzig Pfeile konnte jeder der Bogenschützen in der Minute auslösen. Das waren sechstausend Pfeile, die in der Minute gegen die Orks gerichtet werden konnten. Die drei Kohorten schafften nicht einmal die Hälfte der Distanz. Und nach kaum einer Minute stand kein Ork mehr auf seinen Füßen.

Elfische Schwerter senkten sich durch die Kehlen verwundeter Bestien, Pfeile wurden aus den Kadavern gezogen, auf ihre Verwendbarkeit geprüft und gesäubert in die Köcher zurückgesteckt. Dann marschierte die Kolonne der dreihundert elfischen Bogenschützen unbeirrt weiter, der Bergfestung des Pferdevolkes entgegen.

Die Geschwister Leoryn und Lotaras waren der elfischen Truppe mit den Blicken gefolgt, bis diese endgültig in Richtung des großen Gebirges verschwunden war. Auch Lotaras trug den hohen Helm mit der aufragenden goldenen Lilie des Hauses Elodarion und den blauen Umhang des elfischen Volkes. Doch zum ersten Mal fühlte er sich seltsam alleine, und seine Schwester empfand ebenso. Sie legte ihre Hand in die seine, und beide sahen sich in stillem Einvernehmen an, bevor sie ihre Pferde nach Norden lenkten.

Sie ritten durch ein Land, das vom Krieg heimgesucht worden war. Die Spuren waren nicht zu übersehen. Rauchsäulen, deren jede ein Gehöft oder einen Weiler markierte, standen am Himmel und zerfaserten zu dünnen Fahnen, die im Wind dahintrieben. Nur oben im Norden waren die Marken des Pferdekönigs noch unberührt und es schien, als würde ein finsteres Band den Süden und den Norden voneinander trennen.

Die elfischen Geschwister trieben ihre Reitpferde nicht zur Eile, denn sie sollten frisch und ausgeruht sein, falls ihre Kraft für eine rasche Flucht benötigt wurde.

Überall hatten Kämpfe stattgefunden, die einem Gemetzel gleichkamen: Frauen und Kinder des Pferdevolkes waren auf der Flucht von den Horden der Orks einfach erschlagen worden. Nur wenige Männer waren unter ihnen, und nur einmal fanden sie einen Trupp toter Pferdelords zwischen den Kadavern von Orks liegen.

„Sie leisten Widerstand", stellte Lotaras befriedigt fest.

„Ja, aber sie sind überwältigt worden." Leoryn deutete über den Schauplatz des Gefechtes.

„Ja, hier wurden sie überwältigt." Lotaras nickte mit ernstem Gesicht und deutete über das weite Land. „Die Pferdelords leben verstreut in ihren Marken. Es sind jeweils wenige Männer auf den einzelnen Gehöften und Weilern und es gibt nur wenige größere Ortschaften. Doch diese Gruppe hier zeigt mir ganz deutlich, dass der Pferdekönig sie einberief und dass die Männer sich zum Widerstand sammeln. Verstehst du, Leoryn, der König zieht seine Streitmacht zusammen und diese Streitmacht wird kämpfen. Die Pferdelords verstehen sich auf den Umgang mit ihren Waffen. Also besteht eine gute Chance, dass sie bestehen können."

„In ihrer Bergfestung."

„Dorthin wird der König sie rufen." Lotaras nickte unbewusst. „Und dorthin werden sie kommen, wenn die Horden ihnen nicht den Weg versperren. Wir sind nun an der Grenze zwischen der Reitermark und der Nordmark der Pferdelords. Dort im Westen erhebt sich der Turm des Weißen Zauberers, er wird den Menschenwesen seine Hilfe nicht verwehren. Doch unser Weg führt nun weiter nach Norden. Jenseits der versteinerten Wälder muss sich das verborgene Haus befinden."

„Glaubst du, dass es noch besteht?" Leoryn blickte zweifelnd in nördliche Richtung. „Schon lange haben wir nichts mehr vom verborgenen Haus gehört. Vielleicht ist es schon längst von den Dunklen Mächten überwunden worden."

„Es gehört zu den ältesten und weisesten Häusern der Elfen." Lotaras lächelte. „Und zu seinen stärksten. Deshalb muss es in jedem Fall von der Erneuerung des Bundes erfahren, wenn es noch besteht.“

„Du hast Recht“, seufzte Leoryn. „Doch ich vermisse unsere Wälder. Das sanfte Wiegen der Blumen und Gräser und das Murmeln der Bäche.“

„Auch ich vermisse unser elfisches Land.“ Lotaras sah sie ermutigend an. „Doch nun lass uns reiten, meine Schwester. Denn je eher wir das verborgene Haus gefunden und unsere Botschaft übermittelt haben, desto eher werden wir auch das Haus Elodarions wiedersehen.“

Die Pferde des Elfenvolkes waren edle Tiere, die über Generationen hinweg zu schnellen und ausdauernden Läufern herangezüchtet worden waren. Ein wenig höher und langbeiniger als die Pferde der Menschenwesen, waren sie außerdem ausdauernder, aber nicht so kraftvoll wie die Tiere des Pferdevolkes. Es gab nicht viele Pferde bei den Elfen, denn die meisten der Häuser bestanden im Wald und an der Küste, wo es nicht viel Verwendung für Pferde gab. Das Haus Elodarions hatte sich allerdings schon lange der Pferdezucht gewidmet, und die beiden Tiere trugen die Geschwister nun rasch in die Nordmark des Pferdekönigs, in der sie auf die erste Schar von Pferdelords stießen.

Es war nur ein kleiner Trupp von circa fünfundzwanzig Reitern. Die Männer trugen die grünen Umhänge mit dem schmalen goldenen Saum der Königsmark, und der Wimpel des Scharführers zeigte neben dem galoppierenden weißen Pferd auch die weiße Halbsonne. Den letzten unzweifelhaften Hinweis lieferten jedoch die Helme der Männer, an deren jedem der goldene Rosshaarschweif der königlichen Wache wehte. Die Schar galoppierte zunächst ein Stück weit von den Elfen entfernt, doch als sie die beiden anderen Reiter bemerkte, schwenkte der Trupp sofort ein und näherte sich Lotaras und Leoryn in Linie.

Kurz vor ihnen zügelten die Pferdelords ihre Tiere. Die Lanzen der Männer waren halb gesenkt, gleichermaßen wie zum Gruß wie auch zum Hinweis auf ihre Kampfbereitschaft. Menschen wie Elfen schwiegen zunächst eine ganze Weile, in der sie einander beobachteten. Lotaras und Leoryn hatten noch nie zuvor lebende Menschenwesen aus dieser Nähe gesehen und die Reiter wiederum noch nie zuvor Angehörige des Elfenvolkes.

Der Scharführer lenkte sein Pferd näher und betrachtete verwirrt und gleichermaßen forschend die schlanken Gestalten und die spitzen Ohren seiner Gegenüber. Zögernd machte er schließlich ein Zeichen mit seiner Hand, und die anderen Männer hoben die Spitzen ihrer Lanzen senkrecht in den Himmel. Der Mann musterte die Kleidung der Geschwister, bis Leoryn ihn sanft anlächelte. Die Anmut ihres Lächelns schien den Anführer endgültig von der Harmlosigkeit der beiden Reiter zu überzeugen.

Er reckte sich im Sattel und räusperte sich nervös. „Ich bin Beomunt, Schwertmann der Wache, vom Hofe des Königs des Pferdevolkes."

„Ich bin Lotaras, aus dem Hause Elodarions", erwiderte der Elfenmann und deutete eine Verbeugung an. Dann wies er auf seine Schwester. „Und dies ist Leoryn, ebenfalls aus dem Hause Elodarions."

„Ihr seid Elfen, nicht wahr?" Der Mann leckte sich nervös über die Lippen. „Verzeiht, aber ich habe nie zuvor Elfen gesehen. Ich meine, ich habe natürlich von Eurem Volk gehört, doch, offen gesagt, erwartete ich nicht, jemals Angehörigen Eures Volkes zu begegnen. Ihr Elfen kommt zu einem gefährlichen Augenblick. Der Tod zieht über unser Land, in Form von Barbaren und orkischen Horden. Was führt Euch ausgerechnet zu dieser Zeit in die Marken des Pferdekönigs?"

„Ebendiese Gefahr, Pferdelord." Lotaras machte eine ausholende Geste über das Land. „Wir fanden Tod und Untergang und wir wissen um die Macht, die neu erwacht ist."

Beomunt beugte sich zur Seite und nahm eine hölzerne Flasche vom Sattel. Er bot Lotaras und Leoryn Wasser an, das die beiden Elfen gerne annahmen, wenn auch mehr aus Höflichkeit als aus Durst. Zuletzt trank der Scharführer selbst, verschloss die Flasche sorgsam und hing sie zurück. Er schien die Zeit zu benötigen, um seine Gedanken ordnen und zu einem Entschluss kommen zu können. Schließlich zuckte der Mann mit den Schultern.

„Wenn es die Gefahr war, die Euch hierherlockte, Hoher Herr Elf, so frage ich mich nach Eurem Begehr. Sucht Ihr das Abenteuer, um ihm zu begegnen, oder wollt Ihr einfach nur sehen, was sich ereignen wird?"

Leoryn spürte das Misstrauen in dem Menschenwesen und schüttelte ruhig ihren Kopf. „Vor vielen Jahren und Menschenaltern bedrohte die Dunkle Macht des Schwarzen Lords schon einmal die Häuser der Elfen und der Menschenwesen. Damals standen Menschen und Elfen im Bund zusammen, um der Gefahr zu begegnen und sie zu besiegen. Nun ziehen erneut die Dunklen Horden über das Land, und der Rat der Elfen hat beschlossen, den einstigen Bund zu erneuern."

Beomunt sah sie überrascht an.

Lotaras nickte bekräftigend zu den Worten seiner Schwester. „Es ist wahr, Pferdelord. Wenn Ihr von unserem Volke gehört habt, so wisst Ihr auch, dass eine elfische Zunge stets die Wahrheit spricht."

„Davon hörte ich in der Tat", bestätigte der Scharführer und kratzte sich verwirrt im Nacken. „Verzeiht meine Überraschung. Der Bund, er ist eine Legende. Das Volk der Pferdelords steht alleine.“

„Nun nicht mehr, Freund Pferdelord.“ Lotaras wies hinter sich. „Wir waren auf dem Weg zum König der Pferdelords, um ihm diese Kunde zu bringen, doch die Horden der Orks drängten uns von unserem Weg ab. Wir waren in Begleitung unserer Bogenschützen und haben danach beschlossen, uns zu trennen. Unsere Kämpfer ziehen den Weg zu Eurer Bergfestung, Pferdelord Beomunt, denn wir vermuten, dass Euer König dort sein Volk versammeln wird.“

„Ihr kennt die Festung?“

„Unser Volk kennt sie. Viele haben sie einst schon gesehen, Pferdelord Beomunt.“

Der Schwertmann der königlichen Wache sah seine Männer unschlüssig an. „Wir sind auf dem Weg, um die Nordmark zu warnen und die Männer dort zu den Waffen zu rufen. Obwohl ich nicht glaube, dass sie noch einer gesonderten Warnung bedürfen werden.“ Er wies über das Land im Süden. „Die Rauchsäulen sind schwerlich zu übersehen.“ Beomunt seufzte vernehmlich. „Doch der Norden scheint mir noch nicht betroffen zu sein. Das gibt mir Hoffnung.“ Er sah sie forschend an. „Ich vermag Euch Geleit anzubieten, sollte Euch Euer Weg nach Norden führen. Doch warum seid Ihr nicht mit euren elfischen Schützen gegangen?“

„Jenseits des versteinerten Waldes gibt es ein sehr altes Haus unseres Volkes, Pferdelord. Es könnte eine starke Kraft sein, die dem neuen Bündnis hilfreich wäre.“

„Aber ihr wisst es nicht“, stellte Beomunt fest. „Ihr habt keinen Kontakt mehr zu diesem, äh, Haus und befürchtet, dass es nicht mehr existiert, nicht wahr?“

„Ja, das ist wahr“, bestätigte Lotaras. „Vor einer sehr langen Zeit, lang auch nach unseren Begriffen, gab es auch im Osten noch eine größere Anzahl unserer Häuser. Als wir weiter nach Westen wanderten, blieb nur noch eines von ihnen an seinem alten Ort zurück. Es war einst ein mächtiges Haus, und es mag noch Bestand haben.“ Lotaras machte eine unbestimmte Geste. „Unsere Häuser sind sehr eigenständig und haben wenig Kontakt untereinander, müsst Ihr wissen. Nur zu besonderen Zeiten wird der Hohe Rat der Weisen einberaumt.“

„Nun, wenn Ihr wollt, so mag uns unser Weg nun gemeinsam nach Norden führen.“ Beomunt wandte sich seinen Männern zu. „Wir reiten nach Eodan, der Stadt der Nordmark. Folgt uns nun, ihr Pferdelords des Königs.“

Augenblicke später galoppierte die Schar der Pferdelords mit Lotaras und Leoryn nach Norden.

# 9

Je näher der junge Parem mit seinem Pferd dem Tal von Eternas kam, desto mehr schwand seine Furcht, doch noch von den Grauen erregenden Bestien eingeholt zu werden. Gleichzeitig nahm seine Scham zu, die anderen Männer seiner Schar im Stich gelassen zu haben. Aber der überraschende Angriff und der Anblick der dunklen Bestien hatten ihn vollkommen überwältigt. Er verstand nicht, wie Kormund und die anderen mit Todesverachtung gegen diese Übermacht hatten anreiten können. Nein, er glaubte nicht, dass außer ihm noch jemand von der kleinen Schar überlebt hatte, und schließlich wurde aus seiner instinktiven Flucht und Scham der feste Glaube und wohlüberlegte Gedanke, dem Pferdefürsten Garodem über die Bedrohung durch die Orks berichten zu müssen. Letztlich würde die Hochmark es ihm, Parem, zu verdanken haben, dass ihre Bewohner rechtzeitig gewarnt worden waren. Doch würde die Mark den Bestien standhalten können? Bislang hatte sich Parem einen solch wilden Ansturm niemals vorstellen können. Wenn er früher den Schilderungen älterer Pferdelords über die Kämpfe gegen die Orks gelauscht hatte, so hatte er das meiste davon schlicht für die Übertreibung alter Männer gehalten. Doch nun, nachdem er die Bestien gesehen und ihren Ansturm selbst erlebt hatte, bekamen die Schilderungen ein anderes Gewicht.

Parem trieb sein Pferd über den letzten Hügel und konnte endlich das Tal mit der Stadt und der Burg Eternas unter sich liegen sehen. Es war früher Morgen, und die Sonne tauchte das Tal in einen sanften goldenen Schimmer. Aus den Öffnungen in den Dächern der Häuser stieg Rauch von den Fladenfeuern auf, und die ahnungslosen Bewohner der Stadt bereiteten sich auf ihr Tagwerk vor. Parem trabte den Hang hinunter, erreichte die Felder, deren Ähren in sattem Goldgelb strahlten, und ritt eilig die Hauptstraße entlang. Noch waren nur wenige Menschen auf den Straßen zu sehen, und Parem ignorierte ihre verwunderten Blicke, als er sein Pferd an ihnen vorbeihetzte, um die Burg so schnell wie möglich zu erreichen.

Da die Nacht noch nicht lange vorbei war, standen noch zwei Schwertmänner der Wache am Tor, die den abgehetzten Reiter und sein schweißnasses Pferd neugierig musterten. Parem trabte unter dem großen Torbogen hindurch und in den Innenhof der Vorburg. Die Hufeisen klapperten über das Pflaster mit dem eingelegten Wappen der Hochmark und verstummten, als Parem sein Pferd vor dem Haupthaus zügelte. Erschöpft rutschte er aus dem Sattel, und ein gewisser Stolz erfüllte ihn, als er eine der Wachen des Pferdefürsten näher treten sah. Der Mann musterte Pferd und Reiter.

„Ihr gehört doch zu Kormunds Schar, nicht wahr?" Der Mann wischte mit der Hand über die schweißbedeckte Flanke des Pferdes. „Das Pferd ist scharf geritten worden. Welche Nachricht schickt uns Euer Scharführer?"

Parem straffte sich, ganz der Bedeutung seiner Botschaft bewusst. „Kormund ist tot und mit ihm die ganze Schar." Er sah, wie sich die Augen des Schwertmannes weiteten. „Ich bin der einzige Überlebende. Orks sind in die Hochmark eingedrungen. Ich muss sofort zu Garodem."

„Orks?" Der Schwertmann zuckte zusammen. „Seid Ihr sicher, dass es Bestien waren? Keine Ausgestoßenen oder Barbaren?" Doch als Parem ihn auf diese Frage hin nur stumm anschaute, meinte er: „Geht hinauf. Der Herr wird schon wach sein. Ich gebe einstweilen dem Ersten Schwertmann Tasmund Nachricht."

Parem schlang die Zügel seines Pferdes in einen der Eisenringe am Gebäude und betrat wenig später das Amtszimmer des Pferdefürsten.

Garodem stand mit seiner Gemahlin Larwyn an einem der Fensterbögen und blickte zu den Nordhängen des großen Tals, das nun in die Strahlen der Morgensonne getaucht wurde, deren Licht goldene Reflexe auf Larwyns blonde Locken warf. Larwyn wirkte in diesem Augenblick wie ein kleines Mädchen, und nur die leichte Rundung ihres Leibes verriet, dass sie Garodem schon bald einen Nachkommen schenken würde. Sie trug ein langes Gewand in den grünen Farben der Pferdelords, dessen Säume ebenso reich bestickt waren wie der schmale Gürtel, den sie trug, und ihr goldener Stirnreif zeigte die zwei Pferdeköpfe des Landes der Pferdelords. Garodem hatte ihr einst einen anderen Schmuck mit dem Zeichen der Hochmark schenken wollen, doch Larwyn hatte darauf bestanden, weiterhin den alten Reif zu tragen. Sie wusste, dass sein Anblick ihren Gemahl stets an seinen Bruder und das Königshaus erinnern würde, und trug ihn deshalb mit Absicht, denn sie hielt den alten Streit für sinnlos. Sie war die Einzige in der Hochmark, die Garodem immer wieder aufforderte, den alten Zwist zu begraben, doch so beharrlich sie auch war, an der Sturheit ihres Gemahls war sie bislang gescheitert. Doch die Tatsache, dass Garodem ihre Kritik an seinen Isolationsbestrebungen hinnahm, machte allen deutlich, wie sehr er Larwyn in Liebe verbunden war.

Sie beide hatten Parems Schritte auf der Treppe gehört und wandten sich ihm zu, als er nun atemlos den Raum betrat. „Sie sind tot", keuchte der junge Pferdelord. „Sie sind alle tot."

Garodem kniff die Augen zusammen. „Wer ist tot? Berichtet mir, was geschehen ist." Er wandte sich Larwyn zu. „Du solltest nun besser gehen, mein Liebes."

Aber Larwyn lächelte nur und schüttelte den Kopf. „Wir zwei sind eins, und so schlechte Botschaft kommt, so trifft sie uns beide."

Garodem nickte zögernd. „Nun gut, Pferdelord, berichte."

Da schilderte Parem hastig, was sich am Pass zugetragen hatte, und Garodem unterbrach ihn nicht dabei, sondern hörte ihm aufmerksam zu. Nur als der junge Reiter die Orks erwähnte, zuckte der Pferdefürst einmal kurz zusammen und warf einen raschen Blick auf seine erblassende Frau. Mit wachsendem Grimm hörte Garodem der Schilderung zu, bis Tasmund, der Erste Schwertmann der Hochmark, die Treppe heraufpolterte und Parem mit seiner Schilderung erneut beginnen musste. Als er geendet hatte, herrschte für einen Augenblick Schweigen. Schließlich nickte der Pferdefürst dem jungen Pferdelord zu.

„Ihr habt Eure Pflicht wie ein echter Pferdelord erfüllt, mein Freund. Geht nun und sorgt für Euer Pferd und für Euch selbst." Garodem zögerte kurz. „Und bewahrt Schweigen über das, was Ihr erlebt habt. Tasmund und ich werden beraten, was zu tun ist."

Enttäuscht verließ Parem den Raum. Gleichzeitig war er erleichtert, dass Garodem seine Schilderung nicht weiter hinterfragt hatte und Parems unrühmliche Rolle dadurch nicht ans Tageslicht gekommen war. Parem wusste nicht, ob er dem durchdringenden Blick Tasmunds hätte standhalten können. Aber die Ruhe Garodems und Tasmunds irritierte ihn. Warum schlug der Herr jetzt nicht Alarm, sondern tat geradezu so, als ob er zunächst noch in aller Ruhe frühstücken wollte? Begriff

Garodem denn nicht, welche Gefahr ihnen allen drohte?

Aber Garodem begriff die Gefahr durchaus. Er stand mit Tasmund vor der großen Landeskarte der Pferdelords. „Die Signalkette der Feuer ist also zerstört. Orks. Ich hätte nicht gedacht, dass diese Brut nochmals ihr Haupt erheben würde. Barbaren, Geächtete, meinethalben sogar Südländer ... Aber dass Orks erneut zu einer Gefahr heranwachsen würden ..."

Garodem stieß ein leises Knurren aus. „Parem schilderte, dass Hunderte von ihnen über den Pass vordringen. Ihr Schritt müsste sie in fünf Tagen vom Pass bis nach Eternas tragen. Abzüglich des einen Tages, den Parem brauchte, um sein Tier zu uns zu hetzen. Damit bleiben uns also vier Tage, um die Mark zu warnen und die Wehrfähigen einzuberufen."

Tasmund nickte. „Wir senden berittene Boten in die Gehöfte, mein Hoher Lord. Mit Pferden zum Wechseln. Dann kommen sie schneller voran. Und wir sollten das Signalfeuer Eternas' entzünden. Viele Gehöfte und Orte liegen in seinem Sichtbereich. Die Leute wissen, was es zu bedeuten hat."

„Sendet Boten in die Stadt. Alle Wehrfähigen sind aufgerufen, dem Eid zu folgen. Öffnet die Rüstkammer und stellt fähige Männer ab, die den Einberufenen eine schnelle Auffrischung im Umgang mit ihren Waffen geben sollen. Wer nicht Schwert oder Lanze führt, soll sich im Bogen üben. Das alles muss schnell gehen, Tasmund, mein Freund."

„Ich frage mich, wo diese Horde herkommt und was sie wirklich bezweckt", wandte Larwyn ein. „Vielleicht soll sie nur den Pass blockieren und gar nicht gegen uns vorrücken."

„Ja, weil sie uns hindern will, unseren Eid gegenüber dem König zu erfüllen", nickte Garodem. „Aber das werden wir rasch erfahren. Wir müssen der Horde einen Aufklärungstrupp entgegenschicken, der ihre Absichten erkundet. Hält die Horde nur den Pass, so will sie tatsächlich nicht die Hochmark angreifen, sondern uns nur daran hindern, ins Land des Königs vorzustoßen."

Tasmund fuhr mit dem Finger die Karte entlang. „Kämen sie aus der Reitermark oder Westmark, dann wären sie über die südliche Straße von Hammerturm heraufgekommen. Ich glaube nicht, dass sie dies riskiert haben. Die Macht des Weißen Zauberers ist zu groß, er hätte sie zerschmettert. Es kann aber auch sein, dass die Horde einen Umweg gemacht hat und zuerst nach Westen ausgewichen ist, um dann gegen den Pass vorzustoßen." Der Erste Schwertmann wies nachdenklich auf eine dünne Linie, die ein Stück südlich des Passes begann und dann nach Osten durch das Gebirge zur Nordmark führte. „Oder könnten sie den verborgenen Pfad benutzt haben?"

„Den südöstlichen Pfad? Aus der Nordmark? Ich glaube nicht, dass die Orks ihn kennen." Garodem blickte zu der Wand hinter seinem wuchtigen Schreibtisch hinüber. Dort stand seine Rüstung, die er seit vielen Jahren nur noch zu zeremoniellen Anlässen getragen hatte.

Brust- und Rückenplatte des Harnischs waren aus rotbraun lackiertem Metall und zeigten das Symbol des Pferdevolkes in Gold. Es war der gleiche Panzer, wie ihn auch sein Bruder damals von ihrem Vater erhalten hatte. Dazu wurden Arm- und Schulterschutz getragen, ebenfalls aus rotbraun lackiertem Metall und darunter ein dickes Wams in der dunkelblauen Farbe der Hochmark. Und natürlich der grüne Umhang eines Pferdelords. Garodems Helm war aus dunklem Metall und wies goldene Verzierungen und einen flachen Kamm auf. Der Helm schützte den gesamten Schädel bis hinunter zum Nacken, ließ jedoch das Gesicht, mit Ausnahme des Nasenschutzes, frei. Sein Kamm auf dem Helm diente zum Schutz gegen den Hieb eines Schwertes. Statt Helm und Schädel des Trägers zu spalten, sollte der Kamm den Schlag abgleiten lassen.

Die Männer Garodems waren nur unwesentlich anders geschützt. Die Schwertmänner der Wache trugen ebenfalls Rüstungen, wenn auch weniger reich verziert als die ihres Herrn, und an ihren Helmen waren die langen Rosshaarschweife als Zeichen ihres Status befestigt. Die eingezogenen Wehrfähigen trugen dagegen meist nur lederne Rüstungen mit einem Kettenhemd darunter. Während jedoch alle Schwertmänner durchgehend mit Dolch und Schwert, Lanze und Bogen bewaffnet waren, führten die Wehrfähigen alle Arten von Waffen, überwiegend aber Lanze oder Axt, mit sich.

Doch egal ob Pferdefürst, Schwertmann der Wache oder einfacher Wehrfähiger, alle Pferdelords trugen den grünen Umhang des Reiters und führten stets den grünen Rundschild mit sich.

Garodem ließ seine Hand über die Konturen der Rüstung gleiten. „Wie auch immer. Wir werden den Bestien entgegentreten. Ob in der Hochmark oder an einem anderen Ort. Ihr, Tasmund, nehmt einen Beritt und reitet den Bestien entgegen. Erkundet ihre Absichten, und wenn Ihr eine Gelegenheit seht, stoßt bis zum Pass vor und haltet ihn. Ich selbst werde Euch in spätestens zwei Tagen mit allen Männern folgen, die bis dahin waffenfähig sind."

„Ich werde dreißig Schwertmänner der Wache nehmen, mit Eurer Erlaubnis, mein Hoher Lord. Damit bleiben schon wenig genug, um die Höfe zu warnen und die Wehrfähigen zu sammeln."

Larwyn legte ihre Hand an den Arm ihres Gemahls. „Wir sollten auch die Graue Frau verständigen. Auch wenn ich sie nicht besonders mag, so kann sie uns in dieser Zeit doch hilfreich sein.“

„Merawyn?“ Tasmund stieß einen heiseren Laut aus. „Die Hexe?“

„Nein, die Heilerin und Seherin“, erwiderte Garodem. „Ich weiß, die Meinungen über Merawyn sind geteilt, und manche trauen ihrem Zauber nicht. Aber sie hat viele Kranke geheilt und sie besitzt das Wohlwollen des Weißen Zauberers.“

„Sagt sie“, brummte Tasmund. „Keiner von uns hat je mit ihm gesprochen.“

„Merawyn ist vor vielen Jahren zu uns gekommen und war uns oft zu Diensten.“ Pferdefürst Garodem sah seine Frau Larwyn an und lächelte. „Wir werden jede Hilfe annehmen, die sich uns in dieser Zeit bietet. Sendet auch einen Boten zu ihr, Tasmund. Und danach nehmt Euren Beritt und reitet.“

Tasmund blähte seine Backen auf, doch dann nickte er. „So sei es, mein Herr. Ich werde Haronem herbeirufen, damit er die Burg in Bereitschaft setzen kann.“

„Und gebt auch Nachricht an die Scharführer Baromil und Derodem. Sie sollen sich besprechen, wie die Einberufenen am raschesten gerüstet werden können.“

Nach einem kurzen Gruß eilte Tasmund aus dem Raum. Larwyn trat an ihren Gemahl heran und nahm seine Hand. „Du handelst richtig, mein geliebter Mann. Greift das Dunkle nach unserer Hochmark, so werden wir ihm auf unserem eigenen Boden begegnen. Ist der König in Gefahr, so werden wir ihm beistehen.“

Erneut hörte man das Poltern von Schritten auf der Treppe, doch dieses Mal verharrten sie nicht vor der Tür, sondern eilten weiter die Stufen hinauf. Schritte waren über der Decke des Raumes zu hören, welche sich über die Bohlen der Deckenauflage zum hinteren Bereich des Haupthauses hin entfernten, das mit seiner Schmalseite in die große Wehrmauer hineingebaut worden war. Dort ragte der schlanke und hohe Aussichtsturm auf, der in einer Plattform mündete, auf der sich stets geschichtetes Holz und Öl für das Signalfeuer Eternas' befand.

Der Mann von der Wache des Pferdefürsten stemmte die hölzerne Luke auf und trat auf die Plattform. Von hier aus hatte man einen weiten Ausblick über das Land, und ein hier entzündetes Feuer war selbst noch in vielen abgelegenen Bergtälern zu sehen. Der Mann vergewisserte sich, dass der Holzstapel noch gut mit Fett und Öl getränkt war, dann nahm er eine Fettlampe und setzte ihn in Brand.

Mit einem puffenden Laut entflammten Öl und Fett, und Flammen griffen auf das Holz über. Es begann zu knistern, und Funken sprühten, als die Restfeuchtigkeit im Holz verdampfte. Dann schien sich der Holzstapel mit einem Schlag zu entzünden. Eine lodernde Flamme stieg in den Himmel über Eternas und trieb den Schwertmann der Wache zurück. Für einen Augenblick hielt er sich schützend den grünen Umhang vors Gesicht, dann stieg er wieder ins Gebäude hinunter und warf die eisengeschützte Luke hinter sich zu.

Das Feuer von Eternas brannte, und wer immer es sah, würde wissen, dass das Dunkle erneut sein Haupt erhoben hatte.

## 10

Bluthand stieß einen grunzenden Laut aus und beschattete seine Augen mit der Hand. Das grelle Sonnenlicht wurde teilweise von den Felsen reflektiert und blendete ihn. „ Ich hasse dieses widerliche Licht", knurrte er. „Und ich hasse diese widerlichen Menschen, und ich hasse diese widerlichen Schafe." Bluthand war ein groß und kräftig gebautes Rundohr. Er schlug sich ärgerlich auf die Brust. „Und ich hasse es, unbedeckt zu sein."

Keiner in der kleinen Gruppe der Orks trug eine Rüstung. Man hatte es ihnen verboten, denn sie sollten die Menschlinge ausspähen und sich unbemerkt in deren Land bewegen. Doch Rüstungen konnten Licht reflektieren oder klappernd gegen Steine stoßen, und so hatte man dem Spähtrupp verboten, sie zu tragen.

Neben Bluthand duckte sich ein Spitzohr in die Deckung der Steine und spähte in das Tal hinein, das sich im vollen Sonnenlicht unter ihnen ausbreitete. Es war ein kleines, lang gestrecktes Tal, wie es für die Gebirgsregion hier typisch war. Sein Talgrund war grün und würde den auf ihm weidenden Schafen noch eine ganze Weile Futter bieten.

„Schafe", beschwerte sich Bluthand. „Widerliche Schafe. Ich will endlich wieder etwas Ordentliches zwischen die Zähne bekommen. Schafe sind widerlich. Sie schmecken nach nichts. Nach überhaupt nichts. Und ihr Fleisch ist zudem widerlich weich."

In der Mitte des Tals erhob sich ein kleines Gehöft. Das Haupthaus war relativ klein und aus behauenen Felsen errichtet. Sein Dach war mit Grassoden abgedeckt, und aus einer Öffnung im Dach kräuselte sich eine dünne Rauchfahne. Neben dem Haus befand sich eine kleine Koppel mit einigen Pferden, und jetzt war auch ein Mann zu sehen, der gerade aus dem Haus getreten war. Instinktiv duckte sich die Gruppe tiefer in die Felsen.

Einer der Spitzohren sah Bluthand an und bleckte dabei nervös sein Gebiss. „Ich mag auch keine Schafe."

„Wir sollten endlich wieder richtiges Fleisch zu essen bekommen", knurrte Bluthand. „Wir sind Krieger, also steht es uns zu, dass wir gutes Fleisch bekommen."

Ein anderes Rundohr spähte über seine Deckung. „Blauauge will aber nicht, dass die Menschlinge uns sehen. Wir werden warten müssen, bis der Menschling fort ist. Dann können wir uns ein Schaf mit der Kralle holen."

Bluthand starrte auf die eiserne Kralle, die er über seiner Hand trug und die der Tatze einer Raubkralle nachempfunden war, um mit ihr die gleichen Wunden zu verursachen, wie sie auch ein solcher Räuber hervorrief. Schon einige Male hatte Bluthand mit ihr ein Schaf erlegt, damit sich der Spähtrupp von ihm ernähren konnte. Bluthand war geschickt darin, sich anzuschleichen, und er hatte immer darauf geachtet, dass der Wind seinen Geruch nicht an sein Opfer herangetragen hatte, bevor er zugeschlagen hatte. So waren sie immer ahnungslos geblieben, bis es zu spät gewesen war.

„Wir hätten den Menschling fressen sollen, nachdem wir ihn am Pass getötet haben", murrte Bluthand. „Menschenfleisch schmeckt besser als widerliches Schaffleisch."

„Du weißt genau, dass Blauauge das nicht gewollt hätte."

„Blauauge kann mich mal", brüllte Bluthand.

Die Gruppe fuhr erschrocken zusammen und duckte sich

nochmals tiefer in den Schutz der Steine. Bluthands Gesichtsfarbe wurde ein wenig dunkler, als ihm bewusst wurde, dass er die Gruppe durch sein Geschrei möglicherweise verraten hatte.

„Blauauge wird dir die Zunge herausreißen und sie einem Reitbiest vorwerfen", zischte das Spitzohr neben Bluthand.

Blitzschnell schloss Bluthand eine Hand um den Hals des anderen Ork. Das Spitzohr stieß ein leises Quieken aus, und seine roten Augen schienen ihm aus den Höhlen zu quellen. Seine langen spitzen Ohren begannen zu zucken, bis sie schließlich, in einer Geste der Unterwerfung, nach unten knickten. Bluthand ließ den anderen jedoch noch eine Weile zappeln, bevor er seinen Griff wieder löste. Das Spitzohr sackte keuchend an den Felsen und rang nach Luft.

„Der Menschling kommt herüber", flüsterte ein anderes Spitzohr.

„Gut, dann wird es bald richtiges Fleisch geben." Bluthand wandte sich wieder dem Spitzohr zu, das sich erst mühsam von seinem Würgegriff erholte. „Und wenn du deine Zunge nicht im Gebiss hältst, dann wird es dich danach noch als Dreingabe geben, du Made."

Das Spitzohr sah ihn angstvoll an und nickte, und die anderen der Gruppe wagten nicht mehr, ihrem Führer zu widersprechen. Zwar hatte Blauauge verlangt, dass keiner der Menschlinge zu Schaden kommen durfte, um so die anderen nicht vorzeitig zu warnen, aber Blauauge war nicht hier, und Bluthand war ebenso skrupellos wie stark. Sollten die beiden Führer doch später selbst untereinander ausmachen, wer hier das letzte Sagen hatte.

Der Mensch unten im Tal hatte sein Pferd gesattelt und war bei dem wütenden Aufschrei Bluthands erschrocken aufgefahren. Misstrauisch hatte er über die Kruppe des Pferdes hinweg zum Hang hinübergesehen, wo die neun Orks des Spähtrupps in Deckung kauerten.

„Ist ein Brauner", nuschelte ein Rundohr. „Kein Grüner."

Tatsächlich trug der Mann nicht den Umhang eines Pferdelords. Er mochte also ein passabler Jäger und guter Schafhirte sein, aber sicher kein gefährlicher Kämpfer. Doch Bluthand wusste nicht, wer sich sonst noch in dem Haus befand. Es war besser, kein Risiko einzugehen und den Menschling rasch und lautlos zu töten.

„Pfeile", knurrte er nach rechts und links.

Die vier Spitzohren der Gruppe legten daraufhin ihre dunkel gefiederten Pfeile auf die Sehnen der Bögen und warteten auf das Zeichen von Bluthand, der vorsichtig über seine Deckung spähte. Im selben Moment sah Bluthand, wie der Mensch zusammenzuckte, und wusste, dass der Mann etwas gesehen haben musste, was ihn misstrauisch machte. „Schießt", brüllte Bluthand auf. „Tötet ihn."

Die Spitzohren richteten sich auf und ließen ihre Pfeile von den Sehnen schnellen, während Bluthand und die anderen Rundohren sich hinter ihren Deckungen erhoben und laut aufbrüllend ins Tal hinunterstürmten. Bluthand hatte den Menschling zunächst lautlos töten wollen, aber nun riss sein Jagdeifer ihn und die anderen einfach mit.

Der Mensch duckte sich hinter sein Pferd, und keiner der Pfeile traf ihn. Dafür wurde jedoch das Pferd von zwei der Geschosse getroffen und stieg schrill wiehernd auf die Hinterhand, bevor es zusammenbrach. Der Mann konnte sich gerade noch vor den auskeilenden Hufen in Sicherheit bringen und sich dann hinter den Pferdekadaver werfen, als schon die nächsten Pfeile in der Luft waren. Einer von ihnen traf das Bein des

Mannes, und er schrie auf. Bluthand sah das angstverzerrte Gesicht des Menschlings und schrie triumphierend auf, während der Mann, umschwirrt von weiteren Pfeilen der Spitzohren, nun den kurzen Jagdbogen und den Pfeilköcher vom Sattel des Pferdes zerrte.

„Geht näher heran, ihr feigen Maden“, brüllte Bluthand zu den Spitzohren zurück, während er weiterrannte, was ihm gleichermaßen zum Verhängnis wie zum Glücksfall wurde, denn er knallte in vollem Lauf gegen einen Felsen, brüllte schmerzerfüllt auf und wurde dadurch aus der Bahn geworfen, was ihm jedoch das Leben rettete, denn im gleichen Moment zischte der erste Pfeil des Menschen bedenklich nahe an ihm vorbei. Bluthand verstärkte seine Bemühungen, um den Mann nochmals schneller zu erreichen. „Schlachtet ihn“, schrie er auffordernd. „Tötet den Menschling.“

Die Spitzohren hatten aus einer zu großen Entfernung geschossen, um wirklich zielsicher treffen zu können. Auf Bluthands wütenden Schrei hin verließen sie nun ihre Deckung und hasteten tiefer ins Tal. Die dadurch eintretende Schießpause gab dem verletzten Mann hinter dem Pferdekadaver Gelegenheit, unbehelligt auf die heranstürmenden Rundohren zu schießen. Vielleicht war er wirklich kein guter Krieger, aber er war ein guter Jäger.

Direkt neben Bluthand warf es eines der Rundohren nach hinten, und aus seiner Kehle spritzte dunkles Blut über die Steine; ein anderer Ork krallte plötzlich seine Hände in den Unterleib und sackte dann zur Seite. Sein Schreien hallte durch das ganze Tal, so lange bis Bluthand einem der anderen einen Wink gab, der dem Verwundeten daraufhin mit einer raschen Bewegung den Schädel einschlug. Mit dem dumpfen Knacken des zerbrechenden Schädels erstarben auch die Schreie. Ein weiterer Pfeil streifte Bluthand, doch dann begannen die Spitzohren erneut zu schießen. Der Mann schrie auf, als er an der Schulter getroffen wurde, und es war offensichtlich, dass er seinen Bogen nun nicht mehr spannen konnte. Bluthand brüllte auf, denn jetzt konnte er den Wehrlosen mit nur wenigen Sätzen erreichen.

Eine Bewegung lenkte Bluthand ab, und er sah ein junges Mädchen aus der offenen Tür des Hauses treten. Der Mann am Boden sah es ebenfalls und schrie ihm etwas zu, doch das Kind blieb wie gelähmt stehen. Zwei Rundohren drehten daraufhin sofort in Richtung des Hauses ab, wo sie weiteres Fleisch lockte. Bluthand dagegen hetzte nach wie vor auf den Pferdekadaver und den dahinter liegenden Mann zu. Er wollte es rasch zu Ende bringen. Das junge Mädchen würde zwar weit schmackhafter sein als der Mann, aber Bluthand würde sowieso seinen Anteil als Anführer des Trupps an ihr erhalten.

Bluthand sprang über den Pferdekadaver und grunzte überrascht, als er einen stechenden Schmerz im Bein verspürte. Der scheinbar wehrlose Mann hatte seinen Dolch gezückt, mit dem er nun verzweifelt nach Bluthand stach. Der große Ork fletschte die Zähne und trieb seine eiserne Kralle in weitem Schwung von unten gegen den Kopf des Mannes. Er spürte, wie die langen Eisenfinger der Kralle in Gewebe und Knochen eindrangen, und riss so lange daran, bis sich der Unterkiefer des Mannes loslöste. Doch der Schwerverletzte lebte noch lange genug, um Bluthand mit schmerzerfüllten Augen anzusehen, bevor der große Ork ihm schließlich die Kralle ins Schädeldach hineintrieb. Hirnmasse tropfte von den Krallen, während Bluthand sich dem Haus zuwandte.

Das blonde Mädchen stand noch immer wie gelähmt in der offenen Tür des Hauses und starrte auf die beiden Rundohren, die sich aber gegenseitig behinderten, weil sie gleichzeitig nach der Kleinen greifen wollten. Da schrie einer der Orks plötzlich auf und taumelte zurück. Für einen Moment sah Bluthand eine blonde Menschenfrau, die das Mädchen ergriff und ins Haus zu zerren versuchte, während sich das verletzte Rundohr den aufgeschlitzten Leib hielt und versuchte, seine Gedärme am Herausquellen zu hindern. Aber das andere Rundohr warf sich gegen die schließende Tür und drückte sie wieder auf. Sofort verschwand es im Inneren, und Bluthand sprang über den verwundeten Ork hinweg und stürzte ebenfalls ins Haus.

Die Frau, die er gerade noch schemenhaft gesehen hatte, war durch den Schwung der Tür zurückgeworfen worden und außerdem in doppelter Weise behindert. Es war offensichtlich, dass sie hochschwanger war, und die stattliche Rundung des Leibes behinderte sie ebenso wie das entsetzt kreischende Mädchen, das die Mutter zu schützen versuchte.

„Sie kalbt“, brüllte das andere Rundohr auf. „Lecker.“

Das Rundohr war schneller als Bluthand und schlug die Hand der Frau einfach zur Seite, so dass das lange Messer aus ihrer Hand flog und klirrend gegen die Wand prallte. Der Ork legte eine Klaue um die Kehle der entsetzten Frau, drückte sie rücklings auf den Boden und fetzte ihr mit der anderen Hand die Kleidung vom Leib. Bluthand verspürte Neid, als sein Gefährte das Gebiss in den runden Leib der Frau schlug. Das Menschlingweib schrie und strampelte unter dem Ork, der sie niederhielt und zugleich begann, von ihr zu fressen. Das blonde Mädchen stand wie erstarrt, vollkommen reglos und stierte mit geweiteten Augen auf das schreckliche Bild. Doch Bluthand ignorierte das kleine Mädchen und schlug nun ebenfalls gierig seine Zähne in eine Brust der Frau. Sollten sich doch die Spitzohren um das Kind kümmern. Für ihn gab es nichts Köstlicheres als eine Menschenfrau, die kurz vor dem Kalben stand. Das Schreien der Frau verstummte, ihr Körper zuckte noch einige Male und streckte sich dann, nur noch bewegt von den Gebissen der Orks, die sich in ihr Fleisch gruben.

Plötzlich vernahm Bluthand einen dumpfen Schlag und sah aus den Augenwinkeln, wie das kleine Mädchen rotes Menschenblut verspritzte. Dann gab es einen erneuten Schlag und weitere Blutspritzer. Doch diesmal war es dunkles Blut. Orkblut.

Verwirrt sah Bluthand von der Leiche auf und blickte zur Tür. Dort stand ein Spitzohr, das nun quiekte und rücklings ins Haus taumelte. Ein weiß gefiederter Pfeil steckte tief in seinem Körper, trat durch die Wirbelsäule wieder aus und verriet dadurch, dass der Pfeil aus großer Nähe und mit hoher Wucht abgeschossen worden sein musste.

„Menschlinge", brüllte Bluthand alarmiert, der nun erst richtig registrierte, dass zwei seiner Spitzohren tot in der Hütte lagen und ihr Blut sich mit dem der beiden Menschen mischte. Der große Ork zögerte nicht länger und warf sich genau in dem Moment gegen die Tür, als gerade ein stämmiger Mann mit langen schwarzen Haaren eindringen wollte. Beide prallten in der Türöffnung zusammen, und Bluthands Eisenkralle traf das Schwert des Mannes. Die beiden Waffen verhakten sich ineinander, und für einen Moment lang starrten Mensch und Ork einander in unversöhnlichem Hass an.

„Bestie", keuchte der Mann und versuchte, gegen Bluthands Stärke anzukommen.

„Eure Zeit ist vorüber, Menschling", brüllte Bluthand triumphierend zurück. Er spürte, dass er stärker als der Feind war und dass er dessen Schwertarm immer mehr nach unten drücken konnte. Schließlich gelang es ihm, seine Hand nach oben, bis zur Kehle des Mannes zu schieben. Ein Pferdelord, wie der grüne Umhang ihm verriet. Und sehr bald schon ein toter Pferdelord!

Da machte der Mann eine Bewegung, die Bluthand nicht nachvollziehen konnte. Etwas traf sein verletztes Bein, und der Ork wich schmerzerfüllt zurück, so dass sich ihre Körper voneinander lösten. Das Schwert des Pferdelords kam wieder frei, und für einen Moment schoss dem Ork der unfassbare Gedanke durch den Kopf, dass er im Kampf unterliegen könne. Instinktiv trieb er die eiserne Krallenhand nach oben, während ihm das andere Rundohr von der Seite zur Hilfe eilte. Bluthand fühlte, wie seine Kralle wieder auf menschliches Leben traf, doch das Rundohr neben ihm schrie, aufgespießt vom Schwert des Pferdelords, auf. Auch der Pferdelord schrie auf, taumelte zurück und Bluthand spürte, dass er das Körpergewebe des Mannes an einer Stelle zerrissen haben musste. Schon wollte er nachsetzen und dem Kampf ein Ende bereiten, doch das tote Rundohr stürzte gegen ihn und riss Bluthand mit sich zu Boden.

Als Bluthand den Kadaver von sich heruntergeschoben und sich wieder erhoben hatte, hörte er vor dem Haus bereits den Hufschlag eines Pferdes. Er hastete vor das Gebäude, rutschte fast auf einer Blutlache aus und brüllte zornig, als er erkannte, dass der Mann entkommen würde. Zwar saß dieser verkrümmt auf seinem Pferd und war sichtlich schwer verletzt, doch sein Pferd trug ihn rasch vom Hof. Der große Ork sah sich um. Nur eines der Spitzohren lebte noch, war aber am Bein verletzt. „Töte den Menschling", brüllte Bluthand das Spitzohr an. „Schieß."

Doch das Spitzohr reagierte viel zu spät, und der Pfeil fiel weit hinter dem Reiter kraftlos zu Boden. Der verletzte Ork ließ den Bogen fallen und hielt sich wimmernd das Bein. Von

Zorn erfüllt sah Bluthand sich auf dem Hof der Menschlinge um. Was so gut und viel versprechend begonnen hatte, war für seinen Spähtrupp zum Desaster geworden. Eine tote Menschlingfamilie und ein verwundeter Pferdelord, zudem war Bluthands Gruppe praktisch ausgelöscht, und die Menschlinge würden nun erfahren, dass die Orks wieder in ihr Land eingedrungen waren.

„Das wird Blauauge nicht gefallen", wimmerte das verletzte Spitzohr. „Es wird ihm nicht gefallen. Blauauge wird wütend sein."

„Ja", stimmte Bluthand zu. Blauauge würde von dem, was vorgefallen war, nicht begeistert sein. Und er würde auch nicht von der Rolle begeistert sein, die Bluthand dabei gespielt hatte. Es war besser, wenn Blauauge annahm, die Menschen hätten den Spähtrupp zufällig entdeckt. Viel besser. Bluthand ging zu dem verletzten Spitzohr und brach ihm kurzerhand das Genick. Nun würde Blauauge nur noch eine Meinung zu hören bekommen. Missmutig machte Bluthand sich auf den Weg, dem Anführer der Horde zu berichten, was sich zugetragen hatte. Seiner Meinung nach.

Der verletzte Pferdelord wurde inzwischen von seinem Pferd durch das Tal getragen. Das Tier war erfahren und kannte seinen Weg, auch ohne dass der Reiter es dirigierte. Der Geruch des Blutes und die Art, wie sein Reiter im Sattel hing, zeigten dem Hengst außerdem, dass sein Herr in Gefahr war, und so trug er ihn dorthin, wo es Hilfe für ihn geben würde.

Balwin spürte, wie sein Blut durch die Kleidung sickerte und wie er zunehmend schwächer wurde. Allein der grelle Schmerz hielt ihn bei Bewusstsein, und er wusste, dass es mit ihm vorbei sein würde, sobald der Schmerz verschwinden würde. So konzentrierte er sich auf das Wühlen in seinen Därmen, während das Leben immer mehr aus ihm wich und jeder Schritt des Pferdes, jede Erschütterung neue Schmerzwellen durch seinen Körper sendete. Er wusste nicht mehr, wie lange sein treues Pferd ihn bereits trug. Er hatte auch keine Kraft mehr, um den Kopf zu wenden und zu sehen, ob er verfolgt wurde. All sein Denken konzentrierte sich allein auf den Schmerz, der ihn wach hielt, und auf den Gedanken, Meowyn warnen zu müssen. Orks waren in der Hochmark, sie hatten gerade Halfar und seine Familie abgeschlachtet, und Meowyn würde die nächste sein. Seine geliebte Meowyn. Er musste einfach durchhalten; durfte sie nicht ahnungslos den Orks ausliefern.

Er konnte kaum noch etwas sehen, und die Schmerzen in seinem Körper machten bereits einer zunehmenden Kälte Platz. Balwin wusste, dass es nicht mehr lange dauern würde. Er glaubte zu schweben und stöhnte dumpf, als er plötzlich auf die Seite rutschte und stürzte. Nein, nicht stürzte. Etwas fing ihn auf und dämpfte seinen Fall. Balwin hörte eine Stimme und spürte undeutlich, wie etwas gegen seinen Leib gepresst wurde. Der Schmerz verstärkte sich wieder und riss ihn noch einmal ins Leben zurück.

„Meo... wyn", flüsterte er kaum verständlich. Er spürte warme Nässe an seinen Lippen, hörte ihr Schluchzen und wusste, dass es sein Blut war, das ihm aus dem Mund sickerte, ihm blieb nicht mehr viel Zeit. „Orks sind im Tal", keuchte er. „Sie haben ... Halfar und seine Familie ... geschlachtet. Warne Eternas und ... die ... Mark ..."

„Sei still", schluchzte Meowyn und bemühte sich verzweifelt, seine Wunde zu bedecken. Aber Baldwins Bauchdecke war aufgerissen, seine Innereien entblößt und verletzt, und Meowyn besaß weder die Fertigkeit noch die Mittel, diese Verletzung zu versorgen. Dennoch wollte sie nicht akzeptieren, dass sie Balwin verlor.

„Rühr dich nicht, Balwin. Die Wunde ist schwer, aber…“

„Sie schmerzt kaum noch“, sagte Balwin mühsam. „Warne die Mark.“ Er schaffte es, seine Hand auf die ihre zu legen, und spürte unmerklich den Gegendruck ihrer Finger. „Ich liebe … dich …“

„Ich weiß“, erwiderte Meowyn. „Ich weiß es. Du hast es mir immer gezeigt, du …“

Meowyn versagte die Stimme, aber sie hielt Balwins Hand so fest, als könne sie ihn damit am Leben erhalten, bis schließlich ein letztes Zucken über seinen Körper glitt und er sich streckte. Für einen Moment sank die blonde Frau über den reglosen Körper, und Tränen liefen über ihre Wangen. Doch dann richtete sie sich auf und starrte auf den Toten. Sie fühlte sich leer und ausgebrannt, aber sie wusste, welche Verantwortung nun auf ihr ruhte.

Balwins Schwertscheide war leer. Er musste die Waffe im Kampf oder während des Ritts verloren haben. Meowyn bückte sich, zog den Dolch ihres toten Mannes aus seinem Gürtel und drückte ihn in seine erschlaffte Hand. Gerne hätte sie ihn jetzt mit allen Ehren bestattet, doch das musste warten. Nun galt es zuallererst, die Hochmark zu warnen und dafür zu sorgen, dass ihrem Sohn Nedeam nichts zustoßen würde. Sie entschloss sich darum, den Weg zu wählen, auf dem Nedeam aus Eternas zurückkehren würde.

Meowyn saß auf ihr Pferd auf und nahm die Zügel von Balwins Pferd in ihre Hand. Für einen Moment verweilte ihr Blick nochmals auf dem Toten. „Reite nun in den Goldenen Wolken, mein Geliebter.“

Dann ritt sie mit beiden Pferden aus dem Tal und warf keinen einzigen Blick mehr zurück. Die Zeit der Erinnerung würde kommen, doch erst galt es, die Zukunft zu sichern.

## 11

Der Horngrundweiler verdankte seinen Namen der Tatsache, dass Garodems Männer bei der Besiedlung des Tales ein Horn im Boden gefunden hatten, wie es noch nie zuvor von irgendjemand gesehen worden war. Es war konisch geformt und so gerade wie eine Lanze, dabei aber in sich gedreht wie das Gehäuse einer Schnecke. Es maß eine halbe Länge und war aus demselben Material, aus dem auch die Hörner der Schafböcke waren. Doch keiner aus dem Volk der Pferdelords hätte zu sagen vermocht, welches Tier wohl solch ein Horn tragen mochte. Das Horn war sehr alt und rissig, und die Männer und Frauen des Tales, die den Weiler gründeten, hielten es in Ehren und hatten ihre Siedlung nach ihm benannt.

Es gab nur noch zwei weitere Weiler in der Hochmark, wenn man von Eternas einmal absah, das aber schon eine richtige Stadt war. Weiler entstanden stets aus dem Zusammenschluss mehrerer Gehöfte, die zusammen eine Gemeinschaft bildeten, um den Frauen Gelegenheit zu geben, sich gleichzeitig um ihre Kinder und um den Haushalt zu kümmern und außerdem auch noch einige Felder mit Früchten oder Gemüse zu pflegen. Die Männer wiederum waren dadurch zahlreich genug, um gemeinsam größere Herden heranzuziehen und zu beaufsichtigen. Was der Weiler einbrachte, gehörte allen zu gleichen Teilen.

Der Horngrundweiler lag in einem der westlichen Seitentäler der Hochmark und bot fast hundert Menschen und der wohl dreifachen Anzahl von Pferden und Schafen eine Heimat. Kratzläufer rannten in ihren abgesperrten Gelegen herum, scharrten im Boden und pickten dort nach den Samen oder Getreidekörnern, mit denen sie gefüttert wurden. Dafür erhielten die Bewohner des Weilers zum Ausgleich Eier, mit denen sie einen gewinnbringenden Tauschhandel durchführen konnten, zumindest mit jenen, die nicht dem eigenen Appetit zum Opfer fielen, denn besonders der gelbe Dotter wurde allgemein als wohlschmeckend empfunden. Und einige der Frauen schworen auch darauf, dass der Dotter ihrem Haar einen besonderen Glanz verleihen würde.

Holger, Honars Sohn, bevorzugte die innere Anwendung des gelben Dotters und lachte gutmütig, als seine Frau mit einigen der Eiern zu dem nahe gelegenen Bachlauf hinüberging, um dort ihr Haar zu waschen. Holger reckte sich im Sattel und blickte über den Horngrundweiler. Zwischen den steinernen Häusern und auf dem kleinen Platz in ihrer Mitte herrschte hektischer Betrieb, denn einige Bewohner des Weilers wollten noch heute mit Tauschwaren nach Eternas fahren. Gute vier Tage würden sie unterwegs sein, und dies bedeutete für Holger und die anderen zusätzliche Arbeit, denn es galt weiterhin die Herden zu hüten. Und sobald die kleine Gruppe dann wieder aus Eternas zurück wäre, würde die Schafschur beginnen. Die Schafe der Hochmark brachten gute Wolle hervor, denn der stete Wind und die große Winterkälte sorgten für einen dichten Fellwuchs der Tiere. Dicht und stark war die Wolle, welche die Frauen des Weilers zu Fäden sponnen. Und die gesponnenen Wollfäden brachten in Eternas wiederum einen höheren Wert ein als die ungesponnene Wolle, welche von den Einzelgehöften geliefert wurde. Auch das war ein Vorteil eines Weilers, dass es Hände gab, die sich der zusätzlichen Tätigkeit des Spinnens widmen konnten.

Zwischen den Hügeln hinter dem Weiler stieg eine dünne Staubfahne auf. Holger richtete sich im Sattel auf und beschattete seine Augen. Dort, in jener Richtung lag Eternas, und der sich nähernde Reiter musste gerade durch das daran angrenzende Tal geritten kommen, denn dieses war als einziges nicht mit dichtem Gras bedeckt, weshalb sein trockener Boden rasch Staub aufwirbeln ließ. Holger warf einen Blick auf seine Frau, die gerade ein Ei öffnete, und wies über die kleine Ortschaft hinweg auf die Gestalt.

„Ein Reiter kommt zu uns“, rief er ihr zu. „Er kommt sehr schnell.“

Seine Frau blickte zum Horngrund hinüber. „Der Heiler? Aber es ist doch niemand erkrankt oder verletzt, nicht wahr, Holger?“

„Nicht, dass ich wüsste“, erwiderte dieser geistesabwesend. Der Reiter dort ritt wirklich schnell und musste es sehr eilig haben. Aber für Eile gab es stets einen triftigen Grund. „Warte besser noch mit dem Schlagen der Eier“, riet er seiner Frau und trieb dann sein Pferd dem Ort entgegen.

„Es ist schon offen“, erwiderte sie unsicher.

„So trink es aus“, rief er über die Schulter zurück.

Der Mann, der aus dem angrenzenden Tal herübergeritten kam, trug den grünen Umhang der Pferdelords, und an seinem Helm war der blaue Rosshaarschweif der Wache zu erkennen. Neben dem Pferd, auf dem er ritt, führte er ein zweites mit sich, das so genannte Handpferd, welches einem Reiter erlaubte, die Pferde zu wechseln, so dass sich eines von beiden während des Ritts stets wieder ein wenig erholen konnte. Holger stieß einen grimmigen Fluch aus. Ein Mann der Wache Eternas’. Ein solcher Pferdelord trieb sein Pferd wahrlich nicht ohne triftigen Grund an.

Holger ritt gerade in den Horngrundweiler ein, als der Pferdelord der Wache sein staubbedecktes Tier am Weilerplatz zügelte, absaß und seine Pferde an die Tränke führte. „Den Eid gilt es zu erfüllen“, hörte er den Mann rufen. „So eilt nun, ihr Pferdelords, denn der Pferdefürst ruft euch zu den Waffen!“

Die Männer, Frauen und Kinder auf dem Platz des Weilers hatten ihre Tätigkeiten unterbrochen und traten nun neugierig heran. Die Ankunft des Boten, denn um einen solchen handelte es sich offensichtlich, rief Unruhe hervor. Auch aus den umliegenden Häusern traten nun weitere Bewohner des Horngrundweilers hervor.

„Sind Plünderer oder Ausgestoßene in die Mark eingefallen?“, fragte eine junge Frau erregt. „Sagt schon, Schwertmann, was ist los in der Mark?“

Der Reiter aus Eternas nahm kurz seinen Helm ab, wischte sich den Schweiß von der Stirn und nahm dann dankbar einen Becher Wasser entgegen. Er trank durstig und setzte sich danach den Helm sofort wieder auf.

„Der Pferdefürst lässt alle Gehöfte und Weiler evakuieren“, rief er den Bewohnern zu. Weitere Menschen traten aus den Häusern heran. „Nehmt nicht mehr als eure Tiere mit und eilt nach Eternas, und jene von euch, die den Umhang des Pferdelords tragen, jene erinnere ich an das Gebot. Erfüllt nun den Eid in Eile. Ich selbst muss jetzt weiter.“

Der Mann nickte der Menge noch einmal kurz zu, saß auf und trieb sein Pferd erneut an.

Die Bewohner des Horngrundweilers waren noch immer ganz verblüfft und starrten dem entschwindenden Reiter nach. Da hob der Älteste des Weilers achtungsgebietend den Arm. „Ihr habt es gehört, ihr Männer und Frauen. Nehmt Kind und Huf, nehmt nur das Notwendigste. Die Knaben und Jungmänner, die den Eid noch nicht geleistet haben, begleiten die anderen zur Stadt. Jene aber, die den Eid abgelegt haben, mögen sich rüsten und den Eid erfüllen."

Holger zögerte nicht und ritt an seiner verwirrten Frau vorbei zu seinem Haus. Sein Pferd war gut ausgebildet, und so ließ er ihm die Zügel frei und band es nicht erst an, als er angekommen war und schnellen Schrittes an seinem Sohn vorbei ins Haus eilte. Er öffnete die schwere Holztruhe, holte sein Kettenhemd und den leichten Brustharnisch hervor, zog sich beides über und legte dann die restliche Rüstung an. Zuletzt schwang er sich den grünen Umhang um die Schultern und verschloss ihn vor seiner Brust.

Sein Sohn sah ihn mit großen Augen an. „Ich will mit, Vater", sagte der Zehnjährige automatisch.

Holger antwortete zunächst nicht, sondern nahm den runden Helm mit dem langen Nasenschutz und setzte ihn auf. Der Helm war aus bestem Stahl, mit braunem Leder bezogen und mit golden blitzendem Messing verziert. Er schloss den Riemen und strich seinem Sohn kurz über das lockige Haar. „Du wirst mit deiner Mutter gehen, mein Sohn", sagte er nach einer Weile bestimmt, „und an meiner Statt auf die Herde achten."

Seine Frau trat gerade in die Hütte, als Holger die schwere Streitaxt aus den eisernen Haken über der Tür nahm und den Rundschild vom Boden hob.

„Was soll das bedeuten?", fragte sie ängstlich. „Noch nie hat der Herr die Pferdelords einberufen."

„Jetzt hat er es", erwiderte Holger und zog sie kurz an sich. „Du weißt, was nun zu tun ist. Wir haben es schon oft besprochen. Reiche mir eine Proviantttasche mit Nahrung für drei Tage. Und fülle mir die Wasserflasche. Eile dich, Frau. Nun gilt der Eid."

Holger prüfte die Streitaxt und seinen Dolch. Doch ihre Schneiden waren scharf, denn die Waffen wurden in der Hochmark stets in bestem Zustand bereitgehalten. So verlangte es die Tradition der Pferdelords, auch wenn die Männer der Hochmark noch nie mobilisiert worden waren. Holger hing den großen Rundschild an den Sattel. Das Grün der Pferdelords und in weißer Farbe darauf gemalt das Horn des Horngrundweilers. Er schwang sich auf sein Pferd und wartete, bis seine Frau zu ihm geeilt kam, um ihm die Feldflasche und die Verpflegung zu reichen. Auch an den anderen Häusern war Bewegung, dort saßen ebenfalls Männer mit grünem Umhang, Rüstung und Waffen auf ihre Pferde auf. Holger sah die Sorge in den Augen seiner Frau, küsste sie und lächelte sie ermutigend an. Dann zog er sein Pferd herum und ritt zu den anderen Lords hinüber.

Achtzehn Pferdelords konnte der Weiler aufbringen, und diese achtzehn Männer waren nun bereit. Der Älteste von ihnen sah sie kurz an. „Ihr habt den Boten des Pferdefürsten gehört. Er hat uns zu den Waffen gerufen, um den Eid zu erfüllen. So lasst uns reiten, ihr Pferdelords. Schneller Ritt ...“

„... und scharfer Tod“, erwiderten sie.

Gleich nach ihnen saßen auch die Knaben und nicht wehrfähigen Männer und Frauen auf, trieben ihre Tiere zusammen und machten sich auf, dem Gebot des Pferdefürsten zu folgen und nach Eternas zu ziehen. Sie alle waren besorgt, denn noch nie hatte es in der Hochmark den Ruf des Waffeneides gegeben. Einige Male zuvor waren zwar schon Plünderer und Ausgestoßene in die Mark vorgedrungen, doch stets hatten die Pferdelords schnell wieder Ruhe in der Hochmark hergestellt. Nein, dies hier war etwas anderes, und Sorge erfüllte die Herzen der Männer und Frauen, die sich auch rasch auf die Unbeschwertheit der Kinder legte. Nur ungern ließen sie den Weiler hinter sich, denn keiner von ihnen wusste zu sagen, ob sie ihn wohl jemals wiedersehen würden.

Währenddessen war der Reiter mit dem Rosshaarschweif des Schwertmanns schon längst in einem anderen Tal angelangt. Vier andere Gehöfte und den Horngrundweiler hatte er insgesamt schon benachrichtigt, nun galt es nur noch, den alten Malenan und seinen Sohn Maredas zu den Waffen zu rufen. Seine Blicke glitten über die Landschaft und suchten sie nach Gefahren ab, während er seine Pferde durch das Tal trieb. Vor ihm in jener Richtung, in der das kleine Gehöft lag, das sein Ziel war, stieg eine dünne Rauchfahne auf. Die Bewohner dort schienen noch nichts von der drohenden Gefahr zu wissen, ansonsten hätte Malenan sicher kein Kochfeuer entfacht oder zumindest darauf geachtet, dass nur trockene Dungfladen zum Verbrennen genutzt wurden.

Der Bote aus Eternas galoppierte in das kleine Tal hinein. Vor ihm stob eine kleine Herde Schafe auseinander, der Bock blökte protestierend, und der Reiter schrie auf die Tiere ein, damit sie ihm den Weg schneller freigeben würden. Das kleine Gehöft lag nun unmittelbar vor ihm, und ein jüngerer Mann, der aus der Tür trat, schaute neugierig zu ihm herüber. Der Mann hielt seinen Bogen bereit, stellte ihn aber zur Seite, als er Umhang und Rosshaarschweif des Reiters erkannte.

„Den Eid gilt es zu erfüllen“, sagte der Reiter, als er sein Pferd vor dem Haus zügelte. „So eilt nun, ihr Pferdelords, denn der Pferdefürst ruft euch zu den Waffen!“

Hinter dem jungen Mann trat nun auch ein älterer hervor und sah den Boten forschend an. Dann nickte er. „So sei es. Ihr habt Eure Pflicht getan, Pferdelord aus Eternas. So lasst uns nun die unsere tun.“

Der Bote aus Eternas nickte. „Ihr seid die letzten, denen ich Nachricht geben muss.“

„Dann schließen wir uns Euch an, Pferdelord aus Eternas.“

Der ältere Mann wandte sich an den jüngeren, der unverkennbar sein Sohn war. „Maredas, packe Proviant für drei Tage zusammen und hole die Feldflaschen, ich sattle derweil unsere besten Pferde." Er sah den Boten bedauernd an. „Wir werden die Schafe zurücklassen müssen. Das wird eine Arbeit werden, sie später wieder zusammenzutreiben."

Malenan wählte die beiden besten Reittiere aus, die sie hatten, und begann sie zu satteln. Danach ging er ins Haus zurück, wo sein Sohn bereits die Waffentruhe geöffnet hatte. Malenan blickte zu der Kochstelle hinüber, an der früher immer seine Frau gestanden hatte. Vor drei Jahren war sie an einem Sturz gestorben, und nach wie vor fehlte sie ihm. Doch in diesem Augenblick war er froh darüber, nicht in ihr sorgenvolles Gesicht blicken zu müssen. Malenan zog sich sein Schuppenhemd über und befestigte den Harnisch. Seinem Sohn stand nur ein Kettenhemd zur Verfügung. Sie setzten ihre Helme auf, nahmen ihre Waffen und Rundschilde und trugen die Vorräte zu den wartenden Pferden.

Nur wenige Augenblicke später galoppierten die drei Männer mit den grünen Umhängen der Pferdelords aus dem Tal. Der Pferdefürst hatte die Pferdelords gerufen, und sie würden kommen, den Eid zu erfüllen.

## 12

Dorkemunt war von ungewöhnlich kleiner Statur, und hätte er nicht den grünen Umhang der Pferdelords getragen, so hätte man ihn von hinten wohl für einen nicht besonders großen Knaben gehalten. Doch sein Gesicht zeigte die Falten des Alters, und seine wettergegerbte Haut bewies, dass er sein Leben überwiegend im Freien und auf dem Rücken von Pferden verbracht hatte. Dorkemunt war ein Rinderhirte der Ostmark, in der überaus prachtvolle Rinder und Pferde gediehen. So wie die Pferde der anderen Marken stark waren, so trugen die Rinder hier ein schmackhaftes Fleisch, das gute Preise erzielte. Dorkemunt hielt sich oft bei seiner Herde auf, und seine Gestalt wirkte auf dem Rücken seines starken Wallachs wie die eines Zwerges, zumal Dorkemunt als Waffe auch noch eine Streitaxt nutzte, die ihn an Länge weit überragte. Als Reittier bevorzugte er wiederum einen Wallach, was ihn von manch einem anderen Pferdelord unterschied. Er schätzte es nicht besonders, wenn ein Hengst von einer rossigen Stute abgelenkt wurde, und schon gar nicht, wenn dies kurz vor einem Kampf geschah. Dorkemunt hatte schon manchen Kampf gefochten und dabei bewiesen, dass er mit seiner Axt umzugehen wusste. Sein Körper war von diesen Kämpfen gezeichnet, und in seinem Gesicht zog sich eine Narbe von der rechten Wange bis hinunter zu seinem Kinn. Sein Lächeln wirkte daher stets etwas verzerrt und bösartig, doch Dorkemunts Gutmütigkeit war im Weiler und allerortens bekannt.

In den letzten Tagen hatte Dorkemunt nun fast unentwegt gelächelt, was daran lag, dass ein besonderes Fest ins Haus stand. Sein Sohn Dormunt würde schon bald die Tochter von Hellewyn, der Gerberin, heiraten und eine eigene Familie gründen. Dorkemunt freute sich darauf, seine künftigen Enkel auf den Knien schaukeln und ihnen von den Taten der Pferdelords berichten zu können, auch wenn seine Enkel ihn wohl sehr schnell an Statur überragen würden.

Im Moment jedoch wirkte Dorkemunts Lächeln etwas gequält, denn jeder Schritt seines braven Wallachs verursachte ihm Unbehagen. Am Abend zuvor hatten sie in der Schänke des Weilers ausgiebig auf das künftige Paar angestoßen. Das Volk der Pferdelords mochte zwar nicht viel Zeit für Festivitäten haben, aber es verstand zu feiern. Am heutigen Tag würde man die Feier fortsetzen, diesmal gemeinsam mit dem vermählten Paar, und noch mehr Wein und Gerstensaft würden fließen. Doch schon jetzt am frühen Morgen war sich der kleinwüchsige Pferdelord nicht sicher, ob sich mehr Blut als Alkohol in seinen Adern befand. Er war zu den Herden hinausgeritten, um sie zu kontrollieren.

Auf dem Hügel über der Herde sah Dorkemunt die Silhouette des Hirten und ritt zu ihm hinüber. „Ihr seht nicht wohl aus, Dorkemunt“, sagte der Reiter mitfühlend. „Mir scheint, es ist ein wenig spät geworden in der letzten Nacht.“

Dorkemunt verzog sein Gesicht. „Es mag eher etwas zu früh gewesen sein, mein Freund, denn es lohnte sich kaum noch, die Bettstatt aufzusuchen, und der heutige Tag wird wieder lange währen.“

„Es wird aber auch ein Freudentag werden, mein Freund.“ Der Hirte schlug kameradschaftlich auf Dorkemunts Schenkel. „So wollen wir nun hoffen, dass die beiden recht oft knarrzen und Euch eine reiche Schar an Enkeln bescheren werden.“

Der kleinwüchsige Pferdelord nickte beifällig, stöhnte dann

aber leise auf, als ihm diese Bewegung erneut eine Welle von Schmerzen durch den Schädel jagte. „Ich werde Euch gegen Abend ablösen kommen, mein Freund, damit auch Ihr den einen oder anderen Becher auf das Wohl des Brautpaars leeren könnt." Er bemerkte den fragenden Blick des anderen und lachte. „Bis das Haus meines Sohnes Dormunt bereit ist, habe ich ihm und seiner Braut das meinige angeboten."

Der Hirte grinste breit. „Ihr könnt die Enkel wohl kaum erwarten." Er wies auf die Herde unten im Tal. „Bei der Herde ist alles wohl, Dorkemunt, mein Freund. Reitet beruhigt in den Weiler, ich gebe Acht. Aber Ihr könntet mir Eure Wasserflasche überlassen. Meine wurde undicht und befeuchtete nicht meine Kehle, sondern nur mein Bein."

Also tauschten sie die Wasserflaschen aus, und Dorkemunt ritt zum Weiler zurück.

Die Ostmark war, wie das gesamte übrige Land der Pferdelords auch, überwiegend von weiten Ebenen geprägt. An der östlichen Grenze der Mark befanden sich ausgedehnte Sumpfflächen, die wiederum an den großen Fluss grenzten, der von Norden kam und im Süden durch die Länder der alten Könige führte. Zwischen dem Sumpf und der steppenartigen Ebene des Tals erhoben sich ausgedehnte Wälder, die das Baumaterial für Dorkemunts Weiler geliefert hatten, dessen Häuser im traditionellen Stil der Pferdelords errichtet worden waren.

Die Häuser waren allesamt niedrig und lang gestreckt, um dem Wind möglichst wenig Angriffsfläche zu bieten. Ihre hölzernen Giebel ragten überkreuzt über die Dächer hinaus, und jeder der Giebelbalken war mit dem kunstvoll geschnitzten Kopf eines Pferdes geschmückt. Die Hauswände waren aus Holz, das zum Schutz gegen Feuer mit frischem Tierblut gestrichen worden war und daher eine typisch rotbraune Färbung aufwies, von der sich lediglich die andersfarbig bemalten Türen und Fensterrahmen abhoben. Die Dächer waren mit Grassoden bedeckt, die im Winter die Kälte draußen hielten und im Sommer Schutz vor der Hitze boten. Alle Häuser bestanden aus einer Wohnstube und normalerweise jeweils einer eigenen Kammer fur Männer, Frauen und Kinder, lediglich Vermählte erhielten einen gemeinsamen Raum. So war es nicht selten, dass das Innere eines Hauses oftmals umgebaut oder aber ein komplett neues Haus errichtet wurde.

Der Weiler war groß und umfasste fast zwei Dutzend Gehöfte.

Die einzelnen Häuser des Weilers formten zwei konzentrische Kreise, deren Mitte der große Versammlungsplatz mit dem Brunnen bildete. Er stellte das soziale Zentrum des Weilers dar, denn alle besonderen Ereignisse wurden hier begangen. Hier nahm der Älteste des Weilers Vermählungen vor oder sprach in Streitfällen Recht. Hier wurden die Waren für den Handel gesammelt, und hier wurde auch ihr Erlös an die einzelnen Familien verteilt. Eine kleine Pferdeherde graste hinter dem Weiler, aber der wahre Reichtum der Menschen, die hier ihre Heimstätte gefunden hatten, waren die Rinder. Sie waren robust und hatten wohlschmeckendes Fleisch, aber vor allem gaben sie Leder. Gutes und starkes Leder für Sattelzeug, Harnisch und Helme. Leder für Tragetaschen und Feldflaschen, für feste Reithosen und viele andere Dinge des täglichen Gebrauchs.

Hellewyn, die Gerberin, verstand sich auf die Lederzubereitung. Sie konnte es stark und fest, aber auch dünn und geschmeidig machen. Ihr Haus stand zwar innerhalb des Weilers, ihr Handwerk übte sie jedoch in einem Schuppen abseits der anderen Häuser aus. Dort schabte sie die Häute und befreite sie von jedem Haar, bevor sie es in große Bottiche gab, die mit dem

Dung der Kratzläufer gefüllt waren. Die Dauer der Behandlung und die Konzentration des Urins entschieden jeweils über die Weichheit des Leders. Hellewyn und ihre Tochter Gandoryn waren auch wahre Meisterinnen in der Anfertigung feinster Lederschnüre, die wiederum hervorragend zur Fertigung von Kleidung geeignet waren. Die Schnüre wurden aus dünnem Leder gespalten und geschnitten und dann so lange von ihnen gekaut, bis sie weich und schmiegsam wie wollenes Garn waren. Gandoryn fertigte zudem wunderschöne Lederarbeiten und verzierte Kleider und Wämse mit feinsten Lederstickereien.

Dorkemunt hielt das rotblonde Mädchen nicht nur für außergewöhnlich liebreizend, sondern erachtete sie auch für einen enormen Gewinn des gesamten Weilers und seines eigenen Hauses, denn Gandoryns Arbeiten fanden selbst in der Stadt des Pferdekönigs guten Absatz, obwohl es auch dort gute Handwerkerinnen gab.

Dorkemunt trieb seinen Wallach zum Versammlungsplatz des Weilers zurück, wo die Vorbereitungen für die Vermählung von Dormunt und Gandoryn in vollem Gange waren. Der Älteste beäugte sichtlich nervös das Podium, auf dem er das Brautpaar später miteinander vermählen würde. Er war nicht mehr der Jüngste, und obwohl er schon viele Vermählungen und Richtsprüche getätigt hatte, hatte er sich doch nie so recht daran gewöhnen können, im Mittelpunkt der Aufmerksamkeit aller Bewohner des Weilers zu stehen. Der Älteste winkte Dorkemunt geistesabwesend zu und schien schon wieder die Vermählungsformel vor sich hin zu murmeln, während um ihn herum die Frauen des Weilers damit beschäftigt waren, den Weilerplatz festlich zu schmücken. Die Männer ihrerseits hatten bereits mehrere junge Baumstämme kreisförmig angeordnet, welche nun mit bunten Tüchern, Stoffstreifen und frischen

Blumen verziert wurden.

Die beiden ältesten Frauen des Weilers waren währenddessen bei Gandoryn und bereiteten sie auf ihre neue Rolle als vermählte Frau vor. Sie würden ihr gut gemeinte Ratschläge über den Umgang zwischen Mann und Frau geben, Ratschläge, die bereits seit Generationen gegeben und von den Bräuten wieder verworfen wurden, weil diese ihre eigenen Erfahrungen sammeln wollten. Gandoryns Mutter Hellewyn befand sich derweil in Dorkemunts Haus, und dieser begegnete ihr in der Wohnstube, als er nach Hause zurückkam, um dort nach dem Rechten zu sehen.

„Wie ich sehe, ist fast alles bereit", stellte Dorkemunt fest.

Hellewyn sah ihn spöttisch an. „Wozu du, mein bester Dorkemunt, nicht viel beigetragen hast."

Dorkemunt erwiderte ihr Lachen. Hellewyn war eine gute Seele, die wie er selbst ihren Partner vor vielen Jahren verloren hatte. Unter anderen Umständen, wenn er, wie er sich eingestand, noch ein wenig jünger gewesen wäre, hätte er der Witwe sogar noch das Gehöft gemacht. Doch für hektisches Geknarrze fühlte er sich schon zu alt. Obwohl ihre Kinder noch nicht offiziell Zügel und Wasserflasche miteinander teilten, sprachen sie sich doch bereits in der vertrauten Form an, zumindest immer dann, wenn kein anderer mithörte. „Das ist Sache der Weibsleute, Hellewyn. Du weißt selbst, dass sie hierfür die bessere Hand haben. Kann ich die Kammer noch betreten?"

„Wenn du mir die Blüten nicht zertrittst." Sie musterte seine Stiefel. „Doch du solltest dein Schuhwerk vorher ablegen. Du hast auf der Südweide abgesessen."

Dorkemunt hüstelte verlegen und rieb die Sohlen seiner Stiefel aneinander, von denen sich kleine Brocken des Weidegrundes lösten. Lächelnd zog er die Stiefel von den Füßen, und weitere

Bröckchen flogen durch die Wohnstube. Hellewyn schüttelte den Kopf und drohte ihm spielerisch mit den Fingern. „Ah, ihr Pferdelords habt einfach keinen Sinn für Reinlichkeit."

„Das ist nicht wahr", protestierte der kleine Mann. „Das weißt du genau."

„Ich spreche auch nicht von der Reinlichkeit und Schärfe deiner Waffen, Pferdelord Dorkemunt." Hellewyn nahm seine Stiefel und trug sie vor die Tür, wo sie die Sohlen heftig aneinanderschlug. „Würdest du deine Stube mit der gleichen Sorgfalt pflegen wie diese, so wäre ich wohl zufrieden."

Dorkemunt antwortete nicht. Aus langer Erfahrung wusste er, dass ein Pferdelord einer Frau bei solchen Wortwechseln unterlegen war. Auf seinen Fußlappen ging er durch die Stube in seine Kammer hinüber, die Hellewyn schon für das Brautpaar vorbereitet hatte.

Auf der Bettstatt lagen frisches Stroh und frisches Gras, und das Bettzeug war frisch erneuert worden. Dorkemunt bemerkte anerkennend, dass Hellewyn es mit feinen Stickereien versehen hatte. Frische Blumen lagen in der Kammer auf der Bettstatt und dem Boden verstreut. Ihr Duft erfüllte den Raum, und der alte Pferdelord musste lächeln, denn er fühlte sich an seine eigene Vermählung erinnert. Er trat an seine Truhe und nahm frische Kleidung und seine Rüstung hervor, um sie auf Hochglanz zu bringen.

Wieder in der Wohnstube, sah er Hellewyn lächelnd an, die gerade die Sohlen seiner Stiefel gesäubert und das Leder poliert hatte. „Du hast die Kammer schön gerichtet, Hellewyn. Vor allem die Stickereien sind dir wohl gelungen."

Hellewyn errötete leicht. „Es ging mir gut von der Hand, Dorkemunt. Schwierig war nur, die Arbeit vor Gandoryn zu verbergen. Zeig mir dein Wams, Pferdelord. Ich sehe, du hast es ausgebessert, doch meine Stiche erscheinen mir doch feiner als die deinen zu sein."

Das konnte Dorkemunt nicht leugnen, und so gab er ihr sein Wams bereitwillig. Halb entkleidet nahm er dann ein wenig verschämt am Tisch der Wohnstube Platz. Es war nicht so, dass er sich wirklich genierte, doch er zeigte sich nur ungern im Unterzeug vor einem Weibsbild, auch wenn diese die Mutter seiner zukünftigen Schwiegertochter war. Zudem wusste Dorkemunt, dass er aufgrund seines geringen Wuchses im Unterzeug kein sehr stattliches Bild abgab.

Wie alle Pferdelords trug er wollene Beinkleider, die Beine und Unterleib bedeckten und mit angenähten Schnüren an einem Gürtel befestigt wurden, den man um den Leib trug. Dazu kam ein weites Hemd mit rundem Ausschnitt und langen Armen, welches bis fast zu den Knien und bei Dorkemunt noch etwas weiter hinunterreichte. Die Reithosen aus feinem braunen Leder wurden über die Beinkleider gezogen und ebenfalls am Gürtel befestigt. Hierüber zog man nun das Wams. Es reichte bis ans Gesäß und bestand aus gutem Tuch. Im Sommer war es ohne Arme und ungefüttert, im Winter hatte es lange Arme und ein ledernes Überfutter. Je nach Neigung und Stellung seines Besitzers wies das Wams zudem Zierstickereien auf.

Dorkemunts Wams hatte tatsächlich schon ein wenig gelitten, und auch wenn er es sorgsam auszubessern versucht hatte, so waren seine Augen auf die kurze Distanz doch nicht mehr die besten. So war er nun dankbar für die Hilfe, die Hellewyn ihm anbot, und sah zu, wie sie die schadhaften Stellen flink und sorgsam ausbesserte.

„Hier, guter Pferdelord", sagte sie schließlich, „so gut wie neu. Nun kannst du dich wieder bedecken."

Dankend nahm er das Wams und zog es sich über. Dann

wickelte er seine Fußlappen neu. Die Stiefel eines Pferdelords wurden mit verschiedenen Fetten eingerieben, so dass sie dem Wetter widerstanden und geschmeidig blieben. Die Füße wurden zum Schutz erst in lange Tuchstreifen gewickelt, bevor man das Schuhwerk überzog. Dorkemunt stampfte ein paarmal mit den Füßen auf, bis die Stiefel richtig saßen, und nickte dann zufrieden.

Hellewyn sah ihn wohlgefällig an. „Du magst wohl klein von Wuchs sein, Dorkemunt", sagte sie lächelnd, „aber du bist ein rechter Pferdelord. Es ist gut, dass meine Tochter deinen Sohn gewählt hat."

Dorkemunt nahm seinen ledernen Brustharnisch. Er besaß kein Kettenhemd und keine metallene Rüstung, aber sein lederner Brustharnisch war aus hartem Leder und passgenau. Sorgsam polierte der alte Pferdelord das dicke braune Leder und widmete sich danach den Messingteilen, die den Harnisch verzierten. Er polierte, begutachtete und polierte wieder so lange, bis er mit dem Ergebnis zufrieden war. Erst dann legte er den Harnisch an und schloss die Schnallen, die ihn hielten.

Hellewyn seufzte leise. „So will ich mich denn meinem eigenen Kleide widmen, guter Dorkemunt. Es wird bald losgehen, und du bist ja nun bereit."

Rasch drückte sie ihm im Gehen einen Kuss auf die Wange, was Dorkemunt verwirrt erröten ließ, und verschwand dann aus dem Haus. Der alte Pferdelord grinste verlegen und zugleich erfreut und machte sich nach dem Harnisch nunmehr daran, auch den lederbezogenen Metallhelm mit den Messingverzierungen und seine Waffen, Dolch und Axt, zu polieren. Er schmunzelte, als sein Sohn zu ihm trat und mit den gleichen Vorbereitungen wie sein Vater begann. Es bedurfte keiner Worte zwischen Vater und Sohn. Beide freuten sich gleichermaßen auf die heutige Vermählung, auch wenn die Freude des Sohnes sicher umfassender und gleichzeitig von Nervosität geprägt war.

„Nervös, mein Sohn?“, fragte Dorkemunt schließlich und sah seinen Sohn lächelnd an. Er war stolz auf seinen stattlichen Sohn, der im Gegensatz zu seinem Vater groß und breitschultrig, geradezu ein Hüne von Gestalt war. Die Schwielen an seinen Händen verrieten außerdem, dass Dormunt zuzupacken wusste.

Dormunt blickte von seiner Arbeit auf und erwiderte das Lächeln seines Vaters. „Ein wenig, Vater.“

Dorkemunt beugte sich vor und legte seinem Sohn in einer beruhigenden Geste die Hand auf die Schulter. „Keine Sorge, mein Sohn, die Natur hat alles gerichtet. Es ist wie bei den Pferden auch, mein Junge.“

„Ah, ich meine nicht das Geknarrze“, brummte Dormunt errötend. „Ich weiß schon, wie man ein Weib zum Stöhnen bringt, Vater.“

Der kleinwüchsige Dorkemunt nickte. „Ja, die unverheirateten Weiber waren kaum sicher vor dir. Wie bei mir, in meinen jungen Jahren.“ Dorkemunt nickte versonnen. „Zu meiner besten Zeit war ich ein rechter Hengst. Aber was ist es dann, was dich nervös macht?“

Dormunt legte seufzend seinen Harnisch zur Seite und nahm den Helm auf, um dessen Messingteile mit Spucke und einem weichen Leder zu polieren. „Ah, es ist einfach, ein richtiges Weib zu haben. Jede Nacht die Bettstatt mit Gandoryn zu teilen und für ihr Wohl verantwortlich zu sein.“

„Ja, es wird deine Verantwortung sein, dass es ihr wohl ergeht.“ Dorkemunt nickte bestätigend. „Und glaube mir, mein Sohn, Gandoryn ist ein gutes Weib. Sie wird für dich und eure Kinder sorgen. So wie deine Mutter, sie möge ihren Weg zwi schen den Goldenen Wolken finden, immer für dich und mich gesorgt hat. Auch sie war ein gutes Weib."

Einer der anderen Männer des Weilers erschien in der offenen Tür. „Alles ist bereit, ihr Pferdelords. Wo bleibt ihr nur?" Der Mann grinste. „Hat Dormunt etwa den grünen Umhang abgelegt?"

Dorkemunt grinste. „Nein, sein Mut hat ihn noch nicht verlassen. Er wollte nur ganz sicher sein, dass alles wohl gerichtet ist. Doch Ihr habt Recht, mein Freund. Es ist an der Zeit."

Der kleinwüchsige Pferdelord erhob sich, schob den Dolch in seinen Gürtel und schlang den grünen Umhang des Pferdelords um seine Schultern. Nachdem er die Spange geschlossen hatte, setzte er sich den Helm auf, nahm seine Streitaxt zur Hand und sah seinen Sohn auffordernd an. „Nun komm, Dormunt, mein Sohn, es ist an der Zeit, dein Weib in eure zukünftige Heimstätte zu holen."

Gemeinsam traten sie aus dem Haus und schritten zum Versammlungsplatz hinüber, wo die anderen Bewohner des Weilers sich bereits versammelt hatten. Es fehlten nur die wenigen Männer, die als Hirten bei den Herden waren. Alle Bewohner hatten ihre besten Gewänder angelegt, und die Stimmung war ausgelassen. Spöttische, aber gut gemeinte Rufe galten den beiden Pferdelords, die sich nun durch die Menge nach vorne schoben. Dorkemunt bemühte sich um eine besonders aufrechte Haltung neben seinem stattlichen Sohn, als sie vor den Ältesten und das Podest traten, vor dem bereits Hellewyn und Gandoryn auf sie warteten. Auch sie trugen ihre besten Gewänder, und Gandoryn als Braut war in ein zartgrünes Kleid gekleidet, das mit den Symbolen des Pferdevolkes bestickt war. Dorkemunt und sein Sohn stellten sich neben sie.

Schweigen senkte sich über die Bewohner des Weilers, als der

Älteste sich räusperte und dann den Blick über die erwartungsvolle Menge schweifen ließ. „Ihr Männer und Frauen des Pferdevolkes! Ihr seid heute hier versammelt, um Zeuge zu werden, wie Dormunt, des Dorkemunts Sohn, und Gandoryn, der Hellewyns Tochter, einander einzige Liebe und Treue schwören. So einer von euch einen Grund weiß, der gegen diese Verbindung spricht, so möge er ihn nun kundtun oder für immer schweigen."

Natürlich wurde kein Einwand vorgebracht, aber Dorkemunt spürte dennoch, wie sein Sohn sich nervös versteifte, als der Älteste eine kleine Pause einlegte, bevor er mit der Zeremonie weiter fortfuhr. „Dorkemunt, habt Ihr Euren Sohn Dormunt in den Traditionen des Volkes der Pferdelords getreulich erzogen und schwört Ihr, dass er die Tugenden des Volkes in Ehren hält?"

„Ja, Ältester", versicherte Dorkemunt mit fester Stimme. „Dies schwöre ich."

„Hellewyn, habt Ihr Eure Tochter Gandoryn in den Traditionen des Volkes der Pferdelords getreulich erzogen und schwört Ihr, dass sie die Tugenden des Volkes in Ehren hält?"

„Ja, Ältester", versicherte auch Hellewyn. „Dies schwöre ich."

Der Älteste räusperte sich erneut und nahm dann einen reich verzierten Zügel und eine ebenso reich verzierte Wasserflasche von einem kleinen Tisch hinter sich. Er legte den Zügel in Dormunts ausgestreckte Handfläche. „Dormunt, des Dorkemunts Sohn, schwört Ihr Gandoryn, Hellewyns Tochter, die Treue und schwört Ihr, für sie zu sorgen und euer Heim zu schützen?"

„Ja, Ältester", versicherte Dormunt, und seine Stimme klang nicht ganz so fest, wie er sich dies eigentlich gewünscht hatte. „Dies schwöre ich."

„Gandoryn, der Hellewyns Tochter", der Älteste legte die Wasserflasche in Gandoryns offene Hand, „schwört Ihr Dormunt, Dorkemunts Sohn, die Treue und schwört Ihr, für ihn zu sorgen und euer Heim zu schützen?"

„Ja, Ältester", sagte Gandoryn und man hörte ihrer Stimme an, dass sie dabei lächelte. „Dies schwöre ich."

„So fasst nun Zügel und Wasserflasche gemeinsam", sagte der Älteste salbungsvoll, worauf die beiden jungen Leute beide Gegenstände umfassten und der Älteste seine Hände auf die Köpfe des frisch vermählten Paares legte. „Mögen die Hufe eurer Rösser rasch wie der Wind eilen und möge das Wasser zu eurer Erquickung nie versiegen. So hüllt Gandoryn nun in Euren Umhang, Dormunt, und nehmt sie zu Eurem Weibe."

Dormunt nahm die Zügel in eine Hand, löste seine andere von der Wasserflasche und hüllte seine Frau und sich selbst in den weiten Umhang des Pferdelords ein. Der Älteste hob den Blick. „So seid ihr nun vor Volk und König …"

Er verstummte, und ein merkwürdiges Krächzen drang aus seinem Mund.

Alle hoben irritiert den Kopf und sahen nur, wie sich die Augen des Ältesten weiteten, seine Hand sich hob und er hinter die Menge deutete, aber noch bevor überhaupt irgendjemand den Kopf wenden konnte, ragte plötzlich ein gefiederter Pfeilschaft aus der Kehle des Ältesten. Er stieß ein merkwürdiges Gurgeln aus und kippte dann schlaff hintenüber. Im ersten Augenblick war die Menge wie gelähmt. Schreie ertönten, und es waren nicht nur Schreie der Verwirrung und des Entsetzens, sondern auch Schmerzens- und Todesschreie.

Dorkemunt konnte aufgrund seines kleinen Wuchses nicht erkennen, was hinter den Rücken der Menschen vor sich ging, also sprang er ohne zu zögern auf das Podest, wo er den Ältesten, dessen Körper noch seltsam zuckte, ignorierte und über die Köpfe der Anwesenden hinwegspähte. Doch da begann die Menge sich bereits zu zerstreuen und panisch auseinanderzudrängen. Dorkemunt spürte den Luftzug eines Pfeils, der an seinem Ohr vorbeizischte.

„Orks", krächzte er ungläubig. Er wusste sehr wohl, was das für Gestalten waren, die da vom Rand des Weilers her auf den Platz drängten, auch wenn er nicht verstand, woher die Ausgeburten der Dunklen Macht so unvermittelt kommen konnten. Bisher hatten sie ihren Platz in alten Legenden gehabt, doch nun waren sie leibhaftig hier in ihren finsteren Rüstungen und mit gierigem Gebrüll. „Orks", brüllte Dorkemunt. „Zu den Waffen, ihr Pferdelords! Ein Überfall!"

Aber niemand hatte seine Waffen mit auf den Versammlungsplatz genommen, mit Ausnahme einiger Pferdelords, die dem Brautpaar später das Ehrengeleit geben sollten, und natürlich mit Ausnahme von Dormunt und seinem Vater. Dormunt hatte sich dem Feind bereits zugewandt und stand schützend vor Gandoryn und ihrer Mutter, während er seine Klinge zog. Auch die Handvoll bewaffneter Pferdelords stellte sich mit gezückten Waffen dem Feind, der auf sie vorrückte. Schon lagen Männer, Frauen und Kinder in ihrem Blut, während die Lebenden panisch versuchten, ihre Häuser zu erreichen, um dort Schutz zu finden und sich zu bewaffnen. Pfeile zischten und warfen viele von ihnen zu Boden. Manche versuchten blutend vom Platz zu kriechen, bis die Bestien an sie herantraten und sie erschlugen.

Dorkemunt sprang vom Podest neben seinen Sohn. „Lauft zum Haus, dort steht noch mein Pferd. Flieht zur Südweide und nehmt von dort noch andere Tiere", schrie er seinen Sohn an. „Ihr müsst fort von hier. Hier können wir nicht bestehen.

Es sind zu viele.“

Das Schlagschwert eines Rundohrs schlitzte den Oberkörper einer alten Frau auf, und ihr Blut und ihre Eingeweide strömten hervor, während sie schreiend zusammenbrach. Ein Pferdelord stieß dem triumphierenden Ork seine Klinge in den Leib, wurde aber fast gleichzeitig vom Spieß eines anderen Rundohrs getroffen und stürzte rücklings zu Boden. Der Ork hielt den noch keuchenden Mann mit seinem Spieß auf den Boden gedrückt und drehte die Klinge im Leib des Hilflosen so lange, bis ein anderer Ork hinzukam und den Kopf des Pferdelords mit seinem Schlagschwert vom Rumpf trennte.

Aus einem der Häuser zischte ein Pfeil hervor und traf eines der Spitzohren, die selbst mit triumphierenden Lauten ihre Bogen immer wieder auf die Hilflosen auslösten. Das Spitzohr quiekte getroffen auf, aber schon drangen andere Orks in das Haus ein, und kein weiterer Pfeil wurde mehr von dort gelöst.

Nur fünf Pferdelords standen noch auf den Beinen, die alle verwundet und mit dem Blut von Menschen und Orks bespritzt waren. Dorkemunt schwang seine Axt, und Dormunt stieß und hieb mit seinem Schwert. Seine Klinge glitt durch den Brustpanzer eines Rundohrs, zerteilte ihn säuberlich und die Bestie hielt brüllend ihre hervorquellenden Gedärme fest, bis Dormunts Schwert ihr in den aufgerissenen Rachen stieß. Inzwischen hatte Dorkemunts Axt bereits den Schädel eines Spitzohrs gespalten.

„Zum Haus hinüber“, brüllte Dorkemunt. „Zu meinem Haus!“

Da stieß Hellewyn ein leises Seufzen aus, sackte gegen Dorkemunt, und als er sie instinktiv mit den Armen festhielt, konnte er den Pfeil, der aus ihrem Rücken ragte und die Nässe ihres Blutes spüren. Der kleinwüchsige Pferdelord schrie seine

Wut gegen den Feind hinaus, musste Hellewyn dann aber aus seinem Griff lösen, um sich dem nächsten Angreifer zu stellen. Das Schlagschwert eines Orks traf die am Boden Liegende und schlitzte ihren Rücken auf, so dass die Wirbelsäule freigelegt war. Hellewyn schrie haltlos in ihrem Schmerz, und Dorkemunts Axt fällte den Ork.

Aber sie konnten Hellewyn nicht mehr helfen, und es brach Dorkemunt fast das Herz, als er einen letzten Blick auf sie warf und dann ihre Tochter ergriff, die sich schützend über die sterbende Mutter werfen wollte. „Du kannst ihr nicht mehr helfen", schrie er Gandoryn an. „Denke jetzt an dein eigenes Leben."

Er zerrte sie mit sich und war fast dankbar, als der Hieb eines anderen Orks Hellewyns Leiden endlich ein Ende setzte. Zu viert erreichten sie schließlich Dorkemunts Haus, doch der Pferdelord, der sie begleitete, wurde dort gleich von mehreren Pfeilen getroffen und sank in sich zusammen. Brüllend näherte sich eine Anzahl von Orks dem Haus, während andere durch den Weiler schwärmten und dort jedes Leben auslöschten.

Dormunt saß auf den Wallach seines Vaters auf und streckte gerade die Hand nach Gandoryn aus, um sie hinter sich aufs Pferd zu ziehen, als ihn ein Pfeil im Rücken traf, und kurz danach der Stoß eines Spießes. Dormunt sackte schreiend auf den Hals des Pferdes, seine Hand in die seiner Frau verkrampft. Nun sprang Dorkemunt wie rasend zwischen die Orks, wütete mit seiner langstieligen Axt unter ihnen und tötete, um die seinen zu schützen. Doch als er zurückblickte, sah er den Rücken des Pferdes leer und von Blut bedeckt. Dorkemunt schlug um sich, löste sich aus der Umklammerung eines Orks und trieb die Axt von unten zwischen die Beine eines aufschreienden Rundohrs. Er zog sich zu seinem Pferd zurück, sah dort Sohn und Schwiegertochter in ihrem Blut liegen und wusste, dass beiden nicht mehr zu helfen war. Tränen der Wut und der Trauer füllten seine Augen, dennoch gelang es Dorkemunt irgendwie, sich in den Sattel seines Wallachs zu hieven, und begleitet von einem Pfeilhagel galoppierte er aus dem Weiler heraus. Keines der Geschosse traf ihn, und er hörte enttäuschtes Gebrüll hinter sich, als ihn sein Pferd vom Ort des Grauens forttrug.

In sicherer Entfernung zügelte der kleinwüchsige Pferdelord das Tier und blickte zurück. Tränen flossen über seine runzligen Wangen.

Der Weiler war ausgelöscht. Kein menschliches Leben rührte sich mehr in ihm. Tote Bestien und Menschen bedeckten den Versammlungsplatz und lagen zwischen den Häusern. Zwei der Häuser begannen bereits zu brennen, und Dorkemunt schrie hasserfüllt, als er sah, wie eines der Spitzohren seine Zähne in den toten Leib eines Säuglings grub. Blind vor Tränen hob er seine blutige Axt.

„Ich werde zurückkommen, ihr Bestien“, schrie er zu dem Weiler hinüber. „Für jedes Leben, das ihr genommen habt, werde ich zwei der euren nehmen. Das schwöre ich, Dorkemunt, bei meinem Leben und meiner Ehre als Pferdelord!“

Dann lenkte Dorkemunt, von tiefer Trauer erfüllt, sein Pferd nach Süden. Er würde mit anderen Pferdelords zurückkehren, und die Bestien würden für alles bezahlen, was sie ihm genommen hatten. Er würde nicht eher Ruhe finden, als bis er den Menschen des Weilers die doppelte Anzahl von Orkschädeln nachgesandt hatte.

# 13

Stadt und Burg Eternas schienen vor Aktivität überzuschaumen. Die Stadt selbst war schon immer lebhaft gewesen, und es hatte schon immer genug zu tun gegeben, doch nun befand sich die Hochmark in Gefahr, und zu den Verrichtungen des täglichen Lebens kamen noch die Vorbereitungen auf den Krieg hinzu. Jetzt dominierten die Frauen und Kinder das Bild der Stadt und jene Männer, die nicht tauglich für den Kampf waren. Es gab unendlich viel zu tun und nur so wenig Zeit, es zu vollbringen. Keiner wusste, ob und wann sich der Feind dem Herzen der Hochmark nähern würde. Aber allen war bewusst, was dies bedeuten würde, weshalb plötzlich die alten Geschichten von den Schlachten gegen die Horden der Orks neue Bedeutung erhielten. Und was früher allenfalls einen wohligen Schauder ausgelöst hatte, senkte in diesen Tagen nur allzu leicht die Furcht in die Herzen der Menschen.

Als Larwyn bemerkte, wie sich die Erzählungen von den mordlüsternen Horden der Bestien auszubreiten begannen, spürte sie instinktiv, dass es schwer sein würde, ihnen entgegenzuwirken. Sie stand mit ihrem Gemahl Garodem auf dem hohen Signalturm, dessen Feuer inzwischen erloschen war, und ignorierte den Schwertmann der Wache, der so tat, als würde er ihre Worte nicht hören.

„Furcht senkt sich in die Herzen der Leute, Garodem, mein geliebter Gemahl.“ Sie wies über die Stadt. „Überall erzählt man sich schreckliche Geschichten über die Horden der Orks.“

Garodem nickte und blickte über die Getreidefelder, welche die Stadt umgaben. Frauen und Kinder waren hastig dabei, die Ernte einzubringen. Eigentlich hätte das Getreide noch ein paar Tage stehen bleiben sollen, aber es war reif genug, und man würde Vorräte brauchen, um der Horde zu widerstehen. „Ich habe davon gehört", knurrte er grimmig. „Selbst unter den Pferdelords kursieren Geschichten darüber, wie stark die orkischen Bestien sind. Tasmund und diejenigen, welche in ihrer Jugend gegen die Orks gekämpft haben, halten zwar dagegen, aber die Gerüchte über die Sinnlosigkeit des Kampfes breiten sich dennoch aus. Als wollten wir uns selbst allen Mut nehmen. Sieh dir die Männer an, die wir zusammengerufen haben." Er wies zu dem großen flachen Areal rechts der Burg, wo einige der Veteranen die neu Einberufenen trainierten. „Viele der jungen Männer sind von Zweifel erfüllt. Vielleicht haben sie sogar Angst."

Larwyn legte ihre Hand über die Garodems, welche auf der Mauerkrone lag. „Und du? Verspürst auch du Angst?"

Garodem wusste, dass sie keine leeren Phrasen hören wollte. Dafür kannte sie ihn zu gut. Er nickte. „Natürlich. Jeder gute Kämpfer empfindet Angst. Ein Mann braucht seine Angst, damit er nicht leichtfertig wird. Aber er muss seine Angst auch beherrschen können und sie in Kraft verwandeln, denn die braucht er, wenn er den Feind besiegen will."

Garodem schlug mit der flachen Hand auf die Zinne. „Oft genug haben die Horden des Schwarzen Lords ihr Haupt erhoben und jedes Mal haben wir sie geschlagen. Wir werden sie auch dieses Mal besiegen, Larwyn." Er wies auf das Übungsfeld hinunter. „Diese Männer dort unten scheuen die Gefahr nicht. Viele von ihnen haben sich schon oft im Kampf mit Ausgestoßenen oder Barbaren bewährt, und sie scheuen auch die Übermacht des Feindes nicht. Sie werden wie alle Pferdelords tapfer kämpfen, wenn sie dem Gegner gegenüberstehen. Es ist nur, dass sie bisher keine orkischen Horden kennen, und den Feind nicht zu kennen, das macht sie unsicher. Jene, die schon Erfahrung haben, sehen dies gelassener. Doch die Unerfahrenen sind wie junge Hengste."

Die Pferdelords auf dem freien Feld waren gerade dabei, sich in den verschiedenen Reitformationen zu üben. Zweier- und Viererkolonnen, das Einnehmen der breiten Angriffslinien, in mehreren Reihen hintereinander gestaffelt. Reiter galoppierten mit Lanze, Axt oder Schwert auf aufgestellte Ziele zu und versuchten, sie aus dem vollen Galopp heraus zu treffen. Die Männer waren geborene Reiter und hatten gute Reflexe. Fast jede Waffe fand ihr Ziel. Auf einem anderen Feld übten sich hingegen die Schützen mit Pfeil und Bogen.

Gelegentlich ertönte auch das Signal eines Horns, das in der Schlacht genutzt wurde, um den Männern Befehle zu übermitteln. Normalerweise verwendete man im Land der Pferdelords hierzu die kunstvoll bearbeiteten und eingefassten Hörner von Rindern. Aber in der Hochmark gediehen keine Rinder, und so hatten die Schmiede der Stadt ein eisernes Horn geschaffen, dessen Klang heller war als das der anderen Hörner. Keine andere Mark des Königs besaß solche Hörner, und Garodem war stolz auf deren fordernden Klang.

Auf dem Feld direkt neben der Burg standen einige erfahrene Kämpfer mit mehreren anderen Männern, die zum ersten Mal zu den Waffen gerufen worden waren, in einer Reihe. Baromil, einer der Scharführer der Wache, seufzte entsagungsvoll. Reiten konnten die Männer alle, doch der Kampf vom Pferderücken aus war noch immer etwas ganz anderes, als eine Herde zu hüten und gelegentlich einen Pfeil vom Bogen zu lösen.

„Nehmt Aufstellung, ihr Pferdelords", brüllte Baromil daher ein wenig ungeduldig. „Alle in einer Reihe nebeneinander und die Zügel des links von euch stehenden Pferdes in der lin ken Hand, die rechte Hand an der Waffe.“ Er knurrte missbilligend und trat an einen der Einberufenen heran. „Ah, junger Pferdelord, links, sagte ich. Links.“ Er bemerkte den hilflosen Blick des jungen Mannes und seufzte vernehmlich. „Ist noch jemand unter euch Pferdelords, der rechts und links nicht voneinander zu unterscheiden weiß? Ah, möge ich die Ruhe dazu finden, dies durchzustehen. Rechts am Sattelknauf eures Pferdes hängt euer Rundschild, und links an eurem Waffengurt hängt euer Schwert.“

„Verzeiht, Schwertmann“, sagte einer der Männer. „Doch ich führe eine Axt, die ich nicht gürte. Zudem führe ich die Axt links, wo ich den Zügel halten soll.“

Baromil fluchte leise. „Dann seht auf den Mann neben Euch. Er trägt ein Schwert. Und nehmt die Axt in die rechte Hand. Im Augenblick sollt Ihr ja nicht mit ihr schlagen, sondern nur Euer Pferd halten.“

„Es ist ein gutes Pferd“, erwiderte der Mann beleidigt. „Es läuft nicht fort. Ich brauche es nicht zu halten.“

Einige der Männer lachten. Baromil stemmte die Arme in die Hüften. „Ihr mögt ein guter Axtschwinger sein, mein Freund, doch hier sollt Ihr lernen, wie es ist, in einer dichten Schar oder gar einem Beritt zu reiten. Seid also gut zu meinem schwachen Herzen, und tut, was ich Euch sage.“

Hätte Baromil mehr Zeit gehabt und wären dies künftige Schwertmänner der Wache gewesen, so hätte er sich rasch zu helfen gewusst. Ein paar dicke Getreidekörner in die rechten Stiefel der Männer, und sie hätten in Zukunft sehr rasch zwischen rechts und links unterscheiden können. Doch schließlich war es auch so geschafft, und die Männer standen sorgsam in Linie ausgerichtet.

„Die rechte Hand mit Axt oder Lanze über den Schildknauf,

ihr Herren, und auf mein Zeichen aufgesessen." Baromil nickte zufrieden. Ja, reiten konnte die Männer alle. „Jetzt schiebt das rechte Bein leicht unter das Rundschild am Schildknauf. So schlägt es beim Ritt nicht zu stark. Schwert und Axt nun in der rechten Hand und an die Schulter gelegt. Reitet nie mit vorgereckter Waffe in den Feind hinein. Ihr müsstet sie zum Schlag dann wieder zurückziehen, und das kostet Zeit. Lasst sie also an der Schulter, bis ihr am Feind seid, dann lasst sie von dort im Bogen auf den Schädel des Gegners prallen. He, Ihr mit der Lanze! Ihr kommt später an die Reihe. Mit Lanzen kämpft man anders. Zurück zu Schwert und Axt. Beim Kampf zu Pferd lasst eure Hände vom Schild. Ihr könnt nicht mit Schild und Klinge gleichzeitig vom Pferderücken aus kämpfen. Ihr müsst weit ausholen und braucht festen Halt, das Schild würde euch nur behindern. Es bietet euch Schutz, wenn ihr zu Fuß kämpft."

Baromil trat an sein Pferd heran. Normalerweise schwang er sich auf den Pferderücken, ohne dazu Halt am Schildknauf zu suchen, doch vor den Einberufenen wollte er nach den Traditionen der Pferdelords aufsitzen. Er setzte sich aufrecht in den Sattel und trabte die Linie der Männer entlang. „Die Ledertasche mit eurer Verpflegung hängt ihr nach links über den Schildknauf. Achtet darauf, dass ihr Riemen unter dem des Schildes ist. Ihr müsst das Schild notfalls rasch greifen können. Schiebt die Provianttasche gegen euer linkes Bein. Ihr werden nun sehen, dass Schild und Tasche eure Beine schützen. Teilweise wenigstens. Die Wasserflasche schiebt auf euren Rücken."

Baromil ritt an den Männern entlang, korrigierte da und dort den Sitz. „Ihr reitet mit leichtem Gepäck in die Schlacht. Etwas Nahrung und etwas Wasser, gerechnet für drei Tage, wenn man Maß hält. Tasche und Flasche werden bei jeder Gelegenheit neu gefüllt, denn kommt es zum Kampf und zur Verfolgung, wissen wir nie, wann wir erneut Vorrat fassen können. Ein Feind zu Fuß wird sich mit Lanzen und Spießen in den ersten Reihen formieren. Das ergibt einen Wall von Klingen, weit vorgereckt, um euch am Eindringen in seine Formation zu hindern. Direkt dahinter befinden sich die Bogenschützen, die es darauf anlegen, euch mit ihren Pfeilen aus dem Sattel zu schießen. Nehmt dies hin wie Pferdelords, denn seid ihr erst einmal in den Reihen des Gegners, so sind die Bogenschützen leichte Beute. Nehmt erst die Kämpfer mit Spieß oder Lanze. Reitet direkt auf sie zu und schwenkt erst im letzten Augenblick auf die Seite des Feindes, dorthin, wo er den Spieß hält." Baromil seufzte. „Ach, ich werde es euch besser zeigen, ihr Herren."

Baromil rief ein paar Männer herbei, die mit ihren Lanzen übten, und ließ sie sich aufstellen. Dann trabte er ganz langsam auf ihre gefällten Klingen zu, führte sein Pferd ebenso langsam zu einem Ausfall und schob die gefällte Lanze eines der Männer mit seinem Schwert zur Seite. „Seht ihr? So! Doch das Ganze muss natürlich schnell gehen." Er sah die Männer mit den Spießen an. „Nehmt erneut Aufstellung. Ich werde jetzt ein zweites Mal anreiten, und ihr werdet versuchen, mich aus dem Sattel zu stoßen."

Einer der Männer schnäuzte sich. „Wir könnten Euch dabei aber tatsächlich aus dem Sattel stechen, Scharführer."

Baromil grinste. „Angst vor ein paar Knüffen, mein Freund? Keine Sorge, versucht es nur."

Er zeigte den Männern wiederholt, wie es gemacht wurde, und ließ sie danach erst an Puppen mit Lanzen üben. Indessen nahm sich sein Freund, der Scharführer Derodem, der anderen Männer an. Während die Axtreiter und Schwertkämpfer übten, konnte Baromil sich nun ausschließlich den Reitern mit den Lanzen widmen. „Nehmt sie fest in die rechte Hand und klemmt den Schaft zwischen Arm und Körper. Sobald ihr den Gegner in Reichweite habt, stoßt ihr sie vor. Habt ihr einen Feind mit schwerer Rüstung vor euch, richtet euch ein wenig im Sattel auf und beugt euch im Stoß nach vorne. So liegt alle Kraft in eurem Stoß und ihr durchdringt jede Rüstung. Aber gleichzeitig müsst ihr euren Körper und euren Arm dabei ein wenig drehen, denn euer Pferd trägt euch rasch am Feind vorbei, und zuvor müsst ihr eure Klinge wieder freibekommen haben, sonst behält der getötete Gegner sie zurück."

Der Scharführer ritt zu der Lanze mit dem Scharwimpel und zog sie aus dem Boden. „Merkt euch eure Wimpel. Jeder von euch trägt das Zeichen der Mark, aber auch das besondere Symbol seines Beritts. Dieses Zeichen merkt euch gut. Wo dieser Wimpel weht, dort befindet sich euer Führer, und der Wimpel darf niemals sinken. Fällt der Wimpelträger, so nimmt der nächste Mann ihn auf." Baromil räusperte sich. „Manchmal kann man den Wimpel im Getümmel der Schlacht nicht mehr sehen. Wenn das der Fall ist, dann achtet auf das Horn. Der erste Hornstoß wird beim Anreiten gegeben, der zweite signalisiert den Trab und der dritte den vollen Galopp, der euch in den Feind hineinträgt. Hört ihr das Horn ein viertes Mal, so sammelt euch bei den Wimpeln eures Beritts oder dem Horn und formiert euch neu."

Baromil, Derodem und die wenigen erfahrenen Pferdelords übten mit den anderen Männern Zehnteltag um Zehnteltag. Jeder der Männer hatte es bisher durchaus vermocht, für sich selbst zu kämpfen, doch jetzt mussten die Männer einer Schar zusammen wie ein einziger Mann reagieren. Beim Angriff auf einen Gegner kam es stets auf den massiven Schock an, den die Attacke bewirkte. Trafen die Reiter vereinzelt auf die Linie des Feindes, so konnten sie leicht abgewehrt werden. Doch traf eine geschlossene Front auf den Gegner, brach die Linie des Feindes schnell auseinander, und waren die Pferdelords erst einmal in die Formation eingedrungen, war der Feind den Reitern hoffnungslos unterlegen. Insgesamt war Baromil zufrieden. Die Männer waren nicht ungeschickt, und sie waren motiviert. Sie würden den Traditionen der Pferdelords alle Ehre einlegen.

Viel Übung für den Kampf zu Pferde brauchte keiner der Männer. Sie mussten sich nur daran gewöhnen, im dichten Verband zu reiten und auf ihren Nebenmann zu achten. Baromil übte mit ihnen den Beritt in Kolonne zu zweit und zu viert und das rasche Formieren in die Schlachtlinie der Pferdelords. Ja, insgesamt war der Scharführer zufrieden. Aus ihnen würden in der Schnelle sicher keine Schwertmänner der Wache werden, aber der wahre Pferdelord bewies sich ohnehin erst, wenn das Pferd ihn dem Feind entgegentrug.

Vom östlichen Rand des Tales her waren die Geräusche eines Holzeinschlags zu hören. Einer der Schreiner der Stadt beaufsichtigte dort die Männer, die die Bäume fällten, und er legte dabei großen Wert darauf, dass die Form der Äste stimmte. „Achtet auf gerade Äste, Männer", rief er immer wieder. „Wir brauchen Lanzen und Pfeile. Viele Pfeile. Nehmt daher nur die dünnen Stämme und die geraden Äste, Männer."

Der Schreiner sorgte sich darum, dass nur das beste Material Verwendung fand. Ein Spieß musste drei Längen und eine ordentliche Lanze eine und eine halbe Länge messen, denn beim Aufprall auf ein Ziel musste die gesamte Wucht vom Holz aufgefangen werden. Die Maserung hatte daher durchgehend zu sein. Schräg geschnittenes Holz würde zersplittern. Das Holz musste außerdem gerade gewachsen sein. Somit war ein geeigneter Ast derjenige, dessen Holz flexibel genug war, einen Stoß abzufangen, und der zugleich hart genug war, um eine Klinge auch noch durch den dicksten Panzer hindurchzutreiben. Auch Pfeile mussten über diese Eigenschaft verfügen, doch im Gegensatz zu einem Spieß oder einer Lanze musste ihr hölzerner Schaft nicht nur gerade gewachsen, sondern auch noch gerade geformt sein, damit der Pfeil zielgerichtet zum Feind getragen wurde. Der Schreiner dachte grinsend an die Kratzfüße Eternas', die nun teilweise gerupft wurden, damit aus ihren Federn die Befiederung der Pfeile hergestellt werden konnte. Mancher Kratzfuß würde nun wohl für eine ganze Weile mit nacktem Gesäß nach Körnern picken müssen.

Äxte fraßen sich in das Holz der Stämme und schlugen tiefe Kerben. Je zwei der Männer nahmen jeweils einen Baum zwischen sich, den der Schreiner ausgewählt hatte. Die Fällkerbe war tiefer als die zweite, die den Halt des Stammes lediglich schwächen sollte. Die Fällkerbe würde die Fallrichtung des Baumes bestimmen, aber Spannungen im Holz und seine Äste konnten den Sturz zudem beeinflussen. Aus diesem Grund hatten einige Männer und Frauen bereits starke Rohlederseile um einen der angeschlagenen Stämme geschlungen, und als dessen Holz vernehmlich zu ächzen begann, zogen sie zusätzlich an diesen Leinen. Knarrend begann sich der Baum stärker zu neigen. Holz spannte sich, riss entzwei und mit einem Mal kippte der Baum um. Holzsplitter und Äste wirbelten umher, doch die Umstehenden waren rechtzeitig zur Seite gesprungen.

„Eilt euch, ihr Männer und Frauen“, rief der Schreiner den Arbeitenden zu. „Die Pferdelords sind einberufen worden, und wir wollen unseren Teil zu ihrer Aufgabe beitragen.“ Er winkte einen Mann zu sich heran, der missmutig seinen Arm betrachtete. „Ihr da, kommt her.“ Der Schreiner begutachtete den Splitter, der in der Armverletzung des Mannes steckte. „Ihr geht sofort zum Heiler und lasst ihn entfernen.“

„Ach, es geht schon. Ich kann ihn mir selbst herausziehen."

„Nichts da, Ihr geht zu Nogud, dem Hohen Herrn Heiler, oder der Grauen Frau Merawyn und lasst ihn Euch herausschneiden", entschied der Schreiner. „Ihr wisst selbst, wie rasch man ein Stück übersehen und wie übel es sich dann im Fleisch entzünden kann."

Der Mann verzog das Gesicht. „Die Graue Frau ist mir unheimlich."

„Wem nicht", seufzte der Schreiner. „Na gut, in diesem Fall geht zu Nogud. Gleich mit dem nächsten Transport." Neben dem Schreiner schlugen einige Frauen Äste von den gefällten Stämmen und begutachteten sie. Manche warfen sie auf einen Stapel, der später als Brennholz genutzt werden würde, andere wurden dem Haufen zugefügt, aus dem man taugliche Waffen fertigen konnte. Hin und wieder nahm der Schreiner einen Ast auf und wiegte nachdenklich den Kopf, bevor er über seine weitere Verwendung entschied.

Neben den Frauen waren es überwiegend die nicht zum Wehrdienst einberufenen Männer, die hier die Arbeiten ausführten. Nichts wurde verschwendet. Die Stämme und Hölzer wurden vor Ort geschält, und die herabfallende Rinde wurde sorgsam aufgehoben. Den Bast jüngerer Bäume würde man den Heilern bringen, da sich hieraus brauchbare Verbände fertigen ließen, und die dicke Rinde würde man trocknen und zerkleinern, um sie später zum Entzünden von Feuern zu verwenden.

Während eine Gruppe das Holz fällte, eine andere es schälte und entastete, trug eine dritte das Holz zu bereitgestellten Karren und Wagen hinüber, um es in dic Stadt und die Burg zu transportieren. Die Wagen Eternas' hatten Holzräder mit dicken Speichen und eisernen Laufringen. Sie waren etwas unempfindlicher als die dicken Scheibenräder, die man ansonsten überall im Land der Pferdelords benutzte, und erwiesen sich außerdem mit ihrer Eisenbereifung als haltbarer. Zudem machten die sorgfältig bearbeiteten Speichen die Räder und die Wagen auch erheblich leichter.

Der Schreiner war insgesamt sehr zufrieden. Die Arbeit ging gut voran, und man würde eine Menge guter Pfeile herstellen können. Er selbst war nicht erpicht auf einen Kampf und hoffte, wie viele andere Bürger auch, dass der Krieg die Hochmark verschonen würde. Wenn dies der Fall wäre, würde er eine Menge gutes Holz für seine Schreinerarbeit behalten können; er fertigte sowieso lieber Schemel und feine Schränke mit edlen Schnitzereien als Pfeile.

Die Gehöfte und kleinen Weiler der Mark waren inzwischen allesamt evakuiert und ihre Bewohner nach Eternas gekommen. Sie hatten auch ihre Tiere mitgebracht, und vor allem ihre Schafe würden das Weideland des fruchtbaren Tales rasch ruiniert haben. Doch Garodem hoffte, eine schnelle Entscheidung gegen die Orks herbeiführen zu können. Die Männer dort unten, die unter Anleitung seiner Schwertmänner übten, hatten ebenfalls alle ihre eigenen Pferde und Waffen mitgebracht. So war es Tradition bei den Pferdelords. Doch es gab auch Männer, welche nicht den grünen Umhang des Kriegers trugen und die der Pferdefürst mit Waffen aus seiner eigenen Waffenkammer ausrüsten musste.

Aus den Schmieden der Stadt stieg Rauch auf, Waffen wurden angefertigt und dann in die Rüstkammer der Burg gebracht. Unten im Burghof ertönte das Knirschen von hölzernen Fässern, die beständig auf dem Pflaster hin und her gerollt wurden. Die Fässer waren mit Sand, Rüstungsteilen und Waffen gefüllt, und der Sand rieb durch die rollende Bewegung den Rost von den Rüstungen und Waffen herunter.

Während all dieser Aktivitäten schritt Garodem unruhig in seinem Amtszimmer auf und ab. Immer wieder fiel sein Blick auf die Karte, die das Land des Pferdevolkes zeigte. Larwyn kannte seine Sorgen, und sie teilte sie mit ihrem Gemahl. Aber vor allem sorgte sie sich um Garodem selbst. Seit dem frühen Morgen hatte er nichts mehr zu sich genommen, und so ließ sie ein Essen zubereiten und brachte es ihm. „Noch keine Nachrichten von Tasmund?"

Garodem sah seine Gemahlin an und schüttelte den Kopf. „Nichts. In einem halben Zehnteltag werde ich einen Beritt von hundert Männern nehmen und ihm folgen. Dann wird sich weisen, wie es um ihn steht." Er lächelte. „Tasmund ist ein guter Kämpfer. Er lässt sich nicht so rasch in einen Hinterhalt treiben, und er ist kein Heißsporn. Stets wägt er ab, was zu tun ist. Wenn es kritisch stünde, so hätte er die Zeit gefunden, einen Boten zu entsenden."

Larwyn nickte zögernd. „Ich habe mit Merawyn, der Grauen Frau, gesprochen und sie gebeten, in der Unterkunft der Schwertmänner eine größere Krankenstube einzurichten. Einige der Frauen sind bei ihr, um bestes Leinen und Kräuter vorzubereiten."

Garodem blickte über die Stadt hinweg. „Wenn es zum Schlimmsten kommt, werden die Orks die Stadt stürmen, und wir werden sie nicht halten können. Es gibt dort zu viele Gassen und Winkel, in denen eine Truppe sich aus den Augen verlieren und umzingelt werden kann. Für diesen Fall habe ich Haronem instruiert, die Stadt zu evakuieren und die Bewohner in die Gewölbe der Burg zu bringen. Er wird dann deine Autorität brauchen, um dies durchzusetzen, denn die Leute werden die

Stadt nicht aufgeben wollen."

„Trotz ihrer Ängste?"

„Die Stadt ist ihr Lebenswerk." Garodem zuckte die Achseln. „Als wir damals in die Hochmark gekommen sind, war dies noch kein Land für Menschen. Erst wir haben es zu einem Platz gemacht, an dem es sich auch leben lässt."

„Dann werden sie auch darum kämpfen", sagte Larwyn entschieden.

„Das sollen sie auch. Aber Häuser können neu errichtet und Felder neu anlegt werden. Das Überleben der Menschen, die dies bewirken können und die sich uns anvertraut haben, ist das Allerwichtigste. Sie selbst oder ihre Eltern sind freiwillig mit mir in die Hochmark gekommen. Aber ich habe sie nicht hierhergeführt, damit sie sinnlos sterben. Wenn wir schon kämpfen, dann sollten sie auch eine Chance haben, den Sieg zu erringen." Garodem schlug mit der flachen Hand auf die Leibung des Fensters. „Solange diese Burg steht, können wir die Stadt auch wieder neu errichten." Der Pferdefürst legte eine Pause ein. „Wir werden den Orks standhalten, und wir werden sie schlagen."

Für Larwyn klang dies wie ein feierlicher Schwur, und für einen Moment legte sie ihren Kopf an seine Schulter. Die Geste machte Garodem verlegen. Er räusperte sich. „Nun, lass uns schauen, was es noch zu tun gibt. Man wird sonst denken, dass der Hohe Lord nichts zu erledigen hat und nur herumfaulenzt."

Unter ihnen, im inneren Burghof, befand sich die burgeigene Schmiede, die für den Fall einer Belagerung eingerichtet worden war. Nun war sie in Betrieb, und der alte Schmied Guntram war aus der Stadt in die Burg gewechselt, um hier vor Ort Waffen, Rüstungen und Beschläge von Pferden und Türen zu prüfen und ausbessern zu können. Haronem, Schwertmann der

Wache, unterhielt sich mit dem Veteranen, denn im Gegensatz zum Ersten Schwertmann Tasmund hatte Haronem noch nie in einem schweren Kampf gestanden, und er war klug genug, die Worte eines alten Kriegsveteranen nicht zu ignorieren. Nicht, nachdem die Horde der Orks vielleicht schon in der Hochmark stand.

„Die Spitzohren tragen meist nur leichte Rüstungen“, sagte Guntram und prüfte den Winkel eines Torbeschlages, den er gerade verstärkte. „Es ist kein Problem, sie zu durchstoßen. Jedes Kind würde das schaffen. Bei den Rundohren sieht das schon ganz anders aus. Die Burschen sind groß und stark und tragen auch starke Rüstungen. Recht dicke Brustpanzer und Helme. Aber ihre Arm- und Beinschienen sind recht schwach, und ihr Hals ist ebenso ungeschützt wie ihre Armbeuge oder die Achselhöhle. Was für eine Klinge bevorzugt Ihr, Haronem? Ah, ich sehe. Eine lange und schmale Klinge.“ Guntram hämmerte erneut an dem Scharnier. „Die gewährt zwar eine große Reichweite, ist aber schlecht ausgewogen, und der Arm ermüdet schnell. Ihr solltet ein etwas kürzeres Schwert bevorzugen, mit einer guten Schwere im Heft. Das schafft mehr Balance.“ Guntram schob das Scharnier ins Ölbad und ließ es abkühlen. „Zeigt mir Eure Klinge.“

Haronem zog sein Schwert aus der Scheide, und Guntram sah es prüfend an, wog es in der Hand. „Nicht meine Arbeit“, brummte er missmutig. „Wirklich miserabel ausbalanciert. Und nur eine Blutrinne an der Klinge.“

Der Schwertmann zog die Augenbrauen zusammen. „Es gefällt Euch nicht?“

Guntram ließ die Klinge durch die Luft pfeifen. „Nun, es ist so weit in Ordnung. Gut genug, um ein Spitzohr damit aufzuspießen. Aber das Gewebe eines Rundohrs ist weit fester. Da saugt sich eine Klinge rasch fest. Dann müsst Ihr sie drehen, um sie wieder frei zu bekommen." Guntram lachte leise. „Aber wenn Ihr die Klinge zuvor durch einen dicken Panzer gerammt habt, wird es schwer sein, sie zu drehen. Hätte sie zwei Blutrinnen, so könntet Ihr sie leichter lösen."

„Aha." Der Schwertmann klang nicht besonders überzeugt.

„Ich kann Euch ein gutes Schwert fertigen, guter Herr Haronem", meinte Guntram hilfsbereit. „Auf Eure Größe und das Maß Eures Armes abgestimmt."

Ein Mann im vollen Harnisch und mit dem langen Rosshaarschweif der Schwertmänner trat durch das offene Innentor zwischen den beiden Burghöfen und enthob Haronem einer Antwort. „Der Pferdefürst ist bereit zum Abritt. Soll ich dem Beritt signalisieren?"

Haronem nickte, und schon wenig später ertönte der helle Klang eines Horns. Hufgetrappel und Kommandos wurden auf dem vorderen Innenhof laut. Guntram trat neben den Schwertmann.

„Leichtes Gepäck", stellte der Schmied fest. „Garodem will also schnell reiten."

„Er nimmt auch Handpferde und eine kleine Zahl von Tragepferden mit Ersatzwaffen und Proviant mit", bestätigte der Schwertmann.

„Dann hat er nicht vor, so rasch zurückzukehren." Guntram blickte zu der Schmiede. „Nicht ohne Not. In dieser Zeit könnte ich Euch ein gutes Schwert anfertigen."

„Kümmert Euch lieber um die Beschläge", knurrte Haronem. „Das Tor muss verstärkt werden, und auch das Katapult auf dem Nordwall muss gerichtet werden."

Im vorderen Innenhof standen die hundert Männer des Beritts neben ihren Pferden bereit und warteten, bis Garodem unter dem Vorbau des Haupthauses hervortrat. Er trug die volle Rüstung mit den reichen Goldverzierungen des Pferdefürsten, und das Wappenschild der Hochmark glänzte in gleißendem Gold auf seiner Brust, als er den grünen Umhang über seine Schultern zurückschlug. Der Pferdefürst warf noch einmal einen kurzen Blick zu einem der Fenster im ersten Obergeschoss hinauf und nickte Larwyn unmerklich zu. Dann nahm er die Zügel seines Pferdes von einem Stallburschen entgegen und saß auf. Die Hufe seines grauen Hengstes klapperten über das eingelegte Wappen des Innenhofes.

Garodem blickte auf die große Steinstatue des alten Königs, dann musterte er die Männer des Beritts. „Das Dunkle, das wir schon längst vergangen glaubten, ist nun zurückgekehrt. Doch nicht für lange, denn wir werden es wieder in die Finsternis zurückschicken. Ihr habt den Schwur der Pferdelords geleistet, nun ist es an der Zeit, ihn auch mit allem Stolz zu erfüllen." Er hob seine Stimme und gab die Losung. „Eile sei nun das Gebot! Schneller Ritt ..."

„... und scharfer Tod", schallte das Echo von den Wehrmauern zurück.

Garodem hob die Hand und nickte dem Hornbläser zu. Der gab das Signal, während der Pferdefürst antrabte und seine Hundertschaft aufsaß und sich hinter dem Hornbläser und den beiden Fahnenträgern einreihte. Einer der Lanzenträger führte den dreieckigen Wimpel des Beritts, der andere das rechteckige Banner Garodems mit dem Zeichen der Hochmark. Das Klappern der Hufe und das leise Klirren von Waffen und Rüstungen erfüllte die Burg, bis die Hundertschaft den Hof verlassen hatte.

Larwyn stand an dem Fensterbogen des Haupthauses und

sah den Fahnen und den Männern, die ihrem geliebten Gemahl folgten, nach. Für einen Moment glitt ihre Hand über ihren sanft gerundeten Leib. „Komm gesund zurück, mein geliebter Garodem. Du hast mehr als nur einen Grund, dies zu tun.“

Als hätte der Pferdefürst ihre Worte vernommen, sah Larwyn, wie er sich kurz im Sattel wandte und noch einmal grüßend die Hand hob. Dann war er mit dem Beritt zwischen den ersten Häusern der Stadt verschwunden.

„Wie ist es nun?“, fragte Guntram. „Soll ich Euch das Schwert fertigen?“

Haronem schnaubte durch die Nase. „Kümmert Euch lieber um die Beschläge und verstärkt das Tor.“ Der Schwertmann war nun der Kommandant der Burg Eternas, und er hatte das unangenehme Gefühl, dass man die Verstärkung des Tores noch dringend benötigen würde.

# 14

Als Nedeam sich wieder auf den Heimweg machte, hatte er noch keine Ahnung, welche Gefahr der Hochmark drohte. Er war stolz darauf, den Auftrag seines Vaters Balwin erfüllt zu haben. Es war ihm gelungen, einen guten Preis für die Schurmesser auszuhandeln und die Wolle und die Felle gegen die Waren einzutauschen, die zu Hause fehlten. Die Tragetaschen hinter dem Sattel waren schwer und prall gefüllt mit Mehl, Salz und anderen Dingen, welche vor allem Meowyn für den Haushalt benötigte. Darunter waren auch ein kleiner Feuerstein, zwei feine Nähnadeln, Garn und ein kleines Päckchen Süßwurzeln, das für seine Mutter gedacht war, Nedeam aber immer wieder in Versuchung brachte, weshalb der Zwölfjährige als Ersatz auf einem alten Stück Wurzel herumkaute, das kaum noch erahnen ließ, dass es sich dabei einmal um eine Süßwurzel gehandelt hatte. Stirnfleck war von den zusätzlichen Lasten nicht begeistert und tat daher gelegentlich so, als lahme er. Damit wollte der kluge Hengst Nedeam dazu veranlassen, abzusitzen und ihn zu führen. Doch Balwin hatte seinen Sohn schon auf diesen Trick des Pferdes hingewiesen, und Nedeam ließ sich nicht davon beirren. So gab Stirnfleck nach einigen Längen ein leises Schnauben von sich und ging dann wieder normal weiter. Trotzdem saß der Junge regelmäßig ab, um den Hengst zu führen. Das hatte ihm sein Vater beigebracht.

„Ein guter Pferdelord achtet zuerst auf seine Waffen, dann auf sein Pferd und erst dann auf sich selbst,“ hatte Balwin gesagt und ihn dabei ernst angesehen. „Auch wenn du notfalls zu Fuß kämpfen kannst, so sind wir doch Pferdelords, und unsere besondere Stärke liegt im Kampf zu Pferde. Halte es darum immer frisch genug für einen schnellen Ritt. Sitze regelmäßig ab und führe es, damit es ausgeruht genug bleibt, um dir in plötzlicher Gefahr beizustehen.“ Stolz hatte Balwin dabei den Hals von Stirnfleck getätschelt. „Er ist ein guter Kämpfer und hat schon manche Schlacht erlebt. Er ist mir immer ein guter Gefährte gewesen und verdient es, auch als solcher behandelt zu werden.“ Balwin hatte aufgelacht. „Als guter Kämpfer ist Stirnfleck natürlich ein wenig eingebildet. Manchmal glaubt er, keine gewöhnliche Arbeit verrichten zu müssen, dann beginnt er zu lahmen. Ebenso wie du es in jungen Jahren getan hast, wenn dir die Arbeit zu viel geworden ist.“

Der Rückweg zum Gehöft gestaltete sich langsamer als der Hinweg, da Stirnfleck nun schwere Last trug. Nedeam führte den Hengst am Zügel und musterte dabei die länger werdenden Schatten. Schon bald würde es dunkeln und die Nacht hereinbrechen. Er würde heute nicht mehr bis nach Hause gelangen, und somit war es an der Zeit, sich eine gute Schlafstelle zu suchen. Also musterte Nedeam die breite Schlucht, durch die sein Weg führte. In ihrer Mitte befand sich ein schmaler Grünstreifen mit einigen Wildblumen, während die sie umgebenden Hänge zunächst sanft anstiegen, um dann schnell steil aufzusteigen. Ein paar Dutzend Längen voraus erkannte er eine Gruppe großer Felsen, die sich bereits vor langer Zeit vom Hang gelöst haben und dort liegen mussten, denn sie waren an der dem Wind abgewandten Seite bereits dicht mit Moos bewachsen. Sie würden ihm in der Nacht einen guten Schutz vor dem scharfen Wind bieten und ihm im Notfall den Rücken freihalten.

Nedeam führte Stirnfleck zu den Felsen hinüber und erinnerte sich erneut an die Worte Balwins. Der hatte ihm eingeschärft, dass Pelzbeißer dunkle Stollen und vor allem Höhlen liebten, in denen sie sich verstecken konnten. Zwar verirrten sich Pelzbeißer nur selten in die Hochmark, aber kein Mann der Mark ging ein unnötiges Risiko ein. Also hielt Nedeam seinen Pfeil und Jagdbogen griffbereit und suchte die Felsengruppe und vor allem jene Felsen, die übereinandergeschichtet waren und einen guten Unterschlupf boten, mit den Augen ab. Nedeam sog prüfend die Luft durch die Nase. Der Wind wehte ihm aus Richtung der Felsen entgegen, aber er konnte weder den typisch muffigen Geruch eines Pelzbeißers noch den einer Raubkralle wahrnehmen. Auch der Hengst blieb ruhig, und dieser verfügte über einen weit besseren Geruchssinn als Nedeam. Stirnfleck stand ruhig ein paar Längen hinter dem Jungen, der die Felsen sorgfältig absuchte und in die kleinere Spalte hineinsah. Einige Male stocherte er auch mit einem Pfeil darin herum, aber er schreckte damit keine der giftigen Schlangen auf, die sich tagsüber gerne auf den Felsen sonnten und dann bei Dämmerung in ihnen Schutz suchten.

Schließlich führte Nedeam Stirnfleck näher an die Felsen heran und hob die schweren Tragetaschen von dessen Rücken. Er schob die Lasten unter einen überhängenden Felsen und zog seine Wasserflasche hervor. Dann tränkte Nedeam den treuen Hengst mit der hohlen Hand.

„Jetzt geh und friss dich satt, mein Freund", sagte er und schlug dem Hengst freundlich gegen die Kruppe. Der Hengst schnaubte leise wie zur Antwort und trabte zu dem Streifen Grünzeug hinüber. Das Gras und die Blumen waren saftig und würden auch einen Teil des Durstes stillen. Sobald der Hunger des Pferdes gestillt wäre, würde es dann zu Nedeam zurückkehren. Man konnte nicht jedes Pferd einfach frei laufen lassen. Manchen musste man sogar die Vorderläufe mit ledernen Riemen aneinanderbinden, damit die Tiere nur kleine Schritte machen konnten und bei Gefahr nicht einfach fortliefen. Aber nicht Stirnfleck. Nedeam wusste, dass ihn der Hengst niemals im Stich lassen würde, und er konnte verstehen, warum sein Vater so sehr an dem großen Tier hing.

An einer windgeschützten Stelle unter den Felsen wuchs ein Streifen dichten Mooses, dessen Weichheit für ein Lager wie geschaffen war. Im Winter hätte es sich Nedeam niemals als Bettstatt gewählt. Sein Großvater Windemir hatte ihm nämlich einst erzählt, wie er einmal bei großer Kälte mit den Haaren auf einer Lage Moos festgefroren war. Da Moos immer etwas Nässe beinhaltete, war es durch Windemirs Körperwärme aufgetaut und dann in der eisigen Luft erneut gefroren. Sein Großvater hatte sich die Haare auf einer Kopfseite mit dem Dolch abschneiden müssen, um wieder frei zu kommen, und dazu noch einigen Spott ertragen müssen. Nein, im Winter würde Nedeam niemals auf Moos schlafen, sondern sich eine trockene Stelle wählen. Doch nun war Sommer, und das weiche Moos würde ihm eine gute Bettstatt bieten. Nedeam sah außerdem, dass es sich um Eisenmoos handelte. Im Gegensatz zu dem sonst üblichen Bergmoos besaß dieses einen kaum wahrnehmbaren rötlichen Schimmer, und man sagte ihm besondere Heilfähigkeiten nach. Er würde also etwas von dem Moos mit nach Hause nehmen.

Hätte Nedeam ein paar alte Dungfladen gefunden, hätte er sich ein kleines Feuer gemacht, aber so begnügte er sich mit einigen Schlucken Wasser aus der Wasserflasche, die seine Mutter aus einem feinen Stück Schafdarm gefertigt hatte, und kaute Brot und getrocknetes Fleisch dazu.

Die Schatten wurden nun länger, wuchsen immer mehr zusammen und Dunkelheit begann sich über die breite Schlucht zu senken. Nedeam sah die ersten Sterne am Himmel über sich erscheinen, die gegen Morgen dem Dunst der Berge weichen würden, bis die Sonne wieder Kraft genug finden würde, um den Nebel aufzulösen. Stirnfleck trabte langsam heran und stellte sich neben der kleinen Felshöhle in den Windschatten. Nedeam gab dem Hengst noch ein wenig Salz zu lecken, dann verstaute er den restlichen Proviant sorgfältig und legte sich auf das weiche Moos, eng eingehüllt in seinen langen braunen Umhang und Pfeil und Bogen griffbereit neben sich. Es dauerte nicht lange, und er war eingeschlafen.

Eine leichte Berührung weckte ihn, und Nedeam, der tief und fest geschlafen hatte, benötigte einen Moment, um sich zurechtzufinden. Erneut erfolgte ein leichter Stoß gegen seinen Fuß, und er erkannte Stirnfleck, der ihn mit der Schnauze angestoßen hatte. Als der Hengst bemerkte, dass Nedeam wach war, drehte das Tier seinen Kopf und schnaubte kaum wahrnehmbar.

Nedeam richtete sich auf und fasste automatisch nach Pfeil und Bogen. Er blickte in die Richtung, in die Stirnflecks Kopf wies. Das Licht von Mond und Sternen warf silbrige Schimmer über die Schlucht, aber der Junge konnte nirgendwo eine Gefahr erkennen. Doch Stirnfleck musste etwas gewittert oder gehört haben, sonst hätte er seinen Reiter nicht gewarnt. Also konzentrierte Nedeam sich auf sein Gehör.

Er kniff die Augen zusammen und nickte unbewusst. „Ja, ich höre es auch", flüsterte er Stirnfleck zu.

Da war ein sanftes Pochen, das sich langsam näherte. Es waren die Hufe eines Pferdes, und es war ein beschlagenes Pferd, wie Nedeam erkannte, als einer der Hufe gegen einen Stein stieß. Die Schritte des Tieres kamen nur langsam näher, so als ob es seinen Weg nur zögernd finden würde.

Nedeam war alarmiert. Kein vernünftiger Pferdelord ritt während der Nacht umher, in der ein Pferd leicht einen Stein übersehen und straucheln konnte. Von den Herdehütern einmal abgesehen, doch hier gab es keine Herde. Nein, kein Bewohner der Hochmark würde in der Nacht umherstreifen. Aber Nedeam wusste, dass es gelegentlich Ausgestoßene oder Gesetzlose gab, die sich in die Hochmark verirrten, und dass viele von ihnen bedenkenlos mordeten. Nedeam duckte sich daher in die Deckung der Felsen und hielt den Blick fest auf den Bereich der Schlucht gerichtet, wo der fremde Reiter auftauchen musste. Er spürte, wie sein Herz heftig zu schlagen begann und seine Hände vor Aufregung feucht wurden. Nedeam trocknete sie an seinem Umhang ab und zwang sich zur Ruhe. Schließlich handelte es sich nur um einen einzelnen Reiter, und der Vorteil lag bei Nedeam, von dem der Reiter nichts ahnen konnte. Nedeam verfügte über eine gute Deckung, und er hatte die Überraschung und einen schussbereiten Bogen auf seiner Seite. Wer auch immer dort kam, würde es im Falle eines Angriffs nicht leicht haben. Dann, endlich, kamen Pferd und Reiter in sein Blickfeld.

Nedeam sah ein Pferd, das seinen Kopf nach unten hielt und sichtlich erschöpft schien. Gelegentlich strauchelte es, fing sich aber immer wieder. Auch der Reiter wirkte erschöpft und saß zusammengesunken in seinem Sattel. Der weite Umhang des Reiters wies am Rücken eine seltsame Ausbuchtung auf, wie Nedeam erkannte. Da erfasste ein Windstoß das Haar des Reiters, und Nedeam sah blonde Locken, die im Wind lang auswehten. Er versteifte sich und hätte fast einen Schrei der Überraschung ausgestoßen. Konnte dies denn seine Mutter Meowyn sein? Nedeam wollte sich schon hinter seiner Deckung aufrichten und den Reiter anrufen, um sich zu vergewissern, als er plötzlich aus den Augenwinkeln heraus zwei huschende Schatten wahrnahm.

Sie bewegten sich aufrecht, waren also keine Raubtiere. Zunächst sah Nedeam die Gestalten nur undeutlich, aber sie näherten sich dem einzelnen Reiter oder der Reiterin in einem steten Trab, der seltsam schaukelnd wirkte. Nedeam konnte außerdem erkennen, dass die beiden Gestalten bewaffnet waren. Doch etwas wirkte seltsam unmenschlich an ihnen, und als die beiden Schatten eine hellere Stelle der Schlucht erreichten, erschrak der Junge zutiefst, denn jetzt konnte er ihre seltsam langen und spitzen Ohren und die dunkle Haut ihrer Gesichter erkennen. Nedeam wusste schlagartig, dass diese Wesen Orks waren, aber er begriff nicht, wie sie in die Hochmark hatten gelangen können. Aber es war klar, dass der erschöpfte Reiter in höchster Gefahr war.

Sein Vater Balwin hatte ihm einmal erklärt, dass das Licht des Mondes trügerisch sein konnte und das Zielen erschwerte. Nichtsdestotrotz fiel es Nedeam schwer, sich Zeit zu nehmen, denn er hatte Angst, der einzelne Reiter könne seine Mutter Meowyn sein. Doch er zwang sich zur Ruhe. Er spürte, wie der Wind sich zu drehen begann. Das erschöpfte Pferd des Reiters nahm die Witterung Stirnflecks und Nedeams auf, hob seinen Kopf und schnaubte. Die beiden heranhuschenden Orks waren dagegen noch ein paar Dutzend Längen zurück und ahnungslos. Sie trabten stetig und zuversichtlich näher. Das Pferd schnaubte erneut, und die Gestalt des Reiters bewegte sich und richtete sich auf.

„Mutter“, keuchte Nedeam schockiert. Für einen Augenblick war er abgelenkt, und als sein Blick wieder zu den Orks glitt, waren diese schon unglaublich nahe herangekommen. Jetzt musste Nedeam handeln; er zielte auf den Vorderen der beiden und schoss.

Der Pfeil verfehlte sein Ziel, und noch während Nedeam

mit einem heiseren Fluch den nächsten Pfeil auflegte, stießen die beiden Orks ein wütendes Gebell aus. Sie hatten den Pfeil bemerkt, der ihnen außerdem verraten hatte, in welcher Richtung sich der unsichtbare Schütze verbergen musste. Die beiden Orks ignorierten die erschöpfte Reiterin und hasteten nun unglaublich schnell Nedeams Deckung entgegen.

Sein zweiter Pfeil traf eines der Spitzohren hoch an der Schulter und warf es zurück, aber die Verletzung war nicht schwer, und das Wesen richtete sich gleich wieder auf und hastete zur Seite. Doch schon hatte der Junge den dritten Pfeil aufgelegt, und sein nächster Schuss traf das Spitzohr tödlich.

Nur wenige Sekunden waren vergangen, aber in diesen wenigen Sekunden war der andere Ork aus Nedeams Blickfeld verschwunden. Doch er war noch irgendwo da draußen, im Zwielicht, welches Sterne und Mond über die Felsen zauberten, und Nedeam spürte, wie ihm der kalte Schweiß ausbrach. Er wusste, dass der Ork ihm gegenüber nun im Vorteil war, denn er kannte Nedeams Position. Für Nedeam bedeutete dies, dass er seine gute Deckung verlassen und sich eine andere suchen musste, wollte er nicht riskieren, dass ihn sein Gegner belauern und an dieser Stelle festhalten würde. Nedeam wusste außerdem nicht, ob den beiden ersten nicht schon bald weitere Bestien folgen würden. Er sah zu seiner Mutter hinüber, die noch stärker im Sattel zusammengesunken war als zuvor und nun langsam herunterrutschte. Er schrie auf, als er den Laut hörte, mit dem sie zu Boden fiel. Eine Sekunde später klatschte ein Pfeil dicht neben seinem Kopf an den Felsen.

Nedeam zog seinen Kopf ein und überlegte, woher der Pfeil gekommen sein mochte. Der Pfeil? Nein, das konnte kein gewöhnlicher Pfeil gewesen sein, denn es war ein dumpfer Schlag gewesen, der von etwas sehr Massivem kommen musste. Automatisch tastete er nach seinem Köcher. Zehn Pfeile blieben ihm noch. Zehn Gelegenheiten, den Feind zu töten, danach blieb ihm nur noch sein Dolch, den er am Gürtel trug. Er lauschte in die Dunkelheit und blickte zu Stirnfleck hinüber. Doch der Wind stand nun ungünstig, und das treue Tier konnte keine Witterung mehr aufnehmen und ihm die Richtung weisen. Nedeam musste sich auf seine Ohren verlassen. Da, er hörte ein leises Kullern. Ein Stein, der sich losgelöst hatte und über den Hang rollte. Aber hatte der Ork ihn losgetreten? Immer wieder geschah es, dass sich Steine lösten, denn der Boden war verwittert. Erneut waren seine Hände schweißnass, aber Nedeam wagte es nicht, seinen Bogen loszulassen, um sie sich am Umhang trocken zu wischen. Zusammengekauert hockte er hinter seiner Deckung, lauschte in die Dunkelheit und spürte, wie die Angst nach ihm griff.

Wieder kullerte ein Stein, und dieses Mal erschien ihm das Geräusch unglaublich nahe. Als hätte sich der Stein direkt hinter den Felsen gelöst, hinter denen Nedeam kauerte. Seine Augen weiteten sich, und beinahe hätte er im Reflex den Bogen ausgelöst und den Pfeil verschwendet. Dann hörte er wieder ein Scharren am Felsen, und es war klar, dass der Ork es geschafft hatte, sich dicht an ihn heranzuschleichen. Nedeam ließ seine Blicke angstvoll umherschweifen und versuchte zu erkennen, ob der Feind von rechts oder von links um den Felsen kommen würde.

Da hörte er plötzlich ein Zischen und einen heiseren Aufschrei, und ein Schatten fiel vor den Eingang der Felsenhöhle. Nedeam schrak zusammen. Der Feind kam von oben, und unwillkürlich richtete Nedeam seinen Bogen auf den Ork, der sich gerade vom Boden aufrappelte. Der Pfeil traf den Ork aus kürzester Entfernung in die Seite und trat hinten am Körper wieder aus. Doch der Ork stieß nur ein wütendes Grunzen aus und warf sich dann auf Nedeam.

Der Bogen wurde ihm aus der Hand gerissen, und Nedeam roch den fauligen Atem des Spitzohrs, dessen Augen in der Dunkelheit seltsam rötlich zu glühen schienen. Der Zwölfjährige stemmte sich gegen den Angreifer, der seinen Rachen öffnete und nach Nedeams Kehle schnappte. Entsetzt bog der Junge seinen Kopf zurück und trat dem Spitzohr kraftvoll zwischen die Beine. Das Wesen stieß ein heiseres Grummeln aus, ohne jedoch in seinen Kräften nachzulassen. Nedeam dachte an den Dolch, den er im Gürtel trug, aber er bekam ihn nicht zu fassen, denn er hatte alle Hände voll damit zu tun, das geifernde Gebiss des Spitzohrs von sich fernzuhalten. Auch die Bestie schien über keine Stichwaffe zu verfügen, aber es war nur noch eine Frage der Zeit, bis deren Kraft über die des Jungen siegen würde.

Doch die Angst um sein Leben und das seiner Mutter verlieh Nedeam die Stärke, ein Bein gegen den Ork zu stemmen. Verzweifelt spannte er seine Muskeln an und stieß das Wesen mit einem wütenden Aufschrei von sich. Der Ork taumelte zurück und geriet vor den Eingang der kleinen Höhle. Von dort hörte Nedeam einen dumpfen Schlag, gefolgt von einem zufriedenen Wiehern, und als der Junge sich aufrichtete, sah er den Ork mit zerschmettertem Schädel am Boden liegen.

Stirnfleck schnaubte zufrieden und ließ seine Hufe nochmals auf die zerschmetterte Gestalt niedersausen. Die Pferde der Pferdelords besaßen alle beschlagene Hufe, die eine fürchterliche Waffe sein konnten, und der große Hengst wusste sie einzusetzen. Er hatte nur auf die Gelegenheit dazu gewartet.

Nedeam konnte nun auch einen Pfeil aus der Schulter des Wesens hochragen sehen, den er selbst nicht abgeschossen hatte und der den Ork wohl getroffen haben musste, als er flach auf dem Felsen über der Höhle gelauert hatte. Meowyn. Sie musste den Pfeil abgeschossen haben, um ihrem Sohn beizustehen.

„Mutter“, schrie Nedeam auf.

Er stürzte aus der Höhle und zu dem Pferd und der einsamen Gestalt daneben, die nur wenige Längen von ihm entfernt waren. Nedeam sank neben dem schlaffen Körper auf die Knie. „Mutter.“

Der Zwölfjährige sah, dass sie auf dem Bauch lag und ihren Bogen noch immer in der Hand hielt. Wieder fiel ihm die seltsame Ausbuchtung ihres braunen Umhangs auf. Vorsichtig hob er den schweren Stoff an. Nedeam biss sich auf die Unterlippe. Zwischen Meowyns Schulterblättern ragte der Rest eines Pfeils hervor. Seine Mutter hatte den Schaft wohl irgendwie abbrechen können, es dann aber anscheinend nicht mehr geschafft, das Geschoss ganz herauszuziehen. Nein, sie hatte es nicht herausziehen wollen. Nedeam erinnerte sich daran, was sie ihm einst über die Wundbehandlung erzählt hatte. Wenn er den Pfeil herauszog, würde er die Blutung möglicherweise verstärken. Vielleicht musste das Geschoss sogar herausgeschnitten werden, und das konnte nur ein Heiler machen. Also musste er Meowyn nach Eternas bringen, dort würde man ihr helfen können.

Meowyn begann sich schwach zu bewegen und hob mühsam den Kopf. Schmerzerfüllt stöhnte sie auf. Nedeam strich unbeholfen über ihre blonden Locken. „Ich bringe dich zu den Heilern, Mutter. Sie werden dir helfen. Warte, ich werde dir Moos und einen Verband anlegen.“

„Den Bogen“, hörte er sie mühsam keuchen. „Den Bogen des Orks. Du musst ihn zu dir holen und später dem ... dem Pferdefürsten zeigen.“

„Den Bogen?“ Aber Meowyn antwortete ihm nicht mehr, sie war erneut bewusstlos geworden. Nedeam hastete zur Höhle hinüber, zog seinen Dolch und kratzte damit frisches Moos vom Boden, mit dem er zu seiner Mutter zurückeilte. Vorsichtig zerschnitt er ihr Kleid und zog die Ränder auseinander. Die Wunde blutete nicht stark, und Nedeam konnte den Rest des Pfeils nun besser erkennen. Es war tatsächlich kein gewöhnlicher Pfeil, sondern ein stumpfes und daumenstarkes Geschoss aus Metall, das in Meowyn eingedrungen war. Nedeam hatte einen solchen Pfeil noch nie zuvor gesehen, und er wagte es nicht, ihn zu entfernen. Behutsam legte er frisches Moos um die Wunde. Die darin enthaltenen Substanzen würden einer Entzündung der Wunde entgegenwirken und die Blutung stillen helfen. Sorgsam schnitt er ein paar Streifen von seinem Umhang ab und versuchte damit einen Verband anzulegen, der das Moos auf der Wunde festhalten würde. Doch er war ungeübt, und die Stoffstreifen verschoben sich immer wieder. Eher notdürftig verknotete er sie und hoffte, dass sie bis Eternas halten würden.

Dann erinnerte er sich an die Worte seiner Mutter und eilte zu dem getöteten Ork vor der Höhle zurück. Dort in der Nähe fand er auch die Waffe des Spitzohrs, die ebenso seltsam war wie das Geschoss, das Meowyn verletzt hatte. Es war ein sehr kurzer Bogen, der quer an einem hölzernen Rahmen befestigt war. Nedeam sah einen merkwürdigen Griff und eine lange Kerbe, die an dem Rahmen entlang führte. Er fand auch den Köcher des Orks, der noch eine ganze Reihe der Geschosse enthielt, die alle gute zwei Finger lang, daumenstark und vollständig aus Eisen waren. Sie waren außerdem schwer, und Nedeam konnte sich gut vorstellen, dass sie auch starke Rüstungen zu durchschlagen vermochten.

Er warf einen Blick auf die Tragelasten mit den wertvollen Sachen, die er in Eternas erstanden hatte. Doch nun gab es Wichtigeres. Meowyns Pferd war erschöpft, und Stirnfleck würde nun eine andere Last zu tragen haben. Nedeam leerte eine der Tragetaschen aus, verstaute die Waffen des Orks darin und befestigte die Tasche danach an Stirnflecks Sattel. Dann führte er den Hengst zu seiner Mutter.

Meowyn war erneut zu Bewusstsein gekommen und sah Nedeam mit schweißnassem Gesicht an. „Du musst die Mark warnen“, flüsterte sie. „Die Orks sind in der Mark. Sie haben … haben Balwin getötet.“

Im ersten Augenblick begriff Nedeam überhaupt nicht, was sie da gesagt hatte. Nur zögernd schienen ihre Worte in sein Bewusstsein einzudringen, und er spürte nicht einmal, wie ihm die Tränen über die Wangen liefen. „Vater … ist tot?“

Meowyn nickte schwach. „Eile, Nedeam, verliere … keine Zeit.“

Der Zwölfjährige wusste, was er nun zu tun hatte. Er wischte die Tränen von seinen Wangen und strich erneut über Meowyns Haar. „Wir werden beide eilen, Mutter. Ich bringe dich zu den Heilern.“

„Dafür bleibt keine Zeit“, stöhnte sie. „Du bist in Gefahr, und die Mark ist es auch.“

„Sei still“, erwiderte Nedeam. „Wir reiten gemeinsam, oder überhaupt nicht.“

Meowyn lächelte schwach. „Du klingst schon … wie dein … Vater.“

Sie schrie schmerzerfüllt auf, als er ihr vom Boden aufhalf und sie in Stirnflecks Sattel setzte, wo sie sich kaum zu halten vermochte, weshalb Nedeam den Hengst mitfühlend ansah. „Jetzt wirst du uns beide tragen müssen, Stirnfleck, denn allein kann sie sich nicht halten."

Nedeam saß hinter seiner Mutter auf, umfasste sie behutsam mit den Armen und gab dem starken Tier ein wenig Schenkeldruck. Gehorsam setzte sich der nun doppelt belastete Hengst in Bewegung. Er würde Mutter und Sohn sicher nach Eternas tragen, dessen war sich Nedeam sicher, und in die Sorge um seine erneut ohnmächtig gewordene Mutter mischte sich der Stolz über ihre letzten Worte. Er würde auf sie achten, wie sein Vater dies zuvor getan hatte.

Der Hengst trug sie durch die Nacht, und Nedeam dachte an seinen toten Vater, und während Stirnfleck seinen Weg fand, liefen ihm zum zweiten Mal innerhalb kurzer Zeit die Tränen über die Wangen.

## 15

Der Pass lag nun unmittelbar vor ihnen, und je mehr sich der Beritt Tasmunds ihm näherte und je steiler dessen Wände vor ihnen aufzuragen begannen, desto nervöser wurden die Schwertmänner der Wache. Tasmund, der Erste Schwertmann, sah misstrauisch zu den Höhen hinauf. Deutlich war der Signalturm des inneren Passfeuers zu erkennen. Doch nirgends zeigte sich Bewegung. Tasmund hob die Hand und reckte sich im Sattel. Er sah zur Seite, wo Kormund neben ihm sein Pferd verhielt. Vor zwei Tagen waren die Männer des Trupps auf den Scharführer gestoßen, und in diesen zwei Tagen hatte sich Kormund bereits deutlich erholt. Noch immer hielt er stolz die Lanze mit dem von Orkblut befleckten Wimpel seines Beritts, während neben ihm ein anderer Pferdelord den Wimpel von Tasmunds Gruppe aufrecht hielt.

„Es ist nicht das Geringste zu sehen“, murmelte Tasmund grimmig.

„Aber sie sind da.“ Kormund blickte zum Signalturm hinauf. „Ich kann die Bestien spüren, und wenn der Wind von dort oben zu uns herunterziehen würde, könnte man sie sogar riechen.“

Dreißig Schwertmänner der Wache des Pferdefürsten warteten hinter ihnen, und Tasmund war stolz auf jeden Einzelnen von ihnen. Auch wenn noch nicht jeder von ihnen einen wirklichen Kampf erlebt hatte, so gehörten sie dennoch zu den besten Kriegern der Hochmark. Sie *waren* die besten Krieger der Hochmark, und dies mussten sie nun unter Beweis stellen.

„Dort oben auf die Klippen zu gelangen ist fast unmöglich“,

sagte Tasmund nachdenklich. „Selbst eine Raubkralle hätte damit ihre Probleme. Die Hänge sind extrem steil, und es gibt nur zwei oder drei Stellen, an denen man überhaupt hinaufkommen kann.“

„Ja.“ Kormund deutete zum Signalturm hinüber. „An den Signalfeuern. Aber sie werden nicht so dumm sein, diesen Umstand nicht auszunutzen. Sie werden uns von oben mit einem Pfeilhagel begrüßen, und ihre Hauptmacht wird im Pass auf uns warten.“

Tasmund nickte. „Damit werden wir schon fertig. Denn dort können sie nicht zu den Seiten hin ausweichen, und wir werden sie überreiten. Es sei denn, der Pass steht voll mit ihnen.“

„Das lässt sich herausfinden. Wenn wir den inneren Signalturm nehmen, dann können wir den Pass einsehen und werden wissen, was uns erwartet.“ Kormund dachte einen Moment an den jungen Parem, der so feige geflohen war. Wenn er jemals wieder nach Eternas käme, würde er den Feigling mit blanker Klinge zur Rechenschaft ziehen. Nein, die Klinge war noch zu ehrenvoll. Er würde Parem mit bloßer Hand erwürgen. Kormund spürte, dass die Männer hinter ihm und Tasmund unsicher waren, doch dieses Mal würde er nicht zulassen, dass einer von ihnen floh. „Wir müssen zuerst den Signalturm nehmen. Gebt mir eine Schar Männer, und ich erledige das.“

„Ich gebe Euch ein Drittel der Männer.“ Tasmund wies in den Pass hinein. „Mit den anderen halte ich den Grund. Denkt an den engen Pfad, der hinaufführt. Ihr werdet von oben keine Deckung haben.“

Kormund schnaubte durch die Nase und verzichtete auf eine Erwiderung, denn Tasmund war einfach nur besorgt und wollte ihn sicher nicht belehren. Es gab also keinen Grund, gegen ihn aufzufahren. Tasmund wandte sich im Sattel. „Die erste Schar folgt Kormund und wird den Turm einnehmen. Die anderen halten den Pass. Schneller Ritt …“

„… und scharfer Tod“, gaben die Pferdelords zurück.

Ihre Stimmen hätten durchaus etwas begeisterter klingen können, aber Kormund akzeptierte, dass niemand gern ins Ungewisse ritt, denn es war ein großer Unterschied, ob man den Feind sah oder ob er im Verborgenen lauerte. Die Schwerter fuhren zischend aus den Scheiden, wurden an die Schultern gelegt, und die Gruppe der Pferdelords ritt an. Ihre grünen Umhänge begannen hinter ihnen auszuwehen, und die langen Rosshaarschweife der Helme schienen im Reitwind zu fliegen.

Rasend schnell kam der Einschnitt des Passes näher, der zunehmend breiter wurde, und sie sahen, dass der innere Zugang nicht besetzt war. Die Gruppe galoppierte hinein und näherte sich rasch dem seitlichen Einschnitt des Pfades, der zum Signalturm führte. Unwillkürlich erwartete Kormund einen Pfeilhagel von oben, als die Gruppe hielt, doch alles blieb ruhig, bis auf das Schnauben der Pferde und die geflüsterten Worte einiger Männer. Kormund saß ab und nahm den grünen Rundschild vom Sattel. Die anderen Männer folgten seinem Beispiel, und so winkte er der Schar seiner Männer, ihm zu folgen.

„Es muss schnell gehen“, ermahnte er sie. „Wenn sie von oben zu schießen beginnen, so müssen wir rasch hindurch, um sie zu stellen, ansonsten haben wir keine Chance.“ Er blickte auf den Schild. „Pfeile wird er abhalten, aber die Bestien könnten Steine auf uns herabstürzen. Lasst uns also eilen.“

Sie packten ihre Schwerter fester und begannen den Pfad hinaufzuhasten. Die Gefahr, von oben beschossen oder beworfen zu werden und dies hilflos hinnehmen zu müssen, spornte sie an. Kormund erreichte als Erster das kleine Plateau, auf dem sich der Turm erhob, und drehte sich mit stoßbereiter Klinge in Erwartung eines Angreifers um die eigene Achse. Doch um ihn herum blieb alles regungslos, und die anderen Pferdelords folgten ihm.

„Vielleicht hat es sich nur um einen kleinen Streiftrupp von Orks gehandelt", brummte einer der Männer, „und Eure Schar hat sie so geschwächt, dass sie danach geflohen sind."

Kormund sog Luft durch die Nase, als könne er den Feind wittern. Leblos stand der Signalturm vor ihnen, und dahinter erhob sich das kleine Gehölz, aus dem nur im äußersten Notfall Holz für das Feuer geschlagen werden würde. Die Stille war unheimlich und wirkte bedrohlich. „Sie sind hier", sagte er entschieden. „Ich spure es."

„Der Turm", stimmte einer der Männer zu und wies mit der Schwertspitze auf den grauen Steinkoloss. „Sie warten im Turm."

Kormund nickte, seine Männer verteilten sich und rückten vorsichtig gegen den Eingang des Turms vor. Der Scharführer musterte die schwere Eisentür, die nur angelehnt war. Wie hatte er damals den Turm verlassen? Hatte er die Tür geschlossen gehabt? Er konnte sich nicht mehr daran erinnern und fluchte leise. Kormund sah, dass die Hände manch eines Soldaten feucht waren, denn immer wieder lösten die Männer kurz den Griff von ihrer Waffe, um sich die Finger an ihrer Kleidung trocknen und die Waffen wieder fest fassen zu können. Sie alle erwarteten, dass eine Horde blutrünstiger Orks aus dem Turm springen und auf sie eindringen oder aber im dunklen Inneren der Mauern auf sie lauern würde.

Doch der Angriff erfolgte von hinten und mit jener Schnelligkeit und Brutalität, die für einen Hinterhalt der Orks typisch war.

Kormund hörte plötzlich einen gellenden Schrei, das Fauchen einer Klinge und wandte sich automatisch um. Gerade noch rechtzeitig, um einen rundlichen Gegenstand durch die Luft fliegen zu sehen: den abgetrennten Kopf eines unglücklichen Schwertmanns, der blutspritzend über den Rand des Plateaus rollte. Dann brach eine Gruppe Orks aus dem kleinen Gehölz hervor.

„Achtet auf die Flanken", schrie Kormund seinen Männern zu, die ihre Aufmerksamkeit viel zu sehr auf das Gehölz richteten. Er rannte mit langen Schritten über das Plateau und zu der kleinen Gruppe Männer hinüber, die sich nun mit den Orks konfrontiert sah. Waffen schlugen klirrend aufeinander oder drangen in Leiber ein, und Gebrüll und Flüche wurden hörbar. Fast gleichzeitig wurde die Tür des Signalturms geöffnet, und weitere Bestien schienen förmlich aus der Türöffnung herauszuquellen.

Augenblicklich wurde der Kampf unübersichtlich. Keiner der Männer konnte mehr einschätzen, wie viele Orks sich auf dem Plateau befanden. Alles war in hektischer Bewegung. Dort brach ein Schwertmann schweigend zusammen, dort torkelte ein anderer schreiend und mit aufgeschlitztem Leib umher. Doch Kormund registrierte, dass die Männer kämpften und nicht in Panik gerieten. Nach wenigen Schrecksekunden fand er in seinen Kampfrhythmus. Sein Schild hielt einen Pfeil ab und erlitt eine tiefe Kerbe vom Schlagschwert eines Rundohrs, als er sich damit deckte und zugleich die eigene Klinge sausen ließ. Schlag, parieren, Schlag, parieren, zustoßen, spüren, wie die Klinge in eine Bestie sank, das Schwert leicht drehen, die Wunde eröffnen und die Waffe wieder befreien, dann das nächste Ziel ... ein tödlicher Wirbel aus Kraft und blankem Stahl.

Grimmig und kaum eines klaren Gedankens fähig, drang er

auf die Bestien ein. Vielleicht spürten sie seinen Zorn und seine Entschlossenheit, denn schließlich begannen die Orks vor dem rasenden Wirbel seiner blanken Klinge zu weichen und gerieten dadurch in Bedrängnis durch die anderen Pferdelords, die allmählich die Oberhand gewannen. Drei oder vier Männer der Hochmark lagen blutend am Boden, doch die Anzahl der getöteten Bestien war ungleich größer. Blut spritzte in Kormunds Gesicht, nahm ihm für einen Augenblick die Sicht und er wischte es hastig ab, wobei er kaum wahrnahm, dass es sich dabei um das dunkle Blut einer Bestie handelte. Dann, mit einem Mal, war es so plötzlich und so unerwartet vorbei, dass die Männer kaum begreifen konnten, dass sie gesiegt hatten.

Kormund ließ schwer atmend sein von Orkblut triefendes Schwert sinken, und die Männer sahen sich einen Moment lang an. Stolz über den Sieg und erleichtert, noch am Leben zu sein. Der Scharführer machte eine unbestimmte Geste. „Versorgt die Verletzten und tötet die überlebenden Bestien. Ihr da, gebt Tasmund ein Zeichen, dass alles in Ordnung ist“, wies er einen der Männer an und winkte einen zweiten zu sich. „Wir beide sehen uns den Turm etwas genauer an.“

Von den zehn Schwertmännern der Pferdelords, die mit Kormund zum Plateau gekommen waren, standen noch sechs auf den Beinen, während sich die Anzahl der getöteten Orks auf geschätzte dreißig belief. Keine schlechte Ernte. „Ihr habt gut gekämpft, Männer“, lobte Tasmund anerkennend. „Wie echte Pferdelords.“

Drei Männer waren tot, ein weiterer verletzt, aber er würde reiten können. Der Mann fluchte vor lauter Schmerzen und grinste Kormund dabei mit verzerrtem Gesicht an. „Einen Bogen kann ich nicht mehr halten, aber meine Klinge kann ich noch führen“, meinte der Schwertmann kämpferisch.

Kormund schlug ihm anerkennend auf die gesunde Schulter. „Gut gesprochen, Pferdelord. So sei es."

Er ging mit dem anderen Mann zum Turm und trat ein. Kein Ork stellte sich ihm entgegen, und für Kormund wurde es offensichtlich, dass die Orks hier gehaust haben mussten, seitdem er den Turm das letzte Mal betreten hatte. Er rümpfte die Nase, als er die Exkremente der Bestien roch, und blickte dann die Treppe hinauf, die zur Plattform des Turmes führte. Er bedeutete seinem Begleiter unten zu warten und begann sie hinaufzusteigen. Die Luke war nicht verriegelt, und es war sein Instinkt, der Kormund warnte. Er stieß die Luke kraftvoll nach oben und schwang sich gleichzeitig zur Seite, als der Arm eines Orks mit einem Schlagschwert vorstieß. Kormund griff nach dem Arm und zog so fest daran, wie er nur konnte. Der Ork brüllte auf, verlor seinen Halt und stürzte durch die Luke nach unten. Kormund hörte den heiseren Fluch des Pferdelords im unteren Raum, als der Ork neben ihm auf dem Boden aufschlug. Dann folgte ein kurzer Hieb, mit dem sich der Mann vergewisserte, dass sich der Leib des Rundohrs nie wieder eigenständig erheben würde.

„Alles wohl dort oben", rief der Mann fragend herauf.

„Alles wohl", erwiderte Kormund. Er lauschte kurz und schwang sich dann endgültig auf die Plattform hinaus.

Unter sich sah er das Plateau mit seinen Männern, die gerade dabei waren, einigen verletzten Orks den Todesstoß zu versetzen, und unten im Pass sah er Tasmunds Männer, die neugierig zu ihm heraufsahen. Er winkte ihnen beruhigend zu und blickte dann den Pass entlang. Seine Augen verengten sich. Er konnte das Ende des Passes gut erkennen, und es war besetzt. Es mochten um die zweihundert Orks sein, die sich dort befanden, aber sie schienen wohl vom Kampf am Signalturm noch nichts bemerkt zu haben, denn sie lagerten dort noch immer in aller Ruhe. Kormund schlug mit der Hand auf die Brüstung der Plattform. Dann stieg er wieder hinab, um sich mit Tasmund zu beraten. Letztlich musste dieser entscheiden, wie sie vorgehen würden.

Auch Tasmund stieg zur Plattform hinauf, sah zum Lager der Orks hinüber und nickte schließlich.

„Das innere Passfeuer ist nun wieder in unserer Hand, aber der äußere Zugang zum Pass wird von den Orks gehalten. Es ist nur eine einzige ihrer Kohorten. Wir müssten in der Lage sein, sie zu schlagen, wenn wir nur entschlossen genug gegen sie vorgehen."

„Jedenfalls steht nun fest, dass sie die Wachen überwältigt haben und die Feuer deshalb nicht entzündet worden sind." Kormund schlug missmutig an den Griff seines Schwertes. „Der Bote des Königs brachte also wohl doch schlechte Kunde, und die Bestien wollten uns daran hindern, unseren Treueid gegenüber dem König zu erfüllen. Garodem braucht davon Nachricht."

Tasmund blickte in die Schlucht hinunter und dorthin, wo die Silhouetten der orkischen Bestien undeutlich zu sehen waren. „Sie werden das Donnern der Hufe hören. Es hallt weit im Pass, und wenn wir näher kommen, wird die Erde zudem zu vibrieren beginnen. Sie werden alle gewarnt und zugleich furchtsam ob dessen sein, was sich ihnen nähert. Dann werden sie sich formieren und zum Kampf stellen, aber ich denke, dies wird langsam geschehen."

Kormund nickte. „Wir werden alle Männer brauchen. Ihr werdet also keinen Boten nach Eternas entsenden, nicht wahr?"

Der Erste Schwertmann sah den Scharführer grimmig an. „Es wird keine andere Bedeckung des Turms geben als die unse rer Klingen. Und es wird keinen anderen Boten geben als den, der später die Kunde unseres Sieges überbringen wird."

Kormund spuckte aus und sah seinen Freund und Vorgesetzten kritisch an. „Ihr wagt einen hohen und gefährlichen Einsatz. Denn wenn die Bestien uns überwältigen, wird Garodem erst von ihnen erfahren, wenn sie vor ihm stehen. Sendet einen Reiter zurück."

Tasmund lächelte kalt. „Zweifelt Ihr an unserem Sieg?"

Kormund erwiderte seinen Blick und umfasste seinen Schwertgriff. „Nicht, solange mein Arm dieses Schwert zu führen vermag."

„Dann sind wir uns ja einig."

Selbst der Verwundete saß auf sein Pferd auf und nahm sein Schwert in die unverletzte Hand. Die Männer formierten sich und bildeten zwei dichte Linien, die hintereinanderstanden. Die Rosshaarschweife an den Helmen und Pferden, die Mähnen der Pferde und die langen Umhänge bewegten sich leicht in dem immerwährenden Wind, der durch den Pass strich.

„Haltet sechs Längen zur vorderen Linie", schärfte Tasmund den Männern der hinteren Reihe ein, die von Kormund geführt wurde. „Stürzt der Vordermann, so findet ihr Raum, um über ihn hinwegzusetzen. Zögert nicht, sondern schlagt zu."

Tasmund gab die Losung, und die Männer erwiderten sie, und so trieb der Beritt die Pferde an. Erst gingen sie im Schritt, denn es war eine lange Spanne bis zum anderen Ende des Passes, und die Pferde sollten ausgeruht sein. Dann aber begannen die Reittiere zu traben, und als Tasmund vor sich die dunklen Gestalten der Orks auftauchen sah, gab er schließlich das Zeichen zum vollen Galopp. Das Donnern der Hufe begann die Schlucht des Passes zu erfüllen, und für einen Augenblick schien sich Verwirrung unter den Orks auszubreiten. Vereinzelte Pfeile zischten den angreifenden Pferdelords entgegen, während die Masse der Orks sich zu formieren suchte.

Einer der Männer schrie auf, aber es war kein Schmerzensschrei, der ihm entfuhr. Der Mann sah den Feind vor sich, spürte die Kraft seines Armes und seines Pferdes und wurde vom Kampfesrausch ergriffen. Andere Männer nahmen seinen Ruf auf, und schließlich schrien sie alle, von wilder Kampfeslust erfüllt. Immer mehr Pfeile zischten heran. Zwei der Männer stürzten aus ihren Sätteln, ein Pferd stolperte, brach mit den Vorderläufen ein und warf seinen Reiter zu Boden. Rasend schnell näherten sie sich nun dem Feind. In der vorderen Reihe der Orks traten Lanzenträger an und fällten ihre Waffen und reckten die Klingen drohend den Reitern entgegen. Dahinter waren die orkischen Bogenschützen zu erkennen, deren Pfeilhagel nun dichter wurde.

Ein weiterer Reiter stürzte schreiend vom Pferd, dann noch einer. Doch dann war der Beritt heran.

Tasmund nahm genau die winzige Lücke zwischen zwei vorgereckten Spießen, schlug den einen mit dem Schwert zur Seite, während sein starkes Reittier zwei weitere Lanzenträger überrannte. Hinter dem Ersten Schwertmann bohrte sich eine Lanze in die Brust eines Pferdes, das schmerzerfüllt wiehernd auf die Hinterhand stieg und dann mit seinem Reiter zu Boden stürzte. Es riss vier weitere Lanzenträger zu Boden, und die Pferdelords brachen durch diese breite Lücke in die Formation der Orks ein, die dieser Wucht kaum etwas entgegenzusetzen hatten.

Staub wirbelte auf, und der Reigen des Todes setzte ein. Tasmund und die ersten eingedrungenen Schwertmänner waren von Orks umringt und wehrten sich verzweifelt ihrer Haut.

Der erste Schwertmann spürte, wie eine Lanze einen tiefen Kratzer über seinen Harnisch zog und ihn fast aus dem Sattel warf; Hände griffen nach ihm, um ihn zu Boden zu zerren, und ein Pfeil verfehlte ihn nur knapp. Sein großer Hengst keilte nach vorne und hinten aus und bockte unter Tasmund, als ob er ihn abwerfen wolle, doch wie durch ein Wunder blieb er im Sattel, und sein Arm hob und senkte sich und brachte den Tod über die Orks. Andere Reiter brachen zu ihm durch, verbreiterten die Lücke und schwärmten nach rechts und links, um die vordere Reihe der Lanzenträger von der Flanke her aufzurollen. Menschen wie Orks schrien, wurden verletzt oder starben.

Kormund spürte den Ruck und fühlte das seltsam hohl klingende Geräusch, als sein Schwert sich durch die Rüstung eines Rundohrs bohrte, er drehte die Klinge, befreite sie und achtete schon nicht mehr auf den zusammenbrechenden Kadaver. Er kämpfte gleichermaßen mit der Wimpellanze und dem Schwert und lenkte sein Pferd mit den Schenkeln. Sein Hengst wieherte schmerzerfüllt, als sein Gebiss auf die Rüstung eines Orks traf und eine scharfe Kante dabei sein Maul verletzte. Gleichzeitig traf seine auskeilende Hinterhand die Brustpanzerung eines anderen Rundohrs und drückte sie nach innen, so dass der Ork zurückgeworfen wurde und qualvoll erstickte.

Der Wimpelträger von Tasmunds Beritt sackte getroffen vornüber. Ein Spitzohr streckte schon triumphierend die Hand danach aus, aber ein Schwertstreich trennte ihm den Arm ab. Ein Schwertmann nahm den Wimpel des verletzten Trägers auf, der gerade erneut getroffen wurde und tot aus dem Sattel kippte. Der neue Wimpelträger stieß die Lanze vor und rammte sie in die Brust eines Orks, so dass dessen Spitze am Rücken der Kreatur wieder austrat. Der Ork stierte den Lanzenträger sterbend an, als dieser ihm vor die Brust trat, um seine Lanze zu befreien. Doch schon waren andere Bestien herangeeilt, zerrten den Pferdelord aus dem Sattel und töteten ihn. Der am Turm verletzte Schwertmann trieb sein Pferd in die Gruppe Orks, schlug mit dem Schwert in der Hand des unverletzten Armes um sich, und sein Pferd biss und keilte. Speichel lief dem Mann aus dem Mund, als er die Orks in blinder Raserei anbrüllte und wütend den Wimpel des Toten verteidigte. Ein Pfeil traf den Pferdelord in der Seite, und der Mann schrie wütend auf, ignorierte den brennenden Schmerz und trennte mit seiner Klinge den Schädel eines Ork vom Rumpf. Dann kam ein zweiter Pferdelord heran und gleich darauf ein dritter, und die Orks wichen zurück.

„Schlagt sie", ertönte Tasmunds Stimme durch den Lärm. „Lasst keinen von ihnen entkommen."

„Tod", brüllte Kormund im Triumph, und andere Stimmen nahmen den Ruf auf.

„Tod! Tod!"

Aus dem wilden Kampf wurde ein blutiges Schlachten. Trotz ihrer anfänglichen Übermacht kamen die Orks gegen die Reiter auf ihren mächtigen Pferden nicht an. Und auch wenn manches Pferd zu Boden ging und mancher Sattel sich leerte, die Männer mit den grünen Umhängen und den Rosshaarschweifen an ihren Helmen schienen unbesiegbar. Schließlich wandten sich die Orks zur Flucht und versuchten brüllend zu entkommen. Einige von ihnen wollten in ihrer Todesangst die steilen Wände erklimmen, aber die Klingen der Reiter pflückten sie von den Felsen; andere wiederum rannten aus dem Pass heraus, um in freies Gelände zu entkommen, doch es gab kein Mittel und keinen Ausweg gegen die Schnelligkeit eines stürmenden Pferdes und ein herabsausendes Schwert.

Eine ungewöhnliche Stille breitete sich über der Stätte des

Schlachtens aus. Erst allmählich drangen die Schreie verletzter Pferde, Menschen und Orks an die Ohren der Überlebenden, die noch immer wie betäubt von der Dynamik des Kampfes waren. Gelegentlich ertönte auch ein dumpfer Schlag, und das Röcheln einer Bestie verstummte für immer. Der Boden war bedeckt mit den Körpern von Menschen und Orks und schlüpfrig von ihrem Blut.

Ein quietschendes Geräusch ertönte, und Kormund sah den zweimal verletzten Pferdelord, der gerade die Wimpellanze von Tasmunds Beritt aus der dicken Rüstung eines toten Orks befreite. Der Verwundete stützte sich auf die Lanze und sah Kormund erschöpft, aber sichtlich zufrieden an. Tasmund ritt über das Schlachtfeld, das Schwert noch immer in der Hand. Orkblut tropfte zäh von seiner Klinge.

„Ist einer von ihnen entkommen?", fragte er heiser und sah sich dabei um. „Entkam eine der Bestien?"

Kormund überblickte den freien Zugang des Passes und das Stück freien Landes davor. „Keiner ist entkommen."

Tasmund nickte langsam. „Gut. Dann können auch alle weiteren nicht mehr von ihnen gewarnt werden."

Der Erste Schwertmann glitt aus dem Sattel, und nun merkte man ihm wie auch den anderen Männern des Beritts die Erschöpfung deutlich an. Der Kampf hatte ihre ganze Kraft gefordert. Tasmund lehnte sich an den Sattel seines Pferdes. „Es war ein guter Kampf." Er blickte erneut über das Schlachtfeld. „Hildur, Persom, Ihr reitet zum Passeingang und haltet dort Wache."

„Persom ist tot", knurrte einer der Männer grimmig. „Ich werde zusammen mit Hildur reiten."

Während die beiden Pferdelords zum Ausgang des Passes ritten, um seinen Zugang zu bewachen, stiegen die anderen Männer von ihren Pferden und sahen nach ihren Verwundeten und Toten. Die Schreie waren nunmehr verstummt, nur gelegentlich war noch ein Stöhnen zu hören.

Kormund stapfte zu Tasmund und zeigte ein kummervolles Gesicht. „Acht Tote, Erster Schwertmann, und drei Verletzte. Zwei von ihnen so schwer, dass sie nicht überleben werden. Aber es hätte schlimmer kommen können. Die Männer haben tapfer gekämpft."

Tasmund nickte schweigend. Gemeinsam gingen sie zu den Verwundeten hinüber, wo Kormund nachdenklich auf die beiden Schwerverletzten blickte. Seine Blicke waren eindeutig. „Dem einen der Arm abgerissen, dem anderen hängen die Gedärme aus dem Leib. Keine Chance, mein Freund."

Tasmund sah die stöhnenden Männer an. Der eine von ihnen war kaum noch bei Bewusstsein, doch der andere erwiderte seinen Blick.

„Tut Eure Pflicht, Hoher Herr. Doch gebt mir meine Waffe", sagte der Verletzte stöhnend.

Tasmund nickte schweigend und legte dem Mann seine Waffe in die Hand.

„Schneller Ritt …", stöhnte der Mann leise.

„… und scharfer Tod", erwiderte Tasmund mit versagender Stimme. Dann senkte er sein Schwert durch die Kehle des Mannes. Der zweite Schwerverletzte befand sich bereits auf der Schwelle des Todes und bemerkte nicht mehr, dass der Erste Schwertmann ihm die letzte Ehre erwies.

„Sie hätten nur unnötig gelitten, Hoher Herr Tasmund", sagte Kormund leise und legte Tasmund mitfühlend die Hand auf die Schulter. „Es war besser so."

„Das wird ihre Familien nicht trösten", erwiderte Tasmund und seufzte leise. „Aber Ihr habt Recht, sie hätten nur gelitten."

Er blickte sich um. „Wir werden sie hier begraben. Dort, wo sie ihr Leben für die Verteidigung des Passes ließen." Er spuckte aus. „Allerdings nicht hier bei den Kadavern dieser Bestien."

Also schleiften sie die Kadaver der getöteten Bestien vor den Pass und schichteten sie dort auf. Normalerweise wären die Kadaver nun verbrannt worden, aber zum einen hatten sie nicht genug Öl und Fett zur Verfügung und zum anderen würde das Feuer mit seinem Rauch weithin zu sehen sein und so möglicherweise andere Orks auf das Geschehen aufmerksam machen. Widerwillig brachen sie deshalb Geröll aus dem Hang über den getöteten Bestien heraus und bedeckten damit deren Kadaver, bis nur noch ein Steinhügel vom Tod der zweihundert Orks zeugte.

Kormund und den anderen Männern wurde allmählich bewusst, was für eine Leistung sie vollbracht hatten. Sie hatten eine gut achtfache Übermacht geschlagen und vollkommen ausgelöscht und dabei selbst nur zehn Männer verloren.

„Die Übungen der Wache des Pferdefürsten haben sich für die Männer ausgezahlt", meinte Kormund lächelnd.

Tasmund nickte. „Auch ihr Mut hat dazu beigetragen."

Auf einmal drang aus der Schlucht ein leises Grollen, das immer lauter wurde und die Wände vibrieren ließ. Kormund konnte sich nun durchaus vorstellen, welchen Eindruck der Donner zahlloser Pferdehufe beim Feind hervorrufen musste. Reiter wurden sichtbar, über denen die Fahne der Hochmark und der Wimpel eines Beritts flatterten. Die glitzernden Ornamente am Harnisch des vordersten Reiters warfen blitzende Reflexe.

Die Männer Tasmunds sahen Garodem und seiner Truppe entgegen und riefen ihnen begeisterte Begrüßungsworte zu. Dabei bemerkten sie auch, dass nur eine Handvoll Männer des

Pferdefürsten die langen Rosshaarschweife der Schwertmänner an ihren Helmen trug. Die meisten anderen Reiter trugen die typischen Kuppelhelme aus braun lackiertem Eisen mit Verzierungen aus Messing: Wehrfähige, die man zu den Waffen gerufen hatte und die nun ihren Eid als Pferdelords erfüllten.

Garodem zügelte sein Pferd vor Tasmund und Kormund und saß mit freudigem Lächeln ab. „Der Pass ist frei, wie ich sehen kann, Hoher Herr Tasmund, mein Freund. Und ich erkenne Blut auf dem Boden. Unseres und das des Feindes."

„Ja, mein Hoher Lord Garodem, es gab einen Kampf und die Pferdelords haben sich gut geschlagen", stimmte Tasmund zu und berichtete dem Pferdefürsten kurz, was sich zugetragen hatte.

Garodem schritt nachdenklich auf die freie Fläche vor dem Pass und warf einen kurzen Blick auf den Steinhaufen, unter dem die toten Orks nun verfaulen würden. Dann blickte er nach Süden. „Ist es Euch auch aufgefallen?"

„Aufgefallen? Was?" Der Erste Schwertmann des Pferdefürsten und der Scharführer hatten sich bislang nur darauf konzentriert, ob ihnen weitere Gefahr drohte und dem Blick ins Tal noch keine besondere Aufmerksamkeit geschenkt. Nun traten sie neben den Pferdefürsten, der über das Land blickte, das sich unter ihnen ausbreitete.

Garodem wies nach Süden, wo man schemenhaft den hohen Turm des Weißen Zauberers erkennen konnte, der aber auf unbestimmte Weise verändert schien. Der Pferdefürst wandte sich um. „Schickt mir einen der ganz jungen Pferdelords", rief er zum Beritt hinüber. „Ich brauche einen Mann mit scharfen Augen." Als schließlich ein aufgeregter junger Mann herbeieilte, wies Garodem in Richtung des Turmes. „Eure Augen sind noch jung und deshalb schärfer als die unseren. Konzentriert Euch auf den Turm des Weißen Zauberers. Ich selbst kann dort nur etwas Dunkles und nicht mehr das satte Grün des Waldes erkennen.“

Sie befanden sich hoch oben im Gebirge und hatten von hier aus einen fantastischen Ausblick bis tief in die Nordmark und die Westmark des Königs hinein. Der Himmel war zwar nicht ganz klar, aber der junge Pferdelord besaß die Augen eines Raubvogels. „Dort sehe ich den Turm des Zauberers, Hoher Lord, aber tatsächlich keine Wälder mehr ringsherum. Alles scheint in Form eines Wagenrades um ihn herum verbrannt zu sein.“

„Also doch“, knurrte Garodem und wirkte beunruhigt. Er schlug dem jungen Mann anerkennend auf die Schulter. „Ich danke Euch, junger Pferdelord. Geht nun wieder zu Eurem Beritt.“ Der Pferdefürst wartete, bis der Mann außer Hörweite war, und wandte sich erst dann an Tasmund und Kormund. „Der Turm des Weißen Zauberers ist immer von den schönsten und fruchtbarsten Wäldern umgeben gewesen. Doch nun scheinen diese verbrannt zu sein.“

„Ein Waldbrand“, meinte Kormund und zuckte die Achseln. „Gerade in des Sommers Hitze kann dies schon einmal vorkommen.“

„Nicht in Form eines Wagenrades“, erwiderte Garodem. „Ein Brand breitet sich mit dem Wind aus. Doch hier steht der Turm direkt im Zentrum des Brandes, als sei das Feuer von ihm ausgegangen. Meine Freunde, ich befürchte, dass unser weiser Freund, der große Weiße Zauberer, angegriffen worden ist.“

„Von den Orks?“ Kormund lachte ungläubig. „So dumm sind nicht einmal diese Kreaturen.“

„Die Dunklen Mächte bedienen sich nicht nur der Orks.“ Garodem wies in südöstliche Richtung. „Von dort kam einst der mächtige Feind. Es kann durchaus sein, dass er wieder sein Haupt erhoben hat. Jedenfalls wurde der Zauberer angegriffen.

Aber sein Turm steht noch, und ich vermute, dass er sich seiner Haut durchaus zu erwehren wusste. Vermutlich hat er einen Feuerzauber getätigt und den Feind vor seinem Turm verbrannt."

„Und vielleicht waren die Orks, die uns angegriffen haben, die Überlebenden dieses Angriffes."

Garodem zuckte die Achseln. „Vielleicht. Jedenfalls ist der Pass wieder in unserer Hand, und vorerst scheint die Gefahr gebannt. Ich glaube auch nicht, dass sich noch eine größere Horde von ihnen in der Hochmark versteckt hält. Kleinere Gruppen vielleicht, doch die lassen sich leicht aufspüren und vernichten."

„Dann ist es also vorbei", sagte Tasmund leise. „Ein paar Orks noch und dann herrscht wieder Frieden in der Hochmark."

„Nein", seufzte Garodem. „Im Gegenteil. Es hat gerade erst begonnen. Wir dürfen den getöteten Boten des Königs nicht vergessen. Noch immer ist die Wahrscheinlichkeit, dass die Orks unsere Hochmark oder eine andere Mark des Pferdekönigs angegriffen haben, groß. Inzwischen vermute ich Letzteres, sonst wäre kein Bote entsandt worden." Garodem wies auf den Hügel mit den erschlagenen Bestien. „Das waren viel zu wenige, um die Mark erobern zu können. Aber sie hätten den Zugang befestigen, den Pass halten und uns so daran hindern können, dem König zu Hilfe zu eilen."

„Selbst dafür waren sie zu wenige", knurrte Kormund zufrieden.

Der Pferdefürst hockte sich auf seine Fersen und schob nachdenklich einige Steine am Boden hin und her. „Vielleicht sollten sie nur verhindern, dass ein Bote zu uns durchkommt oder ein Signalfeuer entzündet wird. Vielleicht warteten sie auch auf Verstärkung, durch eine noch größere Horde. Schaut einmal her.“ Garodem hatte auf dem staubigen Boden eine kleine Fläche frei gewischt und einige Steine darauf positioniert. „Die Hochmark mit Eternas, der Pass, wo wir uns befinden. Vor uns im Süden Hammerturm, der Turm des Weißen Zauberers und dahinter die Westmark des Königs.“ Er deutete auf die Steine und dann in die Landschaft hinaus. „Hier liegt die Nordmark, dicht an unserem Gebirge. Eodan, die erste größere Ortschaft des Königs, befindet sich ungefähr hier. Und hier, südwestlich von Eodan und südlich von uns, liegen die großen Furten, die über den Fluss Eisen führen.“ Der Pferdefürst erhob sich vom Boden und ächzte leise. „Eine Gefahr, die von Süden kommt, am Hammerturm vorbei, können wir vom Pass aus gut erkennen. Doch der Blick zur Nordmark und den dahinterliegenden Marken des Königs ist uns versperrt.“ Er sah die beiden Unterführer eindringlich an. „Ich muss wissen, ob die Nordmark in Gefahr ist. Nur dort werde ich auch erfahren, ob der König in Not ist.“

„Also reiten wir hin“, sagte Tasmund, und der Pferdefürst nickte.

„Ja, wir reiten in die Nordmark“, wiederholte Garodem bestimmt. „Wir lassen einen kleinen Beritt hier, der den Zugang zum Pass bewacht und die beiden Signalfeuer neu errichtet. Diese Aufgabe wird Euch, Tasmund, zufallen. Ich brauche Euch hier am Pass, falls die Hochmark in Gefahr gerät, und Ihr müsst mir unverzüglich Nachricht geben, sobald dies geschieht.“

Der Erste Schwertmann nickte. „Das werde ich tun, mein Herr. Doch ihr solltet meine Schwertmänner mit Euch nehmen. Sie sind trainiert und haben schon einen guten Kampf geliefert. Auch Kormund hier ist erfahren.“

„Dazu auch Scharführer Derodem und siebzig der Wehrfähigen“, stimmte Garodem zu. „Und wir werden den verborgenen Pfad nehmen, der uns direkt südöstlich zur Nordmark hinunterführt."

„Das ist zwar der kürzeste Weg, aber er ist kaum passierbar", gab Tasmund zu bedenken. „Es braucht außerdem Zeit, dem schmalen Pfad zu folgen, und wenn Ihr angegriffen werdet, Herr, so werdet Ihr Euch nur schwer verteidigen können."

„Ich weiß, die Straße nach Süden wäre leichter." Garodem wies in die weite Ebene hinunter. „Aber dafür ist der Pfad nur uns bekannt. Er dürfte also sicher sein. Wenn wir ihn nutzen, erreichen wir in eineinhalb Tagesmärschen die Grenze der Nordmark und nach einem weiteren Tag Eodan. Spätestens dann werden wir Gewissheit erlangen."

Der Pferdefürst sah Kormund auffordernd an. „Nur leichtes Gepäck, Verpflegung und Waffen am Mann. Keine zusätzlichen Lasten. Achtet darauf, dass wir keine rossigen Stuten dabeihaben, welche die Hengste wild machen und uns so verraten könnten. Wir werden uns in die Nordmark des Pferdekönigs schleichen, als sei sie Feindesland." Er stieß einen grimmigen Laut aus. „Zumindest bis wir Gegenteiliges wissen."

Einen halben Zehnteltag später machten sich dreißig Pferdelords unter Tasmunds Führung daran, die Signalfeuer des Passes wieder zu errichten und seinen Zugang zu verteidigen. Der Erste Schwertmann überlegte, wie er einem Feind das Vordringen erschweren könnte, und er hatte dabei so einige Ideen, die zunächst den Schweiß seiner Männer und dann das Blut des Feindes kosten würden. Er blickte vom Zugang des Passes aus nach Südosten und sah dort die letzten Reiter des Pferdefürsten, wie sie einen der kleinen Vorberge umrundeten und danach hinter ihm verschwanden. Dort begann der enge Pfad, der die Pferdelords Garodems einer ungewissen Zukunft entgegen führte.

## 16

Die Männer ritten in geschlossener Formation, jeweils zu viert in einer Reihe nebeneinander, und nur die geübten Schwertmänner vom Hofe des Königs oder der Pferdefürsten beherrschten dies mit der Perfektion, die auch Beomunts Schar auszeichnete. An der Spitze der Gruppe flatterte der lange dreieckige Wimpel Beomunts, der von den beiden Elfen Lotaras und Leoryn flankiert wurde. Immer wieder warfen Beomunt und seine Männer verstohlene Blicke auf die spitzen Ohren der Elfen, denn sie konnten es noch immer nicht richtig fassen, tatsächlich Lebewesen begegnet zu sein, die sie bislang im Reich der Sagen gewähnt hatten. Zudem war es ein reines Vergnügen, den beiden Elfen beim Reiten zuzusehen. Schon die Pferdelords vermittelten den Eindruck, als bildeten sie eine Einheit mit ihren Pferden, doch die beiden Elfen schienen geradezu mit ihren Tieren verwachsen zu sein.

„Bald werden wir Eodan erreicht haben", wandte sich Beomunt den beiden Elfen zu. „Es ist der größte Weiler in der Nordmark und fast schon eine kleine Stadt", fügte er hinzu. „Der dortige Pferdefürst ließ sie befestigen, da sie dicht an der Nordgrenze des Landes liegt. Von dort habt ihr es nicht mehr weit zum versteinerten Wald und eurem verborgenen Haus des Elfenvolkes."

Leoryn, die elfische Frau, genoss den Ritt sichtlich, und entgegen der sonstigen elfischen Zurückhaltung zeigte ihr Gesicht den Anflug stillen Verzückens. Hinter ihrem Sattel waren zwei große Taschen angeschnallt, die wippend gegen die Kruppe ihrer weißen Stute schlugen.

Lotaras bemerkte Beomunts neugierige Blicke. „Leoryn ist eine unserer Heilerinnen“, erklärte er. „Eine unserer besten. Alle Elfen verstehen sich von Natur aus auf die Kunst des Heilens und wissen die Kräfte der Natur wohl zu nutzen, aber Leoryn hat hierfür nochmals eine besondere Veranlagung.“ Lotaras lachte leise. „Ihr müsstet einmal ihr Gesicht sehen, wenn sie ein paar Kräuter oder Wurzeln findet, die sie noch nicht kennt.“

„Es gibt eine Reihe von Legenden, die euer Volk umgeben.“ Beomunt warf der Elfenfrau einen kurzen Blick zu und musterte dann wieder aufmerksam die Landschaft, die sie durchritten. „Ihr seid ein altes Volk und sollt Meister in vielen Künsten sein. Ihr sollt die besten Heiler und den besten Stahl haben, den man finden kann. Eure Rüstungen und Klingen sollen leicht und doch unglaublich stabil sein.“

„Elfisches Feuer und elfisches Erz vermögen viel zu leisten, wenn eine elfische Hand sie zusammenführt“, bestätigte Lotaras. „Doch ich bevorzuge den Bogen, auch wenn ich ein Schwert gut zu führen vermag.“

Bevor Beomunt eine diesbezügliche Frage stellen konnte, wandte Leoryn ihm ihr ebenmäßiges Gesicht zu. „Euch Männern scheint die Kriegskunst stets die wichtigste zu sein. Aber kein Reich hat wirklichen Bestand, wenn ihm die Weisheit fehlt.“

„Wohl wahr, Hohe Frau Elfin.“ Beomunt zog im Ritt seine Wasserflasche hervor und nahm einen Schluck daraus. „Doch alle Weisheit vermag keinen Bestand zu haben, wenn ihr Träger durch feindlichen Stahl gefällt wird.“

„Könnt Ihr schreiben und lesen?“, fragte Leoryn neugierig.

Beomunt räusperte sich und nickte zögernd. „Für die wesentlichen Verrichtungen mag es genügen. Es ist keine Kunst, die weit bei uns verbreitet ist. Aber ich vermag die Zeichen und

Symbole der Schrift zu deuten und sie auch zu Pergament oder auf Leder zu bringen. Am Hofe des Königs werdet ihr Unmengen von Büchern gesammelt finden. Weit über ein Zehnstück alter Schriften."

Leoryn räusperte sich ebenfalls und verzichtete auf einen Kommentar. Lotaras hingegen grinste unverblümt. „Gar ein Zehnstück und mehr?"

„Oh ja." Beomunt nickte stolz. „Unser König ist sehr belesen, müsst ihr wissen." Er zuckte die Achseln und schob die Wasserflasche zurück. „Natürlich ist es nicht einfach, an neue Bücher heranzukommen. Sie sind eine äußerst seltene Handelsware, und bei uns selbst werden nicht viele geschrieben." Er sah Lotaras entschuldigend an. „Eigentlich gar keine, wenn man von jenen absieht, in denen der Hofschreiber die Geschichte unseres Volkes festhält. Ich vermute, dass Ihr wohl mehr Muße zum Schreiben und Lesen findet, Hoher Herr Lotaras?"

„Wir haben sicher mehr Zeit hierfür, guter Herr Pferdelord", sagte Lotaras diplomatisch.

Beomunt sah ihn forschend an. Spielte der Elf mit seinen Worten etwa auf die angebliche Unsterblichkeit seiner Lebensform an? Der Schwertmann zögerte, ihn danach zu fragen. Ein ewiges Leben zu haben, erschien ihm unvorstellbar und, wie er sich eingestand, nicht einmal erstrebenswert. Wozu sollte man ewig leben, wenn man doch ein gutes Leben auf der Welt führen und danach unendlich zwischen den Goldenen Wolken reiten konnte? Die Schar trabte über die Kuppe eines ausgedehnten Hügels, und plötzlich breitete sich Eodan vor ihnen aus. Instinktiv zügelten sie ihre Pferde.

„Eodan", meinte Beomunt überflüssigerweise, aber ebenso wie die anderen Reiter darüber erleichtert, die kleine Stadt unversehrt vor sich zu sehen.

Seiner räumlichen Ausdehnung nach schien Eodan knapp tausend Menschen zu beherbergen. Die Siedlung schien der aus Süden kommenden Schar kreisförmig angelegt zu sein und war bewehrt. Ein knapp mannshoher Wall aus fest gestampfter Erde zog sich rund um die Stadt herum, und aus dem Wall ragten dicht an dicht angespitzte Pfähle hervor, die alle um eine Länge hoch und aus jungen Stämmen gefertigt waren. Über die Palisade wuchsen an einigen Stellen hohe Beobachtungstürme hinaus, die ebenfalls aus Holz gefertigt und eigentlich nicht mehr als überdachte Plattformen waren, die zwar etwas Schutz gegen Regen, nicht jedoch gegen Wind oder Pfeilbeschuss boten. Auf den Türmen waren Wachtposten in den grünen Umhängen der Pferdelords zu sehen, und über der Palisade konnten die Reiter behelmte Köpfe ausmachen.

„Sie scheinen schon gewarnt worden zu sein.“ Beomunt ritt erneut an, und die anderen folgten ihm. „Die Mauer ist besetzt, wenn auch nur schwach. Wahrscheinlich haben sie den Rauch im Süden gesehen und vermuten bereits, dass Gefahr naht.“ Im Süden war kein Einlass zu entdecken, und tatsächlich musste Beomunt die Schar östlich um die befestigte Siedlung herum bis nach Norden führen, wo sich das große Hölzerne Tor befand. Der Schwertmann wies auf den Wimpel, der über der hölzernen Konstruktion träge aushing. „Nur ein Berittwimpel ist in der Stadt. Eodan scheint mir wirklich schwach besetzt zu sein. Der Pferdefürst der Nordmark muss wohl mit seinen Männern ausgerückt sein.“

Das schwere Balkentor stand offen, und einige Männer starrten die Neuankömmlinge neugierig an. „Beomunt aus der Königsmark, mit einer Schar vom Hof des Königs“, meldete der Schwertmann mit lauter Stimme. „Befindet sich der Pferdefürst in Eodan?“

„Seid gegrüßt, Beomunt aus der Königsmark. Ihr und Eure Männer seid willkommen. Aber ihr kommt ein wenig zu spät, ihr Pferdelords“, erklang eine kräftige Stimme.

Aus einem Gebäude nahe dem Tor trat ein Hüne von Mann heraus. Er trug den Rosshaarschweif eines Schwertmanns, und an seinem grünen Umhang war der dunkelrote Saum der Nordmark zu erkennen.

„Ich bin Hagar, Erster Schwertmann der Wache des Pferdefürsten der Nordmark. Unser Hoher Lord ist vor einem Tag mit unseren Pferdelords aufgebrochen. Drei volle Beritte der Nordmark“, sagte Hagar nicht ohne Stolz. „Hier findet ihr nur noch einen schwachen Beritt vor. Doch steigt ab, ihr Herren, erfrischt euch und lasst hören, was es Neues aus den Marken des Königs gibt. Wir fürchten Schlimmes, denn wir haben Rauch am Horizont aufsteigen sehen.“ Der Mann kniff die Augen zusammen, als er nun bewusst die Ohren von Lotaras und Leoryn wahrnahm. „Bei den Goldenen Wolken. Sagt, sind dies … elfische Wesen?“

„So ist es, Hagar, Hoher Herr Pferdelord“, bestätigte Lotaras, während er behände von seinem Pferd sprang.

Die Wachen am Tor starrten die Elfen neugierig an, und aus den umstehenden Häusern näherten sich Bewohner, die die Ankunft der Gruppe beobachtet hatten.

„Es heißt, ihr Elfen seid den Pferdelords wohl gesinnt“, brummte Hagar, „und Freunde mag man in diesen Zeiten wohl willkommen heißen.“

„Nicht nur in diesen Zeiten, Erster Schwertmann.“ Aus der Gruppe der Umstehenden trat eine junge Frau hervor. Lange fast schwarze Haare fielen ihr weit über den Rücken und wurden an den Schläfen durch zwei goldene Spangen geteilt. „Unsere elfischen Freunde sind uns zu allen Zeiten willkommen.“

Die junge Frau trug ein langes Kleid aus fein gewebtem

Tuch und einen Überwurf mit langer Kapuze, der seitlich geschlitzt war. Lotaras und Leoryn wirkten überrascht, als sie an dem langen Gewand der jungen Frau vertraute elfische Zeichen erkannten. Die junge Frau lächelte die Elfen an, wandte sich jedoch zunächst an Beomunt. „Wie ich sehe, fällt es Euch schwer, mich zu erkennen, guter Herr Beomunt."

Der Schwertmann errötete. „Hohe Frau Jasmyn", murmelte er schließlich. „Verzeiht, aber ich bin überrascht, Euch hier in der Nordmark zu sehen, wo ich Euch doch am Hofe des Königs wähnte."

„Mein Onkel erkrankte, und ich habe ihn in Eodan besucht", erklärte die junge Frau.

„Seid Ihr etwa allein gereist?", fragte Beomunt mit sichtlich besorgter Stimme.

„Vier Schwertmänner Eurer Wache begleiteten mich, guter Beomunt." Jasmyn machte eine unbestimmte Geste hinter sich. „Sie organisieren im Augenblick die Bevölkerung Eodans, denn Gefahr ist im Verzug. Der Pferdefürst erhielt Botschaft von niedergebrannten Gehöften und Weilern und hat die Pferdelords zusammengerufen, um der Gefahr begegnen zu können."

„Es werden wohl wieder einmal räuberische Barbaren eingefallen sein", warf der Erste Schwertmann Hagar ein.

„Keine Barbaren", knurrte Beomunt. „Es ist bei Weitem schlimmer. Horden von Orks ziehen durch die Marken und morden und brennen alles nieder."

„Orks? Ihr seid von Sinnen", rief einer der Männer. „Die sind doch Legende!"

Leoryn saß noch im Sattel und beugte sich nun zu dem Mann hinunter. „Eine Legende wie die Ohren meines Bruders oder die meinen?"

Der Mann errötete, und Beomunt sah die Anwesenden scharf

an. „Es gibt keinen Zweifel, dass die Orks durch die Marken des Königs ziehen. Der König sammelt seine Pferdelords, und die Gehöfte und Weiler werden bereits evakuiert. Alle Männer, Frauen und Kinder des Pferdevolkes sollen sich in die Bergfeste zurückziehen."

„Und alles aufgeben?" Ein Bürger Eodans trat mit fragendem Gesicht vor. Er trug einen Bogen über der Schulter und einen gefüllten Pfeilköcher. „Wir sollen alles den Orks zur Beute überlassen?"

„Besser Eodan als seine Bürger", sagte Beomunt und sah die Männer und Frauen der Stadt an. „Glaubt mir, es ist eine große Horde, und Eodan kann ihr nicht widerstehen." Er wandte sich an Hagar. „Ihr solltet dafür sorgen, dass Eure Leute schnell das Nötigste zusammenpacken und die Stadt dann rasch verlassen. Ihr müsst nach Südwesten, zur Festung des Königs, und es ist nicht sicher, ob der Weg dorthin noch frei ist. Meine Schar wird euch begleiten."

In diesem Augenblick drang von einem der Türme im Westen ein Ruf zu ihnen herüber, und sie alle wandten den Kopf, um besser hören zu können, was der Mann ihnen von dort aus zurief. Doch erst, nachdem er es wiederholte, verstanden sie den wahren Sinn seiner Worte.

„Offensichtlich ist es also schon zu spät, Eodan zu verlassen", sagte Beomunt leise und wie zu sich selbst.

„Die Männer auf die Wälle, ihr Bürger Eodans", brüllte der Erste Schwertmann Hagar mit vor den Mund gelegten Händen. „Ihr Pferdelords aufgesessen." Dann sah er Beomunt an. „Schließt Ihr Euch unserem Beritt mit Eurer Schar an?"

Beomunt schnaubte durch die Nase. „Welche Frage. Ihr seid der Vertreter des Pferdefürsten, ich der des Königs. Doch dies ist Eure Nordmark. So führt Ihr den Beritt, Hoher Herr Hagar, und ich werde Euch folgen.“

Hagar nickte stumm und eilte, um sein Pferd zu holen, während sich die Pferdelords mit ihren gesattelten Tieren am Tor sammelten. Die Männer in den braunen Umhängen der Stadtbevölkerung eilten zu den Wällen und besetzten nun an den Innenseiten der Palisaden die schmalen hölzernen Wehrgänge.

Der Beobachter, der den Feind als Erster gesichtet hatte, rief ihnen nunmehr zu, dass der Gegner von Westen auf die Stadt zurückte. Woraufhin der Bürger mit seinem Bogen, der vorhin noch mit Beomunt hatte diskutieren wollen, einige zögernde Männer packte und sie in Richtung der Palisaden schob. „Beeilt euch, ihr Narren. Der Wall muss besetzt werden. Konzentriert euch auf den Westwall, aber achtet darauf, dass auch Posten an den anderen Wällen bereitstehen. Der Feind mag uns überlisten wollen.“

Lotaras zog seinen Bogen und den gefüllten Köcher von der Schulter. „Habt Ihr Einwände, wenn ich Euch begleite, guter Herr?“

Der Bogenschütze grinste. „Ich bin Bertram, einer der Jäger aus Eodan. Und wenn Ihr so gut seid, wie man von den elfischen Bogen behauptet, so seid Ihr mehr als willkommen, mein Freund mit den spitzen Ohren.“

Die Hohe Frau Jasmyn sah Beomunt an. „Ich werde im Versammlungshaus des Pferdefürsten einen Heilerplatz einrichten. Das Haus ist befestigt, und der davor liegende Platz bietet ein gutes Schussfeld.“

Beomunt nickte anerkennend. „Ihr habt die richtige Art zu denken, Hohe Frau Jasmyn, dennoch will ich hoffen, dass wir die Bestien noch vor der Stadt stoppen können. Die Vorstellung, innerhalb des Walls gegen sie kämpfen zu müssen, behagt mir gar nicht.“

Das konnte jeder der Anwesenden nur allzu gut verstehen. Denn Eodan war nicht besonders groß, beherbergte allerdings sehr viele Menschen, weshalb die Häuser auch sehr dicht beieinanderstanden. Vom zentralen Versammlungsplatz Eodans ausgehend führten etliche schmale Gassen angeordnet wie die Speichen eines Rades auf den Wall zu, und entlang diesen gepflasterten Gassen stand ein Holzhaus neben dem anderen. Meist waren es zweigeschossige Bauten, aber man sah auch welche, die mit ihren drei Stockwerken die anderen überragten.

„Die Häuser sind allesamt aus Holz", sagte Beomunt. „Und der Feind wird bestimmt versuchen, sie in Brand zu setzen." Er sprach nicht weiter, denn es war klar, dass jedes Feuer, das nicht sofort gelöscht werden konnte, rasch auf die nebenstehenden Häuser übergreifen würde und dass es nahezu unmöglich sein würde, den Brand dann noch unter Kontrolle zu bekommen.

Die Hohe Frau Jasmyn jedenfalls erkannte dies sofort und meinte: „Ich lasse Wasser bereitstellen."

„Und räumt die dem Westwall zugewandten Häuser", riet Beomunt.

Der Erste Schwertmann Hagar trieb nun seinen grauen Hengst neben den des Schwertmannes der königlichen Wache, während sich die Männer des Beritts aus Eodan gleichzeitig mit der Schar Beomunts vereinigten und gemeinsam aus dem Tor preschten, wo sie nach Westen dem Feind entgegenschwenkten, der nicht mehr zu übersehen war. Vor Eodan erstreckten sich weite Felder, die goldene Ähren trugen, und über diesen Feldern erhob sich eine sanft ansteigende Hügelkuppe, auf der sich der Feind aufstellte.

Der grün bewachsene Hügel schien eine dunkle Färbung anzunehmen, als sich eine orkische Horde dort mit ihren Kohorten formierte. Eine Reihe von Rundohren nach der anderen trat in ihren düster wirkenden Rüstungen an und blickte herausfordernd den Pferdelords entgegen, die den Westwall der Stadt passierten und sich nun ebenfalls formierten.

„Wir haben großes Glück“, sagte Hagar und musterte die Formation der Orks. „Es sind zwar eine ganze Menge ihrer Rundohren versammelt, jedoch nur zwei Reihen ihrer Spitzohren mit Bogen. Wie weit mögen ihre Pfeile wohl reichen?“

Beomunt kratzte sich nachdenklich im Nacken. „Ihr Bogen sind kürzer als die unseren, wie mir scheint. Aber ich kenne ihre Bespannung nicht und weiß auch nicht, wie rasch sie ihre Pfeile zu lösen vermögen. Doch je mehr Zeit wir den Bestien noch geben, desto besser werden sie sich formieren können.“

„Ihr habt Recht, guter Herr Beomunt.“ Hagar gab ein Zeichen, und die fast hundert Pferdelords formierten sich in zwei aufeinanderfolgenden Angriffslinien.

Hagar hob sein Schwert, und das Horn der Nordmark, dessen Ton tief über das Land hallte, wurde geblasen. Die Wimpel von Beritt und Schar flatterten über den Köpfen der Männer, als ihre Pferde im Schritt vorangingen. Nach wenigen Längen ertönte das Horn dann zum zweiten Mal, und die Pferde trabten an. Beomunt und Hagar ritten Seite an Seite. Sie grinsten einander mit jenem raubtierhaften Grinsen an, das Männer immer dann zeigten, wenn alle ihre Zweifel dem alleinigen Wunsch gewichen waren, den Feind zu treffen und zu töten.

„Drei Hundertlängen vor ihnen gehen wir in den Galopp über“, rief Hagar lachend. „Das wird ihnen ein wenig Zeit geben, ihre Pfeile zu lösen, und dann werden wir auch schon zwischen ihnen sein.“ Das Donnern der Hufe ließ den Boden vibrieren, und die Menschen in der Stadt und die Orks auf dem Hügel sahen dem Ritt der Pferdelords zu.

„Schneller Ritt …“, brüllte Hagar.

„… und scharfer Tod“, nahmen Beomunt und seine Männer den Ruf auf. Da ertönte das Horn zum dritten Mal, die Pferde begannen zu galoppieren und trugen ihre Reiter den Orks in rasender Geschwindigkeit entgegen.

Bei diesen war jetzt endlich Bewegung zu sehen. Die vorderen Reihen fällten ihre langen Spieße zur Abwehr der Reiter, und hinter ihnen hoben die Spitzohren ihre Bogen an. Ein erster Pfeilhagel wurde abgeschossen, und die metallenen Spitzen funkelten in der Sonne. Zwei Pferdelords stürzten, aber schon war der nächste Geschosshagel in der Luft und leerte mehrere Sättel. Die beiden Linien der Pferdelords hatten die Formation der Horde beinahe erreicht, als auf dem Kamm des Hügels unvermittelt eine neue Formation der Bestien auftauchte, Spitzohren, vier Glieder tief gestaffelt, und eine Wand von Pfeilen schnellte den Pferdelords entgegen. Fast zwei Dutzend Sättel leerten sich auf einen Schlag, Pferde stürzten und warfen ihre Reiter ab.

Doch es war zu spät, um den Angriff jetzt noch abzubrechen, und zu diesem Zeitpunkt hätte dies auch keiner der Pferdelords mehr getan. Zu nah war man bereits am Feind und zu kurz davor, die Klingen in ihn versenken zu können. Ein letzter Pfeilhagel, dann prallten die erste Linie der Pferdelords und die vorderen Linien der Orks auch schon zusammen. Männer, Pferde und Orks gingen zu Boden, und die hinteren Reihen der Spitzohren steigerten den Tumult noch, indem sie ungerührt einen weiteren Pfeilhagel in Freund und Feind schickten. Weit mehr Orks als Pferdelords wurden durch ihre Pfeile getötet, doch die Rundohren konnten sich diese Verluste leisten. Denn zahlenmäßig waren sie den Männern des Beritts weit überlegen, so tapfer diese auch fechten mochten. Die Spitzohren hingegen schienen eine tiefe Furcht vor den berittenen Männern zu haben, denn sie nahmen keinerlei Rücksicht darauf, wen ihre Pfeile trafen, solange sie selbst nur nicht weiter vorrücken mussten. Immer mehr Männer und Rundohren gingen zu Boden, und ein Teil der Pferdelords saß bereits von ihren Tieren ab, um dadurch mehr Schutz vor den sausenden Geschossen zu haben. Mit Schild und blanker Klinge kämpften die Männer nun zu Fuß neben ihren berittenen Kameraden. Hagar wurde zeitgleich von zwei Pfeilen und einem Spieß getroffen und stürzte rücklings von seinem Pferd. Beomunt konnte den Wimpel des Beritts im letzten Augenblick gerade noch auffangen und wollte ihn schon einem anderen Pferdelord zuwerfen, da er den eigenen Wimpel mit sich führte, als dieser ebenfalls von einem Schlagschwert getroffen wurde und von seinem Reittier stürzte. Damit war der Wimpel des Beritts der Nordmark verloren, und die Männer mussten seinen Verlust hinnehmen, denn eine ganze Kohorte von Rundohren drängte genau in diesem Moment vor und schob sich über das blutige Tuch hinweg.

Beomunt hatte nun das alleinige Kommando über die schrumpfende Gruppe der Pferdelords, und es gab nicht mehr allzu viele Optionen für ihn. Zögen sie sich zurück, würden sie sich einem verstärkten Pfeilhagel der Spitzohren aussetzen, blieben sie standhaft, würden sie einfach überrannt werden. Allein der Rückzug bot ihnen größere Möglichkeiten, denn hinter den Wällen Eodans, so ungenügend sie auch sein mochten, würden sie zumindest einen besseren Schutz gegen die Pfeile finden. Erneut sauste ein Pfeilhagel heran und tötete Mann und Ork, doch unvermutet erhielten Beomunt und die seinen plötzlich eine Chance.

Eine Gruppe von Rundohren, die der Geschosshagel der Spitzohren besonders hart getroffen hatte, warf sich brüllend vor Zorn herum und begann die eigenen Bogenschützen anzugreifen. Ihre Schlagschwerter und Spieße hieben in die ängstlich quiekenden Spitzohren, bis die Anführer der Horde die beiden Gruppen mit lauten Befehlen und brutalen Schlägen wieder auseinanderdrängten. Doch diese wenigen Augenblicke reichten Beomunt.

„Zurück, ihr Pferdelords", brüllte er gegen den Lärm des Kampfes an. „Zurück nach Eodan. Nehmt Eure Verwundeten und gebt das Feld auf! Zurück nach Eodan!"

Andere Männer gaben den Ruf weiter, und auch der Hornbläser stieß in sein Horn, bis ihm ein Schlagschwert sowohl Horn als auch das Gesicht spaltete. Aber die Pferdelords hatten den Befehl vernommen, und so zogen sie sich kämpfend zurück und lösten sich aus dem Chaos des Schlachtfeldes. Kaum ein Drittel der ausgerückten Männer konnte Beomunt nach Eodan zurückführen, was die Orks auf dem Hügel hinter ihnen ein triumphierendes Gebrüll ausstoßen ließ. Beomunt blickte zurück und sah, wie sie den verloren gegangenen Wimpel des Beritts über ihren Köpfen schwenkten, auf dessen Lanzenspitze sie den abgetrennten Kopf Hagars gesteckt hatten.

Eine Kohorte der Orks hatte zwar halbherzig die Verfolgung der fliehenden Pferdelords aufgenommen, zog sich jedoch wieder auf die Hügelkuppe zurück, nachdem sie in Reichweite der Bogenschützen Eodans geraten und einige von ihnen gestürzt waren. Unbehelligt ritten Beomunt und die Pferdelords durch das Nordtor in Eodan ein.

„Versorgt die Verwundeten", befahl Beomunt erschöpft und nahm dankbar einen Krug Wasser entgegen, den eine Frau ihm reichte. Er trank hastig und wusch sich auch das Blut aus dem Gesicht, bevor er den Krug weiterreichte. „Alle kampffähigen Männer zur Westmauer. Dort wird uns der Feind angreifen."

Stöhnende und wimmernde Männer wurden von den Pferden gehoben oder sanken den hilfreichen Händen der Frauen entgegen. Aber die meisten versuchten, ihre Schmerzen zu unterdrücken. Beomunt sah einen Mann, dem der Arm durch ein Schlagschwert böse aufgerissen worden war und der mit grimmigem Gesicht am Boden hockte und tapfer die Zähne aufeinanderbiss, während eine der Frauen damit begann, seine Wunde mit groben Stichen zu nähen. Der Verwundete bemerkte Beomunts Blick und grinste verzerrt. „Keine Sorge, Schwertmann, ich vermag meine Klinge auch mit der anderen Hand noch zu führen."

Beomunt nickte dem Verletzten zu und übergab sein Pferd einem älteren Bewohner der Stadt, der es für ihn versorgen würde. Gemeinsam mit den anderen Pferdelords hastete er dann eine dunkle Gasse entlang, um den Westwall zu erreichen. Als sie den Schutz der Häuser verließen, sahen sie bereits nur wenige Längen vor sich den Wall mit seinem Wehrgang aufragen. Beomunt erkannte Lotaras und schwang sich neben dem Elf auf den Gang hinauf.

„Ihr Pferdelords habt euch gut geschlagen und der Horde kräftig zugesetzt", sagte Lotaras anerkennend.

„Aber nicht gut genug", seufzte Beomunt enttäuscht. „Und die Horde dort ist stark. Sie umfasst an die sechs ihrer Kohorten, also fast zwölfhundert Schädel. Sie werden sich nun rasch sammeln."

Neben Beomunt reckte sich Bertram, der Jäger. „Hoffentlich greifen sie uns auch bald an, denn noch haben wir gutes Licht für einen guten Schuss. Ich selbst vermag zwar auch noch in der Dämmerung gut zu sehen und mein Ziel zu treffen, doch für die meisten Bürger Eodans gilt dies nicht."

In der Tat stellte die Wehrfähigkeit der Männer und Frauen aus Eodan für Beomunt ein weiteres Problem dar, denn die wenigsten von ihnen schienen ihm im Waffengang geübt zu sein. Die Mauern würden also nur dünn besetzt sein, wenn die Orks gegen sie vorrückten.

Doch Beomunt hatte eine andere Idee. Er rief einige der Frauen herbei. „Schafft warmes Essen für die Männer heran und frisches Wasser. Und legt ein paar Feuerstellen hinter den Palisaden an, um dort Essen zubereiten zu können."

Lotaras sah Beomunt kritisch an. „Bald wird es dunkel werden. Dann werden die Männer an den Palisaden den Orks ein gutes Ziel bieten, wenn die Feuer sie von hinten bescheinen."

„Das hoffe ich", knurrte Beomunt grimmig und wandte sich daraufhin den Männern, die seitlich von ihm standen, zu. „Umwickelt ein paar Pfeile mit brennbarem Stoff, tränkt sie mit Fett und haltet sie dann bereit."

„Ich verstehe." Lotaras nickte zustimmend. „Das dichte Kornfeld wird sie verleiten, sich im Schutz der Nacht heranzuschleichen, um unsere Verteidiger mit Pfeilen von der Palisade zu schießen."

„Das Korn ist reif, und der Wind steht gut", brummte der Schwertmann. „Es wird gut brennen."

Bis zur Abenddämmerung blieb ihnen noch eine ganze Weile Zeit, aber die Orks machten keine Anstalten, gegen Eodan vorzurücken, stattdessen sammelten und formierten sie ihre Kohorten auf der Hügelkuppe neu, schienen den Hügel aber nicht verlassen zu wollen. Beomunt und die Verteidiger von Eodan wussten jedoch, dass der Angriff auf die Stadt nur noch eine Frage der Zeit war. Frauen brachten indessen Wasser und Nahrungsmittel zu den Wehrgängen und errichteten auf Beomunts Anweisung hin die gewünschten Kochstellen. Bogenschützen wickelten Lappen um einige der Pfeile und tränkten sie mit Öl oder Fetten. Aber immer wieder blickten die Menschen nervös zu dem Hügel hinüber, auf dem die Orks standen und warteten. Allmählich wurden die Schatten länger, und die untergehende Sonne begann die Verteidiger zunehmend zu blenden.

Beomunt verließ den Westwall und schritt durch die Gassen Eodans. Kritisch musterte er die Häuser. Sie standen dicht an dicht, und die Gassen waren schmal und lang: alles Vorteile für die Verteidiger, wie auch für die Angreifer. Dennoch, wären die Orks erst einmal über den Wall gelangt, würde der Kampf zwischen und in den Häusern blutig und verlustreich werden. Allein schon die schiere Übermacht der Orks würde die Menschen immer weiter zurückdrängen, außerdem gab es zu viele unter ihnen, die sich nicht ernsthaft verteidigen konnten. So die Älteren, die Frauen und Kinder, und selbst viele der Männer schienen Beomunt unfähig, eine Waffe zu führen. Die Menschen Eodans waren Siedler, Farmer, Handwerker und Händler, aber keine Krieger und keine Pferdelords. Und diejenigen, die im Kampf geübt waren, waren bereits mit dem Pferdefürsten der Nordmark ins Land hinausgeritten, weshalb sie jetzt bei der Verteidigung der Stadt fehlten. Es war das alte Problem eines dünn besiedelten Landes. Aus diesem Grund hatte das Volk der Pferdelords bei einem schweren Angriff auch schon immer zurückweichen müssen, um sich dann später wieder zu sammeln und zurückschlagen zu können. Dennoch hatten die Pferdelords bislang immer die Kraft besessen, den Feind zu bezwingen.

Die Schatten wurden immer länger, bis schließlich auch das letzte Sonnenlicht der Nacht gewichen war. In dieser Zeit des Zwielichts, in der der Sternenhimmel noch nicht klar am Firmament stand, eilte Beomunt zurück zum Wehrgang, denn der frühe Abend und der frühe Morgen, wenn alles Grau in Grau erschien, waren stets gute Zeiten für einen Angriff. Beomunt vermutete zwar, dass die Orks eher gegen Morgen angreifen würden, wenn die Müdigkeit die Verteidiger schläfrig und unaufmerksam machte. Aber er war sich nicht ganz sicher, ob die Orks diese Gewohnheiten der Menschen auch in ihre Taktik mit einbeziehen würden. Angeblich ähnelten die Bestien den Menschen in vielen Dingen. Außerdem waren sie nicht dumm, sondern äußerst gerissen. Und sie waren viele.

„Sie kommen."

Beomunt sah zu Lotaras hinüber, der angespannt hinter der Palisade stand und aufmerksam ins Dunkel lauschte. „Seid Ihr sicher?"

Der Elf nickte. „Ich kann sie hören. Sie kommen durch das Getreidefeld heran."

„Dann macht euch bereit", befahl Beomunt den Bogenschützen. „Und gebt weiter, dass die Orks durch das Feld vorrücken, aber wartet auf mein Zeichen. Schließlich wollen wir die Bestien nicht zu früh warnen." Er sah den Elfenmann fragend an. „Könnt Ihr mir sagen, wie nahe sie schon sind?"

Lotaras schüttelte bedauernd den Kopf. „Nein. Aber es scheinen viele zu sein. Am besten warten wir, bis sie selbst die ersten Pfeile abschießen. Dann werden wir wissen, ob sie nah genug heran sind."

Neben Beomunt stieß der Bogenschütze Bertram ein missmutiges Schnauben aus. „Wunderbar. Es behagt mir nicht, als lebende Zielscheibe zu dienen. Wir sollten uns besser ducken und ..." Bertram verstummte, als neben ihm ein anderer Bogenschütze Eodans ein ersticktes Röcheln ausstieß, seinen Bogen fallen ließ und rücklings vom Wehrgang herunterkippte.

„Sie sind da", brüllte Beomunt. „Entzündet die Pfeile und haltet weit zum Hügel hinüber! Vorwärts, ihr Männer Eodans, kämpft für eure Stadt!"

Lotaras schoss einen Pfeil ins Dunkel, und gleich darauf erklang ein erstickter Schrei aus dem Feld. Der Elf nickte zufrieden und hatte bereits den nächsten Pfeil aufgelegt. Rechts und links von Beomunt entzündeten nun auch die Bogenschützen ihre Brandpfeile an den kleinen Feuerstellen, hoben ihre Bogen an und begannen die brennenden Pfeile hoch in den dunklen Himmel zu schießen. Flackerndes Feuer zog durch die Nacht und senkte sich in Richtung des Hügels über das Getreidefeld. Zwei weitere Bogenschützen der Stadt fielen, ebenso ein Beobachter auf dem Turm, der noch kurz einen der Stützpfosten des Turmdaches umklammerte, bevor er dann kopfüber auf das Gelände vor der Stadt stürzte.

Im Getreidefeld wurden nun Schatten und Bewegungen sichtbar und zwischen ihnen ein diffuses Glühen, das sich langsam, aber stetig ausbreitete. Scheinbar unvermittelt bildeten sich dann Flammen, die rasend schnell wuchsen und aufeinander zuschossen und zwischen denen immer mehr Orks sichtbar wurden. Jetzt boten sie ein deutliches Ziel, und die Bogenschützen Eodans schossen, so schnell sie nur konnten. Für einige Augenblicke schien alles auf ein Duell der gegnerischen Pfeile hinauszulaufen, in dem beide Seiten ihre Opfer fanden. Aber dann wuchsen die Brandherde auf dem Getreidefeld unglaublich schnell zusammen, und allerorts wurden die qualvollen Schmerzensschreie von Rundohren und Spitzohren laut.

Beomunt, der über keinen Bogen verfügte und deshalb nicht aktiv ins Geschehen eingreifen konnte, schrie seine Erregung in das weite Feld hinaus. „Mögt ihr Bestien lange Schmerzen erleiden, und nun brennt, ihr Bestien, brennt!“

Es roch nach verbranntem Getreide, und es stank nach verschmorendem Fleisch. Beomunt, der den Gestank roch und dabei das Gesicht verzog, wusste sofort, was das bedeutete: Der

Wind drehte und stand nun auf Eodan zu.

„Achtet auf die Dächer der Häuser und auf mögliche Feuerfunken", rief er den Frauen zu, die in den Gassen zwischen den Gebäuden standen. Zwar befand sich ein breiter gerodeter Streifen zwischen dem brennenden Feld und der Palisade der Stadt, weshalb nicht unmittelbar zu befürchten stand, dass die Flammen die hölzerne Wehrmauer direkt bedrohen könnten. Aber über dem brennenden Getreidefeld mit den schreienden Orks hatte sich ein Funkenflug entwickelt, den der Wind immer mehr in Richtung der Stadt hinübertrieb.

Tatsächlich konnte Beomunt schon kurze Zeit später die ersten Frauen ausmachen, die auf eines der Dächer kletterten, um dort ein entstehendes Feuer zu löschen. Sie kippten Eimer mit Wasser auf die gefährliche Stelle, reichten die leeren wieder nach unten und nahmen volle entgegen, so lange bis eine der Frauen aufschrie und, von einem Pfeil getroffen, vom Dach stürzte. „Lotaras!"

Der Elf erwiderte nichts, sondern suchte mit seinen Augen die dunklen Bereiche, die nicht vom Feuerschein erhellt wurden, ab. Denn trotz des Feuers, in dem so viele Orks qualvoll verbrannten, mussten einige der Spitzohren eine sichere Stelle gefunden haben, von der aus sie nun ihre Bogen abschossen. Eine weitere Frau wurde getroffen, worauf die anderen die Löscharbeiten einstellten und sich ängstlich in Sicherheit brachten.

„Lotaras! Schafft mir die Bogenschützen vom Hals", brüllte Beomunt und sprang vom Wehrgang. Das Feuer durfte sich nicht weiter ausbreiten. Also stieß der Schwertmann der königlichen Wache ein paar der anderen Männer an. „Folgt mir, das Feuer muss gelöscht werden."

Das kleine fast schon gelöschte Feuer auf dem Dach hatte sich inzwischen ungestört weiter ausgebreitet, und jetzt gingen auch auf die Nachbardächer Funken nieder. Beomunt lief in eines der Häuser, sah die schmale Stiege, die zum Obergeschoss emporführte, und eilte hinauf. „Bringt Wasser“, brüllte er heiser. „Viel Wasser. Und schützt die anderen Häuser.“

Er erreichte das Obergeschoss mit der Dachschräge und sah, dass die Balkenkonstruktion und die Bedeckung des Daches über ihm bereits brannte und dass in der Abdeckung des Daches, wo die Bohlen und Schindeln durchgebrannt waren, schon die ersten Lücken auftauchten. Brennende Holzteile begannen nach unten zu stürzen. Von hier aus konnte er nichts mehr ausrichten. Also wandte sich Beomunt um und stieß auf der Stiege mit einigen Männern zusammen, die Wassereimer mit sich führten. „Wir müssen ins Nebenhaus. Dieses hier ist verloren. Folgt mir!“

Beomunt warf einen kurzen Blick zum Westwall, doch dort war alles unverändert, und die Bogenschützen Eodans schienen die Lage zu beherrschen. Direkt vor sich erkannte er die Hohe Frau Jasmyn, die eine Gruppe von Frauen anführte und ihnen Anweisungen gab. Er nickte ihr kurz zu und hastete dann in das andere Haus, wo er einen Weg auf das Dach fand. Als er jedoch seinen Kopf durch die enge Öffnung des Dachstiegs schob, quoll ihm bereits auch hier dichter Rauch und Funkenregen entgegen, und er konnte außerdem die Hitze des Feuers, das sich auf dem Nachbardach ausbreitete, spüren.

„Wasser“, rief er krächzend. „Ich brauche Wasser.“

Sie reichten ihm die Eimer durch die Dachstiege hoch, und Beomunt schüttete das Wasser auf die Flammen. Aber Hitze und Rauch nahmen ihm zunehmend den Atem und heizten seine Kleidung und seine Rüstung auf. Schon begann es verschmort zu riechen, und Beomunt löste fluchend den Kinnriemen seines Helmes und zog sich den Kopfschutz herunter. Ein

Teil des Rosshaarschweifes der königlichen Wache war bereits versengt, und das Metall fühlte sich unglaublich heiß an. Also ließ er den Helm kurzerhand fallen und ergriff den nächsten Eimer. Aber ihm wurde bald klar, dass er das Feuer weder aufhalten noch löschen konnte. Der Rauch wurde immer dichter, und die zunehmende Hitze trieb ihn schließlich zurück. Die Eimer, die zu ihm heraufgereicht wurden, waren zudem nie randvoll, da die Männer unter ihm in der Hektik viel zu viel Wasser beim Weiterreichen der Gefäße verschütteten.

Beomunt befürchtete schon, den Kampf gegen das Feuer zu verlieren, als er unerwartete Hilfe erhielt. Der Rauch verlor seine dunkle Farbe und wurde heller, als plötzlich auch von einem Nebenhaus aus Wasser auf die Flammen geschüttet wurde. Für einen Moment erkannte Beomunt undeutlich ein paar Männer Eodans, welche ihre halbvollen Eimer auf eigentümliche Weise schwenkten und das Wasser dann sehr zielgenau in das Feuer schnellen ließen. Ihre Bewegungen verrieten Übung, und es schien wohl die Brandwehr Eodans zu sein, die hier beherzt einen Löschversuch unternahm. Da sie das Feuer von der Seite her angingen, wurden sie auch nicht so sehr durch den Rauch und die Hitze behindert, mit denen Beomunt zu kämpfen hatte. Zwei der Männer führten außerdem lange Spieße mit sich, die sie dazu benutzten, um einige der brennenden Holzteile vom Dach zu lösen und hinunter auf die Gasse zu werfen, wo andere Bürger der Stadt sie dann mit Wasser begossen.

Beomunt sah befriedigt, dass diesen Männern mehr Erfolg beschieden war als ihm. Hustend schob er sich durch die Dachstiege in das Haus zurück, wo ihm ein paar Männer anerkennend auf die Schulter schlugen.

Noch immer hustend erreichte der Schwertmann endlich wieder den festen Boden der engen Gasse. Dankbar nahm er dort einen Becher Wasser entgegen, den er hastig austrank. Ein Stück entfernt sah er Jasmyn, die sich mit zwei anderen Frauen um die Verletzten kümmerte. Eine ihrer Helferinnen war die elfische Frau, wie Beomunt nun erkannte.

Er ging zu ihnen hinüber, und Jasmyn lächelte ihn kurz an, während sie den Anweisungen der Elfin folgte. Leoryn schien ganz in ihrem Element zu sein, und ihre Befehle waren knapp und zielgerichtet. Sie war gerade dabei, eine der Frauen Eodans zu versorgen, die üble Verbrennungen erlitten hatte.

„Haltet die Frau gut fest“, sagte die Elfin und zupfte dabei anscheinend ungerührt einige Reste verbrannter Kleidung aus deren Wunden. „Festhalten, sagte ich. Ich weiß, dass es Euch schmerzt“, wandte sie sich dann an die schmerzvoll schreiende Frau, „doch der Schmutz muss aus der Wunde. Sonst wird sie sich entzünden. Gebt Wasser auf die erhitzten Stellen. Nicht so, ihr guten Leute.“ Die Elfin nahm einen Eimer, hielt ihre Hand in den Wasserschwall und ließ das Wasser aus dem Eimer langsam über ihre Hand und von dort über die Brandwunden fließen. „Wenn ihr zu kräftig gießt, so presst der Druck den Schmutz in die Wunden. Das Wasser muss sanft fließen, um sie zu säubern. Seht ihr? Und nun fahrt auf diese Weise weiter fort. Ich werde euch sagen, wann ihr wieder damit aufhören könnt.“

Die Elfin wandte sich zur Seite, wo eine der Frauen auf dem Boden lag, die auf dem Dach von einem Pfeil getroffen worden war. „Der Sturz scheint sie nicht sonderlich verletzt zu haben, doch der Pfeil sitzt tief.“ Sie sah Beomunt an. „Wisst Ihr, wie seine Spitze beschaffen ist?“

Beomunt zuckte verwirrt die Schultern. „Nein.“

„So beschafft mir einen“, sagte die Elfenfrau entschieden. „Ich will der Frau nicht zu viel Schaden zufügen, und dazu muss ich wissen, wie der Pfeil beschaffen ist."

Beomunt erinnerte sich an einen Pfeil, der ihn auf der Palisade fast getroffen hätte und zu dem sich in der Zwischenzeit sicher eine Vielzahl anderer Geschosse hinzugesellt hatten. „Ich hole Euch einen."

An der Palisade fand er Lotaras und Bertram, die nebeneinander zufrieden in die Nacht hinausblickten. Inzwischen stand auch der Sternenhimmel klar über der Stadt, aber vom Acker trieben noch immer dichte Rauchwolken zur Stadt hinüber, und der Gestank versengten Fleisches verriet, dass viele Orks im Kornfeld verbrannt sein mussten.

„Jetzt ist alles wieder ruhig", sagte Lotaras und lächelte. „Die beiden Bogenschützen habe ich gefunden. Hört Ihr noch die vereinzelten Schreie vom Rand des Feldes? Die Orks werden noch eine ganze Weile brauchen, bis sie das verdaut haben werden."

Beomunt nickte. „Doch dann werden sie versuchen, es uns mit gleicher Münze heimzuzahlen. Achtet darauf, dass überall Wachen stehen und Ausschau halten. Doch die meisten der Männer mögen nun ruhen; wir haben alle etwas Ruhe nötig." Er fand einen Pfeil, zog ihn aus dem Holz heraus und brachte ihn dann der Elfin.

Diese betrachtete seine Spitze und seufzte. „Ich habe es befürchtet. Seht Ihr? Die Spitze ist nicht glatt, sondern hat Widerhaken. Würde ich versuchen, sie herauszuziehen, so würden die Haken schwere Wunden reißen. Deshalb kann ich nur versuchen, sie herauszuschneiden oder hindurchzutreiben." Die Elfin sah auf die verletzte Frau hinunter, aus deren Schulter der Schaft des Pfeiles ragte. „Er ist sehr tief eingedrungen, also werde ich ihn hindurchtreiben. Ihr könnt mir dabei helfen, Beomunt, Pferdelord. Haltet die Frau gut fest, denn sie muss dabei sitzen und darf sich nicht bewegen."

Gemeinsam zogen sie die Verletzte in eine sitzende Haltung, und während zwei Männer sie festhielten, hockte sich die elfische Frau hinter sie. Leoryn nickte den Männern zu, packte den Schaft des Pfeils und stieß ihn mit einem entschlossenen Ruck in den Körper der Frau hinein. Diese schrie auf, aber die blutige Spitze des Pfeils brach tatsächlich vorne aus dem Gewebe hervor und ließ die Verletzte bewusstlos werden.

„Gut", nickte die Elfin. „Das nimmt der armen Frau den Schmerz, obwohl das Gröbste nun geschafft ist. Brecht jetzt die Spitze des Pfeils ab, Beomunt, rasch."

Beomunt tat, wie ihm geheißen, und brach die blutige Metallspitze mit den groben Widerhaken vom Schaft. Mit einem Ruck zog Leoryn diesen nun zum Rücken heraus. Sofort quoll Blut aus den Wunden und die Elfin presste saubere Tücher auf die Blutungen. Während sie die Wundauflagen fest mit Tuchstreifen zu fixieren begann, sah sie Jasmyn an. „Wenn die Blutungen zum Stehen gekommen sind, müssen wir die Binden sofort wieder lösen und frisches Moos auf die Wunden geben, damit sie sich nicht entzünden können. Doch zunächst soll die Frau ruhen."

„Wir bringen sie in das Versammlungshaus des Pferdefürsten", versicherte Jasmyn. Dabei lächelte sie Beomunt an und nahm dann einen Gegenstand auf, der neben ihr gelegen hatte. „Den hier werdet Ihr wohl bald wieder brauchen, Beomunt, Pferdelord."

Der Schwertmann nahm seinen Helm aus ihren Händen entgegen und fühlte sich einen Augenblick lang merkwürdig unsicher, als er dabei die Hand der jungen Frau berührte. Er räusperte sich nervös und betrachtete missmutig den Rosshaarschweif, der durch das Feuer schwer gelitten hatte.

„Grämt Euch nicht“, erwiderte Jasmyn. „Er zeugt nur von Eurer Tapferkeit, mein guter Herr Beomunt. Doch nun solltet auch Ihr eine Weile ruhen. Denn wenn uns die Orks erneut berennen, werden wir Euch erfrischt und in all Eurer Stärke brauchen.“

Beomunt nickte. Er wollte noch etwas erwidern, aber ihm fehlten die passenden Worte. Im selben Moment, in dem er Jasmyns Hand flüchtig berührt hatte, schien etwas auf ihn übergesprungen zu sein. Etwas, das er in dieser Form zuvor noch nicht empfunden hatte, das er aber nicht in Worte zu kleiden wusste, weshalb er sich jetzt auch nur verlegen räusperte und zum Westwall zurückging, um sich dort an einer der Feuerstellen zur Ruhe zu legen.

Der Schwertmann erwachte am späten Vormittag und fühlte sich erfrischt und ausgeruht. Um ihn herum saßen die anderen Männer. Einige aßen, andere pflegten ihre Waffen oder aber hingen ihren Gedanken nach. Beomunt nickte ihnen aufmunternd zu, ging dann zu einer der Wasserstellen und erfrischte sich. Danach trat er zu Lotaras, der an der Palisade stand. „Wie sieht es aus, Hoher Herr Lotaras?“

Der Elf wies über das niedergebrannte Getreidefeld. An vielen Stellen waren noch die verkohlten Leichen der Orks zu sehen. Und noch immer trug der Wind ihren grauenvollen Gestank zur Stadt hinüber. „Sie mögen in der Nacht eine Kohorte oder mehr verloren haben“, sagte Lotaras leise. „Das hat sie wütend gemacht. Jetzt werden sie mit aller Macht zurückkommen, um den Wall zu nehmen.“

Beomunt nickte. „Wir müssen sie am Wall aufhalten. Gelingt es den Bestien erst, zwischen die Häuser zu gelangen, so wird Eodan fallen.“

Sie sahen sich einen Moment lang schweigend an, dann nickte der Elf.

Vom Hügel im Westen ertönte plötzlich rhythmisches Schlagen und Gebrüll. Die Männer am Wall traten an ihre Posten, und für einen Moment schien das Leben in der Stadt stillzustehen, als alle Männer und Frauen nurmehr nach dem erschreckenden Geräusch lauschten.

„Sie bringen sich in Stimmung“, sagte Lotaras. „Seht Ihr, wie sie ihre Waffen an ihre Schilder und Rüstungen schlagen? Nun wird es nicht mehr lange dauern.“

Die Schläge und das Gebrüll wurden hektischer. Die Kohorten der Orks standen in breiter Front und begannen nun zusätzlich mit ihren Füßen im Takt ihres Gebrülls zu stampfen. Dann aber ertönte mit einem Mal ein Schrei aus Hunderten von orkischen Kehlen, und mit einem Ruck setzten sich die Kohorten unvermittelt in Bewegung. Mit raschen und stampfenden Schritten näherten sich die gepanzerten Gestalten dem Acker, auf dem noch die Toten der letzten Nacht lagen.

Beomunt brauchte keine gesonderten Anweisungen zu geben. Die Verteidiger standen bereit. Lotaras schoss als Erster, da sein elfischer Bogen am weitesten trug, und fällte einen Ork nach dem anderen, dann fingen auch die anderen Verteidiger zu schießen an. Der letzte Kampf um Eodan hatte nun endgültig begonnen.

## 17

Die beiden Männer trugen Meowyn behutsam die engen Stufen hinauf, während Nedeam ihnen von unten nervös dabei zusah und unbewusst seine Hände knetete. Neben ihm stand Larwyn, die Gemahlin des Pferdefürsten, und legte ihm beruhigend eine Hand auf die Schulter. „Nur ruhig, mein Freund. Sie gehen vorsichtig mit ihr um, und Merawyn ist eine hervorragende Heilerin. Eure Mutter wird leben, habt keine Sorge um sie."

Doch ganz so sicher war sich Larwyn nicht, denn der Blutverlust Meowyns war nicht unerheblich, und der Ritt nach释ernas hatte sie zusätzlich noch einmal geschwächt. Aber die beiden Stadtbewohner trugen sie mit aller Vorsicht in die Unterkunft der Schwertmänner. Dort hatte Merawyn, die Graue Frau, eine Krankenstube eingerichtet, von der alle hofften, dass sie niemals gebraucht werden würde. Nedeam hätte seine Mutter auch in das Heilerhaus der Stadt bringen können, aber ein unbestimmter Instinkt hatte ihn ohne Umweg direkt zur Burg des Pferdefürsten reiten lassen. Merawyn, die Graue Frau, hielt die dicke Bohlentür der Unterkunft geöffnet.

„Vorsicht, ihr Narren. Stoßt sie nicht gegen die Wand, sonst bricht ihre Wunde weiter auf." Die Graue Frau wies auf eine der leeren Bettstätten, auf denen sonst nur die Schwertmänner schliefen, von denen zur Zeit aber eine belegt war, und zwar von einem unglückseligen Schreiner, der anstelle einer Bohle seinen Unterarm angesägt hatte. Merawyn sah den neugierigen Blick des Mannes. „Ihr seht nicht erfreut aus, Schreiner. Stört Euch etwa die neue Gesellschaft?"

Der Mann kratzte an dem dicken Verband, den er um den Arm trug. „Es juckt bestialisch, Graue Frau."

„Gut", sagte Merawyn und nickte. „Soll es jucken. Dann tut das Moos seine Wirkung, und die Wunde wird nicht eitern." Sie sah erneut die beiden Träger an. „Da, auf den Tisch mit ihr. Ich muss mir zuerst einmal ansehen, was der Pfeil angerichtet hat."

Nedeam war den Trägern instinktiv gefolgt und spürte, wie auch Larwyn hinter ihm eintrat. „Es ist kein Pfeil", sagte er mechanisch.

„So?" Merawyn musterte ihn ausdruckslos. „Was ist es dann?"

Nedeam zuckte die Achseln. „Es ist kurz und dick und ganz aus Eisen."

„Wir werden sehen." Die beiden Männer hatten Meowyn bäuchlings auf den massiven Bohlentisch gelegt, von dem die Schwertmänner normalerweise aßen. Die Graue Frau schnitt Meowyns Kleidung auf und musterte dann die Tuchstreifen, die Nedeam seiner Mutter angelegt hatte. „Sie sind nicht durchgeblutet", sagte sie nachdenklich und blickte auf. „Ich brauche frisches Moos und neue Tuchstreifen, und zwar saubere. Dann ein kleines Kohlebecken und einen eisernen Haken. Und ich brauche es schnell, ihr Narren."

Die beiden Stadtbewohner eilten, um die gewünschten Dinge herbeizuholen. Die Unterkunft war in nur wenigen Tagen ganz nach den Bedürfnissen der Heilerkunst hergerichtet worden. Ein Teil der Betten war entfernt worden, und zwei Regale und ein Tisch waren aufgestellt worden, welche nun alle Utensilien der Heilerkunst enthielten: Tiegel und Töpfe, irdene und metallene Gefäße mit Kräutern, Wurzeln, Körnern, Salben und viele andere Dinge, deren Zweck jedoch jenen verborgen blieb, die der Heilkunst nicht mächtig waren. Die Kenntnisse der Bewohner der Hochmark waren meist nur auf die Versorgung der üblichen einfacheren Verletzungen durch scharfe Klingen, Steine oder Stürze beschränkt. Man vermochte einen aufgerissenen Arm zu nähen und verschiedene Moose anzuwenden, aber einen Pfeil behutsam zu entfernen, verlangte nochmals ein ganz anderes Wissen.

Merawyn entfernte inzwischen die Tuchstreifen, um sich dann das Moos etwas genauer anzusehen. Sie warf Nedeam einen anerkennenden Blick zu. „Eisenmoos, genau das richtige. Nicht das übliche Bergmoos. Hat Euch dies Euer Vater beigebracht?"

Nedeam zuckte die Achseln. Er war Merawyn noch nie zuvor begegnet, doch er kannte ihren Namen und wusste auch um ihren Ruf als Graue Frau. Ihr Alter schien ihm unbestimmt, obwohl sie noch recht jung und schlank auf ihn wirkte. Sie hatte lange schwarze Haare, die weit über ihren grauen Mantel herabfielen, der vielleicht auch der Grund dafür war, warum man sie die Graue Frau nannte. Darunter trug sie ein Kleid aus dickem grünem Wollstoff, wie viele Frauen der Hochmark es trugen, und um die Hüften, und von ihrem Umhang teilweise verdeckt, hatte sie einen schmalen Gürtel geschlungen, an dem allerlei Dinge herabhingen. Meist waren es kleine Säckchen unbestimmbaren Inhalts. Er sah, wie Merawyn ihn kurz ansah und dann für einen Moment lächelte.

„Eure Mutter, nicht wahr, junger Pferdelord?"

„Ich bin kein Pferdelord", erwiderte Nedeam zögernd.

Da legte Larwyn, die Frau des Pferdefürsten, erneut ihre Hand auf seine Schulter. „Aber bald mögt Ihr einer sein, denn Ihr habt Eurer Mutter das Leben gerettet und gegen Orks gekämpft. Nicht viele können das von sich behaupten."

„Gegen Orks gekämpft?" Merawyn sah den Jungen forschend an. „Wohl recht kleine Orks."

„Spitzohren", knurrte Nedeam und fühlte sich ein wenig gekränkt anlässlich Merawyns unüberhörbaren spöttischen Tonfalls.

Die Graue Frau winkte ihre Helfer heran. „Spitzohren? Das sind hinterlistige kleine Biester. Stellt das Kohlebecken hierher und legt das Eisen hinein. Es muss glühen." Wieder blickte sie Nedeam kurz an und zog dann behutsam das Moos von Meowyns Wunde. Misstrauisch betrachtete sie das eiserne Geschoss, welches aus der Wunde ragte. „Sieht wie ein Bolzen aus."

Sie ging in die Knie und betrachtete den Gegenstand aus allen Richtungen. Dann betastete sie die Wunde und ihre Ränder. Nedeam war froh, dass seine Mutter das Bewusstsein verloren hatte, denn Merawyn schien ihm nicht besonders behutsam vorzugehen. Aber die Graue Frau nickte zufrieden. „Die Ränder sind glatt. Ich glaube nicht, dass dieses Geschoss Widerhaken hat."

Dann ging alles so schnell, dass Nedeam nicht einmal mehr die Zeit fand, einen protestierenden Schrei ausstoßen zu können, und vielleicht war dies auch gut so. Denn die Graue Frau umschloss den Bolzen mit ihrer Hand und zog ihn dann mit einem entschlossenen Ruck aus der Wunde. Trotz ihrer Bewusstlosigkeit zuckte Meowyn zusammen und stöhnte leise. Blut begann aus der frisch geöffneten Verletzung zu fließen. Merawyn indessen warf den blutbefleckten Bolzen achtlos auf den Boden und griff sofort nach dem eisernen Haken, dessen Spitze mittlerweile rot glühte. „Haltet sie fest", zischte sie die beiden Männer an. „Und zwar gut. Das Eisen darf auf keinen Fall verrutschen."

Der Gestank verbrennenden Fleisches stieg zusammen mit einer dünnen Rauchfahne auf, als Merawyn die Spitze des glühenden Eisens in die Wunde drückte. Meowyn begann auf dem Tisch zu zucken, doch die Männer drückten sie unbarmherzig nieder. Nedeam wollte nach vorne stürzen und den Haken aus der Verletzung seiner Mutter reißen, aber Larwyn hielt ihn zurück. „Nur Vertrauen, junger Herr, die Graue Frau wird wissen, was sie tut."

Endlich wurde der Haken in das Kohlebecken zurückgelegt, und Merawyn nahm frisches Moos aus einem Beutel, drückte es vorsichtig in den Wundkanal und legte danach einen sauberen Tuchstreifen darüber. Während sie weitere Tuchstreifen nahm und einen Verband anzulegen begann, sah sie Nedeam lächelnd an.

„Das Eisen glüht die Wunde aus und verhindert, dass sie weiterblutet. Es schmilzt die Gefäße zusammen. Das Moos dagegen wird eine Infektion verhindern." Sie blickte zur Gemahlin des Pferdefürsten hinüber. „Natürlich darf sie sich nicht bewegen, sonst reißt die Wunde wieder auf. Und selbstverständlich muss das Moos täglich gewechselt werden. Ich werde sie nun in die kleine Kammer nach nebenan bringen lassen. Dort wird sie Ruhe vor dem Gekratze dieses Schreiners haben." Merawyn warf dem verletzten Mann einen scharfen Blick zu, der ihn erröten und rasch den Arm wieder nach unten senken ließ, an dessen Verband er intensiv gekratzt hatte.

„Wird sie wieder gesund werden?", fragte Nedeam besorgt.

„Sein Vater wurde von Orks getötet und nun seine Mutter ebenfalls beinahe", erklärte Larwyn.

Merawyns Gesicht wurde für einen Augenblick weich. „Sie ist eine starke Frau, Eure Mutter, junger Herr. Achtet gut auf sie, dann wird sie auch wieder gesunden."

„Das werde ich", sagte Nedeam eifrig. Er sah, wie einer der Pfleger den blutbefleckten Bolzen aufhob. „Kann ich diesen da behalten?"

Larwyn trat zu ihm und betrachtete das eiserne Geschoss ohne Scheu. „Ist es wirklich ein Geschoss oder wird es geworfen? Ich kann keine Fiederung erkennen. Die Spitze ist recht stumpf. Aber es hat eine Kerbe, so als würde es in eine Sehne eingelegt." Larwyn schüttelte den Kopf. „Einen solch kleinen Bogen kann ich mir nicht vorstellen."

„Oh, ich habe ihn dabei", sagte Nedeam hastig, dem die Waffe des Orks erst jetzt wieder einfiel. „Es ist ein merkwürdiges Ding, Herrin."

Larwyn nickte Merawyn und den Männern zu und sah Nedeam forschend an. „Könnt Ihr mir den Bogen zeigen, junger Freund? Wenn es eine neue Waffe der Orks ist, so sollten sie sich unsere Waffenschmiede ansehen. Einer von ihnen ist gleich hier in der Burg und wird uns vielleicht sagen können, was es mit diesem kleinen Bogen auf sich hat."

Sie zog Nedeam zur Tür hinüber und spürte, wie er zögerte. „Glaubt mir, Merawyn wird sich in der Zwischenzeit gut um Eure Mutter kümmern."

Obwohl es dem Zwölfjährigen nicht leichtfiel, seine Mutter allein zurückzulassen, folgte er Larwyn schließlich, die wieder in den hinteren Burghof trat und einen Augenblick unter dem kleinen Torbogen des Vorbaus verharrte, um ihre Augen an das grelle Sonnenlicht gewöhnen zu können. „Wo habt Ihr die Waffe des Orks aufbewahrt?"

„Bei Stirnfleck." Und als Nedeam sah, wie sie ihn fragend ansah, fügte er rasch hinzu. „Dem Pferd meines Vaters, welches uns herbrachte."

„Dann wird es wohl im Stall stehen und dort versorgt werden." Larwyn ergriff seine Hand, und Nedeam fühlte sich seltsam berührt, dass die Frau des Pferdefürsten ihn so selbstverständlich mit sich zog.

Der hintere Burghof Eternas' wurde nicht umsonst auch der innere Burghof genannt. Im Gegensatz zum vorderen Hof hatte man von diesem nämlich freien Zugang zu allen weiteren Gebäuden der Burg. Vom inneren Hof aus führten Türen in das große Haupthaus, die danebenliegende Rüstkammer, die Stallungen, die Schmiede, das kleinere Gesindehaus und in die Unterkunft der Schwertmänner, die derzeit als Hospital diente. In der genannten Reihenfolge liefen die Gebäude auch von Westen nach Osten an der halbrunden Nordmauer entlang, und nach je einem Drittel deren Länge führten breite Treppen auf die Mauerkrone hinauf. Im inneren Hof befanden sich außerdem ein kleiner Brunnen und der Zugang in die Gewölbe der Feste Eternas. Die von Westen nach Osten verlaufende Nordmauer besaß keine Wehrtürme. Dafür war aber ihr Wehrgang mehrere Längen breit und bildete eine Plattform für mehrere Katapulte, die dort aufgestellt worden waren.

Nedeam und Larwyn gingen seitlich hinüber zu den Stallungen, die sich in der Mitte des Kreisbogens an der Mauer befanden. Nedeam glaubte für einen Moment, den alten Schmied Guntram bei einer der Waffen erkennen zu können, aber da hatte ihn Larwyn schon mit sich in den Stall gezogen.

„Wir suchen das Pferd dieses jungen Kämpfers hier", sagte Larwyn zu einem der Stallburschen.

Nedeam schien der Ton ihrer Stimme keineswegs spöttisch zu klingen, weshalb ihre Worte seine eigentlich eher magere Brust ein wenig schwellen ließen. „Stirnfleck hat einen weißen Fleck an der Stirn. Äh, und eine Tragetasche. Und ich hatte auch noch ein anderes Pferd dabei.“

Der Stallbursche nickte. „Eine weiße Stirn? Das steht da hinten im Stall. Zusammen mit dem anderen Pferd. Die Tragetasche steht da vorne. Wir haben den Hengst abgesattelt.“ Der Stallbursche sah Larwyn ein wenig vorwurfsvoll an. „Er hat versucht, mich zu beißen.“

„Hat er nicht“, erwiderte Nedeam. „Er wollte nur spielen. Hätte er Euch beißen wollen, dann könntet Ihr Euren Arm jetzt kaum noch bewegen.“

Der Stallbursche verkniff sich eine Erwiderung und führte Larwyn und Nedeam dann unverzüglich zu der abgestellten Tragetasche hinüber. Der Junge griff sofort in sie hinein und zog die seltsame Waffe der Orks und dessen Köcher aus ihr hervor. Die Augen des Stallburschen weiteten sich überrascht, aber Nedeam ignorierte ihn, und auch Larwyn sah ihrerseits keine Veranlassung, den Burschen über das seltsame Gerät aufzuklären.

Zwischen den Stallungen und den angrenzenden Gebäuden hindurch gingen sie über eine der breiten Treppen den runden Wehrgang hinauf, wo zwei Pferdelords Larwyn ehrerbietig zunickten und die junge Frau Nedeam zu einer der Schleudern führte, an der er jetzt tatsächlich den Schmied Guntram wiedererkannte. Guntram blickte kurz auf, erkannte Nedeam ebenfalls und verzog sein Gesicht zu einem Grinsen.

„Ah, mein Retter aus höchster Not. Nicht zufrieden mit der Schärfe meiner Schurklingen oder bringt Euch ein anderer Wunsch zum besten Schmied der Hochmark zurück?“

„Das hier“, entgegnete Nedeam und hielt dem Schmied die seltsame Waffe entgegen.

Guntram kniff seine Augen zusammen und nahm dem Zwölfjährigen die Waffe aus der Hand. „Ein quer liegender Bogen?“ Er betrachtete das Gerät, und seine Finger schienen jedes Teil daran genau zu erkunden. Mit einem Finger fuhr Guntram die Rinne des Griffstücks entlang und fragte dann: „Wisst Ihr, welches Geschoss dafür verwendet wird?“ Nedeam hielt ihm den blutbefleckten Bolzen entgegen. Guntram sah zuerst auf das Blut, dann musterte er Nedeam eingehend. „Und Ihr habt die Waffe gebracht?“

Der Zwölfjährige nickte. Guntram lachte gutmütig auf. „Man wird sie Euch wohl nicht freiwillig gegeben haben, junger Freund. Es scheint mir fast, Ihr führt eine scharfe Klinge.“

Larwyn räusperte sich. „Sein Vater wurde von den Orks getötet und seine Mutter mit dieser Waffe schwer verletzt.“

„Balwin ist tot?“ Guntrams Gesichtsausdruck verfinsterte sich. „Tut mir leid, das zu hören. Er war ein guter Pferdelord. Ja, das war er. Und Eure Mutter wurde hiermit angeschossen? Dann wollen wir mal sehen.“ Der Schmied konzentrierte sich und zuckte mehrmals mit den Achseln. „Eine typische Schlamperei der Orks. Keine Ahnung von wirklichem Handwerk. Seht her, Herrin, mit diesem Hebel an der Seite spannt man die Sehne des Querbogens. Seht ihr? So.“ Der Schmied legte einen eisernen Hebel an der Seite zurück, und ein Haken erschien in der Schiene, der die Sehne ergriff, sie nach hinten zog und dann einrastete. „Nun legt man diesen Metallpfeil in die Rinne und zielt.“

Der Schmied sah sich um und zielte kurz entschlossen auf einen Stützbalken des Haupthauses, der rund zwanzig Längen entfernt war. „Danach drückt man diesen Hebel nach vorne, der Haken verschwindet und …“

Es gab ein metallisch schnalzendes Geräusch, und man konnte den Flug des eisernen Bolzens mit bloßem Auge gut verfolgen. Er schien Nedeam langsamer als ein Pfeil zu sein, grub sich aber tief in den Stützbalken hinein. Guntram setzte die Waffe ab. Bedächtig schüttelte er den Kopf und ging dann zu dem Balken hinüber, gefolgt von Larwyn, Nedeam und einigen Wachen, die ebenfalls neugierig geworden waren.

„Nicht besonders zielsicher, Hohe Dame Larwyn. Aber auf kurze Distanz durchschlägt der Bolzen sicherlich jede Rüstung." Guntram zuckte die Achseln. „Selbst die meinen. Auf längere Distanz lässt sich wie gesagt allerdings schlecht damit zielen. Zudem scheint mir der Hebelmechanismus schwach und anfällig. Das Lager ist schlampig gebohrt und leiert. Typisch orkische Arbeit, dieser Querbogen."

Querbogen! Damit hatte nun die ungewöhnliche Waffe der Orks ihren Namen erhalten, und Larwyn musterte Schmied und Waffe aufmerksam. „Haltet Ihr die Waffe für eine große Gefahr, Guntram?"

Der Schmied kratzte sich am Kopf. „Unsere Bogen tragen weiter und sind schneller. Selbst wenn man den Mechanismus des Querbogens verbessert, was, wie ich erwähnen möchte, für mich eine Kleinigkeit wäre, könnte man mit unseren Kriegsbogen fünfmal so schnell und doppelt so weit schießen." Er kratzte sich erneut. „Allerdings, auf kurze Distanz … Wenn Ihr erlaubt, Hohe Dame, nehme ich den Querbogen einmal in meine Schmiede mit. Vielleicht lässt sich etwas Sinnvolles daraus fertigen."

Larwyn nickte. „Tut das, guter Herr Guntram. Mein Gemahl und die Pferdelords durchstreifen zur Zeit unser Land, und die Besatzung unserer Burg ist nur schwach. Ich möchte so gut wie möglich gerüstet sein, falls Gefahr droht."

„Natürlich, Hohe Dame", stimmte Guntram zu. „Ich werde mich sofort an die Arbeit machen."

Nedeam sah Larwyn zögernd an, und die Gemahlin des

Pferdefürsten nickte verständnisvoll. „Geht Ihr jetzt nur zu Eurer Mutter."

Als Nedeam die Krankenstube betrat, fand er Meowyn in der hinteren Kammer. Zu seiner Überraschung war sie bei Bewusstsein und sah ihn kurz an, als er ihre Hand ergriff. Aber sie war zu schwach, um zu sprechen, und schloss sofort wieder ihre Augen. In ihrem Gesicht zeigte sich Schmerz, aber sie hatte immerhin schon Kraft genug, um den Druck von Nedeams Hand zu erwidern. Für ihren Sohn war das in diesem Augenblick das schönste Geschenk, das er sich vorstellen konnte.

# 18

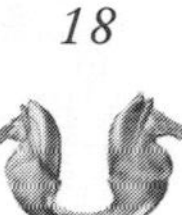

Der verborgene Pfad führte an den südlichen Ausläufern des Gebirges entlang nach Osten. Garodem hatte fast vergessen, wie schwer er zu passieren war. Der Pfad war an vielen Stellen so schmal, dass die Männer die Pferde führen mussten, und er führte oft an Steilhängen entlang, bei deren Anblick man leicht von der Furcht, in endlos scheinende Tiefen zu stürzen, erfasst werden konnte. Gelegentlich lösten sich auch Steine von den über ihnen befindlichen Hängen und stürzten herab. Dabei wurden einige Männer und Pferde verletzt, doch wie durch ein Wunder ging niemals eine größere Lawine ab, die sie allesamt in den Tod gerissen hätte. Dennoch mussten sie dem Weg vor sich und dem Hang über sich ihre volle Aufmerksamkeit schenken. Ab und an scheute einer der abgesessenen Reiter oder ein Pferd vor einer gefährlichen Stelle zurück, aber es gab keinen anderen Weg, den sie hätten wählen können, und so brachten die Pferdelords der Hochmark unter Flüchen und Beschwörungen Länge um Länge hinter sich.

Manchmal genossen sie einen fantastischen Ausblick über die Vorgebirge und einen Teil der Ebene, der sie entgegenstrebten. Manchmal konnten sie dagegen nur ein Stück des Pfades und einige der Männer und Pferde vor und hinter sich sehen. Der Boden war steinig und ab und an auch von Felsen blockiert, die auf den Pfad gestürzt waren. Nur wenige Männer konnten dann mit anpacken, um den schmalen Pfad wieder frei zu machen, aber irgendwie schafften sie es immer. Zwei ältere Schwertmänner gingen voran. Männer, die mit Garodem dereinst über diesen Pfad in die Hochmark gekommen waren und den Weg deshalb noch kannten. Und der Pferdefürst selbst musste sich eingestehen, dass es ihm alleine äußerst schwergefallen wäre, seine Männer ein zweites Mal durch das Gebirge zu führen.

Der Weg nahm mehr Zeit in Anspruch, als Garodem ursprünglich gedacht hatte. Zweimal mussten sie sogar auf ihm übernachten und verloren dabei zwei Männer, die im Schlaf vom Pfad gestürzt waren, und ein gutes Pferd. Vor allem der Tod der Männer war bitter, denn ihre Kameraden konnten ihnen nicht die letzte Ehre erweisen und würden ihrer später gedenken müssen.

Die Männer sprachen kaum miteinander. Zu sehr waren sie darauf konzentriert, nicht zu stürzen, zudem fiel manchem das Atmen schwer, denn der Pfad führte sie stellenweise in Höhen hinauf, die nur wenige von ihnen gewohnt waren. Trotz des Sommers fror es hier, und die grünen Umhänge der Pferdelords boten nur wenig Schutz vor dem Frost und dem schneidenden Wind, der hier wehte. Raureif bildete sich auf den Haaren der Männer und den Fellen der Pferde, und sie alle ahnten, dass das Verweilen auf diesem Weg den Tod bedeuten konnte.

Garodem setzte wie die anderen Fuß vor Fuß, und der ungewohnte Marsch ließ seine Füße schmerzen. Vielen der Pferdelords erging es ähnlich, und sie alle sehnten bereits den Augenblick herbei, an dem sie wieder ebenen Boden erreichen würden und sich erneut auf die Rücken ihrer Pferde schwingen konnten.

Garodem musste während des Marsches oft an seinen Bruder, den König der Pferdelords, denken.

Dreißig Jahreswenden lag es nun zurück, dass er sich mit ihm entzweit hatte. Wegen eines Weibes, das sie beide begehrt hatten. Garodem hatte damals geglaubt, nicht mehr ohne diese

Frau leben zu können, so sehr hatte er sie mit der ganzen Kraft seiner Jugend und seines Herzens begehrt. Als sie sich dann seinem Bruder zugewandt hatte, hatte Garodem nur noch den Wunsch verspürt, die Klinge zu ziehen und das Blut seines Rivalen zu vergießen. Das Blut des eigenen Bruders. Gerade rechtzeitig war er noch vor seinem Wahn zurückgeschreckt und zutiefst darüber erschrocken, wohin ihn sein Begehren für jenes Weib geführt hatte. Dennoch konnte er es nicht ertragen, mitansehen zu müssen, wie sein Bruder jenes Glück in den Armen des Weibes fand, das Garodem für sich selbst ersehnt hatte. Es gab nur einen Weg, für den er sich entscheiden konnte. Und so hatte Garodem eine Schar von Männern und Frauen um sich gesammelt, um eine neue Mark zu finden, in der ihn nichts mehr an diese Frau erinnern würde. Sein Bruder hatte kaum geahnt, was Garodem forttrieb, und es für jugendlichen Tatendrang gehalten. Also hatte er ihn ziehen lassen, und Garodem hatte nur für einen kurzen Moment in seinem Entschluss geschwankt, als es zum Abschied zwischen ihnen gekommen war. Doch dann hatte er wieder die Frau an der Seite seines Bruders gesehen und begriffen, dass er fortmusste.

Mit kaum vierhundert Männern und Frauen war er nach Norden gezogen, über die Grenze der Nordmark hinaus. Er wollte das Gebirge überqueren und nordwärts, an den versteinerten Wäldern vorbei ein neues Land finden. Eher zufällig war er auf die fruchtbaren Täler der Hochmark gestoßen und hatte sich hier niedergelassen. Diesen Schritt hatte er nie bereut, und in den Jahren des Aufbaus hatte er Larwyn kennen und lieben gelernt. Larwyn, die ihn endlich das andere Weib hatte vergessen lassen. Am Anfang war es wohl nur Verdrängung gewesen, so wie er alles zu verdrängen suchte, was ihn an seinen Bruder und dessen Frau erinnerte. Er hatte sogar das Wappen der Pferdelords verändert und das doppelte Pferdekopfsymbol des Reitervolkes mit dem Zeichen des Hammers ergänzt. Aber erst Larwyns unerschütterliche Liebe und die Tatsache, dass er ihr sein Herz öffnen konnte und ihre Liebe immer mehr zu erwidern begann, hatten ihm zu Bewusstsein kommen lassen, wie sehr ihm sein Bruder fehlte.

Natürlich wusste der Bruder von der Hochmark, denn Garodem und die Männer und Frauen der Mark waren Pferdelords und würden sich immer ihrem Volk und dem König verbunden fühlen. Außerdem hatte Garodem seinem Bruder die Lehenstreue geschworen, als dieser nach dem Tode des Vaters König geworden war, und er hatte die Kette der Signalfeuer vorbereiten lassen. Dennoch war jeder Kontakt zwischen ihnen geschwunden, und nun, auf seinem Marsch, wurde Garodem bewusst, dass dies von seiner Seite aus Scham geschehen war. Er schämte sich zutiefst für sein Verhalten, das ihm die Liebe des Bruders entzogen und das Volk der Hochmark in die Isolation getrieben hatte. Dieses Schuldbewusstsein ließ Garodem seine schmerzenden Füße vergessen und trieb ihn voran. Nie wieder würde er seinen Bruder im Stich lassen – schon gar nicht in Zeiten der Not.

Doch nun marschierten sie bereits den dritten Tag den engen Pfad entlang, der sich jetzt, endlich, seinem Ende näherte und in einen Taleinschnitt mündete, der die westliche Grenze der Nordmark des Königs bildete. Erleichtert führten sie ihre Pferde auf den ebenen Boden, der dicht mit Gras bewachsen war, und Garodem ließ die Truppe eine Pause einlegen.

„Eine kurze Rast für Pferd und Mann. Die Pferde sollen sich am saftigen Gras gütlich tun“, entschied der Pferdefürst.

Seufzend setzte er sich auf den Boden, und der Lanzenträger mit dem rechteckigen Wimpel Garodems trat herbei, um anzuzeigen, wo sich der Herr der Hochmark befand. Das grüne Tuch mit dem weißen Ross der Pferdelords flatterte im sanften Wind, der vom Gebirge herunterstrich, und ihnen allen erschien dies als gutes Omen. Jeder Pferdefürst und jeder Beritt führte die Farben seiner eigenen Mark an diesen Feldzeichen, und im hellen Sonnenlicht hob sich die dunkelblaue Einfassung der Hochmark deutlich von dem grünen Tuch des Pferdevolkes ab. Garodem winkte Kormund zu sich heran. „Sendet Kundschafter voraus, guter Herr Kormund. Sie sollen nach Bewegung spähen und nach Wasser. Die Pferde müssen saufen, und auch wir müssen unsere Feldflaschen wieder auffüllen. In einem halben Zehnteltag sollen sie zurück sein, dann werden wir weiterziehen."

Nicht jeder Mann war wirklich als Späher geeignet. Aber Kormund fand vier Männer, die hervorragende Jäger waren und die sich lautlos im Gelände bewegen konnten. Einige Hundertlängen vor dem Taleinschnitt gab es einen dichten Wald, hinter dem sich die große Ebene zum Land der Pferdelords öffnete. Die meisten Männer der Hochmark hatten noch niemals einen so dichten Wald gesehen und staunten nun über den dichten Wuchs der Bäume. Andere wiederum wurden von Wehmut erfüllt, unter ihnen auch Garodem, dem bewusst wurde, wie lange er diesen Anblick vermisst hatte. Weiter im Osten befanden sich die versteinerten Wälder, die sich die gesamte Länge des Gebirges entlangzogen und eine gewaltige Ausdehnung hatten. Garodem konnte sich erinnern, dass man sich schreckliche Dinge von diesen Wäldern erzählte, die riesig, dunkel und uralt waren. Mancher Mann sollte schon in ihnen verschwunden sein. Aber sie würden mit den versteinerten Wäldern nicht in Berührung kommen. Ihr Weg würde sie südlich an ihnen vorbeiführen.

Einige der Männer zogen ihre Stiefel aus. Scharführer Derodem sah es und trat zu ihnen. „Lasst sie an“, befahl er ihnen. „Uns allen tun die Füße weh. Sie sind geschwollen. Aber wenn ihr die Stiefel jetzt auszieht, werdet ihr nachher nicht mehr in sie hineinkommen und barfuß gehen müssen.“

Auch Garodem ließ seine Stiefel an und betrachtete missmutig ein Stück seiner rechten Schuhsohle, die sich abzulösen begann. „Wir sind Pferdelords“, seufzte er, als Kormund wieder zu ihm trat, „und keine Felskletterer. Für so etwas ist unser Schuhwerk nicht gemacht.“

Dann kamen die Späher zurück. Zumindest zwei von ihnen. Die Männer sahen das Banner des Pferdefürsten und ritten heran. „Wir haben den Wald durchquert, Hoher Lord, und einen Bachlauf gefunden, gleich hinter den ersten Bäumen. Die beiden anderen Kundschafter warten an der Baumgrenze. In der Richtung von Eodan ist Rauch zu sehen.“

Garodem runzelte die Stirn. Er wusste, was der Kundschafter damit zum Ausdruck bringen wollte. „Kein gewöhnlicher Rauch also.“

„Zu viel Rauch für ein paar Kochstellen oder den Brand eines einzigen Hauses, Herr.“

Kormund räusperte sich. „Bedenkt, dass die Häuser in Eodan aus Holz errichtet worden und nicht, wie die unseren, aus Stein sind. Dort gibt es also viel Holz, und schon ein einzelnes brennendes Haus mag viel Rauch erzeugen.“

„Zu viel Rauch“, beharrte der Kundschafter.

„Wir brechen sofort auf“, entschied Garodem. „Wir werden nur eine kurze Rast an dem Bachlauf einlegen, lange genug zum Füllen unserer Feldflaschen und zum Tränken der Pferde. Dann werden wir unverzüglich nach Eodan weiterreiten.“

Sie führten ihre Pferde in den Wald und zum Bachlauf, dann einen schmalen Pfad entlang, der zwischen den Bäumen sichtbar und offensichtlich von Wildtieren angelegt worden war, und gelangten dann am jenseitigen Waldrand mit ihren Pferden schließlich wieder ins Freie.

„Seht Ihr den Rauch, mein Hoher Lord?“, fragte der Kundschafter. Es war eine überflüssige Frage, denn sie alle konnten den Rauch, der dort aufstieg, wo Eodan liegen musste, jetzt mehr als deutlich sehen.

Der Wind kam aus Richtung der kleinen Stadt, und Garodem sog prüfend die Luft ein. Sie konnten den Rauch sogar bis hierher riechen, und es war allen klar, dass der Kundschafter mit seiner Bemerkung Recht gehabt hatte. Das konnte nicht nur Rauch von den Kochstellen der Stadt sein, das war der Rauch offenen Feuers. Und sein Ursprung schien sich genau dort zu befinden, wo auch die Stadt der Nordmark lag.

„Ja, entschieden zu viel Rauch“, knurrte Kormund grimmig. „Ich schätze, er kommt wirklich aus Eodan.“

„Ja, das denke ich auch“, stimmte Garodem zu. „Dort brennt mehr als nur ein Haus. Dort steht eine ganze Stadt in Flammen.“ Er strich nachdenklich über seinen dichten Bart. „Hölzerne Häuser, dicht an dicht stehend. Da greift ein Feuer rasch über. Mag sein, dass dort nur ein Brand außer Kontrolle geraten ist, es mag aber auch sein, dass die Orks dafür verantwortlich sind. So oder so braucht Eodan Hilfe. Wir werden zwei Zehnteltage brauchen, wenn wir scharf reiten.“

Garodem gab das Zeichen, und alle saßen auf. Sie trieben ihre Pferde zu schnellem Trab und spürten deutlich, wie begierig die Tiere waren, sich wieder richtig bewegen zu können. Staub begann über der Kolonne der hundert Reiter aufzuwirbeln, so dass die hinteren Männer kaum noch sehen konnten, was sich vor ihnen ereignete.

Scharführer Derodem trieb sein Pferd neben das des Pferdefürsten. „Der Wind steht auf uns zu, Herr, und der Rauch wird uns in der Nähe Eodans die Sicht auf das nehmen, was sich in der Stadt ereignet."

Garodem nickte. „Aber er nimmt einem möglichen Feind auch die Sicht auf uns. Man wird erst spät bemerken, dass wir uns nähern."

„Man wird uns hören."

Garodem schüttelte den Kopf. „Vielleicht werden sie das Beben des Bodens spüren. Aber das Feuer selbst macht großen Lärm, und wer auch immer in Eodan ist, wird mit Kämpfen oder Löschen beschäftigt sein."

Der Beritt der Pferdelords erreichte einen sanften Hügel, der oberhalb von Eodan lag. Garodem hob seine Hand, und die Männer hielten an. Automatisch bildeten sie eine breite Angriffslinie aus zwei Gliedern und starrten auf Eodan hinunter, das nur wenige Hundertlängen vor ihnen lag.

Garodem musterte das Bild, das sich seinen Augen bot. Eine ganze Schar Pferdelords und eine Menge Orks lagen tot am Fuße des Hügels, zwischen ihnen immer wieder die Kadaver von Pferden. Grimm erfüllte die Männer, als sie den Wimpel eines Beritts erblickten, auf dem der Kopf eines Mannes steckte.

„Sie haben gekämpft", sagte der Pferdefürst und wies über die Kampfstätte. „Wir werden den Wimpel ihres Beritts zum Feind tragen, Männer der Hochmark." Er winkte Kormund und Derodem zu sich. „Die Stadt ist wie Eternas rundherum von Feldern umgeben. Eher eine der kleinen Städte, mehr eine Ortschaft, wie man sie in den Marken findet. Seht ihr? Überwiegend hölzerne Häuser, die dicht an dicht stehen und sich in der Einfriedung des Ortes drängen. Von einem Palisadenwall aus angespitzten Pfählen umgeben, über die sich einzelne hölzerne Beobachtungstürme erheben. Seht ihr das Feuer? Es breitet sich über den westlichen Teil der Stadt aus."

„Der uns zugewandte Stadtrand brennt", bemerkte Kormund wütend. „Es finden keine Löschversuche statt, soweit ich sehen kann. Auf dem Wall ist keinerlei Bewegung, aber ich höre den Lärm des Kampfes. Wir kommen noch nicht zu spät, mein Herr. Die Männer Eodans kämpfen noch."

„Wie viele Orks, schätzt Ihr, sind es?"

„Keine Ahnung, mein Herr. Vielleicht ist ganz Eodan voll von ihnen. Dem Lärm nach zu schließen, schätze ich, dass eine ganze Menge von ihnen in die Stadt eingedrungen sein muss."

Garodem dachte an die Frauen und Kinder von Eodan. „Dann lasst uns eilen. Unsere Ehre wäre beschmutzt, wenn wir nicht versuchen würden, so viele Einwohner wie nur möglich zu retten."

Kormund und Derodem nickten schweigend, und der Bannerträger und die Pferdelords hinter ihnen ließen ein zustimmendes Gemurmel hören.

„Eodan ist von Wällen umgeben. Ungefähr mannshoch geschichteter Lehm, angeschrägt, aus dem angespitzte Pfähle aufragen. Ungefähr zwei Längen hoch. Wir können ihn mit unseren Pferden nicht überspringen", sagte Garodem und wies auf die brennende Stadt. „Der Südwall ist teilweise zusammengebrochen, aber man kann an den Trümmern erkennen, dass dort innen an der Pfahlreihe ein Wehrgang entlangführt. Auch der Ostwall ist schwer beschädigt. An beiden Wällen scheinen Brände getobt zu haben. Aber die Pfähle qualmen kaum noch, weshalb ich vermute, dass diese Feuer schon mindestens ein oder zwei Tage alt sind."

„Aber noch immer wird gekämpft", stimmte Derodem ihm zu. „Und möglicherweise hat der entscheidende Angriff gerade erst begonnen."

Garodem spürte, dass Eile geboten war und dass seine Männer nicht verstanden, warum er noch zögerte. Aber er wollte sie zum Sieg und nicht in ihren Untergang führen. „Wir müssen vom Süden her kommen, wo der Wall eingebrochen ist. Dort können wir ihn überwinden." Er wandte sich im Sattel um und blickte die Reihen der Männer entlang. „Wir müssen schnell in die Stadt eindringen, aber dort wird der Kampf zwischen brennenden Häusern stattfinden, und die Pferde werden vor dem Feuer scheuen. Also müssen wir bereits am Wall absitzen und diesen zu Fuß überwinden. Ihr kennt unsere Stadt Eternas. Auch in Eodan wird es enge Gassen geben. Bleibt daher in kleinen Gruppen zusammen, lasst euch in keinem Fall voneinander trennen. Der Feind wird auch in den Häusern sein. Stellt sicher, dass er euch nicht in den Rücken fallen kann."

Garodem wies auf den zweiten Scharführer des Beritts. „Derodem, Ihr dringt mit Eurer Schar durch die Palisade ein und schwenkt dann nach rechts, Kormund wird das Gleiche auf der linken Seite tun. Der Rest folgt meinem Banner in der Mitte." Garodem zog sein Schwert aus der Scheide und zeigte mit der Spitze nach Eodan. „Schneller Ritt …"

„… und scharfer Tod." Dieses Mal kam die Erwiderung aus vollen Kehlen, und sie alle waren begierig, den Männern und Frauen in Eodan endlich Hilfe bringen zu können.

Sie trieben die Pferde in rasendem Galopp den Hügel hinunter. Einer der Reiter nahm im Ritt den Wimpel Eodans mit seiner grausigen Trophäe auf, ließ den Schädel des Mannes zu Boden fallen und richtete dann die Lanze wieder auf. Auf den Feldern südlich vor der Stadt sahen sie einzelne Orkkadaver, doch keine toten Männer oder Frauen. Eodan schien noch rechtzeitig vor dem Angriff gewarnt und nicht überrascht worden zu sein. Das dem Hügel zugewandte Feld war verbrannt, und überall lagen die verschmorten Leiber toter Bestien. Die Bewohner hatten sich demnach rechtzeitig hinter den hölzernen Wall zurückziehen können und den Orks heftigen Widerstand geleistet. Doch nun war der Wall durchbrochen, und der Kampf tobte zwischen den brennenden Häusern.

Er war noch nicht vorbei. Garodem sah mit grimmiger Zufriedenheit, dass noch immer Waffen bei den toten Orks lagen, und die Bestien hätten diese im Falle ihres Sieges und einer daran anschließenden Plünderung niemals zurückgelassen. Der Beritt preschte den Wall entlang. Garodem sah einen Ork hinter der Palisade auftauchen, der überrascht auf die Reiter starrte, die vor ihm aus den Rauchschleiern, die über Stadt und Land trieben, auftauchten. Doch noch bevor die Bestie einen Alarmschrei ausstoßen konnte, war sie schon von mehreren Pfeilen der Pferdelords getroffen worden, stürzte leblos nach hinten und entschwand Garodems Blick.

Sie erreichten die breite Lücke im südlichen Wall, wo offensichtlich wurde, wie erbittert hier gekämpft worden war. Mehrere Dutzend Orks lagen leblos auf dem Boden vor der Palisade, und direkt in der Lücke, die in sie hineingeschlagen worden war, lagen Menschen und Bestien übereinander.

„Vorwärts, ihr Männer der Hochmark“, brüllte Garodem erregt, schwang sich von seinem Pferd und zog den runden Schild der Pferdelords vom Sattelknauf. „Tötet die Bestien.“

„Tod! Tod!“, erwiderten die Männer und folgten dem Pferdefürsten in die Lücke.

An einigen der angekohlten Pfähle waren noch die Überreste verbrannter Lederriemen und Taue zu erkennen. Die Orks mussten sie über die Spitzen der Wehrpalisade geworfen haben, um diese einzureißen, was ihnen auch gelungen war. Wenn auch unter starken Verlusten. Doch nun würden die Orks einem neuen und unerwarteten Feind begegnen.

Rauchschwaden alter Brände und frischer Feuer, die aus dem Stadtinneren kamen, deckten den Vormarsch der Truppe. Aber der Rauch nahm den Männern den Atem, und ihr Kampfgeschrei verstummte.

Aber nachdem sie durch die Lücke hindurch waren, wurde der Rauch noch dichter und nahm ihnen nicht nur die Luft, sondern auch jegliche Sicht auf das Geschehen. Hustend und mitunter halb blind, so sehr tränten ihnen die Augen, beeilten sich die Soldaten, den Wall zu überqueren, und hasteten an getöteten Verteidigern und Angreifern vorbei. Garodem fiel dabei auf, dass sich auch einige bewaffnete Frauen unter den Toten befanden, was ihm zeigte, dass es auch in der Nordmark noch einige Frauen der Pferdelords verstanden, wie ihre Männer zu kämpfen und notfalls auch zu sterben.

Zwischen dem Stadtwall und den ersten Häusern war nur ein schmaler Streifen von wenigen Längen, und hier traf die Truppe auf den zweiten Ork, der entweder Wache gestanden hatte oder plündern wollte. Garodem nickte nur zufrieden, als ein Dutzend Pfeile die Bestie fast gleichzeitig trafen.

Wie sie erwartet hatten, standen die Häuser dicht an dicht und ließen nur schmale Gassen frei. Fast geräuschlos bewegten sich die Männer der Hochmark vorwärts. Unter allen Umständen wollte Garodem verhindern, dass seine Truppe aufgesplittert und einzeln niedergemacht wurde. So gab er seinen Männern nochmals Zeichen, kleine Trupps zu bilden und zusammenzubleiben. „Achtet darauf, dass jede Gruppe ein paar Bogenschützen hat. Wenn Bestien in den Häusern sind, werden sie wohl von oben aus den Fenstern herausschießen."

Die Pferdelords begannen nun in die engen Gassen einzudringen. Voran gingen stets die Männer mit Schwert, Axt oder

Lanze und schützend erhobenem Schild, hinter ihnen kamen die schussbereiten Bogenschützen. Diese Trupps würden nun langsam durch die Gassen vorrücken, wobei einzelne Kämpfer in die erreichbaren Eingänge eindringen und die Häuser durchsuchen würden. Sie sollten dadurch verhindern, dass sich die Bestien im Rücken der Truppe sammeln konnten. Man würde langsam vorrücken, obwohl die Zeit drängte, aber für Garodem war die Sicherheit seiner Männer in diesem Moment das allerwichtigste Gebot.

So drangen die Männer trotz ihrer Ungeduld nur langsam vor. An jeder Ecke würden sie warten, bis die anderen Trupps auf gleiche Höhe zu ihnen aufgeschlossen hätten, und dann miteinander weiter vorrücken. Es war ein langsames und nervenaufreibendes Vorgehen, und stets war man darauf gefasst, plötzlich dem Feind zu begegnen.

Garodem wunderte sich, wie wenige Geräusche zu hören waren. Nur gelegentlich vernahm man einen Schrei, Waffenlärm oder das Zischen eines Pfeils, und der Pferdefürst begann schon zu befürchten, dass die letzte Verteidigung der Stadt zusammengebrochen war und die siegreichen Bestien nun Jagd auf die letzten Überlebenden machten. Ein Gedanke, der ihm ganz und gar nicht gefiel.

„Wir haben gerade zwei Spitzohren erwischt, als sie aus einer Gasse kommen wollten", meldete ein Schwertmann mit zufriedenem Gesicht, der allen Grund hatte, stolz zu sein, denn ihre Aktion war vollkommen lautlos abgelaufen, ohne dass Garodem etwas gehört hatte.

„Der Kampf scheint im Zentrum stattzufinden. Dort wo sich die Versammlungshalle befindet. Sie steht auf einem weiten Platz, und die freie Fläche zu den anderen Häusern bietet dort ein gutes Schussfeld. Hier werden sich die Bewohner Eodans zum letzten Widerstand vereinigt haben." Garodem sah die Männer seines Trupps an. „Uns bleibt keine Zeit mehr. Wir müssen nun eilen. Vorwärts jetzt, blast das Horn, ihr Männer der Hochmark, zeigt den Bestien, dass der Tod zu ihnen kommt."

Es blieb tatsächlich keine Zeit mehr für ein vorsichtiges Vorrücken, denn die Sorge um die letzten Verteidiger Eodans trieb sie vorwärts. Einer der Männer hinter Garodem hob das metallene Horn der Hochmark an seine Lippen, und schon brach sich sein fordernder Klang zwischen den Gebäuden. Sie hasteten durch leere Gassen, ignorierten den Pfeil, den ein überraschtes Spitzohr aus einem Haus auf sie abschoss, und näherten sich rasch dem Zentrum der kleinen Stadt. Nun endlich hatten sie den Feind vor sich. Ganze Gruppen von Orks kauerten an den Ecken der Gassen, die auf den freien Platz mit der Versammlungshalle hinausführten.

„Für den König und die Hochmark", schrie Garodem lauthals und reckte die Klinge seines Schwertes gegen den Feind.

Pfeile zischten und warfen aufbrüllende Orks leblos in ihre verwirrten Gruppen zurück, die völlig überrascht waren und nicht mit einem Angriff von hinten gerechnet hatten. Nur ein oder zwei Pfeile fauchten Garodems Gruppe ungezielt entgegen, dann waren die Männer der Hochmark auch schon zwischen den Bestien.

Garodems Schwert schnitt durch den Hals einer Bestie, für einen Sekundenbruchteil stand der leblose Rumpf noch aufrecht, bevor er stürzte, während die Klinge des Pferdefürsten schon die Brust des nächsten Feindes durchbohrte. Rechts und links von ihm stießen und hackten die Waffen seiner Pferdelords, und gelegentlich zischte auch ein Pfeil, wenn ein Bogenschütze ein gutes Ziel fand. Man hörte Schreie und Kampflärm aus den anderen Gassen, wusste, dass die Pferdelords nun überall in Kämpfe verwickelt waren. Die Männer hieben im Kampfrausch um sich, ihre Rufe mischten sich mit dem Gebrüll der Orks und dem sonstigen Lärm des Kampfes. Garodem hörte einen dumpfen Schrei, als ein Lanzenkämpfer hinter ihm von einem Axthieb getroffen wurde, der ihm das Gesicht zerfetzte und ihm ins Hirn drang. Garodems Klinge hatte das Rundohr bereits getötet, noch bevor der tote Soldat mit letzten Zuckungen zu Boden fiel, und er selbst wandte sich erneut nach vorne, das bluttriefende Schwert kampfbereit, aber die feindliche Gruppe war bereits getötet. In einem einzigen, wilden Ansturm überrascht und überrannt worden.

Garodem spürte einen Schlag gegen seinen Schild, den er am Arm hielt, und blickte instinktiv nach oben in die Fensteröffnung eines Hauses, wo soeben ein Ork erneut auf ihn zielte.

„Säubert die Häuser“, brüllte er laut.

Männer stürmten die Gebäude, während die Bogenschützen versuchten, die Spitzohren niederzuhalten. Die Verluste auf beiden Seiten stiegen. Denn die zuvor durch Schilde geschützten Männer waren nun in den Häusern und konnten die Bogenschützen auf der Straße nicht mehr mit ihren Schilden decken. Diese wiederum kauerten sich entlang der Hauswände, zielten jeweils auf die Gegenseite und versuchten schneller zu sein als der Feind. Doch immer wieder brach ein Schütze tot oder verwundet zusammen, und die Verluste der Pferdelords stiegen bedenklich. Sobald der Pfeilbeschuss aus einem Haus schwächer wurde oder verstummte, wusste Garodem, dass seine Männer den Feind gestellt hatten. Dennoch war er mehr als einmal versucht, selbst in ein Haus einzudringen, unterließ es aber jedes Mal, denn er wusste, dass er dann den Kontakt zur Truppe und die Übersicht über das Geschehen verloren hätte.

Als einige Pferdelords eines der Häuser verließen, trat der leicht verwundete Kormund zu Garodem heran. „Es geht schlecht voran, mein Herr. Ich habe zwei Männer verloren. Die Räume in den Häusern sind eng, und es lässt sich nur schlecht darin kämpfen."

Garodem überlegte nur kurz. Ja, es war ein Fehler gewesen, in den Häusern zu kämpfen. „Zieht euch aus den Häusern zurück und legt Feuer. Wir räuchern die Bestien aus", befahl er. „Gebt den Befehl an alle Gruppen weiter."

Unter weiteren Verlusten zogen sich die Kämpfer der Hochmark zurück und legten Brände in den von Orks besetzten Häusern. Die Bestien merkten rasch, welche Gefahr ihnen drohte, und noch bevor die Feuer sich ausweiteten, brachen sie hervor. Aber die Männer der Hochmark waren darauf vorbereitet. Als die von Qualm und Hitze bedrohten Orks aus den Eingängen und Fenstern der Häuser heraussprangen, wurden sie von Pfeilen und stoßbereiten Klingen empfangen. Ihr Schicksal war rasch besiegelt, während die grimmigen Pferdelords dieses Mal nur wenige Verluste erlitten. Schließlich legte sich der wütende Kampflärm ganz, über das Prasseln der Feuer erhob sich das Stöhnen der Verwundeten, und aus den Gassen zwischen den brennenden Häusern traten die siegreichen Männer der Hochmark hervor.

„Kormund, teilt die Männer dazu ein, die Verwundeten und Gefallenen herbeizuholen, damit diese versorgt werden können", befahl Garodem und wandte sich dem anderen Scharführer zu, der seine blutige Streitaxt als Stütze verwendete. „Und du, Derodem, verlasse die Stadt und hole die Pferde vor das Haupttor. Wir werden Eodan so schnell wie möglich verlassen. Die Stadt ist nicht mehr zu retten."

Erst jetzt wandte sich Garodem dem großen Versammlungshaus in der Mitte des Platzes zu. Dort öffnete sich nun das große Tor der Halle, und mit ungläubigen Gesichtern drängten die Überlebenden der Stadt heraus, überwältigt von der unerwarteten Wendung, die der Kampf genommen hatte. Laute der Freude brandeten auf, als sie ihre Rettung begriffen. Doch Garodem starrte wie gebannt auf zwei Männer und zwei Frauen, die das Banner der Hochmark über Garodem gesehen hatten und nun auf ihn zukamen.

„Seid gegrüßt, Hoher Lord", sagte eine der Frauen mit sanfter Stimme. „Eure Hilfe kam zur rechten Zeit. Ich bin Leoryn, aus dem Hause Elodarions, und dies sind mein Bruder Lotaras und die Hohe Frau Jasmyn vom Hofe des Königs, mit ihrem Begleiter Beomunt."

Eine Elfin. Eine Elfin und ein Elf. Nur ein einziges Mal in seinem Leben, als kleines Kind, hatte Garodem am Hofe des Vaters einen Elf gesehen, und nun standen gleich zwei dieser sagenumwobenen Wesen vor ihm. Beide waren von schlanker und vollendeter Gestalt und einer blassen Haut, die im krassen Gegensatz zur Bräune der Pferdelords stand. Und beide hatten glattes weißblondes Haar. Leoryn, die elfische Frau, trug ein langes fließendes Gewand aus zartblauem Stoff, in das verschlungene Muster gewoben waren. Ein blauer Umhang, der am Hals von einer gleißenden Spange geschlossen war, umhüllte ihre Schultern. Der Mann neben ihr trug einen silbernen Harnisch über einem hellen Gewand, einen dunkleren Umhang, der bis zu seinen Füßen hinabreichte, und einen silbernen Helm mit einer goldenen Figur, die vorne aufragte und in einer erblühenden Lilie endete. Garodem starrte wie gebannt auf die spitzen Ohren der beiden Elfen.

„Pferdefürst?" Der Begleiter der zweiten Frau, die unzweifelhaft schön, doch eine Tochter des Landes der Pferdelords war, sah Garodem auffordernd an.

„Verzeiht meine Unhöflichkeit", meinte Garodem verlegen. „Aber ich habe nicht damit gerechnet, Elfen in Eodan anzutreffen. Ich bin Garodem, Herr der Hochmark des Königs."

„Und unzweifelhaft ein rechter Pferdelord", sagte die Elfin freundlich. „Ich habe von der Mark der Berge gehört, Garodem, und ich kann Euer Erstaunen verstehen. Doch nun scheint mir nicht die Zeit für lange Erklärungen, Garodem, Pferdefürst. Die Verwundeten müssen versorgt werden."

Die elfische Frau schritt an Garodem vorbei zu den Männern der Hochmark, die sie ebenso ungläubig ansahen wie ihr Pferdefürst vor ihnen. Der Elf lächelte unmerklich. „Meine Schwester Leoryn ist eine ausgezeichnete Heilerin."

„Verstehe", erwiderte Garodem und räusperte sich. Er folgte mit den Blicken der anmutigen Frau, die sich zu einem schwer verwundeten Kämpfer hinabbeugte.

Der Verletzte sah die Elfin mit großen Augen und schmerzverzerrtem Gesicht an. „Die ... die Goldenen Wolken", stammelte er und glaubte wohl, bereits schon an der Pforte zum nächsten Leben zu stehen.

Die Elfin lächelte sanft. „Nein, guter Herr Pferdelord, damit hat es für Euch noch etwas Zeit."

Ohne Scheu und mit sachkundigen Händen begann Leoryn nunmehr nach den Verletzten zu sehen und gab den Männern der Hochmark dabei mit ruhiger Stimme Anweisungen, welche diese seltsam scheu, aber umgehend ausführten. Garodem räusperte sich erneut und wandte seinen Blick dann wieder dem Elfen und den beiden Menschen zu. „Eodan muss geräumt werden. Wir haben die Stadt zwar eingenommen und den Feind besiegt, aber die Feuer sind nicht mehr zu löschen."

Beomunt, der Begleiter der Hohen Frau Jasmyn, sah Garodem ironisch an. „Wozu Ihr auch noch Euren Anteil beigetragen habt.“

Garodems Gesicht rötete sich ein wenig, denn in Beomunts Stimme schwang Kritik mit.

„Ruhig.“ Die Hohe Frau Jasmyn legte ihre Hand auf den Arm des Mannes. „Jetzt ist nicht die Zeit untereinander zu streiten, ihr Herren. Zu viele Menschen sind gestorben und weitere werden sterben, wenn wir nicht handeln.“

„Ihr habt recht, Hohe Frau Jasmyn“, sagte Garodem und reckte sich. Noch immer hielt er das blutige Schwert in seiner Hand und räusperte sich nun ein drittes Mal.

„Der Rauch der Feuer wird immer dichter, und er wird weithin sichtbar sein. Wenn noch weitere Orks in der Nähe sind, werden sie kommen, um zu sehen, was es hier noch zu holen gibt.“ Garodem wies auf die Bewohner der Stadt, die nun, nach der ersten Freude über den Sieg versuchten, in den Gassen und Häusern der Stadt nach ihren vermissten Angehörigen zu suchen. „Sie werden keinen Überlebenden mehr finden. Wir haben bereits alle Häuser durchsucht.“ Garodem hob die Stimme. „Kormund, die Leute sollen von den Häusern fernbleiben.“ Er sah sich um. „Wer ist der Älteste, der über die Leute Eodans bestimmen kann? Sie müssen zusammenpacken und ihre Stadt sofort verlassen.“

„Sie werden meinem Wort folgen“, knurrte Beomunt. „Der Älteste ist tot und mit ihm die meisten Bewohner und auch die meisten Männer meiner Schar.“ Der Schwertmann des Königs nahm seinen Helm ab, und eine dichte blonde Haarmähne kam zum Vorschein, als er sich den Schweiß von der Stirn wischte. „Im Versammlungshaus lagern ein paar Vorräte, die wir bei Beginn des Angriffes dort einlagerten. Aber es sind nicht viele, und sie werden auch nicht lange reichen, selbst wenn nur knapp vierhundert Seelen den Überfall überlebt haben. Ich werde mich nach ein paar Karren umsehen, auf die wir die Vorräte laden können." Er prüfte die Luft. „Der Rauch treibt westlich. Ich werde die Leute und Vorräte am Nordtor sammeln lassen."

„Und rasch, wir haben nicht viel Zeit", fügte Garodem hinzu.

Beomunt sah ihn mit zusammengekniffenen Augen an. „Das braucht Ihr mir nicht zu sagen, Garodem, Pferdefürst. Ich weiß wohl, was zu tun ist. Seht Ihr nur zu, dass Ihr Eure Männer aus der Stadt bekommt."

Garodem wollte seinerseits zu einer scharfen Erwiderung ansetzen, doch Jasmyn trat zwischen die beiden Männer und lächelte Garodem an. „Wir werden eine Zuflucht für uns suchen müssen, Hoher Lord Garodem."

Lotaras, der Elf, nickte zu ihren Worten. „Der Weg nach Süden und Osten ist uns versperrt. Wir waren auf dem Weg in die Königsmark und trafen dabei auf große Horden von Orks, die ebenfalls dorthin marschierten. Mit den Frauen und Kindern ist es uns unmöglich, ihre Reihen zu durchbrechen."

Garodem hustete und trat mit den anderen ein Stück zur Seite, als der Rauch noch dichter wurde. „Die Hochmark wird den Treueid am König erfüllen und ihm beistehen."

„Wohl gesprochen, Pferdelord", sagte Jasmyn. „Aber Ihr könnt dem König jetzt nicht beistehen. Nicht jetzt, denn damit würdet Ihr die Bewohner Eodans zum Tode verurteilen."

„Der Weiße Zauberer im Hammerturm wird euch Schutz gewähren. Ich selbst werde euch zu ihm geleiten und danach dem König zu Hilfe eilen."

„Der Weiße Zauberer im Hammerturm ist der Dunklen Macht des Schwarzen Lords erlegen", seufzte Jasmyn. „Die Horden, die durch die Lande streifen, tragen seine Zeichen."

„Das ist nicht möglich." Garodem erblasste. „Der Weiße Zauberer war immer ein Freund der Menschen."

„Nun ist er ein Freund des Dunklen Turmes", sagte die Hohe Frau lakonisch. „Glaubt mir, Garodem, Ihr werdet im Hammerturm keine Hilfe mehr finden. Nur Feinde und Tod. Überhaupt wundert es mich, dass man Euch nicht bereits getötet hat, als Ihr von der Hochmark gekommen seid."

„Wir kamen nicht über den Hammerturm. Unser Weg führte uns weit daran vorbei."

„Dann führt uns auf diesem Weg in Eure Mark", sagte Jasmyn eindringlich. „Dort werden die Frauen und Kinder Schutz finden, falls die Orks nicht schon längst ihren Weg zu Euch in die Hochmark gefunden haben."

„Eine kleine Horde hat uns wohl schon gefunden", sagte Garodem und lächelte Jasmyn dabei an. „Aber sie wird niemandem mehr davon berichten können."

Auch Jasmyn lächelte nun. „Ein wahrer Pferdelord." Dann wurde sie wieder ernst. „Ihr müsst uns in Eure Hochmark führen, Garodem, Pferdefürst. Die Männer, Frauen und Kinder Eodans werden sonst nicht überleben. Ihr müsst ihnen Euren Schutz gewähren."

Garodem nickte zögernd. „Nun gut, so sei es."

Sie verließen Eodan durch das Nordtor, und Garodem sah voller Zorn auf die zahlreichen Verwundeten, die hier noch immer versorgt wurden. Ein paar Pferdegespanne waren mit Vorräten beladen worden.

„Mit den Wagen kommen wir nicht über den Pfad", sagte Derodem, der mit grimmigem Gesicht vor Garodem hintrat. „Ich habe es schon diesem Beomunt gesagt, aber der Kerl will nicht auf mich hören." Derodems Hand schloss sich um den Griff seines Schwertes. „Der Narr kennt die Berge nicht und auch nicht den Pfad. Die Wagen müssen hierbleiben."

Garodem legte dem Scharführer beschwichtigend die Hand auf den Arm. „Auch mit den vielen Verwundeten werden wir nicht über den Pfad kommen, guter Herr Derodem. Sollen wir sie deshalb ebenfalls zurücklassen?"

Derodem errötete und schüttelte den Kopf. „Nein, natürlich nicht. Also werden wir den Weg über Hammerturm nehmen, mein Herr?"

„Es behagt mir nicht, aber wir haben keine andere Wahl." Garodem erblickte Beomunt, der neben einem der beladenen Wagen stand und gerade ein paar Männer anwies, die Schwerverletzten auf die Ladungen zu heben. Beomunt sah zu Derodem herüber, und man konnte spüren, dass die beiden Männer sich feind waren, und Garodem hoffte nur, dass der unterschwellige Streit zwischen den Männern nicht zu offener Feindschaft werden würde. Er nahm sich vor, mit beiden zu sprechen. Aber das musste vorerst noch warten. „Die Wagen werden schwer beladen und daher langsam sein. Es wird Zeit brauchen, Hammerturm zu erreichen, und wir wissen noch immer nicht, was uns dort erwarten wird." Der Pferdefürst stieß einen missmutigen Laut aus. „Wir werden uns also mit all der Last und den Schwachen und Verwundeten am Turm des Zauberers vorbeischleichen müssen."

Kormund trat heran und lachte trocken. „Kann man sich denn überhaupt an einem Zauberer vorbeischleichen?"

„Wir werden sehen, alter Freund, wir werden sehen." Garodem blickte nach Osten. „Ich denke, selbst er wird einmal schlafen müssen."

„Wir haben noch sechzig kampffähige Männer", berichtete Kormund. „Die etwas leichter Verwundeten, die noch reiten können, mit eingerechnet. Dazu ein paar Dutzend Männer aus

Eodan, die gut mit dem Bogen umgehen können. Das sind nicht genug, um einen schwerfälligen Zug von über vierhundert Männern, Frauen und Kindern zu eskortieren. Die Verwundeten, die Alten und die Kinder werden uns zudem aufhalten. Wenn wir Glück haben, werden wir die Furten des Flusses Eisen in zwei Tagen erreichen."

„Ein wenig Glück kann tatsächlich nicht schaden", seufzte Garodem und schwang sich auf sein Pferd.

Lotaras, der Elf, trat an ihn heran. „Wenn Ihr ein Pferd für mich übrig habt, werde ich vorausreiten. Meine elfischen Augen sehen weiter und besser als die Euren."

Garodem wies hinter sich. „So nehmt Euch ein Pferd, guter Herr Lotaras. Manch einer unserer Sättel ist nun leer, und so werdet Ihr sicher ein gutes Tier finden. Könnt Ihr reiten?"

Der Elf sah den Pferdefürsten einen Moment lang irritiert an. Dann ging er zu den Pferden hinüber, deren Reiter gefallen oder zu schwer verletzt waren, um noch reiten zu können, und schwang sich auf eines der Tiere.

„Er scheint etwas von Pferden zu verstehen", murmelte Kormund. „Er hat das Beste gewählt."

„Ja", bestätigte Garodem und musste lächeln, als der Elf an ihnen vorbei zur Spitze preschte. „Und reiten kann er auch."

## 19

In der Zwischenzeit hatten die Männer Tasmunds vor dem Pass weitere Steine auf den Haufen geschichtet, der die toten Orks dort bedeckte. Doch die Kadaver verwesten, und der zunehmende Gestank drang auch zwischen den Lücken der neu aufgeschichteten Steine hervor.

„Wir hätten die Biester verbrennen sollen“, murrte einer der Pferdelords.

„Wollt Ihr etwa das dafür nötige Holz heranschleppen oder Öl und Fett aus Eternas holen gehen, guter Herr Mortwin?“, fragte Tasmund lakonisch. Er ging ein paar Schritte, um aus dem Wind und dem gröbsten Gestank herauszukommen. Der Geruch des Todes war immer schlimm, aber nichts war mit dem Gestank der verrottenden Orkkadaver zu vergleichen. Die Männer, die noch immer Steine anschichteten, hielten sich die Säume ihrer grünen Umhänge vor die Nasen, doch selbst das half kaum.

„Nicht mehr lange, und man wird es bis nach Hammerturm riechen können“, nörgelte Mortwin erneut.

Tasmund kniff die Augen zusammen und hob den Arm, um sie besser vor der grellen Sonne schützen zu können. Weit unter sich konnte er ein Stück der alten Handelsstraße einsehen, die von Süden am Hammerturm vorbei und ins Gebirge führte. Kurz vor dem Pass zweigte sie nach Nordwesten, ins Dünenland ab, das einst den Pferdelords gehört hatte und das nun von Barbaren beherrscht wurde.

„Wirklich“, setzte der nörglerische Pferdelord nach. „Der Weiße Zauberer selbst wird es riechen.“

„Vielleicht hat man es ja bereits gerochen." Tasmund trat noch ein Stück weiter vor den Pass. Undeutlich sah er den großen Turm des Weißen Zauberers und die weiten Ebenen, die ihn umgaben, in der Ferne. Gelegentlich konnte er auch Dunst ausmachen, aber es war nicht zu erkennen, ob es sich um Nebel oder Rauch handelte, der in den Marken des Königs aufstieg. Doch das dort unten, auf der alten Handelsstraße, die zur Hochmark heraufführte, das war kein Dunst oder Rauch. Etwas Dunkles bewegte sich dort. Langsam und scheinbar unaufhaltsam kroch es die Straße herauf.

Der Nörgler trat an Tasmund heran. „Wie meint Ihr das?"

Der Erste Schwertmann wies in die Tiefe. „Seht Ihr das, guter Herr Mortwin? Die Bewegung auf der Straße dort unten? Viel zu massiv für ein paar Händler und viel zu dunkel für Männer der Mark."

Mortwin räusperte sich nervös. „Orks?"

Tasmund zuckte die Achseln. „Es ist ganz sicher nicht das Grün der Pferdelords, mein Freund. Und auch nicht das Rot und Braun, Silber und Gold ihrer Rüstungen. Das dort unten ist bei Weitem dunkler. Mir scheint, es sind die schwarzen Rüstungen der Bestien. Aber es sind nicht viele. Lasst sie erst einmal näher kommen, und dann werden wir sehen, wer da kommt, um uns einen Besuch abzustatten." Er wandte sich wieder in Richtung des Passes und legte die Hände vor den Mund. „Habt Acht, ihr Pferdelords. Es mag sein, dass wir bald auf Orks treffen werden. In einem oder zwei Zehnteltagen werden sie da sein."

„Dann wird es aber langsam dunkel", meinte Mortwin unbehaglich.

Tasmund grinste ihn an und schlug ihm aufmunternd auf die Schulter. „Nun, dann werden wir wohl nicht mehr lange

Licht zum Kampf haben, mein Freund. Ein Grund mehr, unsere ungebetenen Gäste rasch wieder loszuwerden."

Der Nörgler blickte auf die Straße hinunter, doch der dunkle Fleck war nun hinter einer Biegung verschwunden. Die Straße zog an dieser Stelle hinter einem kleinen Berg vorbei und tauchte dann erst eine Tausendlänge vor dem Pass wieder auf. „Sie sind weg. Vielleicht haben wir uns getäuscht."

„Keine Sorge, mein Freund", sagte Tasmund grimmig. „Ihr werdet sie rasch genug wieder zu Gesicht bekommen. Und nun eilt, wir wollen bereit sein, wenn es so weit ist."

Einen Zehnteltag später waren die letzten Vorbereitungen, die Tasmund und seine Männer viel Schweiß gekostet hatten, abgeschlossen. Dennoch war sich der Erste Schwertmann keineswegs sicher, ob er den Pass mit seinen dreißig Männern gegen eine neue Horde würde halten können. Doch das würde er schon bald in Erfahrung bringen.

Jedes Mal, wenn ein Kampf kurz bevorstand, schien sich die Zeit davor endlos zu dehnen. Eine Spannung baute sich auf, die sich nach Entladung sehnte. Irgendwann war die Anspannung dann so groß, dass ein Mann manchmal seine Beherrschung verlieren und wild drauflos stürmen konnte, und Gleiches galt auch für die kampfgeschulten Pferde der Hochmark, die spürten, dass ihre Reiter kurz vor einem Kampf standen. Tasmunds Pferd zerrte ungeduldig an den Zügeln in seiner Hand, und er hatte Mühe, das Tier still zu halten. Auch die anderen Pferde hinter ihm waren nervös und ungeduldig.

„Ich wollte, es wäre endlich so weit", meldete sich Mortwin hinter Tasmund zu Wort, worauf ihn einer der anderen Männer wütend anwies, endlich zu schweigen. Der Erste Schwertmann blickte die Felswand empor zu dem kleinen Plateau mit dem Signalfeuer. Dort waren der Kopf und der Arm eines Pferdelords zu sehen, der abwechselnd hinter sich und dann zu seinem Anführer hinunterblickte.

„Wenigstens stinkt es hier nicht so." Natürlich wieder Mortwin.

„Warte, bis der Wind dreht", zischte einer der anderen Reiter. „Obwohl ich glaube, dass es auch jetzt so schon ein wenig streng im Beritt riecht."

„Was wollt Ihr damit sagen?", fuhr der Nörgler auf.

„Dass Ihr Euer Maul halten sollt", brummte nun ein dritter Reiter. „Man glaubt, Ihr sitzt besonders weich im Sattel."

Das Gesicht Mortwins rötete sich, als er die Anspielung nun begriff. „Meine Beinkleider sind sauber", erwiderte er.

„Haltet Ruhe", knurrte Tasmund, „es geht los."

Er starrte zum Plateau des Signalfeuers hinauf. Dort war der Arm des Postens zu sehen, und der Mann begann seine Finger zu bewegen. Tasmund zählte mit. „Zweihundert", gab er schließlich bekannt, als die Bewegungen der Hand endeten. Er wandte sich im Sattel zu seinen Männern um. „Damit werden wir fertig. Das ist uns schon einmal gelungen."

Mortwin konnte sich nicht beherrschen. „Das waren auch Eure Schwertmänner der Wache des Pferdefürsten. Wir tragen keine solchen hübschen Rosshaarschweife an den Helmen."

Es gab einen dumpfen Schlag, auf welchen ein leises Stöhnen folgte. „Sorgt Ihr lieber dafür, dass Ihr all Eure Zähne behaltet", erklang eine zufriedene Stimme. „Auch wenn wir nicht der Wache angehören, so sind wir doch Pferdelords."

Die anderen Männer murmelten zustimmend, und Mortwin schwieg wohlweislich, zumal er in der nächsten Zeit auch beim Nörgeln wohl nur nuscheln könnte. Ein gutes Stück vor ihnen wurde nun ein leises Stampfen hörbar, das rasch näher kam. Dazwischen leises Klappern und Klirren, wie wenn Rüstungsteile oder Waffen aneinanderschlugen. Der gleichförmige Schritt verriet Übung und militärische Ausbildung. Tasmund wäre eine marodierende und undisziplinierte Horde lieber gewesen, aber diese Gruppe schien ausgebildet zu sein und konnte, wenn sie Disziplin hielt, zu einer erheblichen Gefahr für Tasmunds Männer werden. Das Stampfen wurde immer lauter, und dazwischen konnte man jetzt auch gelegentlich gebrüllte Kommandos hören. Der Lärm der Orks machte Tasmund deutlich, dass sich diese offensichtlich sicher fühlten und keinerlei Bedrohung erwarteten.

Plötzlich ertönte ein erneutes Kommando, und das Stampfen verstummte. Dafür wurde unwilliges Gemurmel hörbar. Tasmund glaubte zu wissen, was gerade geschah, auch wenn er es nicht sehen konnte. Der Wind hatte den Verwesungsgeruch der erschlagenen Orks zu ihren neu angekommenen Gefährten getragen, jetzt wussten sie also Bescheid. Der Erste Schwertmann überlegte. Zweihundert Mann. Wie die erste Gruppe. Es mochte sogar eine Ablösung für die Gruppe sein, die den Zugang des Passes zuvor bewacht hatte. Aber gab es so etwas bei den Orks? Eine Ablösung? Nun, die neuen würden rasch mit ihren alten Gefährten vereint werden, dafür würde Tasmund schon sorgen.

Bei den Orks erhob sich ein wütendes Gebrüll. Offensichtlich hatten sie nun ihre Toten unter dem Geröll gefunden. Das Gebrüll steigerte sich noch, als ein dumpfer Schlag herabstürzender Felsen hörbar wurde.

„Jetzt?", fragte ein Reiter hinter Tasmund mit leiser Stimme, in der Aufregung mitschwang.

„Noch nicht", flüsterte Tasmund und gebot seiner Truppe Ruhe.

Noch immer waren aufprallende Steine und zorniges Gebrüll zu hören, in das sich nun auch das Zischen von Pfeilen mischte, als die Orks zum Rand des Plateaus hinaufzuschießen begannen, um die dortigen Pferdelords daran zu hindern, weitere Felsen über den Rand zu stoßen. Kommandorufe wurden bei den Orks laut, dann folgte das eilige Stampfen von Füßen.

Tasmund zwang sich, noch ein paar Sekunden zu warten, doch dann zog er sein Schwert aus der Scheide. „Jetzt!"

Sie stießen den Schlachtruf der Pferdelords aus und brüllten wie eine Horde wilder Dämonen, als sie ihre Pferde antrieben. Einer der Männer stieß sogar fordernd in sein Horn. Tasmund hatte seine Gruppe von zwanzig berittenen Pferdelords ein Stück die alte Handelsstraße nach Osten hinaufgeführt. Nur einige Hundertlängen, doch da die Schatten der untergehenden Sonne immer länger geworden waren, reichte diese Entfernung aus, um seine Gruppe versteckt im Schatten zu halten. Einige Hundertlängen waren für ein galoppierendes Pferd keine Distanz, und Tasmund und seine Schar kamen zudem aus einer Richtung, aus der die Orks keinen Angriff erwartet hatten.

Ein paar Dutzend Rundohren und Spitzohren standen vor der Geröllhalde mit den Kadavern ihrer Toten und schossen mit ihren Bogen noch immer nach oben. Sie begriffen kaum, woher der Feind so plötzlich kam, und Tasmund überritt die brüllenden Kreaturen einfach. Äxte und Klingen fuhren auf sie nieder, und Lanzen spießten sie auf. Einige der Orks flüchteten in wilder Panik, doch Tasmund und seine Männer fanden nicht die Zeit, sie daran zu hindern, denn der größte Teil der Orks war jetzt bereits in den Pass eingedrungen und befand sich nun dort, wo er den Feind vermutete und wo der schmale Pfad zum vorderen Signalfeuer hinaufführte.

Tasmunds Schar schwenkte in den Pass ein und traf sofort mit den verwirrten Orks zusammen. Dieses Mal war der Zusammenprall weit härter als beim ersten Mal, denn die Rundohren waren schwer gepanzert und fällten ihre langen Piken, deren tödliche Spitzen sich Tasmund und seinen Männern entgegenreckten.

Routiniert schlug der Erste Schwertmann eine Pike zur Seite, spaltete einen Orkschädel und ließ die Hufe seines Pferdes gegen die Rüstung eines zweiten Rundohrs krachen. Doch zwei, drei Piken fanden ihre Ziele, und die Orks, welche gerade zwei Männer und ein Pferd der Hochmark gefällt hatten, brüllten triumphierend. Aber sie bekamen ihre schweren Klingen nicht rasch genug frei, und die nachdrängenden Reiter töteten die Feinde und folgten Tasmund. Es begann zunehmend zu dunkeln, und im Wirbel der Bewegungen orientierten sich die Pferdelords an der einfachen Regel, dass alles, was am Boden stand und nicht auf einem Pferd saß, der Feind war.

Die Orks wiederum sahen dies genau anders herum und versuchten alles zu töten, was in einem Sattel saß. Das Chaos wurde zudem noch dadurch verstärkt, dass einige der Pferdelords auf dem Plateau nun auch begannen, ihre Pfeile in den Pass zu schicken. Tasmund bemerkte dies erst, als er nach einem Ork hieb, dieser aber, von einem Pfeil getroffen, zu Boden stürzte.

Für Tasmund jedoch war es das beruhigende Zeichen, dass die zehn Männer auf dem Plateau den schmalen Pfad nicht nur hielten, sondern sogar noch Gelegenheit dazu fanden, die Orks am Grund der Schlucht zu bekämpfen. Männer und Orks stürzten zu Boden, manche stumm, manche schreiend, und das Klirren der Waffen und das Sausen der Pfeile erfüllten den Pass. Doch dann begann das Gebrüll zu verstummen und machte zunehmend dem Stöhnen und Röcheln der Verwundeten und den Geräuschen zustoßender Klingen Platz, mit denen das Leben der kampfunfähigen Orks beendet wurde.

Oben auf dem Plateau herrschte noch immer das milde Licht des Sonnenunterganges, während der Pass schon in tiefe Dunkelheit gehüllt war. Tasmund säuberte seine Klinge und machte danach die Rechnung des Schlachters auf. Hier im Pass mochten wohl an die hundert tote Orks liegen und draußen an der Geröllhalde noch einmal fünfzig. Eine ganze Reihe der Bestien war also entkommen. Er nahm seinen Helm ab und wischte sich den Schweiß und das Blut aus dem Gesicht. Sogar der Rosshaarschweif seines Helmes war mit Blut befleckt.

Einer der Männer trat neben ihn. „Wir haben sie zum Laufen gebracht. Aber irgendwann werden sie aufhören zu laufen und sich wieder sammeln. Was meint Ihr, Hoher Herr Tasmund, wie viele werden es sein?"

„Vielleicht fünfzig, die entkommen sind." Der Erste Schwertmann setzte sich den Helm wieder auf. „Und wer weiß, wie viele mit ihnen zurückkommen werden."

Der andere Pferdelord nickte. „Sie wissen nun, dass wir den Pass wieder besetzt halten, und werden ihn zurückerobern wollen. Das nächste Mal werden es mehr als zweihundert sein, und wir werden sie nicht mehr aufhalten können."

Tasmund nickte widerwillig. Von den zwanzig Männern, die mit ihm geritten waren, konnten sich kaum noch sieben auf den Beinen halten. Mit den Männern, die oben auf dem Plateau waren, blieben insgesamt also siebzehn Pferdelords, um den Pass zu halten. Zu wenige, um sich erfolgreich schlagen zu können. „Mit hundert Mann könnten wir den Pass wohl halten. Vielleicht sogar mit nur fünfzig."

„Es sind aber nicht einmal zwanzig", klang eine nuschelnde Stimme durch das Dunkel.

Es war der nörgelnde Mortwin, der in dem vorangegangenen Kampf keine Verletzung davongetragen hatte. Ein Umstand, der Tasmund auffiel, als der Mann nun vorsichtig über zwei tote Bestien stieg und besser sichtbar wurde. Aber der Erste Schwertmann hatte zuvor auch gesehen, dass der Mann tapfer und kraftvoll gekämpft hatte.

Auch der Mann neben Tasmund schien dieser Meinung. „Ihr mögt ein loses Maul haben“, sagte er zu dem Nörgler. „Aber Euer Schwert vermögt Ihr fest zu halten.“

„Meine Axt“, brummte Mortwin und sah sich um. „Und nun? Sollen wir das Unmögliche versuchen und den Pass mit unseren Männern halten?“

Tasmund schüttelte den Kopf. „Auch nicht mit fünfzig Mann würde ich dies noch wagen, denn die Orks werden mit starken Kräften zurückkehren. Mit einer Horde, die uns durch den Pass spülen würde.“

„Wir könnten den Pass blockieren. Schließlich gibt es hier genug Felsen, an denen wir eine Lawine von Geröll auslösen und ihn sperren könnten.“

„Und dem Hohen Lord Garodem damit den Rückweg versperren?“ Tasmund schüttelte den Kopf. „Wir werden die Orks am Boden dieses Passes nicht mehr aufhalten können, und die Alternative, sie von oben zu beschießen, werden die Orks einfach hinnehmen und sich durch den Pass drücken. Ja, wenn ich hundert Mann hätte, so würde ich es versuchen, aber so ...“

Auch vor dem Pass und auf dem Plateau wurde es nun dunkel. Tasmund machte eine ausholende Geste. „Die toten Bestien lassen wir liegen, die Unseren nehmen wir mit. Wir ziehen uns zum Signalturm am anderen Ende des Passes zurück, versorgen zunächst unsere Verwundeten und verbringen dort auch die Nacht. Morgen werden zehn Mann als Wache am Turm zurückbleiben, um das Signalfeuer anzuzünden, sobald eine Horde anrückt, und sich dann zurückziehen. Selbst mit hundert Bogenschützen würden wir die Orks jetzt kaum noch aufhalten können. Sie würden einfach ihre Schilde über die Köpfe halten und unter unserem Pfeilhagel hindurchrennen. Nein, wir gehen nach Eternas zurück. Dort sollen die Toten ihre Ehre finden und die Bestien ihr Ende."

„Und wenn wir den Signalturm halten und Hilfe aus Eternas holen?"

Keinem von ihnen gefiel der Gedanke, den zurückgewonnenen Pass wieder aufgeben zu müssen. Aber Tasmund hatte diesen Gedanken auch schon erwogen und schüttelte den Kopf. „Lasst noch hundert oder hundertfünfzig Mann in der Burg sein. Wie viele von ihnen könnte Larwyn uns wohl senden, und wie viele von ihnen müsste sie zum Schutz von Frauen und Kindern zurückbehalten? Die Mauern Eternas' sind jetzt schon spärlich genug besetzt. Wenn die Orks kommen, werden wir den Schutz der Burg noch brauchen, und dazu benötigen wir wahrlich jede Hand, die sie verteidigen kann. Und nun ans Werk. Lasst uns die Lebenden und die Toten zurück zum Signalturm bringen."

## 20

Die Frau sah kritisch zu, wie Merawyn, die Graue Frau, das Bein des Kindes untersuchte. „Ist es arg schlimm, Hohe Graue Frau?“ „Ach, nur ein harmloser Bruch“, sagte Merawyn. Sie sah die Mutter des Kindes auffordernd an. „Gebt mir die weichen Bastpolster und die Stöcke dort drüben. Ich muss das Bein versteifen, so dass der Bruch gut verwachsen kann.“ Merawyn sah das Kind lächelnd an. „Du wirst eine Weile liegen müssen, mein Kind, und nun sei tapfer wie ein Pferdelord, ich muss das Bein einrichten, bevor ich es versteife.“

Das neunjährige Mädchen bekam stiere Augen und biss sich auf die Unterlippe, doch es schrie und weinte nicht, während die Graue Frau sein Bein gerade nach unten zog. „Haltet den Fuß in dieser Position, gute Frau“, sagte sie zu der besorgten Mutter. „So verschiebt sich das Bein nicht, während ich Polster und Binden anlegen kann.“

Merawyn legte nun entlang dem gebrochenen Bein weichen Bast zu festen Polstern zusammen und legte danach die Holzstöcke an. Dabei wiegte sie kritisch den Kopf, bevor sie schließlich damit begann, die Stöcke und Polster mit Binden zu fixieren. „Keine Sorge, gutes Kind“, meinte sie freundlich. „Deine Knochen sind noch jung und werden schnell heilen. In ein paar Tagen wirst du wohl schon wieder die Treppen herunterspringen können.“

„Besser nicht“, brummelte seine Mutter. „Gerade jetzt, wo es so viel im Haus zu tun gibt, bricht sie sich das Bein.“

Merawyn nickte. „Ihr solltet Euer Kind vielleicht besser in die Burg bringen.“

„In die Burg?“

Merawyn seufzte leise. „Sie sind schrecklich, diese Orks. Glaubt mir, ich kann das beurteilen. Der große Weiße Zauberer hat oft darüber gesprochen, wie schrecklich sie sind. Wisst Ihr, dass sie Menschenfleisch essen?“ Sie sah, wie Mutter und Kind erblassten, und nickte bestätigend zu ihren Worten. „Oh ja, das tun diese Bestien. Vor allem junges Fleisch wissen sie zu schätzen. Wenn die Bestien also die Stadt erstürmen, und glaubt mir, das werden sie, so wird Euer armes Kind mit seinem Bein nicht in der Lage sein, ihnen zu entfliehen. Ihr solltet Euch daher wirklich überlegen, ob Ihr nicht jetzt schon zur Burg eilen und Euch zusammen mit Eurem Kind in Sicherheit bringen wollt. Obwohl …“

Die Graue Frau verstummte, und die bleiche Mutter sah sie drängend an. „Obwohl … was?“

„Ach, die Feste ist nicht besonders stark besetzt, gute Frau, und eine orkische Horde ist zahlreich. Selbst Eternas’ Wälle werden sie nicht lange aufhalten können.“ Merawyn sah Mutter und Kind freundlich an. „Ach, was rede ich da. Grämt Euch nicht. Eure Pferdelords werden die Mauern schon halten.“ Merawyn knotete die letzte Binde zu und packte die anderen Utensilien ihrer Heilerkunst in die Tasche zurück. „Doch nun muss ich eilen, es gibt noch andere Menschen, die meiner Kunst bedürfen.“

„Was schulde ich Euch, Hohe Graue Frau?“

Merawyn zuckte die Achseln. „Nun, ein wenig Mehl und Salz wären schon recht.“

Wenig später stieg die Graue Frau die enge Treppe ins Untergeschoss hinunter, und die Mutter sah besorgt durch das kleine Fenster auf die Gasse hinaus. Von hier aus konnte sie ein Stück der Straße sehen, die zur Burg hinüberführte. Vielleicht hatte die Graue Frau ja Recht, und es wäre tatsächlich besser, wenn sie sich mit ihrer Tochter gleich in die sichere Burg begeben würde.

Einen Tag später lenkten Tasmund und seine erschöpften Männer die Pferde in den vorderen Hof der Burg Eternas.

Während des Ritts hatten sie immer wieder über ihre Schultern zurückgeblickt, um zu sehen, ob die Männer am Signalturm das Feuer entzünden würden, doch es war ruhig geblieben. Als sie nun die Stadt endlich vor sich sahen, bot sich ihnen ein friedliches Bild. Männer und Frauen schienen ungetrübt ihren täglichen Verrichtungen nachzugehen. Aber entlang dem Tal konnte man überall auf den Höhen einzelne Pferdelords erblicken, die dort Wache hielten und nach dem Feind Ausschau hielten. Tasmunds Ritt durch die Stadt rief Unruhe und Klagen hervor, denn außer den Verwundeten brachte er auch die Toten mit nach Hause, und damit war offenkundig, dass ein schwerer Kampf stattgefunden haben musste. Tasmund beruhigte die Leute, so gut es in der Eile ging, und verwies auf das neu geschichtete Signalfeuer, das sie vor jeder Gefahr warnen würde.

Larwyn, die Gemahlin des Pferdefürsten, stand über dem Torbogen, als Tasmunds Gruppe einritt, kam dann aber sofort in den Burghof hinunter, um den Ersten Schwertmann der Hochmark zu begrüßen.

„Bringt die Verwundeten zur Grauen Frau“, entschied sie rasch, „und schickt Männer, die sich um die Pferde kümmern. Des Hohen Herrn Tasmunds Männer haben für den Moment wohl genug geleistet.“

Tasmund hob abwehrend die Hand, so müde und abgekämpft er auch war. „Ein Pferdelord kümmert sich selbst um sein Pferd“, sagte er entschieden, und selbst der Nörgler erhob dagegen keinen Einwand. „Danach mag uns eine Bettstatt allerdings willkommen sein.“

Larwyn lächelte unmerklich. „Doch zuerst werdet Ihr mir erzählen, was sich zugetragen hat.“ Sie machte eine bestimmende Geste und winkte einen Stallburschen heran. „Nein, Hoher Herr Tasmund, widersprecht jetzt nicht. Es müssen noch Entscheidungen getroffen werden, und dazu brauche ich Euren Rat.“

Tasmund nickte. „Das sehe ich wohl ein.“

Larwyn sah, wie Tasmund vor Erschöpfung wankte, doch sie wusste auch, dass sein Stolz es nicht zulassen würde, wenn man ihn stützen würde. „Kommt zum Brunnen, mein Freund, und setzt Euch dort. Ein kühler Trunk wird Euch jetzt guttun.“

So gingen sie an der großen Steinstatue des ersten Königs vorbei zu dem kleinen Brunnen hinüber, der in seinem gemauerten Achteck stand und dessen kühles Wasser beruhigend plätscherte. Tasmund setzte sich auf die Einfassung, wusch sein Gesicht und trank dann etwas Wasser aus der hohlen Hand. Larwyn wartete, bis sich der Erste Schwertmann erfrischt hatte, während ihr Blick über die erschöpften Pferde glitt, deren Flanken schaumig vor Schweiß waren und die ihr verrieten, dass Tasmund weder Mann noch Pferd geschont hatte, um Eternas schnell zu erreichen. Die Verwundeten wurden zur Grauen Frau Merawyn ins Hospital gebracht, die Toten jedoch würde man später in der Waffenhalle für ihre letzte Reise zu den Goldenen Wolken vorbereiten. Stallburschen und die Männer Tasmunds sattelten die Pferde ab und führten sie langsam über den Hof. Danach würde man sie abreiben und ihnen Wasser und Futter geben.

Tasmund begann Larwyn vom ersten und zweiten Gefecht am Pass zu berichten und wie der Pferdefürst in das Land des

Königs hinuntergeritten war. Er schilderte ihr den Kampf mit den Orks und seine Befürchtungen, und als er schließlich endete, seufzte er bitter. „Wenn Ihr mir mehr Männer gebt, Hohe Dame, dann kann ich den Pass halten."

„Ich weiß, dass Ihr tapfer seid, Hoher Herr Tasmund", erwiderte Larwyn und wies über den Burghof. „Aber ihr wisst, Tasmund, hier an Eternas vorbei führt die alte Straße tiefer ins Gebirge hinein. Dem Norden und dem Land der Zwerge entgegen. Und ich kann nicht ausschließen, dass auch von dort Feinde nahen werden. Hätten wir genug Pferdelords, so könnten wir Eternas und den Pass gleichermaßen bemannen und schützen. Doch wir haben kaum hundertfünfzig Männer unter Waffen, und einige von ihnen haben schon zu viele Sommer gesehen, während andere unter ihnen noch nicht genug erlebt haben, um kraftvoll genug kämpfen zu können. Aber sie alle werden tapfer sein, wenn es zum Kampf kommt, denn dies ist unser einziger Ausweg, Tasmund. Wohin sollten wir gehen, wenn Eternas überrannt wird? Nach Norden, in das Land der Zwerge? Oder noch weiter? Hinter dem Land der Zwerge würden wir dann auf die Nordbarbaren treffen und im Westen auf das Dünenland, aus dem wir einst geflohen sind. Im Osten sind die versteinerten Wälder und der Dunkle Turm. Nur im Land des Königs würden wir Freunde finden, aber wir wissen nicht einmal, ob es diese Freunde noch gibt."

Tasmund nickte. „Die Macht der Orks ist neu erstanden. Damals, vor langer Zeit trat ihnen das alte Bündnis von Elfen und Menschen, die Seite an Seite kämpften, entgegen. Und jetzt? All die Macht des Bundes kann doch nicht gänzlich verschwunden sein?"

Tasmund fühlte sich für einen Moment von Trostlosigkeit überwältigt. Sollten die Menschen der Hochmark tatsächlich die Letzten sein, die gegen die Dunkle Macht antraten? Das durfte und konnte nicht sein. Auch Larwyn schien diesen Gedanken nicht akzeptieren zu wollen und blickte auf das eingelegte Wappen der Hochmark im Burghof. „Das Gute und das Böse werden immer gleichzeitig nebeneinander existieren. Keines von beiden wird je ganz vom Antlitz der Erde verschwinden. So gibt es auch in dieser Zeit Kräfte des Guten, die Widerstand leisten werden. Und solange es Widerstand gegen das Böse gibt", sagte Larwyn mit entschlossener Stimme, „so lange wird das Gute auch die Kraft finden, das Böse in seine Schranken zu verweisen. Unser Volk hat schon so manche Niederlage erlitten, doch stets ist es danach neu erstarkt. Auch wir werden nun die gleiche Stärke beweisen müssen und unser Volk am Leben erhalten. Doch nicht am Pass, Tasmund, sondern hier, in Eternas."

Tasmund nahm seinen Helm mit dem blutbefleckten Rosshaarschweif ab und betrachtete das eingetrocknete Blut darauf. Es war überwiegend das dunkle Blut der Orks, doch es waren auch ein paar rote Spritzer Menschenblut dabei. „Ein wenig Hilfe wäre nicht von Übel", sagte er bedächtig. „Vielleicht braucht der König tatsächlich Garodems Hilfe, doch die brauchen wir jetzt selbst, denn wir wissen jetzt, dass die Orks uns erneut angreifen werden. Und das nächste Mal werden sie machtvoll auftreten."

„Wir sollten Reiter über den versteckten Pfad senden, um Garodem oder dem König Nachricht zu bringen." Larwyn erhob sich. „Doch Ihr und Eure Männer solltet Euch jetzt wirklich Ruhe gönnen. Eure Stärke wird früh genug wieder gefordert sein. Euer Stellvertreter Haronem wird zwei Männer wählen, die unsere Botschaft überbringen werden."

Tasmund nickte wortlos, nahm dann seinen Helm unter den

Arm und ging mit müden Schritten zur Unterkunft hinüber. Larwyn ihrerseits suchte nach Haronem und teilte ihm ihren Entschluss mit. Der Schwertmann überlegte nur kurz. „Wir brauchen Männer, die den Pfad noch von früher kennen. Die meisten von ihnen sind aber bereits mit Eurem Gemahl unterwegs, Herrin. Doch unter den älteren Bürgern müssten sich noch zwei Männer finden lassen, die des Pfades kundig sind. Und es müssen Männer sein, die sich vor einem Feind verborgen halten können. Keine Schwertmänner, Herrin. Ich werde Euch daher also zwei erfahrene Jäger aussuchen, die sich sowohl zu verstecken wissen als auch das Land gut kennen."

Für diese Aufgabe kamen zuletzt nur zwei ältere Männer in Frage, die in ihren jungen Jahren noch durch die südlicheren Marken der Pferdelords gestreift waren und das Gelände kannten. Die Bedeutung ihrer Aufgabe war ihnen ebenso klar wie die Gefahr, in die sie sich begaben. Aber sie waren Pferdelords, und so sattelten die Männer bereitwillig ihre Pferde.

Aus dem Schatten eines Torbogens heraus beobachtete der Knabe Nedeam die Vorbereitungen der Boten. Eher unabsichtlich hatte er das Gespräch zwischen Larwyn und Tasmund mit angehört und die Hoffnungslosigkeit wahrgenommen, die in einigen ihrer Worte mit angeklungen war. Es musste tatsächlich schlecht stehen, wenn diese beiden nur noch so wenig Hoffnung empfanden. Nedeam verspürte den Wunsch zu helfen, zumal er sich in den letzten Tagen zunehmend überflüssig vorgekommen war. Zwar besuchte er seine Mutter Meowyn, der es zunehmend besser ging, mehrmals täglich, und manchmal ging er auch zu Guntram, dem alten Schmied, und sah ihm bei der Arbeit zu, doch in den letzten Tagen war der alte Mann zu beschäftigt gewesen und hatte den Jungen immer wieder fortgescheucht. Auch in der Burg oder der Stadt ereignete sich nichts, was Nedeams Interesse geweckt hätte. Die ersten hektischen Vorbereitungen Eternas gegen einen möglichen Angriff der Orks waren abgeschlossen, und danach war relative Ruhe eingetreten. Zwar übten die einberufenen Pferdelords unermüdlich, doch von ihnen war Nedeam mit den Worten abgewiesen worden, dass er noch zu jung sei, um den grünen Umhang und Waffen zu tragen. Da hatte auch sein Einspruch, immerhin schon gegen Spitzohren gekämpft zu haben, nichts geholfen. Nein, Nedeam kam sich unnütz vor, und als er nun die Vorbereitungen der beiden Boten beobachtete, fasste er spontan den Entschluss, ihnen unbemerkt zu folgen.

Seine Mutter Meowyn schlief sich gesund, und so verabschiedete sich Nedeam nicht erst von ihr, sondern suchte sich in der Küche nur rasch etwas Brot, Früchte und Trockenfleisch zusammen und stopfte alles zusammen in seine Provianttasche. Danach füllte er die Feldflasche und sattelte Stirnfleck. Der große Hengst schien begierig, endlich wieder ausgiebig galoppieren zu können, und tänzelte unruhig, als Nedeam den Sattelgurt festzog. Wie üblich atmete der Hengst dabei tief ein, um seinen Bauch zu spannen, so dass Nedeam den Gurt nicht richtig straffen konnte. Aber Nedeam stieß seinen Finger an die richtige Stelle und zog den Gurt dann stramm.

„Er muss gut sitzen, Stirnfleck", flüsterte er in die aufgestellten Ohren des Hengstes. „Denn wir werden lange und weit reiten und das Land des Königs sehen."

Niemand beachtete Nedeam, als er nur kurze Zeit nach den beiden Boten aus der Burg herausritt.

## 21

Vor zwei Tagen hatten sie Eodan verlassen, aber gerade einmal vor einem Tag hatten sie die Grenze zur Reitermark überschritten. Denn mit den Männern und Frauen aus Eodan war Garodem gezwungen gewesen, einen anderen Weg zu wählen. Nur die Furten über den Fluss Eisen waren geeignet, um mit den schwer beladenen Wagen auf dessen andere Seite übersetzen zu können. Deshalb musste sich der gemischte Treck zunächst nach Südwesten wenden und an den Rändern des Gebirges entlang der Grenze der Nordmark folgen, bis er schließlich das Gebiet der Reitermark erreichte. Diese grenzte zwar an den Fluss Eisen, aber danach musste man noch immer ein gutes Stück weiter nach Süden ziehen, bis man die Straße und die Furt erreichte. Der Fluss Eisen entsprang im Gebirge, ein gutes Stück vor der Hochmark, und da er von vielen Gebirgsbächen zusätzlich gespeist wurde, gewann er rasch an Kraft. Vor allem an seinen Engstellen war er reißend, und es gab überhaupt nur wenige Stellen, an denen ein Reiter es riskieren konnte, ihn zu durchqueren. Doch für beladene Fahrzeuge gab es im Land des Pferdekönigs insgesamt nur eine einzige Stelle, an der man den Fluss ohne Gefahr passieren konnte. Dies waren die großen Furten, wo sich der Eisen stark verbreiterte und flach über kiesbedeckte Bänke lief, und sie galt es zu erreichen, bevor sich die Menschen in der relativen Sicherheit der Hochmark wiegen konnten.

Garodem haderte mit dem Umstand, dass die Wagen, die Verwundeten, Alten und Kinder ihr Vorankommen so sehr erschwerten. Denn auch wenn sie sich bereits im Land des Pferdekönigs befanden, mussten sie doch jederzeit mit einem Angriff der Orks rechnen, und der schwerfällige Treck war nur allzu leicht verwundbar und zudem kaum zu übersehen. Die Reitermark bestand überwiegend aus einer großen Ebene, die üppig mit Gras bewachsen war und auf der die besten Pferde gediehen. Das Land war von sanften Hügeln bedeckt, die ihnen jedoch nur wenig Sichtschutz boten, denn die zahlreichen Füße, Hufe und Räder des Trecks wirbelten so viel Dreck auf, dass der Zug auf seinem Weg stets von einer riesigen, verräterischen Staubwolke begleitet wurde. Garodem hatte einige Zweiergruppen seiner Pferdelords zur rechten und zur linken Flanke des Trecks entsandt und die übrigen Männer in zwei gleichgroße Gruppen geteilt, welche nun vor und hinter der Kolonne herritten. So hoffte er, rasch genug eine schlagkräftige Schar aufbringen zu können, sollte es zu einem Angriff kommen.

Vor allem die hinten reitenden Männer litten unter der Hitze und dem aufgewirbelten Staub, der Mann und Pferd gleichermaßen überzog und ihnen Sicht und Atem zu nehmen drohte. Die meisten der Männer hatten sich bislang nicht einmal vorstellen können, dass ein Grasland solche Massen an Staub beherbergen konnte. Jetzt aber fluchten sie, schluckten und spuckten immer wieder aus und hofften, bald mit den Männern an der Spitze wechseln zu können oder aber zumindest bald in den Genuss eines Regens zu kommen, der den Staub aus der Luft und von ihrer Haut herunterspülen würde. Andererseits konnte ein starker Regen wiederum den Boden aufweichen, und Matsch würde den Treck noch langsamer vorankommen lassen.

Garodem war froh über die scharfen Augen des Elfen und das schnelle Pferd, das dieser ritt, denn beides verschaffte Garodem und den anderen Menschen einen kleinen Zeitvorteil, wenn es darum ging, eine Gefahr so früh wie möglich zu entdecken, ihr zu begegnen oder sie zu umgehen.

Die Männer und Frauen Eodans waren wie alle Menschen des Pferdelandes an Härten gewöhnt, aber Sorge bereiteten die kleinen Kinder, die schwachen und verletzten Menschen, die selbst nicht laufen oder kämpfen konnten.

Doch vor allem ihre beeinträchtigte Wehrfähigkeit bereitete Garodem schwere Sorgen. Die Männer und Frauen Eodans waren im Umgang mit Waffen nicht so trainiert und geübt wie ein rechter Pferdelord, nun aber würden sie um ihr Leben kämpfen müssen, wenn sie den Orks begegneten, und Garodem zweifelte nicht daran, dass dies früher oder später der Fall sein würde. Für einen Ork machte es keinen Unterschied, ob er von einem Mann oder einer Frau aufgespießt wurde. Andererseits war es auch den Orks gleichgültig, welches Geschlecht ihr Opfer hatte. Von den rund vierhundert Überlebenden Eodans waren nur noch sechzig Männer kampffähig und außerdem nur wenig geübt im Umgang mit dem Schwert oder der Axt, aber Garodem hatte rasch festgestellt, dass es gute Bogenschützen unter ihnen gab. Da sie jedoch nicht mehr genug Pfeile hatten, hatte Garodem die Bogen von seinen Pferdelords abgezogen und die Pfeile den Stadtbewohnern gegeben. Seinen Männern blieben noch immer die blanken Klingen und die Lanzen, die sie zu beherrschen wussten.

Garodem war überrascht gewesen, wie viele Wagen in der Kürze der Zeit in Eodan beladen und gerettet worden waren. Mehr als ein Dutzend Karren und Wagen mit zwei oder vier Rädern trugen nun die Hauptlasten. Um rasch voranzukommen, nutzte man gleichermaßen die Kraft von Mensch und Tier. Wo die Pferde fehlten, hatten die Bewohner der Stadt ohne Umschweife provisorische Riemen gefertigt und sich dann selbst vor die schweren Wagen gespannt.

Wiederholt ritt der Pferdefürst der Hochmark an der Flanke des Zuges entlang und trieb die Menschen zur Eile an, obwohl er wusste, dass es dieses Ansporns nicht bedurfte. Doch die Langsamkeit des Vorankommens machte ihn ungewohnt hilflos.

„Eine dünne Bedeckung, Garodem, Pferdefürst", erklang die Stimme Jasmyns hinter ihm, die seine kritischen Blicke, mit denen er den Treck musterte, bemerkt hatte. Garodem wandte sich im Sattel um und sah sie zu sich aufschließen. Ihr Gesicht war mit Staub bedeckt, aber sie lachte gut gelaunt. „Und ein langsames Fortkommen. Ihr seid wohl schnellere Bewegung gewöhnt und seid nun nervös, nicht wahr?"

Jasmyn lachte erneut auf, so als würde es für sie keine Gefahr in des Königs Reitermark geben. Wie konnte sie nur so leichtfertig und unbeschwert sein?

„Es macht mich vorsichtig, Hohe Frau Jasmyn", entgegnete Garodem förmlich. „Das freie Land hat seine Vor- und Nachteile. Wir kommen zwar rascher voran als im Wald oder Gebirge, doch wir werden auch leichter entdeckt. Wir können uns zwar besser in Formation verteidigen, aber auch überraschend von den Seiten her angegriffen werden. Und Ihr habt Recht, Jasmyn. Unsere Truppenstärke ist schwach, und unser Vorteil liegt allein in unserer Schnelligkeit."

Die junge Frau lächelte Garodem freudestrahlend an und beugte sich im Sattel zur Seite. Garodem sah, wie sie eine lederne Tasche öffnete und ein gefaltetes Öltuch herauszog. „Reiten wir einen Moment zur Seite, Garodem, Pferdefürst", forderte sie ihn strahlend auf. „Und macht nicht solch ein finsteres Gesicht. Was unsere Leute brauchen, ist etwas Mut und Zuversicht."

Jasmyn zwinkerte ihm zu, und Garodem begriff plötzlich,

dass sie bei weitem nicht so unbeschwert war, wie es den Anschein hatte. Da zwang auch er sich zu einem flüchtigen Lächeln, das ihm offensichtlich nicht ganz glückte, denn Jasmyn merkte nur kurz an: „Ihr seht aus, als wolltet Ihr mich beißen. Doch nun werft einen Blick auf die Karte. Sie wird Euch interessieren."

Das tat sie wirklich. Die Karte war sehr fein gezeichnet und außergewöhnlich detailliert. Garodem musterte die Schnörkel und Ornamente, die sich um die Karte herumzogen. Einige der Schriftzeichen wusste er nicht zu deuten.

„Sie ist elfischen Ursprungs, nicht wahr?", vermutete er, und Jasmyn nickte. Garodem beugte sich im Sattel zu ihr. „Ihr habt hier eine Wasserstelle eingezeichnet, die ich auf meiner Karte in Eternas nicht finde", stellte er fest. „Die Wasserstelle muss direkt auf unserem Weg liegen, das ist gut. Nur noch drei Tausendlängen, nicht wahr? Viel weiter werden wir heute auch nicht mehr kommen. Ist die Karte denn zuverlässig?"

Jasmin lachte. „Sie ist elfisch, oder nicht? Also werden wir dort lagern und am frühen Morgen wieder aufbrechen."

Garodem ärgerte sich ein wenig über ihre bestimmende Art, aber die junge Frau hatte Recht. Er räusperte sich und winkte den Scharführer Derodem heran, damit dieser die neue Wasserstelle und seinen Entschluss, dort zu lagern, an die Vorhut und die Späher weitergeben würde.

Doch es dauerte länger als geplant, die Wasserstelle zu erreichen, denn an einem der Wagen war ein Rad gebrochen, und es hatte sie über einen halben Zehnteltag gekostet, ein neues aufzuziehen. Dafür erwartete sie an der Wasserstelle eine sichtlich zufriedene Vorhut. Ein Rudel Laufwild hatte wohl die Wasserstelle als Tränke genutzt, und die Vorhut hatte zwei der Geweihtiere erlegen können, die nun den Speisezettel des Trecks bereichern würden.

„Der Wind stand günstig“, meinte ein Pferdelord der Vorhut. „Und der Elf hatte sie schon erlegt, bevor sie überhaupt merkten, dass ihnen Gefahr drohte.“

„Ihr müsst sehr rasch geschossen haben, Hoher Herr Lotaras“, sagte Garodem anerkennend. Aber der Elf zuckte nur die Achseln. Für ihn schien eine solche Leistung selbstverständlich. Garodem registrierte, wie sein Lob an dem elfischen Wesen abprallte, und unterdrückte seinen Ärger. Er wies auf das erlegte Wild. „Bereitet es rasch zu. Noch bevor es dunkelt, müssen alle Feuer wieder gelöscht sein. In diesem Land wäre der Schein eines offenen Feuers zu weit zu sehen und damit gefährlich.“

Beomunt, der Schwertmann vom Hof des Königs, ritt eines von Garodems frei gewordenen Pferden, nachdem sein eigenes beim Kampf um Eodan getötet worden war. Er hatte nun die Führung über die Wagen übernommen und ließ den langen Treck zu zwei parallelen Kolonnen auffahren. In der Nacht würden die Menschen zwischen den Wagen etwas Schutz finden, aber da auch ein Teil der Pferdelords schlafen musste, würde der Ring der Wachen denkbar dünn sein. Garodem war daher froh, dass Beomunt unaufgefordert ein paar Bogenschützen Eodans zu den eingeteilten Posten treten ließ.

Es gab keine Feuer mehr nach Einbruch der Dunkelheit, dieser Vorsichtsmaßnahme hatten alle zögernd zugestimmt, obwohl die Verwundeten, Alten und Kinder die Wärme gut hätten gebrauchen können und es außerdem noch einen zweiten Grund gegeben hätte, um ein Feuer zu entfachen. Garodem hatte nämlich bemerkt, dass sich immer mehr Menschen ausgiebig zu kratzen begannen. Er selbst verspürte inzwischen gelegentlich die kleinen Krabbler, die einen Menschen zur Weißglut bringen konnten. Es kam des Öfteren vor, dass sie einen befielen, aber dann brachten ein ausgiebiges Bad oder ein gutes Feuer stets rasche Abhilfe. Man entkleidete sich, denn diese winzigen Bestien versteckten sich auch noch in den kleinsten Falten der Gewänder, und hielt seine Kleidung in den dichten Rauch eines Feuers. Die Kunst bestand darin, dass der Rauch die Krabbler vertrieb, ohne dass man dabei die Kleidungsstücke versengte. Doch den hilfreichen Rauch des Feuers würde es erst wieder geben, wenn die Menschen hier in Sicherheit waren.

Während das Lager langsam zur Ruhe kam, trafen sich die Führer des Flüchtlingszuges unter Garodems Banner. Gemeinsam beratschlagten sie die Route für den nächsten Tag, der sie endlich an die Furten des Flusses Eisen und nach dessen Überquerung auf das Territorium des Hammerturms bringen würde, des großen Turms des Weißen Zauberers, der nun zu einem Feind der Menschen geworden war. Garodem konnte es noch immer nicht fassen, aber er musste den Worten der Menschen aus der Nordmark vertrauen. Sie würden sehr nahe an den Feind herankommen und ohne jede Möglichkeit ihm auszuweichen.

„Wir werden Eure Augen in den nächsten Tagen brauchen, Hoher Herr Lotaras“, sagte Garodem zu dem Elfen. „Und wohl auch Euren Bogen. Ihr werdet uns am ehesten einzelne Späher der Orks vom Halse schaffen können, bevor sie Alarm schlagen.“

Der Elf nickte mit ruhigem Gesichtsausdruck, und Garodem, der ihn bisher nur selten richtig lächeln gesehen hatte, fragte sich, ob der Elfenmann wohl überhaupt zu einer solchen Regung fähig war. Seine Schwester, die Heilerin Leoryn, zeigte dagegen stets ein freundliches Gesicht. Nun, vielleicht war dies bei den Elfen ja so üblich, zumal sich Garodem eingestehen musste, über keinerlei Vergleichsmöglichkeiten zu verfügen. Schließlich löste sich die kleine Versammlung auf, damit alle noch etwas Schlaf finden konnten. Garodem selbst fühlte sich zu angespannt, um wirklich schlafen zu können. Doch er nahm sich vor, so zu tun, als ob er ganz entspannt schliefe. Denn das würde den Männern mehr Vertrauen einflößen als ein Führer, der rastlos auf und ab schritt.

„Auf ein Wort, mein Hoher Lord.“ Scharführer Derodem trat aus der Dunkelheit an Garodem heran. „Ich möchte Euch gerne etwas zeigen.“

Garodem runzelte kurz die Stirn, folgte dann aber seinem Scharführer und trat mit ihm etwas abseits des Trecks. „Also, was ist los, Derodem? Was gibt es zu sehen, was andere nicht sehen sollen?“

Derodem wies auf die lange, ruhige Doppelreihe der Kolonne. „Seht es Euch an, mein Herr.“

Garodem blickte über die Wagen und die Bewegung zwischen ihnen, wo noch Männer oder Frauen wach waren und nicht im tiefen Schlaf der Erschöpfung lagen. „Was soll ich sehen, Derodem?“

„Männer, Frauen, Kinder, alte Leute“, knurrte der Scharführer leise. „Menschen der Nordmark, die uns das Leben kosten werden. Sie behindern unseren Marsch, und für ihre Verteidigung werden unsere Männer ihr Leben lassen, mein Herr. Männer, die der Hochmark fehlen werden.“

Garodem drehte sich fassungslos zu dem Scharführer um. „Derodem, was redet Ihr da? Seid Ihr toll? Wollt Ihr diesen Menschen die Zuflucht verweigern und uns als Pferdelords entehren?“

„Es geht hier nicht nur um unsere Ehre, mein Herr Garodem, sondern um das Überleben der Hochmark.“

„Es geht um das Überleben des Landes der Pferdelords, du Narr“, fuhr Garodem auf, „und nicht um die Nordmark oder die Hochmark. Es geht um das gesamte Volk der Pferdelords." Garodems Stimme, die er in der Erregung unbewusst erhoben hatte, senkte sich nun wieder, als ein Wachtposten die beiden anrief. „Alles wohl", erwiderte Garodem auf die Frage des Postens und packte Derodem dann am Arm. „Beherrscht Euch, Scharführer. Wir sind wenige genug, und wenn wir uns zerstreiten, so wird das unser Untergang sein."

„Der langsame Marsch und nichts anderes wird unser Untergang sein, mein Hoher Lord. Ihr seid zuerst der Hochmark und ihren Menschen verpflichtet – nicht den Menschen Eodans. Wenn die Hochmark in Gefahr ist, und daran zweifele ich nicht, dann müssen wir den Menschen Eternas schnellstens beistehen." Derodem machte eine kleine Pause. „Nicht nur ich denke so, mein Herr."

Garodem bemühte sich, ruhig zu bleiben. „Hört zu, Derodem, Ihr seid ein guter Scharführer, doch ich bin der Herr der Hochmark. Und ich bin ein Lehnsherr des Königs, ebenso wie auch Ihr einer seid. Wir sind in erster Linie Pferdelords, und wenn Ihr die Menschen Eodans im Stich lassen wollt, so entehrt Ihr den grünen Umhang, den Ihr tragt."

Derodems Reaktion auf diese Worte war derart ungebührlich, dass Garodem im ersten Augenblick viel zu verblüfft war, um darauf zu reagieren, denn der Scharführer gab einen verächtlichen Fluch von sich und schüttelte dann die Hand seines Fürsten ab. Doch bevor dieser den Scharführer zur Rede stellen konnte, raschelte Gras hinter ihnen, und schwere Schritte näherten sich. Derodem warf seinem Pferdefürsten noch einen letzten, finsteren Blick zu, bevor er sich dann endgültig abwandte, um mit wenigen Schritten in der Dunkelheit zu verschwinden, während sich von der anderen Seite her Kormund näherte. Garodem hatte keine Ahnung, wie viel dieser von dem Streit zwischen ihnen verstanden hatte, zumal der Mann neben ihn trat und so tat, als sei nichts vorgefallen.

„Wenn wir Glück haben, wird es eine ruhige Nacht, mein Hoher Lord“, sagte Kormund bedächtig. „Ich habe die Posten inspiziert und einige der Bogenschützen umgruppiert. Ich glaube, in der Nähe des Banners der Hochmark stehen sie Euch schneller zur Verfügung, falls wir angegriffen werden. Als schneller Streiftrupp, sozusagen.“

Garodem nickte stumm. Kormund war nicht dumm. Vielleicht ahnte er, was in Derodem vorging, oder hatte tatsächlich irgendetwas gehört.

„Gut gemacht, Scharführer.“ Der Pferdefürst sah Kormund anerkennend an. Doch als er sich abwandte, um zum Standort des Banners zurückzugehen, blickte er noch einmal kurz über seine Schulter zurück und begegnete dabei Kormunds Blick. In den Augen des Scharführers las er ein nicht ausgesprochenes Verständnis, und Garodem wusste nunmehr, dass er einen treuen Verbündeten hatte. Kormund hatte Derodems Worte also gehört und würde zukünftig ein Auge auf ihn haben.

Garodem, der Herr der Hochmark der Pferdelords ... wie hohl dieser Titel in diesem Moment für ihn klang. Zum ersten Mal in seinem Leben hatte einer seiner Scharführer eine Haltung gezeigt, die mit den Traditionen der Pferdelords nicht vereinbar war. Keiner von ihnen ließ jemals einen anderen im Stich. Derodem war niemals ein Feigling gewesen und hatte seinem grünen Umhang bislang stets Ehre gemacht. Doch sein jetziges Verhalten war unverständlich für Garodem. Normalerweise hätte er den Scharführer sofort seines Ranges entheben und ihn sogar fordern müssen, denn kein Pferdefürst konnte ein solches Verhalten von einem seiner Untergebenen hinnehmen. Aber wenn er dies tat, würden die Menschen im Treck merken, dass Unstimmigkeiten zwischen ihnen herrschten, und dies konnte in ihrer Lage gefährlich werden. Gerade jetzt brauchten die Menschen das Gefühl, einander bedingungslos vertrauen zu können. Nein, er würde im Augenblick nichts gegen Derodem unternehmen, aber er würde seinen Scharführer im Auge behalten. Und sollte sich dieser in irgendeiner Form unehrenhaft verhalten, würde Garodem entschieden durchgreifen. Er legte sich auf den Rücken und verschränkte seine Hände im Nacken. Wahrhaftig, im Augenblick kam er sich kaum wie ein mächtiger Pferdefürst vor, sondern eher wie der Hüter einer Herde wehrloser Schafe, die sich auf dem Weg zum Schlachter befanden. Empfand er etwa Angst? Nein, da war keine Furcht in ihm. Nicht vor dem Tod und auch nicht vor dem Feind. Aber er hatte Angst davor, zu versagen und die Menschen, die ihm anvertraut waren, sei es durch den Treueid oder das Schicksal, ins Verderben zu führen. Ob die Menschen dies wohl spürten? War dies vielleicht mit ein Grund für Derodems Verhalten? Sicher, ein guter Pferdelord war von Natur aus stets ein wenig rauflustig. Das stählte seine Reflexe für den Kampf, aber noch nie hatte ein ernsthafter Streit unter ihnen geherrscht, der zum Waffengang geführt hatte. Dennoch – in Derodems Augen hatte Garodem etwas gesehen, was ihm nicht gefiel. War es Hass gewesen? Doch auf wen? Auf ihn, den Pferdefürsten? Und wenn ja, aus welchem Grund? Weil er seine Pflicht als Pferdelord erfüllte und den Menschen aus Eodan Schutz gewährte?

In dieser Nacht waren die Gedanken des Pferdefürsten von Sorge erfüllt, und zum ersten Mal galt diese Sorge nicht dem Feind, sondern dem Unheil, das aus den eigenen Reihen zu kommen schien.

Schon im ersten Morgengrau wurden alle geweckt, denn

Zeit war kostbar, obwohl vor allem die erschöpften Stadtbewohner nur wenige Stunden Schlaf gehabt hatten. Die Pferde wurden versorgt und getränkt, die wenigen Zugtiere angeschirrt. Ein karges Frühstück aus Brot, Dörrfrüchten und Trockenfleisch wurde hastig bereitet, und wieder musste man dabei auf ein Feuer verzichten. Selbst ohne ihre Rüstungen und Waffen hätte man die Pferdelords alleine an ihrer Haltung gut von den Bewohnern Eodans unterscheiden können. Denn trotz der Strapazen, denen die Männer der Hochmark nun schon seit einigen Tagen ausgesetzt waren, wirkten sie ausgeruhter als die Männer und Frauen der Stadt, die sich nun an den beladenen Wagen sammelten und die freien Zugriemen wieder aufnahmen.

Während sich die Pferdelords auf ihre einzelnen Positionen als Vor-, Nachhut oder Flankenschutz begaben, trat Kormund an Garodem heran, und der Pferdefürst entdeckte eine blutunterlaufene Schwellung am Hals des Soldaten.

„Mein Herr“, flüsterte Kormund mit leiser Stimme, „ich vermisse Derodem. Er war bei der Einteilung der Formation nicht da. Ich dachte zuerst, dass er die Wachen kontrollieren und einziehen würde, aber … auch die anderen haben ihn heute noch nicht gesehen.“

Garodem sah den stämmigen Mann betroffen an, und Jasmyn und ihr Schwertmann Beomunt traten näher, als offensichtlich wurde, dass etwas nicht stimmte. „Mein Scharführer Derodem wird vermisst“, eröffnete er ihnen. „Keiner scheint ihn seit gestern mehr gesehen zu haben.“

„Dann werden wir ihn suchen müssen“, meinte Jasmyn, und dieses Mal lächelte sie nicht.

„Ich schlage vor, dass die Kolonne schon einmal loszieht, während ich ein paar Männer nehme und nach Derodem suche.“ Beomunt blickte den Treck entlang. Die Wagen und Bewohner von Eodan hatten sich bereits zu einer langen Kolonne formiert, und Reiter der Hochmark schwärmten zu den Seiten aus. „So verlieren wir nicht zu viel Zeit. Ich glaube nicht, dass sich Derodem weit vom Lager entfernt hätte. Er schien mir ein erfahrener Pferdelord.“

„Er *ist* ein erfahrener Pferdelord und Scharführer“, erwiderte Garodem mit scharfer Stimme, dem die Art, in der der Schwertmann vom Hof des Pferdekönigs von seinem Scharführer in der Vergangenheitsform sprach, nicht gefiel.

„Es kann leicht passieren, dass man als Außenwache überrascht wird, Garodem, Pferdefürst“, wandte Beomunt ein. „Auch wenn die Reitermark hier nicht viel Deckung bietet, so gibt es doch Hügel und Büsche, und es ist durchaus möglich, dass einzelne Orks herumstreifen. Ihr kennt die Augen der Bestien. Sie sehen gut im Dunkeln, und ein Pfeil tötet rasch.“

„Ja, ich weiß“, gab Garodem widerwillig zurück. „Gut. Lasst also den Zug weiterziehen, damit wir keine Zeit verlieren. Doch bleibt Ihr bei den Wagen, Beomunt, Schwertmann des Königs. Ich selbst werde mit Kormund und einigen Männern meines Beritts nach Derodem sehen. Er mag gestürzt und verletzt sein und unsere Hilfe brauchen.“

Ein Reiter preschte mit wehendem blauem Umhang heran, und Lotaras parierte sein Pferd bei der Gruppe. Der Elf erkundigte sich danach, was die Verzögerung zu bedeuten hatte, und Garodem berichtete ihm kurz. Der Elf richtete sich im Sattel auf. „So werde ich mich nach ihm umsehen. Meine Augen sehen weiter und schärfer als die euren.“

„Ich danke Euch für Euer Angebot, Lotaras aus dem Hause Elodarions“, antwortete Garodem förmlich. Er wies über die Kolonne, die sich nun langsam in Bewegung setzte. „Doch wir brauchen Eure Augen nun an der Spitze. Gerade heute, wo wir uns den Furten des Eisen nähern werden."

Der Elf blickte mit ausdruckslosem Gesicht auf Garodem herab, dann nickte er und ritt ohne ein weiteres Wort davon. Garodem blickte ihm für einen Moment nach. „Sie scheinen mir nicht besonders umgänglich, diese Elfenmänner", knurrte er verdrießlich. „Noch nie habe ich an diesem Lotaras ein freundliches Gesicht gesehen."

„Auch bei Euch ist dies nicht immer der Fall, Garodem, Pferdefürst", sagte Jasmyn und lächelte nun wieder. „Doch Ihr müsst Lotaras verstehen. Die Elfen leben in ihren eigenen Ländern weit im Norden, und die Angelegenheiten der Menschen berühren sie nicht besonders. Ihr wisst, dass die Elfen unsterblich sind?" Garodem nickte, denn davon hatte er gehört. „Deshalb kommt einem Elfen unser menschliches Leben unglaublich kurz vor. Lotaras zum Beispiel hat noch mit dem ersten Bund gegen den Dunklen Herrscher gekämpft."

„Mit dem ersten Bund?" Garodem blickte dem entschwindenden Reiter verwirrt nach. „Das ist kaum möglich. In diesem Fall müsste Lotaras über hundert Jahre alt sein."

„Er ist noch um vieles älter, Garodem, Pferdefürst." Jasmyn seufzte unmerklich und strich sich eine Haarlocke ihrer Haare aus der Stirn. „Die Elfen kümmern sich kaum um uns Menschenwesen und unsere, wie Lotaras einmal sagte, vergänglichen Reiche. Aber jetzt ist die Dunkle Macht neu erstarkt, und ich glaube, selbst die unsterblichen Elfen empfinden nunmehr Furcht und suchen den Bund zu erneuern."

Garodem sah Kormund mit einer Handvoll Männer heranreiten und nickte Jasmyn zu. „Ihr solltet Euch wieder dem Zug anschließen, Hohe Frau des Pferdekönigs. Ich werde nun nach meinem Scharführer suchen", worauf ihm Jasmyn noch ein letztes bezauberndes Lächeln zuwarf und dann zu den Wagen hinüberpreschte.

Garodem saß auf, und hinter ihm formierten sich der Bannerträger der Hochmark und zwei Schwertmänner, welche Banner und Pferdefürst gleichermaßen schützen würden.

„Ihr wisst, dass wir Derodem vermissen. Wir werden daher um die Lagerstatt der Nacht herumreiten und ein Stück außerhalb des Ringes, den die Wachen bildeten, nach Spuren suchen. Der Tau liegt noch frisch auf den Gräsern. Derodems Spur müsste also gut zu finden sein. Achtet dabei auf alles Ungewöhnliche und auf jede Bewegung. Es mag sein, dass ein orkischer Späher in der Nähe ist. Wenn dem so ist, tötet ihn rasch, damit er niemandem mehr eine Botschaft von uns bringen kann."

Garodem teilte die kleine Gruppe auf, und sie bildeten eine weit auseinandergezogene Linie, ritten ein Stück aus dem Wachring der vergangenen Nacht heraus und schwenkten dann wieder ein, um die alte Lagerstätte zu umreiten. Es dauerte nicht lange, bis einer der ausgeschwärmten Pferdelords einen kurzen Ruf ausstieß, und als Garodem und die anderen zu ihm eilten, sahen sie den vermissten Scharführer vor sich auf dem Boden liegen.

Derodem lag auf dem Rücken, seine starren Augen waren weit aufgerissen und blickten ins Leere. Unwillkürlich fühlte Garodem Trauer in sich aufsteigen, als er den Gefährten so vieler Jahre nun leblos vor sich im Gras sah. Flugschwärmer hatten sich bereits auf dem kalten Körper niedergelassen und stiegen nun summend auf. Kormund saß von seinem Pferd ab, bückte sich zu der Leiche hinunter und untersuchte Harnisch und Wams, die an der Brust zerfetzt waren. Danach löste er die Riemen des Brustpanzers, zog ihn zur Seite und entblößte dabei eine klaffende Wunde.

„Ein Schlagschwert der Orks, mein Herr."

Garodem betrachtete die Verletzung und nickte schließlich. Ja, alles sah ganz nach einer Verletzung durch ein Schwert der Bestien aus. Denn im Gegensatz zu den geraden Schwertklingen der Menschen ähnelten die Schwerter der Orks eher plumpen Schlageisen, bei denen die Spitze zu einem Haken gewinkelt war. Diesen Haken nutzten die Bestien, um einen Reiter damit vom Pferd zu zerren. Die Schlagschwerter drangen mit ihrer breiten Hakenspitze nur bei großer Wucht durch eine Rüstung, doch dann rissen sie verheerende Wunden. Ihre extrem breite Spitze zerfetzte das menschliche Gewebe dabei auf eine typische Weise, die man auch an Derodems Leib erkennen konnte. Deutlich war zu sehen, wo die Klinge tief in den Körper eingedrungen war, direkt unter dem Harnisch, der den Scharführer vielleicht vor dem Schlag hätte schützen können. Aber die Bestie hatte genau gewusst, wo sie ansetzen musste. Die Orks kannten die den Menschen gefährlichen Stellen, und sie wussten, dass ein Mann mit hervorquellenden Därmen und Innereien nicht mehr kämpfen konnte.

„Also haben uns die Bestien entdeckt, wie wir schon vermutet haben, mein Herr", stellte Kormund fest. „Wenn auch sicher nur einzelne Späher, denn sonst hätten sie uns schon längst angegriffen, so schwach wie wir sind."

„Wahrscheinlich werden sie uns so lange beobachten, bis ihre Kampftruppen zu uns aufgeholt haben. Derodem muss überrumpelt worden sein. Vielleicht wollte er sich erleichtern und stieß dabei auf den Ork, der ihn dann getötet hat. Derodem kam nicht einmal mehr dazu, sein eigenes Schwert oder den Dolch zur Verteidigung zu ziehen. Er muss völlig überrascht worden sein."

„Ja." Scharführer Kormund suchte den umliegenden Boden ab. „Schade, es gibt keine Spuren, die man verwerten könnte. Das Gras hat sich wohl schon wieder aufgerichtet. Aber ich denke, es muss in den späten Nachtzehnteln geschehen sein, sonst wären Fußspuren sichtbar geblieben. Es wird gewesen sein, wie Ihr sagt, mein Herr. Der Ork muss hier auf Beobachtungsposten gelegen haben und Derodem regelrecht über ihn gestolpert sein. Das würde auch erklären, warum er die Annäherung des Feindes nicht bemerkte."

Garodem saß ab, trat an Derodem heran und schloss dem Toten die Augen. „Lebt wohl, Pferdelord. Ihr habt Euren Eid erfüllt und der Hochmark Ehre gemacht." Mit diesen Worten richtete sich Garodem wieder auf. „Gebt ihm seine Klinge in die Hand und deckt ihn zu. Dann kehrt zur Kolonne zurück." Er legte Kormund die Hand auf die Schulter. „So tragt Ihr nun die Verantwortung für zwei Scharführer, Kormund, und wir müssen nun noch enger zusammenstehen."

Kormund sah ihn mit einem seltsamen Blick an. Doch dann nickte er schweigend und gab den Männern Anweisungen, indessen Garodem wieder aufsaß und in Begleitung der beiden Schwertmänner und des Bannerträgers zur Kolonne zurückritt. Es gab keinen unpassenderen Moment für Derodems Tod. Nun, der Tod eines Pferdelords kam immer unpassend. Plötzlich fiel Garodem wieder die blutige Strieme an Kormunds Hals ein, und er musste daran denken, dass Kormund in der Nacht zuvor auch das Gespräch zwischen Derodem und ihm mitgehört hatte. Garodem erinnerte sich an Kormunds seltsamen Blick. Die Ehre der Pferdelords ging dem stämmigen Scharführer über alles andere. Derodems Worte mussten seinen Zorn erregt haben. Sollte es möglich sein? Nein. Nein, das konnte nicht sein. Niemals würde ein Pferdelord … Was aber, wenn doch?

Kormund würde seinen Pferdefürsten und die Hochmark unter allen Umständen schützen. Er konnte zudem ermessen, wie gefährlich die Worte Derodems auf die Menschen gewirkt und wie sehr ein Streit die Kraft des Flüchtlingszuges geschwächt hätte. Kormund hätte das niemals zugelassen.

Und woher kam die plötzliche Verletzung Kormunds? Andererseits war Derodem durch die Klinge eines Orks und durch den klassischen Eröffnungsstoß getötet worden. Der Stoß! Er musste aus gerader Richtung erfolgt sein, die Wunde verriet es. Der Ork konnte also nicht am Boden gelegen haben, als er Derodem überrascht hatte. Er musste vor ihm gestanden haben. Auf Stoßdistanz. Nein, in diesem Falle würde Derodem sich gewehrt haben und wäre nicht so überrascht gewesen. Nein, hier stimmte etwas ganz und gar nicht.

Garodem wusste, dass er dem Vorfall nachgehen musste. Aber konnte ein Pferdelord tatsächlich so wahnsinnig sein und einen anderen ermorden? Noch dazu im Angesicht der Bedrohung durch den Feind? Noch nie hatte es so etwas gegeben, und Garodem spürte, dass er behutsam nachforschen musste, denn sein Verdacht war so ungeheuerlich ... Wenn er sich bewahrheitete, würde dies das Vertrauen der Pferdelords untereinander nachhaltig erschüttern. Oder aber sie würden vielleicht sogar glauben, dass ein böser Zauber Kormund überwältigt und zu dieser Tat verführt hatte. Ein Zauber, der auch andere Männer jederzeit befallen konnte.

Der Pferdefürst fluchte leise. Was er brauchte, war ein Beweis, wie die Klinge, mit welcher der tödliche Stoß geführt worden war. Es war nicht die Klinge eines Schwertmannes gewesen, sondern die Klinge eines Orks. Aber wie hätte Kormund an eine solche Klinge kommen können? Das Beutestück eines erschlagenen Feindes, vielleicht, aber keiner der Pferdelords hatte sich die Mühe gemacht, ein solches Andenken an sich zu bringen. Zudem wäre es schwer gewesen, eine solche Waffe vor den anderen zu verbergen. Es sei denn …

Garodem blickte zu der Kolonne mit den Stadtbewohnern und den Wagen, die sich vor ihm über das Grasland der Reitermark bewegten. Er erinnerte sich, dass einer seiner Männer erwähnt hatte, dass sich auf einem der Wagen noch ein paar Waffen der Orks befinden würden, und Garodem hatte zunächst erwogen, diese als unnötigen Ballast abladen zu lassen, sich dann aber gesagt, es sei Beomunts Sache, sich darum zu kümmern. Später hatte Garodem die Angelegenheit dann wieder vergessen. Doch nun fiel sie ihm wieder ein. Konnte es denn sein, dass jemand, zum Beispiel Kormund, von dort ein Schlagschwert der Orks entwendet und Derodem damit ermordet hatte? Diese Vorstellung und die Konsequenzen, die sich daraus ergaben, waren furchtbar.

Garodem brauchte Gewissheit, was seinen Verdacht betraf, und so ritt der Pferdefürst aufmerksam an der Kolonne mit ihren langsamen Wagen und den geflüchteten Bewohnern Eodans entlang. Er störte sich nicht an den verwunderten Blicken, die der eine oder andere ihm dabei zuwarf. Schließlich hatte er den Wagen erreicht, auf dem sich die erbeuteten Orkwaffen befanden. Ohne zu zögern schlug er die Plane zurück und warf einen Blick auf den Inhalt des Wagens. Ja, dort lag ein Bündel mit Orkwaffen, und Garodem verzog missmutig sein Gesicht, als er den Griff eines Schlagschwertes erkannte. Er zog die Waffe hervor und musterte sie nachdenklich, während er noch immer neben dem Wagen her ritt.

„Ihr Pferdelords interessiert euch wohl sehr für Waffen jeder Art, wie?“ Ein Farmer Eodans, der mit seinen schwieligen Händen an einem der Räder des Wagens drehen half, grinste

Garodem neugierig an.

Der Pferdefürst nickte dem Mann flüchtig zu und legte dann noch immer in Gedanken versunken das Schlagschwert zurück, verfehlte aber durch einen plötzlichen Ruck des Wagens das Bündel, wodurch die Waffe vom Wagen rutschte. Mit einem metallisch klingenden Geräusch fiel sie zu Boden.

„Das ist Eurem Schwertmann gestern auch passiert", grinste der Farmer ihn an, als Garodem sich aus dem Sattel beugte, um die Waffe aufzuheben.

Garodem schob sie gerade sicher in das Bündel zu den anderen Waffen zurück, als ihm die Worte des Stadtbewohners erst richtig ins Bewusstsein drangen. „Äh, wie meint Ihr?"

„Na ja, gestern Nacht. Eurem Schwertmann, als er sich die Dinger ebenfalls angesehen hat."

Garodem blickte den stämmigen Mann finster an. Also doch. „Mein Scharführer Kormund?"

Der Farmer zuckte mit den Achseln. „Keine Ahnung. Ich hab es ja überhaupt nur bemerkt, weil ich mit den anderen neben dem Wagen geschlafen habe und nicht so richtig schlafen konnte. Da habe ich durch Zufall gesehen, dass einer der Pferdelords der Wache eine Waffe vom Wagen holte. Keine Ahnung, ob er sie später wieder zurückgebracht hat."

„Wer?" Aufgeregt packte Garodem den Arm des Mannes.

„Also, ehrlich, Hoher Lord, ich weiß es nicht. Es war ziemlich dunkel, und ich konnte nur erkennen, dass es ein Pferdelord war, aber nicht, welcher. Nur, dass er einen Helm mit dem Rosshaarschweif der Schwertmänner trug."

Garodem dankte dem Mann enttäuscht, der über die Erregung des Pferdefürsten sichtlich erstaunt war, und ritt von dannen. Wer hatte die Waffe geholt? War es Kormund gewesen, um mit ihr seinen Kameraden Derodem zu ermorden? Die

Möglichkeit bestand, dachte Garodem erschauernd. Nein, sie schien ihm jetzt fast gegeben. Aber er hatte noch keinen Beweis. Schließlich trugen alle Männer der Wache einen Rosshaarschweif an ihrem Helm.

Als der Pferdefürst sich unbewusst umsah und dann schneller ritt, um zur Vorhut aufzuschließen, traf sein Blick auf Kormund, der seinen Trupp gerade an der Flanke der Kolonne entlangführte. Der Scharführer erwiderte Garodems Blick, und dieser glaubte für einen Moment, ein flüchtiges Lächeln über Kormunds Gesicht huschen zu sehen. Aber vielleicht täuschte Garodem sich ja auch. Während er nach vorne ritt, dachte er daran, dass Kormund ihn am Wagen mit den Orkwaffen gesehen haben musste. Hatte der Scharführer seinen Pferdefürsten nur freundlich angelächelt oder ihn aber heimtückisch angegrinst, weil er den Verdacht seines Herrn bemerkt hatte und wusste, dass es trotzdem keinen Beweis gab, der eindeutig auf ihn hinwies? Garodem, der Pferdefürst der Hochmark, wusste, dass er mehr als nur ein wachsames Auge auf Kormund haben musste, während er langsam zur Spitze aufschloss.

„Nun, was ist, Garodem, Pferdefürst?“, erkundigte sich die Hohe Frau Jasmyn, nach einem kurzen Blick in sein sorgenvolles Gesicht.

„Scharführer Derodem ist tot“, sagte er wortkarg. „Wir fanden ihn in der Steppe, nur unweit des Lagers.“

Beomunt wandte sich ihm zu. „Orks?“

Garodem nickte zögernd. „Vielleicht“, fügte er in Gedanken hinzu, denn er wollte seinen Verdacht nicht öffentlich äußern, solange er sich noch nicht sicher war.

In den folgenden Zehnteltagen kam der Treck recht gut voran. Die Nacht hatte Mensch und Tier eine notwendige, wenn auch kurze Erholungspause verschafft, und es war angenehm, auf dem Boden der Reitermark zu marschieren, solange dieser noch die Feuchtigkeit des Morgentaus festhielt. Kein Staub wirbelte auf, der einem den Atem nahm und der jedem schon auf weite Entfernung hin zeigte, wo sich die Menschengruppe befand. Aber die Sonne stieg unaufhaltsam und würde den Boden schon bald wieder ausgetrocknet haben.

Jeder Schritt, jede Länge entfernte sie weiter von Eodan und brachte sie näher an die Furten des Flusses Eisen und an den Hammerturm. Und näher an den Feind.

# 22

Der Pass war wieder von Menschen besetzt. Bluthand wusste dies nur allzu gut, ebenso wie er wusste, dass ihm der Weg nach Süden dadurch nun versperrt war. Die Wunde, die er vor Tagen erlitten hatte, schmerzte noch ein wenig, aber sie behinderte ihn kaum noch. Orkisches Fleisch heilte schnell, und eine weitere Narbe störte das Rundohr nicht im Mindesten. Aber die letzten Tage waren unerfreulich gewesen. Nicht genug, dass die Menschen den Pass erneut genommen hatten und den Signalturm wieder besetzt hielten, waren zugleich auch noch die Bewohner der Hochmark in ihre Stadt Eternas geflohen, wo sie jetzt den Ansturm der Horde erwarteten. Dieser Ansturm würde kommen, das wusste Bluthand. Doch bis dahin musste er sich weiterhin verborgen halten. Nur kleine Spähtrupps der Horde waren bislang in die Hochmark eingedrungen, und nun, da die Menschen von ihrer Existenz wussten und vorgewarnt waren, hatten die Pferdelords die meisten von ihnen aufgespürt und erschlagen. Die wenigen überlebenden Orks verbargen sich vor ihren Jägern und fanden kaum noch Beute. Bluthand hatte noch ein weiteres Rundohr und ein Spitzohr gefunden, die beide den Spähtrupps angehört hatten und sich nun bemühten, in den leeren Tälern der Hochmark am Leben zu bleiben, denn die Menschen hatten ihre Pferde und Schafe nicht zurückgelassen, sondern nach Eternas mitgenommen. Bluthand und die seinen hatten nur noch etwas Brot vorgefunden, und sie hatten Hunger. So führte Bluthand die anderen beiden Orks durch die Hochmark und zu der Straße, die von Eternas zum Pass führte. Dort würden sie am ehesten die Chance haben, auf Menschen zu stoßen, die sie töten und verspeisen konnten. Sie bewegten sich dabei äußerst vorsichtig, denn gelegentlich streiften noch immer kleine Gruppen der Pferdelords durch die Täler.

Der Reiter, den Bluthand allerdings gerade erspäht hatte, ritt schnell, aber sorglos. Offenbar fühlte er sich vollkommen sicher, jetzt, wo die Menschen wieder den Pass beherrschten. Es war nicht mehr weit zum Pass, und die Orks befanden sich in dem kleinen Wald voller verkrüppelter Bäume, aus dessen Holz die Menschen das Signalfeuer erneut geschichtet hatten. Nur wenige Hundertlängen von ihnen entfernt lag der Einschnitt der langen Schlucht, die das Gebirge durchzog und den Pass bildete. Bluthand und die seinen hatten sich so dicht am Einschnitt postiert, dass die vorspringenden Felsen sie vor den Blicken, welche die Posten der Pferdelords von der Plattform des Turms über das Land warfen, verbargen. Wer auch immer hier vorbeikam, würde sich in keinerlei Gefahr mehr wähnen, denn er konnte Turm und Wache schon erkennen und wusste außerdem, dass der Pass wieder von Menschen besetzt war.

Bluthand hatte das Spitzohr mit seinem Bogen in die Felsen auf der anderen Seite des Einschnitts geschickt. Er wusste, dass das Spitzohr nervös war, außerdem traute er ihm nicht viel zu, denn Spitzohren waren nur im Rudel stark. Wurden sie dagegen einzeln gefordert, erwiesen sie sich meist als schwach und feige. Bluthand verließ sich lieber auf seine eigene Stärke und die des anderen Rundohrs. Er konnte nur hoffen, dass das Spitzohr mit seinem Schuss so lange warten würde, bis der Mann nahe genug herangekommen war, denn die Menschenwachen durften nicht zu früh merken, dass der Reiter sie nie mehr erreichen würde. Bluthand spähte zu den Felsen der anderen Seite hinüber und war zufrieden, als das Spitzohr sich dort nicht blicken ließ.

Bluthand und das andere Rundohr kauerten sich dichter an den Boden, als der Hufschlag des Pferdes hörbar wurde. Er blickte zur Seite und sah den Geifer, der aus dem Maul des anderen Orks floss. Sie alle hatten Hunger, aber nun endlich näherte sich ihnen eine ausgiebige Mahlzeit.

Der Mann ritt ahnungslos an Bluthand und dem anderen Rundohr vorbei, sein Blick war allein auf den Einschnitt des Passes fixiert. Selbst sein Pferd schien keinen Hinterhalt zu wittern. Der Reiter trug keinen richtigen Harnisch, und so durfte es dem Spitzohr wohl leichtfallen, ihn vom Pferd zu schießen. Schon richtete sich Bluthand sprungbereit auf und wartete auf den tödlichen Pfeil des Spitzohres. Warum schoss die feige Made denn nicht endlich? Ah, jetzt! Der Reiter zuckte im Sattel zusammen, und Bluthand stürmte vor und auf den Mann zu, der auf seinem Pferd nach vorne gesunken war. Ein weiterer Pfeil zischte heran, verfehlte den Menschen, pfiff aber dafür dicht an Bluthand vorbei. Der stieß ein grimmiges Knurren aus und hätte das Spitzohr am liebsten angebrüllt, unterließ es jedoch, weil er befürchtete, dass die Männer im Turm ihn hören würden. So begnügte er sich mit einem leisen Fluch und sprang den Mann an, der stöhnend auf seinem Pferd saß. Doch nun bemerkte das Tier Bluthands Gegenwart und richtete sich wiehernd auf. Der verletzte Mann stöhnte erneut auf und fiel dann rücklings vom Pferd, genau vor Bluthands Füße. Bluthand sah den Pfeil, der aus dem Unterleib des Menschen ragte. Es war kein wirklich guter und tödlicher Schuss auf diese Entfernung gewesen, aber immerhin ausreichend, um den Menschen am Schreien zu hindern. Jetzt blieb Bluthand nur noch eins zu tun, und so führte er die Eisenkralle und zerfetzte die Kehle des Menschen, so dass dieser für immer verstummte.

Das andere Rundohr eilte nun herbei, und aus den gegenüberliegenden Felsen schob sich das Spitzohr hervor, begierig, sich am Fleisch des Menschen gütlich zu tun. Das verschreckte Pferd wieherte schrill und galoppierte seitlich und abseits des Weges davon und in das Tal zurück, aus dem es gekommen war. Wenigstens würde es jetzt die Wachen am inneren Signalfeuer nicht mehr auf den Vorfall aufmerksam machen können.

Da klang erneuter Hufschlag auf, und Bluthand blickte irritiert von dem Leichnam auf. Wieder schien es nur ein einzelner Reiter zu sein, doch wenn dieser den Toten sehen würde, würde er gewarnt sein und mit seinem Geschrei die Turmwache alarmieren.

„Versteck die Mahlzeit", knurrte Bluthand und packte mit an, um den toten Menschen in die spärliche Deckung der Baumzone zu zerren. Der Mensch hinterließ eine breite Schleifspur und reichlich Blut am Boden. Bluthand scharrte deshalb rasch etwas Dreck über das Blut und folgte dann hastig dem anderen Rundohr zwischen die Bäume. Das Spitzohr hingegen hatte schon lange zuvor auf halber Strecke kehrtgemacht und war wieder in die Deckung der Felsen gerannt. Bluthand hoffte nur, dass die Made unten bleiben und nicht erneut schießen würde, denn sonst würden sie wohl nie mehr dazu kommen, ihre Mägen zu füllen, und er spürte schon jetzt, wie ein leises Knurren aus seinem Gedärm aufstieg.

Ein Reiter erschien in seinem Blickfeld und trabte rasch an ihnen vorbei, ohne die Bluttat bemerkt zu haben. Er hatte nur einmal oberflächlich über das Gehölz geblickt und war dann in den Einschnitt hineingeritten. Bluthand folgte ihm noch mit den Blicken, als abermals Hufe heranpochten. Er stieß ein grimmiges Knurren aus und fühlte, wie Wut in ihm aufstieg. Was sollte das? Was hatten all diese einzelnen Reiter zu bedeuten?

Kaum war der zweite Reiter im Pass verschwunden, da tauchte auch schon der dritte auf. Wie die beiden anderen war es ein kaum gerüsteter Mann. Nein, eher eine Frau, schmächtig, wie die Gestalt schien, und Bluthand leckte sich die Lippen, als er automatisch an das kalbende Weib zurückdachte, in das er zuletzt seine Fänge geschlagen hatte. Erneut knurrte sein Magen. Ah, es war besser, jetzt nicht zu gierig zu sein. Ihnen war bereits eine gute Mahlzeit sicher, sollte das Weib also ruhig entkommen. Da wehte der braune Umhang des Reiters ein Stück auseinander, und Bluthand konnte dessen Gesicht besser erkennen. Das war kein schmackhaftes Weib, sondern nur ein halbwüchsiger Knabe. Bluthand grinste hämisch. Viel mehr mochten die Pferdelords wohl nicht mehr aufzubieten. Nur noch alte Männer, wie den Reiter, den sie gerade erlegt hatten, und kleine Knaben, die nicht einmal eine ordentliche Mahlzeit abgaben.

Auch der letzte Reiter verschwand nun im Pass, und Bluthand lauschte vorsichtshalber. Aber kein weiterer Hufschlag näherte sich mehr. Selbst das Spitzohr wagte sich abermals aus der Deckung und kam nun rasch herüber. Bluthand ergriff ein Bein des toten Menschen und sah den anderen Ork dann auffordernd an. „Lass uns von hier verschwinden, damit wir wenigstens in Ruhe essen können."

So schnitten sie die schmackhaftesten Stücke aus der Leiche, verbargen die Überreste im Krüppelholz des kleinen Waldes und trabten dann mit ihrer Beute in eines der Seitentäler. Bluthand war sich sicher, noch weitere Orks in den Tälern zu finden. Nachts sahen die Menschen schlecht, und einzelne Orks und kleine Gruppen würden in der Dunkelheit unter dem Turm hindurch den Pass entlangschleichen, sich mit Bluthand vereinen und dann warten, bis Blauauge und die Horde kämen, um den Turm und die Menschen hinwegzufegen. Es würde nicht mehr lange dauern bis dahin. Nein, nicht mehr lange.

Nedeam hatte indessen keine Ahnung von dem, was kurz zuvor geschehen und welchem grausamen Schicksal er glücklicherweise entronnen war. Er ritt ein gutes Stück hinter dem Boten in den Pass ein und achtete darauf, nicht von ihm entdeckt zu werden, denn Nedeam wollte auf keinen Fall zurückgeschickt und später in Eternas verlacht werden, weil aus seinem Abenteuer nichts geworden war.

„Wer da", schallte eine Stimme vom Rand des Turmplateaus in die Schlucht hinunter. „Gebt Euch zu erkennen."

„Hainum, des Haimars Sohn", rief der Bote zum Turm hinauf. „Ich reite von Eternas mit Botschaft Larwyns, unserer Herrin."

„Welche Botschaft bringt Ihr, Hainum?"

Oben auf dem Plateau, am Klippenrand, wurden zwei Männer sichtbar. Der Bote aus Eternas schüttelte den Kopf. „Sie ist nur für den Hohen Lord oder den König bestimmt."

„Ins Land des Königs hinunter wollt Ihr? Alleine? Dann sei Euer Pferd schnell und Euer Arm stark, mein Freund." Die Männer grüßten den Boten, und dieser trieb sein Pferd rasch wieder an.

Nedeam wartete, bis der Hufschlag verklungen war, und ritt dann in den Pass ein. Auch er wurde angerufen. „Nedeam, des Balwins Sohn", rief er hinauf und versuchte seiner Stimme einen männlichen Klang zu geben. „Mit Botschaft für den Herrn oder den König."

„Noch ein Bote?" Einer der Männer sah skeptisch zu ihm herunter. „Verstehe, ihr wollt getrennte Wege nehmen, nicht wahr?" Nedeam nickte, und der Mann wünschte ihm einen guten Ritt.

Der Zwölfjährige trieb Stirnfleck durch die lange Schlucht.

Er durfte den Boten der Herrin nicht aus den Augen verlieren, denn der Mann würde den verborgenen Pfad nehmen, den nur wenige kannten und der Nedeam nicht bekannt war. Er sah bereits den vorderen Zugang des Passes vor sich liegen, zuckte dann aber kurz zusammen, als ihn ein furchtbarer Gestank darauf vorbereitete, welcher Anblick sich ihm gleich bieten würde. Er sah die Kadaver erschlagener Orks, und es waren furchtbar viele. Ihr Fleisch war faulig und schon lange am Verrotten, und Vögel und Raubtiere hatten noch ein Zusätzliches getan, um die Toten weiter zu entstellen.

Schaudernd lenkte Nedeam sein Pferd zwischen den Überresten des Kampfes hindurch und war erleichtert, als er den Pass endlich verlassen konnte und ihm ein sanfter Wind frische Luft ins Gesicht blies. Ein Stück vor sich erkannte er den Boten, der gerade um einen kleinen Berg mit einer vorspringenden Klippe herum ritt und sich bereits ein gutes Stück abseits der Straße befand, die nach Süden führte. Dort musste sich irgendwo der Beginn des Pfades befinden. Gehorsam folgte Stirnfleck dem Druck von Nedeams Schenkeln und trabte dem Boten hinterher. Nedeam trieb Stirnfleck an, denn wenn der Bote im Pfad verschwand, bevor Nedeam ihn dabei beobachten konnte, würde der Pfad auch weiterhin geheim bleiben.

Als Nedeam den kleinen Berg endlich umrundet hatte, war der Bote verschwunden. Nedeam stieß einen leisen Fluch aus. Er musste den Weg, den der Mann genommen hatte, unbedingt finden, sonst konnte er gleich umkehren. Nedeam schwang sich aus dem Sattel und schritt langsam vor Stirnfleck her, den Blick dabei immer fest auf den Boden gerichtet. In diesem Augenblick war er froh darüber, dass sein Vater Balwin ihn so gut im Lesen von Spuren unterrichtet hatte. Dort war ein frischer Kratzer am Stein, da ein winziger Abdruck im Moos, das sich noch nicht wieder aufgerichtet hatte. Und einige Längen weiter war ein Stein zur Seite gerollt und lag mit seiner dunkleren Unterseite nach oben.

Es gab Spuren. Nicht viele, aber dennoch genug, so dass Nedeam ihnen folgen konnte. Doch dann geschah genau das, was er befürchtet hatte. Nedeam verlor die Spur. Er merkte es erst nach etlichen Längen, ging zögernd zurück und machte sich erneut auf die Suche. Nichts, seine Frustration wuchs. Der Bote konnte sich doch nicht einfach in Luft aufgelöst haben. Verzweiflung befiel den Knaben, und er führte Stirnfleck zu der Stelle zurück, an der er die Spur verloren hatte.

„Wir müssen sie finden", flüsterte er Stirnfleck zu und streichelte die Nüstern des Hengstes. „Jetzt brauche ich deine gute Nase, Stirnfleck. Zeig es mir. Zeig mir, wohin er gegangen ist."

Der große Hengst schnaubte leise, als könne er Nedeams Worte genau verstehen, dann setzte er langsam Huf vor Huf, die Nüstern immer dicht über dem Boden. Erneut schnaubte er und wieherte leise. Stirnfleck trat nun auf eine kleine Felsplatte, die trocken und verwittert wirkte und die keinen Bewuchs aufwies. Nedeam folgte seinem Tier und ließ den Hengst Witterung aufnehmen. Auf der kleinen Felsplatte befand sich Gesteinsstaub, der an einigen Stellen leicht verwischt war. Aber das war bei den stetigen sanften oder stärkeren Winden im Gebirge normal, und Nedeam konnte nichts sehen, was darauf hingewiesen hätte, dass hier ein Mann und sein Pferd kurz zuvor entlanggegangen wären. Zudem war erst vor ein paar Tagen der gesamte Beritt des Pferdefürsten über den Pfad gewandert. Hundert Männer und ihre Pferde hätten deutliche Spuren hinterlassen müssen. Aber Nedeam musste sich auf Stirnflecks Nase verlassen, und so folgte er dem Hengst, der über die Felsplatte schritt und sich dann einer kleinen Spalte im Felsen des Berges näherte. Nedeam kniff die Augen zusammen. Die Spalte schien ihm eher nach dem verlassenen Bau einer Raubkralle oder gar eines Pelzbeißers auszusehen, als der Beginn eines Pfades zu sein, denn sie war schmal und sehr niedrig. Zudem vollkommen dunkel. Dennoch ging Stirnfleck auf diese winzige Höhle zu und blieb davor stehen. Das Pferd schnaubte kurz und senkte den Kopf, dann ging es hinein. Nedeam hatte den Zugang zum Pfad gefunden.

Eigentlich war es Stirnfleck gewesen, wie der Zwölfjährige sich eingestand. Der Hengst passte weit besser durch die Öffnung, als Nedeam dies anfänglich geglaubt hatte. Die Öffnung war auch keine wirkliche Höhle, sondern eher ein enger Durchschlupf zwischen den Felsen, welcher von oben abgedeckt war, einen Knick machte und dann nach einigen Längen wieder ins Freie hinausführte. Anerkennend tätschelte Nedeam den Hals des Hengstes. Nun, auf der anderen Seite des verborgenen Durchschlupfes war der Pfad bei weitem besser zu erkennen als vorher. Vielleicht hatten sich Garodems Männer auf der anderen Seite auch die Mühe gemacht, ihre Spuren zu verwischen, doch hier, auf dieser Seite, war es leicht, der Fährte des Beritts zu folgen. Obwohl mittlerweile mehrere Tage vergangen waren, waren überall deutlich Stellen auszumachen, an denen die Stiefel der Männer oder die scharfkantigen Hufe der Reittiere Markierungen hinterlassen hatten. Hin und wieder war auch noch der Kot eines Pferdes zu sehen, der inzwischen zwar staubbedeckt und trocken war, sich aber dennoch auffällig genug von den umliegenden Steinen abhob.

Nedeam erkannte rasch, wie anstrengend der Pfad war, und begann Stirnfleck am Zügel hinter sich herzuführen. Ein- oder zweimal glaubte er das Geräusch von Hufen zwischen den Felswänden hallen zu hören, und so folgte er dem Boten Larwyns entschlossen. Er hatte den Pfad gefunden und würde sich nicht mehr zurückschicken lassen. Und vielleicht würde der Bote sogar froh darüber sein, einen Begleiter zu haben.

Der Pfad führte zwischen steil aufragenden Felswänden entlang, die Nedeam das Gefühl gaben, als ob sie jederzeit über ihm zusammenstürzen könnten. Doch noch viel schlimmer fand er jene Stellen, an denen er links oder rechts des Pfades in einen steilen Abgrund hinabsah. Zudem machte ihm auch die zunehmende Kälte immer mehr zu schaffen, denn der Pfad führte zunehmend in die Höhe. Nedeam ahnte, dass er die ihm bevorstehenden Anstrengungen unterschätzt hatte, aber er wollte nicht aufgeben. Manchmal polterten Steine von oben nach unten und schreckten ihn auf, dann wieder erreichte er eine Stelle, wo er tief unter sich schemenhaft den Kadaver eines gesattelten Pferdes erkannte. Die Gewissheit, dass Garodem ein Pferd und vielleicht sogar einen Mann durch einen Sturz in die furchtbaren Abgründe verloren hatte, ließ Nedeam noch vorsichtiger werden, und so drückte er sich noch enger als zuvor an den aufragenden Wänden vorbei und mied dabei ängstlich die Stellen, die ihm nicht sicher genug erschienen.

Schließlich begann es zu dunkeln, und es wurde zu gefährlich, den Weg weiter fortzusetzen. Ein Stück voraus konnte Nedeam eine überhängende Klippe erkennen, die über den Pfad ragte und die ihm Schutz vor eventuell herabfallenden Steinen bieten würde. Also führte er Stirnfleck bis dorthin und war erleichtert zu sehen, dass sich der Pfad an dieser Stelle ein wenig verbreiterte. Die Vorstellung, in tiefem Schlaf in einen schier bodenlosen Abgrund zu stürzen, schreckte den Zwölfjährigen. Aber würde er überhaupt Schlaf finden können?

Nedeam gab Stirnfleck Wasser und ein paar Trockenfrüchte zu essen, dann trank er selbst und aß zudem etwas Brot und Trockenfleisch, obwohl er keinen Hunger empfand. Dafür wurde es immer kälter, empfindlich kalt sogar, und Nedeam zog den braunen Umhang fester um seine mageren Schultern und hüllte sich, so gut es ging, darin ein. Immer wieder nickte er ein, zuckte dann aber zusammen und sah sich um, ob irgendeine Gefahr drohte. Er war froh, wenigstens die Sterne sehen zu können, deren Licht ihm an diesem trostlosen Ort am Rande des Abgrundes warm und vertraut schien. Schließlich schlief er doch noch ein.

Nedeam erwachte durch mehrere Stöße Stirnflecks und das beunruhigte Schnauben des Hengstes. Er schreckte auf und blickte sich hastig um, doch er konnte keine Gefahr erkennen. Es war noch immer dunkel, auch wenn schon Dunst zwischen den Bergen aufstieg, der das Ende der Nacht verriet. Stirnfleck stieß erneut gegen Nedeam und wieherte leise. Nedeam wollte den Hengst beruhigen, doch da hörte er auf einmal ein leises, kaum vernehmliches Knirschen. Es waren nur winzige Steine, die von oben über den Hang gerollt kamen, aber der Knabe erbleichte und fragte sich, ob es wohl möglich sein konnte, dass sich über ihm ein Feind befand, da sich das Knirschen verstärkte. Er sah Geröll, das rechts und links des kleinen Überhangs herabkam, und er begriff, dass ein Erdrutsch drohte. Doch hier, unter dem Überhang, wähnte Nedeam sich sicher. Abermals versuchte er Stirnfleck zu beruhigen, was ihm aber nicht gelang, stattdessen versuchte der Hengst, ihn zu beißen.

„Bist du toll?“, schrie Nedeam und empfand für einen Augenblick Zorn auf den Hengst, doch zugleich sah er, dass Stirnfleck Angst hatte, denn dessen Augen waren weit aufgerissen und sein Gebiss gebleckt. Der Knabe hielt die Zügel umkrampft, an denen Stirnfleck zunehmend zerrte. „Halte still, Stirnfleck“, rief Nedeam besorgt. „Wir können nicht dort hinaus.“

Schließlich schlang sich der Knabe die Zügel um den Arm,

fühlte sich aber, als Stirnfleck sich gar nicht mehr beruhigen ließ, sondern nun auch noch zu tänzeln begann, zunehmend in Gefahr. Und nachdem er seinen Arm nicht rasch genug frei bekam, zerrte ihn das große Tier einfach mit sich unter dem rettenden Überhang hervor und mitten auf den Pfad in das Geprassel der herabrollenden Steine hinein.

Nedeam schrie schmerzerfüllt auf und hörte Stirnflecks Wiehern, als das Pferd von Steinen und Felssplittern getroffen wurde. Er selbst spürte ein Brennen an seiner Wange und wenig später auch, wie Blut daran herabrann, aber noch immer zerrte Stirnfleck ihn immer weiter von dem Überhang fort. Durch das Prasseln der Steine hindurch wurde ein seltsames Ächzen vernehmbar, und als Nedeam zum Überhang zurückblickte, sah er mit aufgerissenen Augen, wie der große Felsen, der ihm Schutz geboten hatte, sich nun überraschend schnell nach unten neigte. Der Knabe fühlte kaum noch, wie ihn weitere Splitter trafen, sondern blickte nur noch auf den Überhang, der in diesem Moment auf dem Pfad aufschlug und ein gutes Stück davon mit sich in den Abgrund riss.

Mit einem Mal kamen auch keine Steine mehr von oben. Nedeam hörte nur noch das Nachrutschen von Steinen und Erde und sah, dass der Pfad an der Bruchstelle vollkommen zerstört worden war. Damit war der Rückweg auf diesem Weg nicht mehr möglich, aber Nedeam war wenigstens noch am Leben, und er begriff, dass er dies nur Stirnflecks Instinkten zu verdanken hatte.

„Es ist gut, mein Alter, alles ist gut“, keuchte Nedeam und tätschelte Stirnfleck.

Nedeam lehnte sich an die Felswand hinter ihm, und seine Beine wurden ihm schwach, als ihm bewusst wurde, wie knapp er gerade dem Tode entronnen war. Noch immer war es zu dunkel, um weitergehen zu können, und so verharrte Nedeam an der Stelle, an der er sich befand, streichelte beruhigend das Fell des Hengstes und versuchte ebenfalls wieder etwas ruhiger zu werden.

Als die ersten Sonnenstrahlen den Pfad erreichten, folgte Nedeam weiter dem Pfad. Es war wie ein Wunder, dass sie keinen ernsteren Schaden erlitten hatten. Stirnfleck hatte nur eine kleine Schramme an der Hinterhand, deren Blut bereits verkrustete, und Nedeam hatte nur an Gesicht und Händen ein paar Schrammen davongetragen. Auch sein Körper begann an einigen Stellen, wo ihn Steine getroffen hatten, zu schmerzen, und unter seinem Wams fand der Knabe schon einige Prellungen, die sich zu verfärben begannen, aber er ignorierte die Schmerzen und konzentrierte sich ganz auf den Weg, der sich nun endlich wieder nach unten neigte.

Dann fand er den Boten.

Mann und Pferd mussten entweder wie Nedeam überraschend von einem Steinschlag getroffen worden sein oder hatten einfach nur den Halt verloren und waren fehlgetreten.

Nedeam sah auf die beiden Körper tief unter sich und musste plötzlich an die Worte denken, die die Wache am Signalturm mit dem Boten gewechselt hatte. Die Wachen hatten nichts von einem anderen Boten erwähnt, der den Turm bereits passiert hatte. Und doch waren es zwei Boten gewesen, welche Eternas verlassen hatten und denen Nedeam gefolgt war. Schlagartig begriff er, dass einer der Boten den Signalturm gar nicht erst erreicht hatte. Nur der tote Mann unter ihm und er selbst, Nedeam, waren also über den Pass und den verborgenen Pfad gegangen, und nun war nur noch Nedeam am Leben, der dem Pferdefürsten oder dem König Nachricht geben konnte. Der Zwölfjährige begriff, was dies für ihn bedeutete und welche Verantwortung nun auf seinen Schultern lastete.

Nedeam tätschelte Stirnfleck die Flanke. „Nun liegt es also an uns, mein Alter. Nun sind wir beide die Boten der Herrin."

Er warf noch einen letzten Blick auf die beiden toten Körper in der Tiefe, dann führte er Stirnfleck entschlossen weiter den Pfad hinab und ins Land des Pferdekönigs hinein.

# 23

Schon von weitem war der Verlauf des Flusses Eisen in dem flachen Land als gleißendes Band zu erkennen. Sehr bald würde der Treck nun die großen Furten erreichen, wo die alte Handelsstraße, die schon zur Zeit der alten Könige existiert hatte, von den Marken der Pferdelords nach Westen führte. Viele Reisende und Handelswagen hatten diese Furten vor ihnen genutzt, und so war es nur naheliegend, dass einige Bewohner der Reitermark hier ein großes Gehöft mit einer Schänke errichtet hatten, in der sich die Reisenden erfrischen konnten.

Schon lange bevor der Treck aus Eodan die Furten erreichte, konnten sie es riechen: den typischen, schweren und süßlichen Geruch des Todes, und seine Intensität verriet ihnen, dass dort ein größeres Gefecht stattgefunden haben musste, denn nichts anderes hätte so viel Tod und Blut hervorrufen können.

Garodem hatte nicht gewartet, bis ihnen der vorausreitende Elf Lotaras die Bestätigung für die stattgefundenen Gemetzel überbrachte, sondern war sofort mit seiner Vorhut angeritten und der Kolonne ein gutes Stück vorausgeeilt. So war er einer der ersten, die das Schlachtfeld an den Furten erblickten.

Die Toten lagen über ein weites Stück entlang des diesseitigen Ufers verstreut. Vereinzelt oder in kleinen Gruppen lagen sie neben- und übereinander. In Richtung des niedergebrannten Gehöftes vergrößerte sich die Anzahl der Leichen immer mehr, Orks und Pferdelords waren im Tode seltsam vereint. Pfeile und Lanzen ragten aus ihren Leibern oder steckten im Boden, und Flugschwärmer stiegen bereits von den Toten auf. Eine einzelne Raubkralle sah misstrauisch zu den Neuankömmlingen hinüber und grub dann ihr blutiges Maul wieder in die Leiche eines gefallenen Mannes der Reitermark. Auf einmal war neben Garodem ein Zischen zu hören, und das Raubtier stürzte leblos zu Boden, als es der Elf mit einem Weitschuss tötete. Der Pferdefürst war Lotaras dankbar für diese Geste. Schweigend hob er seine Hand, und die zwanzig Pferdelords der Vorhut schwärmten zur Linie aus und folgten ihm zum Totenfeld hinab.

Die Toten waren furchtbar verstümmelt. Ihre Wunden rührten sowohl aus der Schlacht wie auch von den Gebissen der Sieger und der Raubtiere, die den Orks zum Festmahl gefolgt waren. Garodem sah die zerbrochene Lanze mit dem Wimpel eines Beritts, die aus der Leiche eines Rundohrs aufragte, und dort, wo die Toten dicht an dicht lagen, steckte ein zweites, rechteckiges Banner an einer Lanze aufrecht im Boden. Dessen grüne Farbe und das weiße Ross waren dem Banner, das Garodems eigener Standartenträger hinter ihm führte, sehr ähnlich. Doch das Banner dort war dunkelgrün eingefasst und gehörte dem Pferdefürsten der Reitermark, dessen abgetrennter Schädel ganz oben auf der Lanze steckte, wie der dunkelgrüne Rosshaarschweif am Helm des Toten verriet. Sein Mund klaffte auf, wie zu einem letzten, stummen Schrei geöffnet, und seine Augenhöhlen waren leer.

„Hier haben sie wohl den letzten Widerstand geleistet", murmelte ein Mann hinter Garodem.

Garodem nickte wortlos und umritt einen weiteren Haufen mit Toten. Der Gestank war entsetzlich, und die Männer hoben sich ihre Umhänge vor die Nasen. Garodem ritt in den Hof des Gehöftes ein, wo sein Pferd Mühe hatte, seine Hufe zwischen die verwesenden Toten zu setzen. Viele von ihnen waren bis zur

Unkenntlichkeit verbrannt. Dennoch erkannte der Pferdefürst Frauen und Kinder unter den Leichen. Sein Blick glitt über die verbrannten Gebäude, die Toten, hinüber zum anderen Ufer des Flusses und der Silhouette von Hammerturm, dessen Spitze von hier aus gerade noch zu sehen war. Hatte der Weiße Zauberer, der einstige Freund der Menschen, von dort aus dem Gemetzel zugesehen?

„Diese verdammten Mörder", schrie einer der Pferdelords zornbebend, der neben einem der Toten vom Pferd gestiegen war. „Diese verdammten, dreckigen …"

Garodem sah den Mann voller Trauer an. „Wir können sie nicht einmal in Ehren zu den Goldenen Wolken reisen lassen", sagte er leise. „Uns fehlt die Zeit dazu." Er hob seine Stimme, als er Beomunt erkannte, der sich ihnen an der Spitze des Wagenzugs näherte. „Lasst die Kolonne rasch über die Furten weiterziehen, Beomunt. Es ist nicht gut, wenn die Leute diesen Anblick hier zu lange vor Augen haben."

„Ihr habt Recht, Garodem, Pferdefürst." Beomunt gab den Männern und Frauen aus Eodan einen deutlichen Wink, und widerstrebend setzte sich die Kolonne wieder in Marsch.

Lotaras und Garodems Vorhut preschten durch das silbrig aufspritzende Wasser der Furt ans andere Ufer, bereit, sich dort einem möglichen Feind zu stellen, und an der Wagenkolonne vorbei jagte die Nachhut heran, um sich am jenseitigen Ufer mit der Vorhut zu vereinigen. Am anderen Ufer, wo sich die alte Handelsstraße nach Westen und Norden teilte, stieg das Gelände erneut leicht an. Gerade hier, nach der Durchquerung des Flusses, war die Kolonne der Flüchtenden besonders schutzlos, weshalb Lotaras und die Vorhut auch mit einem Hinterhalt am anderen Ufer rechneten, doch dort blieb alles ruhig.

Quälend langsam bewegten sich die schwer beladenen Karren und Wagen durch die Furt. Die massiven Räder sanken tief ein, und Zugtiere und Menschen mussten alle ihre Kraft aufbieten, um die Fahrzeuge voranzubringen. Immer wieder blieb ein Wagen stecken, und stets gelang es nur mit viel Geschrei und Muskelkraft, ihn wieder frei zu bekommen.

Garodem sah die verzweifelten Blicke, die viele der Männer und Frauen Eodans den Toten zuwarfen, während die Kolonne an dem Schlachtfeld vorbei zur Furt zog und sie durchquerte. Auch Beomunt beobachtete die Leute, löste sich dann von den Wagen und trieb sein Pferd neben Garodem.

„Sie waren nicht unvorbereitet“, sinnierte Beomunt. „Das Gehöft ist zuvor noch verstärkt worden. Seht Ihr die verkohlten Balkensperren um die Häuser herum? Sie wurden verteidigt. Vermutlich kam der Feind von zwei Seiten, Garodem.“ Der Schwertmann des Pferdekönigs wies zu den Furten, wo nur vereinzelte Tote lagen. „Die Männer der Reitermark dachten wohl, dass die Gefahr über die Furten kommen würde, und standen dort bereit. Doch der Feind befand sich schon an diesem Ufer und muss zuerst am Gehöft angegriffen haben. Der Pferdefürst muss seine Männer daraufhin am Gehöft konzentriert haben, bis die Bestien dann schließlich auch über die Furten kamen.“ Beomunt räusperte sich beklommen. „Es muss außerdem in der Nacht geschehen sein, denn sie haben zu Fuß gekämpft, ganz als ob sie in der Dunkelheit überrascht worden wären.“

Nur wenige tote Pferde waren zu sehen, doch das wunderte Garodem nicht. Viele Pferde fanden von alleine ihren Weg zum heimischen Stall, wenn ihre Reiter gefallen waren. „Zwei Beritte. Hier sind mindestens zweihundert Pferdelords gefallen.“

Beomunt nickte. „Wohl mehr, Garodem, Pferdefürst.“ Er wies zu dem niedergebrannten Gehöft. „Seht, wie dicht sie dort liegen und wie viele tote Bestien um das Gehöft herum verteilt sind. Dort hat man die Beritte der Reitermark immer dichter zusammengedrängt, bis sie kaum noch Raum zum Kämpfen fanden, und sie dann abgeschlachtet." Beomunt spuckte aus. „Bei den finsteren Abgründen, Garodem, Pferdefürst, ich sterbe lieber zu Pferde als zu Fuß."

Dem stimmte Garodem aus vollem Herzen zu. Da sah er Jasmyn, wie sie zusammen mit der Elfenfrau über das Schlachtfeld ritt. Zögernd lenkte er sein Pferd zu ihr, gefolgt von Beomunt. „Wollt Ihr nicht lieber zur Kolonne zurück, Hohe Frau Jasmyn?" Garodems Stimme klang ungewohnt sanft, als er sich an die junge Frau wandte. „Dieser Anblick ist nichts für Euch."

Doch die junge Frau schüttelte entschlossen den Kopf. „Nein, Garodem, Pferdefürst. Ich und Leoryn müssen dies sehen. Ist es Euch denn nicht aufgefallen?"

„Aufgefallen?" Garodem schüttelte ratlos den Kopf und sah Beomunt von der Seite an, dem es nicht anders erging. „Vieles vermag man hier zu sehen, und nichts davon ist schön."

Die Elfenfrau trieb ihr Pferd an Garodem vorbei in das Gehöft und sprang dort aus dem Sattel. Ohne jeden Ekel bewegte sie sich zwischen den toten Menschen und toten Orks. Garodem und die anderen sahen ihr zu, wie sie sich gelegentlich zu einem der Toten bückte und später auch noch die Balken des niedergebrannten Gehöftes untersuchte. Danach saß sie wieder auf und kam zu der Gruppe zurückgeritten.

„Seid Ihr in Magie bewandert, Garodem, Herr der Hochmark?", fragte sie mit leiser Stimme.

Garodem schüttelte den Kopf. „Nein, wir haben keinen Zauberer in der Hochmark. Von der Grauen Frau einmal abgesehen, doch die ist nur eine Heilerin. Nein, in der Mark vertrauen wir allein auf die Schnelligkeit unserer Pferde und auf die Stärke unserer Arme."

Die Elfin lächelte sanft. „Das mag der Pferdefürst der Reitermark auch gedacht haben." Sie wies mit einer unbestimmten Geste hinter sich. „Doch nun führt er sein Banner nicht mehr, sondern sein Banner führt ihn obenauf."

Beomunt beugte sich im Sattel vor. „Was wollt Ihr damit sagen, Leoryn, aus dem Hause Elodarions?"

Der Gesichtsausdruck der Elfenfrau blieb weiterhin sanft, obwohl ihre Worte Garodem mit voller Wucht trafen. „Habt Ihr Euch die verbrannten Balken und die verbrannten Toten genauer angesehen, Ihr Pferdelords? Es sind massive Balken, die mit dem Blut von Tieren bestrichen worden sind, damit sie nicht so leicht Feuer fangen. Viele von ihnen zeigen keinerlei Spuren von Brandpfeilen, und viele der verbrannten Pferdelords liegen zu weit von den Ruinen entfernt, um dort den Tod gefunden haben zu können." Die Elfenfrau sah Garodem nun ernst an. „Es gibt eine Magie, die Feuer aus der Luft herbeirufen kann."

Jasmyns Gesicht zeigte nicht die Spur eines Lächelns, als sie zum anderen Ufer des Flusses wies. „Und der Weiße Zauberer wird sie wohl beherrschen."

Garodem und Beomunt wurden gleichermaßen blass, und Garodem blickte zu dem Gehöft zurück. „Dann will ich nur hoffen, dass unsere Klingen schneller wirken als die Beschwörungen des Zauberers." Er seufzte tief. „So ist die Reitermark also gefallen."

„Das muss nicht sein", wandte Beomunt ein. „Die Reitermark bringt mehr als zwei oder drei Beritte auf. Es ist wohl wahr, dass hier der Pferdefürst mit vielen seiner Männer fiel, doch dies sind, wie gesagt, bei weitem nicht alle Pferdelords, über die die Reitermark verfügt."

„Das mag sein", gab Garodem zurück. „Doch wo sind dann all die anderen Pferdelords?"

„Das zu ergründen, fehlt Euch die Zeit, Pferdefürst", sagte die Elfin leise. „Ihr seid nun im Land Eures Feindes, und Ihr solltet eilen, es wieder zu verlassen. Denn die Toten hier sind zahlreicher als die Lebenden, die Euch dienen, Pferdefürst."

„Ja", stimmte Beomunt zu und sah Garodem an. „Wir sollten rasch weitermarschieren, wo doch jede zurückgelegte Länge die Menschen aus Eodan der Hochmark und ihrer Sicherheit näher bringt."

Garodem sah, dass die Wagen mit den Männern und Frauen inzwischen über die Furt gesetzt hatten. „Ihr habt Recht. So lasst uns eilen."

Beomunt hielt ihn zurück. „Gebt mir ein paar Eurer Männer, Garodem, und etwas Zeit. So kann ich den Toten wenigstens ihre Klingen in die Hand geben und sie ehrenvoll zu den Goldenen Wolken geleiten. Mehr können wir nicht tun, aber wenigstens diese Ehre haben sie sich verdient."

„Wohl gesprochen", stimmte Garodem zu.

So ging ein wenig später eine kleine Gruppe von Pferdelords der Hochmark über das Feld der Toten und legte denjenigen, die keine Klinge mehr hatten, wieder eine Waffe in die Hand.

Garodem verließ die Stätte der Toten. Ihm war unbehaglich zu Mute, denn es mochte stimmen, dass ein unheilvoller Zauber zum Tod der Pferdelords der Reitermark beigetragen hatte. Garodem fürchtete sich nicht vor einem Feind, den er sehen und in den er seine Klinge senken konnte, aber Magie war eine unfassbare Macht für ihn. Dennoch musste er sich zuversichtlich zeigen und seinen Männern und Frauen den Mut einflößen, den sie brauchen würden, um der bevorstehenden Gefahr begegnen zu können. Immerhin, die toten Pferdelords an der Furt des Eisen hatten sich dem Feind tapfer gestellt und eine große Anzahl Orks mit in den Tod genommen. Vielleicht war der Feind durch diesen Kampf auch stark geschwächt worden und hatte deshalb die Gelegenheit versäumt, sie bei der Überquerung des Flusses anzugreifen. Garodem konnte es nur hoffen, zumal ihm für den Kampf gegen die Orks kaum mehr als sechzig Pferdelords und noch einmal die gleiche Zahl wehrhafter Stadtbewohner zur Verfügung standen, und die Letzteren würden im Kampf Mann gegen Ork kaum bestehen können, allein ihre Bogen mochten etwas ausrichten, wenn die Orks sich zum Gefecht stellten.

Der Treck aus Eodan folgte nun der Straße nach Norden, in Richtung auf Hammerturm, den Turm des Weißen Zauberers. Jetzt, wo die Wagen nicht mehr über die Ebenen rollten, sondern einem festen Weg folgten, kamen sie schneller voran.

Kormund schloss zu Garodem auf und wies auf die kleine Schar von Pferdelords, die dem Treck einige zehn Längen vorausritt. „Jeder Schritt führt uns nun näher an Hammerturm heran, Herr."

„Ja. Doch jeder Schritt führt uns auch näher an die Hochmark." Garodem sah den Scharführer nachdenklich an. Er wollte einfach nicht glauben, dass Kormund ein heimtückischer Mörder war.

Rechts von ihnen befand sich nun der Fluss Eisen, der ihren Weg so lange begleiten würde, bis sie das Gebirge erreicht hätten. Links von ihnen ragten dagegen dichte Wälder auf, die bis nach Hammerturm und weit darüber hinaus wuchsen. Garodem dachte an den Anblick, der sich ihm vom Gebirge aus geboten hatte. In einem großen Umkreis um Hammerturm herum waren die Wälder verbrannt gewesen. Bald würde ihr Weg sie dort vorbeiführen. Und trotz der großen Nähe zum Turm des

Zauberers war es Garodem bei dem Gedanken wohler, dass der dunkle Wald dann nicht mehr ganz so nahe an die Straße heranführen würde, denn er wirkte dunkel und bedrohlich.

Da kam Beomunt herangeritten und lenkte sein Pferd neben das von Garodem. „Die Hohe Frau Jasmyn sagte mir gerade, dass oberhalb von Hammerturm, am Rande des Gebirges, eine alte Grenzbefestigung steht, die schon lange nicht mehr genutzt wird, aber noch immer über eine Wasserstelle verfügen soll."

Garodem wies zur Seite. „Der Fluss führt genug Wasser, Beomunt." Er schwieg einen Moment und sah den Schwertmann des Königs dann zögernd an, bevor er fortfuhr. „Ich möchte Euch danken, guter Herr Beomunt. Ihr habt Recht daran getan, den Toten ihre Klinge wieder zurückzugeben."

Beomunt erwiderte Garodems Blick und lächelte plötzlich. „Nun, wir alle sind Pferdelords des Königs, nicht wahr? Ganz gleich aus welcher Mark, wir tragen den Umhang des Pferdevolkes." Der Schwertmann vom Hofe des Königs machte eine nachdenkliche Pause. „Ich, äh, habe das Banner der Reitermark über den toten Orks aufgepflanzt. Ich fand nicht richtig, wie wir es vorgefunden haben. Nun mag es wieder seinen Stolz gefunden haben."

Für einen Moment fühlte sich Garodem dem Schwertmann zutiefst verbunden und legte seine Hand in einer vertraulichen Geste kurz auf dessen Arm. Dann räusperte er sich verlegen und reckte sich im Sattel. Es ging nun langsam auf den Abend zu, und damit war es auch an der Zeit, sich Gedanken darüber zu machen, wo sie ihr Nachtlager am besten aufschlagen sollten. Garodem warf einen kurzen Blick nach vorne, wo die Straße und der Fluss einen leichten Bogen nach links machten, und dann noch vorne auf die Männer seines Voraustrupps, denen man ansah, dass sie genauso ermüdet und erschöpft wie alle anderen auch waren. Müde Männer aber wurden unaufmerksam und langsam in ihren Reaktionen. Also mochte es trotz der Nähe zu Hammerturm besser sein, möglichst rasch ein Lager aufzuschlagen und es provisorisch zu befestigen. Garodem besprach sich mit Beomunt, der dem Vorschlag sofort zustimmte. Es war wirklich an der Zeit, ein Lager aufzuschlagen, denn der eintönige Trott, Zehnteltag um Zehnteltag, hatte Männer und Frauen gleichermaßen erschöpft. Die Pferdelords brauchten zwar im Gegensatz zu den Bürgern Eodans nicht selbst zu laufen, doch die permanente Anspannung hatte auch sie ermüdet. Wo sie anfangs mit sicherem und wachem Auge nach Gefahren Ausschau gehalten hatten, war ihr Blick nun unkonzentriert und nervös. Willkürliche Bewegungen durch den Wind oder durch harmlose Tiere ausgelöst, sorgten nun häufig für Fehlalarme, die wiederum zum Nachlassen der allgemeinen Wachsamkeit beitrugen. Es war wohl bei allen Soldaten seit Menschengedenken so.

Vor ihnen begann sich der Wald nun zu lichten, und Garodem nahm einen seltsamen Brandgeruch wahr. „Hammerturm", flüsterte er in Gedanken und bemerkte, dass Beomunt nickte.

Der Schwertmann leckte sich nervös über die Lippen. „Ich möchte Euch vorschlagen, hier nicht über Nacht zu lagern, Garodem. Gebt den Menschen und Pferden eine kurze Rast und lasst uns dann weiterziehen. Vielleicht können wir im Dunkel unbemerkt an Hammerturm vorbeikommen."

„Orks sehen im Dunkel besser als wir, mein Freund." Garodem lachte auf. „Aber ich verstehe Euch, Beomunt. Mit Orks lässt es sich wohl leichter schlagen als mit einem Zauberer." Er wollte sich gerade im Sattel umdrehen, um eine Rast zu befehlen, als er spürte, wie Beomunt ihn anstieß.

Die Orks hatten den Ort und den Zeitpunkt ihres Überfalls

mit Bedacht gewählt und schlugen jetzt, als die Männer und Frauen von den Strapazen und Mühen des Tages vollkommen erschöpft waren, rasch und erbarmungslos zu.

Beomunt stieß Garodem erneut an und blickte zum Voraustrupp hin. Zunächst bemerkte Garodem nur, dass der Treck ungewohnt nahe an die Reiter der Vorhut herangekommen war. Dann aber begriff er, dass die Reiter vor ihnen völlig reglos auf der Straße standen.

Rasender Hufschlag ertönte hinter ihnen, und Lotaras preschte heran, wobei er sein Pferd noch zusätzlich anspornte, indem er ihm mit dem langen Elfenbogen an die Kruppe schlug. „Ein Bannspruch", rief er und zeigte zum ersten Mal Erregung. „Er lähmt Eure Männer! Zu den Waffen, Ihr Pferdelords! Ihr werdet angegriffen!"

Der Elf legte seinen Bogen an und schoss in rasender Folge eine Serie von Pfeilen in den Wald hinein, der sich links von ihnen erhob. Jetzt nahm auch Garodem Bewegung zwischen den Bäumen wahr und warf sich im selben Moment gegen Beomunt, den er durch sein Gewicht aus dem Sattel riss. Der Schwertmann stürzte fluchend zu Boden, als sich auch schon ein Pfeilhagel zwischen den Bäumen löste. Garodem spürte noch, wie sein Umhang ruckte, als er von einem Pfeil durchschlagen wurde, dann folgte er Beomunt selbst auf den Boden.

Die ganze Menschengruppe um Garodem herum schien jetzt förmlich zu platzen, als die Pferdelords im Reflex auseinanderstoben und sich blitzschnell zu Boden warfen. Auf der engen Straße und zwischen den Bäumen ließ sich nicht gut zu Pferde kämpfen, und trotz ihrer Müdigkeit reagierten die Männer der Hochmark instinktiv. Im selben Augenblick war auch schon erneut das Geräusch von Pfeilen vernehmbar, die über die Gruppe hinwegzischten. Vielleicht hatte die schnelle Reaktion der Pferdelords die lauernden Orks auch überrascht. Jedenfalls blieben ihre ersten Schüsse nahezu wirkungslos. Nur ein einzelner Pfeil hatte das flatternde Banner Garodems durchschlagen, während auf der Seite des Feindes die Opfer von Lotaras, der in unglaublich rascher Folge seine Pfeile in den Wald abschoss, ein verzweifeltes Gebrüll ausstießen.

Die Leute am ersten Zugwagen des Trecks hatten jedoch nicht so viel Glück. Sie waren den Kampf nicht gewöhnt und verfügten außerdem nicht über die instinktiven Reaktionen der Pferdelords. Entsetzte Schreie ertönten, als einige Männer und Frauen getroffen wurden.

„Nach rechts und links zur Linie formieren", schrie Garodem laut. „Nehmt Eure Schilde auf und dringt vor. Treibt die Bestien zurück!" Er zog seinen Rundschild vom Sattelknauf, streifte ihn sich über den linken Arm und zog sein Schwert mit der rechten Hand. Sein Blick suchte Beomunt. „Nehmt Euch ein paar Männer der Nachhut. Lasst die Hälfte von ihnen unseren Rücken sichern, während Ihr mit der anderen Hälfte auf der linken Flanke vorstoßt, wo sich die Bestien hauptsächlich zu verstecken scheinen."

Beomunt nickte. „Ich werde versuchen, die Bestien zu umgehen."

Vor ihnen stürzten Pferde getroffen zu Boden und schützten so selbst im Tode noch ihre Herren.

„Treibt die Pferde nach hinten", befahl Garodem. „Wir werden sie später noch brauchen. Eilt, ihr Männer, dringt vor." Neben ihm kniete der Elf, wich blitzartig einem Pfeil aus und spannte schon wieder seinen Bogen. Garodem suchte die Flanke des Trecks ab und hob dann kurz seine Hand, um ein paar Bogenschützen herbeizuwinken.

Währenddessen formierten sich die Pferdelords an der dem

Wald abgewandten Seite der Wagen. Die Bewohner Eodans hatten sich ihrerseits vom ersten Schock erholt und begaben sich nun in den unzureichenden Schutz der Wagen. Doch die Pfeile des Feindes drangen durch die dürftige Deckung, durchschlugen die Planen und einige der Verwundeten und Alten, die sich noch auf den Fahrzeugen befanden, wurden getroffen. Endlich drangen die ersten Pferdelords mit vorgereckten Schilden gegen den Wald vor, und die ersten Bogenschützen Eodans begannen den Pfeilbeschuss der Orks zu erwidern.

„Eilt, ihr Pferdelords", brüllte Garodem, der wusste, dass sie sich beeilen mussten, denn die Männer und Frauen fanden auf der Straße so gut wie keine Deckung, weshalb der Pfeilbeschuss der Orks rasch ein Ende finden musste. Garodem hielt sich den Schild mit seinem linken Arm schützend vor den Leib und stürmte mit gezückter Klinge dem Wald entgegen. „Tötet die Bestien. Tod!"

Seine Männer nahmen Garodems Ruf auf, und der Elfenmann hastete an seine Seite. „Es scheint mir nur eine kleine Gruppe zu sein, aber die Bestien haben einen ihrer Zauberer dabei. Dennoch glaube ich nicht, dass es der Weiße ist, Pferdefürst, denn dessen Zauber würde mächtiger sein."

„Er scheint mir mächtig genug zu sein, so wie sie uns überrumpelt haben."

„Ja, unsere Vorhut wurde überrascht. Aber jetzt sind wir vorbereitet. Achtet auf das graue Gewand des Zauberers. Wir müssen ihn finden und töten, dann wird auch sein Bann erlöschen." Der Elf schoss abermals einen Pfeil ab und stieß Garodem dann aus der Richtung eines heranrasenden Geschosses, dessen Schützen er gleich darauf tötete. „Ein Zauberer muss sein Ziel mehrere Augenblicke lang sehen können, bevor er es bannen kann."

„Jedenfalls hat der Bastard die Männer erwischt." Äste knackten und Laub raschelte, als die Pferdelords vordrangen. Sogleich wurde auch der Pfeilbeschuss etwas schwächer, aber Garodem gab sich keiner Illusion hin. Statt des Pfeilhagels der Spitzohren würden sie nun schon bald die Schlagschwerter der Rundohren zu spüren bekommen.

Lotaras schoss einen weiteren Pfeil ab und stieß einen zufriedenen Laut aus. „Wieder einer weniger." Erneut legte er einen Pfeil auf die Sehne. „Was auch immer geschieht, wir müssen den Zauberer erwischen. Es wird einer der Grauen sein. Nur ein paar Augenblicke noch, und er wird sich wieder so weit erholt haben, dass er die nächste Gruppe bannen kann."

Garodem konnte einen raschen Blick zur Straße werfen und sah die bewegungslosen Reiter der Vorhut, die erstaunlicherweise noch immer unverletzt auf ihren Pferden saßen. Ein Umstand, den er nicht verstand, musste ihre Reglosigkeit sie für den Feind doch zu einem mehr als willkommenen Ziel machen. „Wenigstens leben die Leute noch."

„Warum auch nicht", meinte der Elf. „Im gebannten Zustand sind sie für die Orks keine Gefahr. Die werfen ihre Kräfte zunächst auf diejenigen, die noch kämpfen können. Sind die Kämpfer erst mal erledigt, konnen die Orks immer noch in aller Ruhe die Gebannten schlachten."

Garodem sah die Männer nun in Schwarmlinie rechts und links am Treck entlang langsam und stetig, die Schilde schützend vor ihrem Körper, in den Wald vorrücken. Außerdem sah er eine ganze Reihe von Bürgern Eodans bei den Wagen und bemerkte, dass je zwei von ihnen ihre Schilde schützend vor einen Bogenkämpfer hielten, weil diese nicht gleichzeitig Schild und Waffe führen konnten.

„Sehr gut", flüsterte Garodem unbewusst. Da hatte jemand

die richtige Idee gehabt. Er blickte auf das lange Schwert in seiner Hand. So tödlich die Waffe im Nahkampf auch war, im Moment kam sie ihm schrecklich nutzlos vor, denn noch war kein Feind in Reichweite seiner doppelschneidigen Klinge gekommen. Hinter sich hörte er das Stapfen seiner Männer, immer wieder unterbrochen vom typischen Klang eines Pfeiles, der von einem Schild abgewehrt wurde. Garodem achtete nicht auf die Wildblumen und Pilze, die überall hier im Wald wuchsen. Für ihn waren allein die Bäume wichtig, zwischen denen der Feind lauerte. Irgendwo ganz in der Nähe mussten die Orks und der Zauberer stecken, der den Treck ins Verderben stürzen konnte, wenn er nicht rechtzeitig ausgeschaltet werden würde.

Garodem hatte bisher nur von Magiern gehört, sie aber noch niemals im Kampf erlebt, aber was ihm auch immer aus Schilderungen vergangener Zeiten mit diesen Meistern der geistigen Kunst bekannt war, ließ ihn innerlich schaudern. Doch wie jeder Schütze und Kämpfer musste auch ein Magier zuerst sein Ziel sehen und es mehrere Augenblicke lang mit den Augen fixieren, bevor er seine Magie anwenden konnte. Im Anschluss daran brauchte der Magier dann eine gewisse Erholungspause, denn die Anwendung der Magie erschöpfte ihn, und es dauerte angeblich unterschiedlich lange, bis ein Magier wieder zu neuen Aktionen fähig war.

Wie alles Magische war auch der Bannzauber seltsam. Er lähmte den Betroffenen in nur wenigen Lidschlägen, während dieser bei vollem Bewusstsein war und alles um sich herum hören und fühlen konnte, aber zu keiner Bewegung mehr fähig war. Der Bann hielt an, bis der Magier ihn aufhob oder getötet wurde. Garodem wusste, dass der Zauberer, irgendwo vor ihm, nacheinander die Menschen des Trecks bannen würde, wenn man ihm die Zeit dazu ließ, und er setzte nun alle Hoffnung darauf, den Zauberer rasch zu finden und zu töten und damit die gebannten Menschen wieder handlungsfähig zu machen.

Hinter ihm ertönte ein dumpfer Schlag. Garodem blickte kurz zurück und sah einen seiner Männer, der von einem Geschoss mitten ins Gesicht getroffen und getötet worden war. Sie kamen viel zu langsam voran. Während des Vorrückens waren ihre Beine und Köpfe außerdem ungeschützt, und wenn die Orks dies auszunutzen wussten, würde die kleine Schar von Männern bereits ausgelöscht sein, noch bevor sie am Feind war.

„Vorwärts“, feuerte er die Männer an. „Für König und Hochmark! Eilt euch!“

Er erkannte schemenhafte Bewegungen vor sich, von hinten zischte ein Pfeil Lotaras an ihm vorbei, und vor ihm ertönte ein schriller Laut, der abrupt abbrach. Gut, eine der Bestien hatte es erwischt. Ein Glück, dass es sich nur um eine kleine Gruppe der Bestien zu handeln schien. Erneut stürzte ein Pferdelord, dann tauchten endlich die Orks vor Garodem auf. Nochmals sausten ein, zwei Pfeile von Lotaras an Garodem vorbei und töteten ebenso viele der Bestien. Dann traf Garodem überraschend auf eine ganze Gruppe von Spitzohren, die in einer kleinen Mulde lagen und über deren Rand hinwegschossen.

Mit einem triumphierenden Aufschrei hechtete Garodem instinktiv über den Rand der Vertiefung und über die Köpfe zweier überraschter Bestien hinweg. Seine Füße hatten den Boden noch nicht berührt, als bereits die Klinge seines Schwertes herumwirbelte. Da traf ein Schlag seinen Schild, und Garodem wankte kurz und stolperte über eine freiliegende Baumwurzel. Für einen winzigen Moment war er ungedeckt, und eine der Bestien hob schon ihr Schlagschwert, um ihn mit ihrer Klinge aufzuschlitzen, als sie ein Pfeil von Lotaras an der Stirn traf und zurückwarf.

Garodem richtete sich wieder auf, und neben ihn sprangen andere Männer in die Mulde, die schreiend auf den Feind einhieben und stachen. Sekunden später war alles vorbei und der Feind getötet. Ein Lanzenkämpfer spießte noch einen verwundeten Ork zu Tode, während der Rest seiner Männer Garodem bereits tiefer in den Wald hineinfolgte.

Scheinbar überall zwischen den Bäumen waren die Schreie und Laute des Kampfes zu hören. Garodem blickte sich suchend um. Wo war der Zauberer? Er sah die kleine Gruppe der Männer an, die ihn begleitete, und lächelte ihnen ermutigend zu. Sieben Männer. Es musste einfach reichen. Und es würde reichen, denn sie waren Pferdelords. Vereinzelte Bewegungen waren zwischen den Bäumen vor ihnen zu erkennen, aber der Pferdefürst hatte auf einmal das Gefühl, dass der Hauptkampf an einer anderen Stelle stattfand.

„Vier von euch bleiben hier und sichern unsere Position. Die anderen drei folgen mir; wir müssen den Zauberer finden." Garodem stieß kurz die Klinge seines Schwertes in den weichen Waldboden, um sie von Blut zu säubern, dann hastete er auch schon zur linken Seite weiter. Er warf einen Blick auf die Straße, wo seine Vorhut noch immer wie erstarrt stand. Wie gut hätten sie jetzt die Kampfkraft dieser Männer brauchen können! Doch wenigstens waren sie nach wie vor unversehrt. Ein sicheres Zeichen dafür, dass der Zauberer noch lebte und aktiv war, erhielt Garodem, als er mit seinen drei Männern über die offene Straße auf die andere Seite hetzte und dabei zwei weitere Pferdelords bemerkte, die offensichtlich erst vor kurzem vom Bannzauber gelähmt worden waren.

Wieder war Bewegung vor ihm, und er fand einen seiner Pferdelords und einen mit einer Axt bewaffneten Mann aus Eodan im Kampf gegen eine weitere Gruppe Orks. Die Männer waren hart bedrängt, und einer von ihnen ging bereits zu Boden. Doch die Orks waren so sehr auf ihre Opfer fixiert, dass sie Garodems Gruppe erst bemerkten, als die Pferdelords über sie kamen und es zu spät für sie war.

„Lasst den Verwundeten liegen“, rief Garodem den Männern zu und hetzte weiter. „Wir können uns erst um ihn kümmern, wenn die Gefahr vorüber ist.“

Auf der Straße, von Bäumen fast verdeckt, war eine dunkle Rauchwolke zu sehen, was nur bedeuten konnte, dass einer der Wagen in Brand geraten war. Plötzlich tauchte eine Reihe von Orks vor Garodem auf, die Front zur Straße machten und Garodems Gruppe ahnungslos ihre ungeschützte Flanke darboten. Die Aufmerksamkeit der Rund- und Spitzohren galt vereinzelten Männern, die vom Treck her in den Wald eindrangen und die geduckten Orks ihrerseits noch nicht entdeckt hatten. Eine kurze Linie, Garodem schätzte sie auf etwa zwanzig oder dreißig der Bestien. Und hinter ihnen, endlich, die Gestalt des Zauberers.

Deutlich war er an seinem wallenden Gewand zu erkennen, und es war, wie der Elf schon vermutet hatte, ein Grauer Zauberer und nicht der weiße Herr des Hammerturms. Garodem fühlte einen unbändigen Zorn in sich aufsteigen, denn dies war ein menschliches Wesen. Wie konnte ein Zauberer nur zu einem Verbündeten der Orks werden? Wie auch immer – der Graue würde es bereuen, dafür wollte Garodem schon sorgen, und so gab er seinen Männern ein Zeichen, sich langsam und leise zu bewegen. Wenn sie Glück hatten, würden sie die Orks und den Grauen Zauberer von hinten überraschen können. Doch das Schicksal wollte es anders. Kaum ein Dutzend Meter vor dem Feind, wandte sich eines der Rundohren um, entdeckte den heranhastenden Gegner und stieß einen kurzen Schrei aus, worauf sich die Orks Garodems Gruppe zuwandten.

Er sah, wie der Graue Zauberer sich aufrichtete, seine Arme ausbreitete und sie in seine Richtung streckte. Garodem wurde von einem seiner Männer überholt, der brüllend und mit der zum Schlag erhobenen Streitaxt auf den Zauberer zurannte. Doch plötzlich wurde der Mann wie von einer unsichtbaren Kraft angehoben und mit furchtbarer Wucht gegen einen der Bäume geschleudert. Garodem, der ihm mit den Blicken gefolgt war, hörte das Bersten von Knochen und sah, wie die Brust des Mannes auseinanderplatzte, als sich ein Aststumpf aus ihr hervorschob. Die Arme und Beine des aufgespießten Mannes zuckten noch einige Male, dann war es zu Ende.

Garodem blickte ungläubig zu dem Grauen Zauberer hinüber und sah, wie sich dessen Arme nun wieder gegen ihn richteten. Verzweifelt stürmte er voran, die Klinge dem unheimlichen Feind entgegengereckt. Wie in Zeitlupe sah er den Feind näher kommen, und es war ihm, als dehnten sich die Sekunden zur Ewigkeit. Man sagte allgemein, ein solcher Eindruck hinge damit zusammen, dass im Kampf die Sinne besser geschärft würden, aber dann bemerkte der Pferdefürst entsetzt, dass er und seine Begleiter tatsächlich immer langsamer wurden.

„Verfluchter Zauberer“, schrie Garodem dem Mann im grauen Gewand entgegen, dessen Augen ihn zunehmend in ihren Bann schlugen. Doch es drang nur ein unartikuliertes Lallen aus Garodems Kehle. Er war so nah am Feind, aber er spürte, dass es gleich vorbei sein und er ebenso hilflos wie seine gebannte Vorhut darauf warten müsste, bis die Orks ihn schlachteten.

Ein gefiederter Schaft ragte plötzlich aus der Brust des Zauberers, und gleichzeitig schien ein Ruck durch Garodem zu gehen; rasend schnell schien er dem Magier nun wieder entgegenzustürzen. Schon senkte sich seine Klinge in den Leib des Mannes, unmittelbar dort, wo Lotaras Pfeil ihn zuvor bereits getroffen hatte. Das Augenlicht des Grauen Wesens erlosch, noch während er gegen Garodems Körper sank. Schwer atmend zog Garodem seine Klinge aus der Leiche. Sie alle waren nun vom Bann des Magiers befreit. Die dünne Linie der Orks befand sich jetzt dagegen zwischen Garodems kleiner Gruppe und den vom Treck herbeigeeilten Männern. Geschosse überkreuzten ihre Bahnen, schlugen in Bäume oder drangen mit einem dumpfen Patschen in Leiber ein. Der Kampf wurde noch ein letztes Mal heftiger, als sich die Gegner direkt gegenüberstanden. Dann war es vorbei.

Garodems Schwertarm fühlte sich von einem heftigen Schlag fast taub an, und sein Harnisch wies an der Stelle, wo das Schlagschwert eines Rundohrs ihn fast durchbrochen hatte, eine tiefe Schramme auf. Er hatte Glück gehabt. Denn als der Ork mit seinem Schlagschwert zum tödlichen Streich ausgeholt hatte, war Garodem schon zu dicht vor ihm gestanden, so dass der Hieb des Orks nur noch seinen Arm getroffen hatte, bevor er ihn erstochen hatte. Garodem hatte dadurch keine schwere Verletzung erlitten, aber für nachfolgende Kämpfe wurde er seinen Arm nicht mehr verwenden können. Er schob sich seinen Schild über die Schulter und wechselte das Schwert in die andere Hand. Auf diese Art würde er weiterkämpfen können, wenn auch nicht so geschickt wie mit dem getroffenen Arm.

Einige Männer brachen in Jubelschreie aus, als nun auch die Vorhut auf der Straße aus der Starre des Bannzaubers erwachte. Es waren zwanzig Pferdelords, die einen beträchtlichen Zuwachs an Kampfkraft brachten, und die Orks bereuten im Nachhinein bitter, die vorher hilflose Gruppe nicht längst ausgelöscht zu haben, denn als die Männer der Vorhut nun auf sie zustürmten, kannte ihr Zorn keine Grenzen mehr.

Kaum hatte sich der Kampflärm im Wald gelegt, als auch schon Schreie und Geräusche aus der Richtung der Straße und der schwarzen Rauchwolke zu den Männern drangen. Garodem sammelte seine Gruppe und vereinigte sie mit den Männern der Vorhut. Gemeinsam eilten sie zur Straße zurück. Die Schreie wurden immer lauter, und dem Pferdefürsten war bald klar, dass eine Gruppe Orks den Flüchtlingstreck an der Flanke angegriffen haben musste und dass diese Orks, der Lautstärke nach zu schließen, weit zahlreicher sein mussten als die beiden Gruppen, die zuvor im Wald gelauert hatten.

„Die haben uns in den Wald gelockt, um den Wagenzug mit einer anderen Gruppe von hinten angreifen zu können", rief ein untersetzter Mann, dem das Blut aus einer klaffenden Stirnwunde über das Gesicht lief, was er aber nicht weiter zu bemerken schien, denn sein Blick eilte sichernd umher, und seine Hände spannten, während er lief, den Bogen.

Jeder gute Pferdefürst hätte nun wahrscheinlich die Möglichkeit genutzt, den Feind beritten und frontal anzugreifen und ihn dem massiven Schock des Reiterangriffes ausgesetzt. Aber Garodem wusste auch um den Vorteil, den das direkte Umzingeln eines Feindes brachte. Nichts anderes hatten die Orks gerade zuvor getan und damit gerechnet, die Menschen zwischen den nur schwach gedeckten Bogenschützen im Wald und ihrer angreifenden Horde aufzureiben. Aber die Bestien hatten wohl nicht bedacht, dass die Pferdelords so entschlossen in den Wald vordringen und sie dort in so kurzer Zeit erfolgreich stellen würden. So verfügte Garodem trotz der Verluste noch immer über eine recht starke Gruppe, mit der er nun auf dem Weg zurück zur Straße war.

Dort brannten vier der schweren Wagen lichterloh, und Funken von brennenden Planen und Getreide wirbelten im Wind umher, der den Rauch immer wieder in eine andere Richtung trieb. Viele Gestalten lagen reglos um die brennenden Fahrzeuge herum, aber niemand von ihnen nahm sich jetzt die Zeit dafür, ihr Alter oder Geschlecht festzustellen, denn weiter hinten, am Ende der Kolonne, schien der Kampf in vollem Gange zu sein. Die wenigen Pferdelords, die beim Treck verblieben waren, und die kampffähigen Bewohner Eodans bildeten keine feste Abwehrformation, sondern waren in kleinen, zusammengewürfelten Gruppen zwischen den Fahrzeugen verteilt. Eine der Gruppen bildete eine fast kreisförmige Formation, in der die Schilde der Pferdelords so gehalten wurden, dass sie einen fast undurchdringlichen Wall bildeten, aus dessen Schutz heraus immer wieder Pfeile zum Feind zischten, doch es waren nur wenige.

Plötzlich sah Garodem inmitten dieser Formation ein blaues Licht aufblitzen, so als ob dort jemand eine sehr helle Fackel entzündet hätte. Innerhalb weniger Augenblicke zerfiel die Gruppe und löste sich in vollkommen reglose Gestalten auf und in solche, die sich schreiend am Boden wälzten und aus deren Kleidern und Körpern grelle Flammen schlugen und sie verzehrten.

„Flammzauber“, rief einer der Männer Garodems, dem die nackte Angst ins Gesicht geschrieben stand, denn gegen diesen Zauber gab es keinerlei Schutz. Ein Zauberer, der die Fähigkeit zum Flammspruch hatte, konnte jedes Material in Brand setzen. Nur bei Steinen und Metall versagte diese Magie. Ein weiterer verräterischer Zauberer musste sich also in den Reihen der Orks befinden. Garodem musste an die schrecklich verbrannten Männer des Pferdefürsten der Reitermark denken. So also waren diese tapferen Männer gemordet worden.

Da machte er ein wenig abseits des wilden Kampfes plötzlich eine graue Gestalt aus, die durch eine starke Gruppe Rundohren gedeckt war. Garodem packte den Arm eines Bogenschützen und wies in Richtung der graugewandeten Gestalt. „Tötet den Grauen, macht ihn nieder. Schießt nur auf den Grauen. Er darf keine Zeit mehr für einen weiteren Zauber finden."

Schon zischten die ersten Pfeile zu der Gruppe der Orks mit der grauen Gestalt hinüber, und Garodems Gruppe griff mit jener Raserei an, die nur aus blinder Wut oder nackter Angst heraus entstehen konnte. Ein glücklicher Schuss traf den Zauberer, warf ihn zurück und Garodems Männer stürzten sich auf die Gruppe, die ihn weiterhin zu schützen suchte. Die Bestien starben. Eine nach der anderen. Ebenso wie der Graue Mann unter dem Axthieb eines Pferdelords starb. Die Männer gaben kein Pardon und erhielten auch keines. Als das wilde Schlachten dann endlich vorüber war und der Kampflärm den Schreien der Verletzten und Sterbenden wich, waren die Menschen ausgelaugt und erschöpft. Nur mühsam durchstreiften sie noch den näheren Wald, um sich zu vergewissern, dass dort kein Ork mehr im Hinterhalt lag. Schließlich sammelten sich die abgekämpften Männer wieder in kleineren Gruppen bei den Wagen des Trecks.

„Die Männer, die noch bei Kräften sind, sollen sofort zu meinem Banner kommen", rief Garodem, worauf sich schon nach einigen Augenblicken der Fahnenträger bei ihm einfand. Das Banner der Hochmark war zerfetzt und angesengt, ein anderer Mann hielt nun seine Lanze. Dann traten weitere Männer heran. Mitgenommen und blutig, aber siegreich. Garodem musterte die Schar. „Wir müssen sicher sein, dass die Orks uns nicht erneut überrumpeln können. Je fünf Mann werden nach vorne, nach hinten und in den Wald hinein ausschwärmen und Ausschau halten. Ich werde euch so bald als möglich ablösen lassen, damit ihr etwas Ruhe findet.“ Garodem sah sie ernst an. „Doch erst müssen wir unsere Verwundeten versorgen und uns neu organisieren. So eilt nun auf eure Posten, ihr Männer der Hochmark und Eodans.“

Garodem lehnte sich erschöpft an eines der Fahrzeuge und gönnte sich selbst einen kurzen Moment der Entspannung. Um ihn herum war überall Bewegung, denn schon begannen die Überlebenden, die Verletzten zu versorgen, und versuchten, wieder Ordnung in das allgemeine Chaos zu bringen. Wasser wurde aus dem Fluss geholt, um die Brände zu löschen und den Verwundeten Erste Hilfe zu leisten. Auch Garodem verspürte nun heftigen Durst. Ausgepumpt trank er gierig Wasser aus einer gereichten Feldflasche und lauschte teilnahmslos den Worten um sich herum. Er wusste wohl, dass er den anderen eigentlich mit gutem Beispiel hätte vorangehen müssen, doch für einen kurzen Augenblick gab er sich ganz seiner Schwäche hin. Dann richtete er sich wieder auf. Es gab zu viel zu tun, um noch länger zu säumen. Gerade säuberte er die Klinge seines Schwertes und schob es, durch den verletzten Arm behindert, in die Scheide zurück, als sich ihm der Elf Lotaras in Begleitung von Beomunt näherte. Der Pferdefürst straffte seine Haltung.

„Meine Schwester und die Hohe Frau Jasmyn kümmern sich um die Verletzten, Garodem, Pferdefürst“, sagte der Elfenmann und musterte Garodem eindringlich. „Ihr seid verletzt? Ich kann sehen, dass Ihr Euren Schwertarm nicht bewegt.“

Garodem zuckte die Achseln. „Er mag eine Weile taub sein, mein Freund. Doch ich kann das Schwert auch mit der anderen Hand führen.“

„Das habe ich wohl gesehen“, erwiderte Lotaras und lächelte erstmals.

„Ohne Eure zielsicheren Pfeile hätte ich es schwer gehabt, mein Schwert je wieder zu benutzen“, räumte Garodem ein. „Ich danke Euch. Ich stehe tief in Eurer Schuld.“

Der Elf nickte nur kurz und entfernte sich dann, um seinen geleerten Pfeilköcher wieder aufzufüllen.

Beomunt blieb noch und begann dann vorsichtig zu sprechen. „Wir haben eine Menge Tote und Verletzte und werden sehen müssen, wer überhaupt noch eine Waffe halten kann. Euer Scharführer Kormund ist übrigens schwer verletzt.“

„Verletzt? Wo ist er?“

„Bei den Wagen in der Mitte, dort werden alle Verwundeten hingebracht.“

„Gebt mir einen Moment, mit ihm zu sprechen, guter Herr Beomunt. Danach erstattet mir Bericht, wer noch kampffähig ist.“ Garodem ging zu den Wagen hinüber, aus denen das Stöhnen der Verwundeten zu hören war. Noch immer gingen Menschen über das Kampffeld, es waren jedoch fast nur noch Bewohner Eodans. Er sah, dass sie Waffen aufsammelten und tote Menschen zu einer langen Reihe zusammentrugen. Es würden zudem noch Tote im Wald liegen, um die man sich ebenfalls kümmern musste. Garodem war froh, dass die Männer und Frauen die Pferdelords von dieser Aufgabe entlasteten, denn die Männer mussten sich dringend erholen, um so schnell wie möglich wieder kampfbereit zu sein.

Schließlich erreichte der Pferdefürst den Wagen, in dessen Schatten Scharführer Kormund auf seinem Umhang lag. Der stämmige Mann atmete schwer, und eine blutige Binde verhüllte seine sonst nackte Brust. Der Schwerverletzte schien die Anwesenheit seines Pferdefürsten und Freundes zu spüren, denn er öffnete mühsam atmend die Augen. „Es tut mir leid, mein Herr“, sagte er mit gepresster Stimme. „Ich werde Euch und der Mark nicht länger dienen können.“

„Unsinn, Kormund“, sagte Garodem und schüttelte den Kopf. „Ihr werdet noch verdammt viele Kämpfe erleben, mein Freund.“

„Vielleicht, mein Herr. Doch ich glaube es nicht.“ Kormund hustete unterdrückt, und blutiger Schaum trat auf seine Lippen. „Verdammtes Pech, mein Herr. Wir hatten die Orks gerade zwischen uns, als mich ein Pfeil von der anderen Seite traf. Verdammtes Pech.“

Der Pferdefürst nickte mitfühlend. Dergleichen konnte in der Hektik des Kampfes schon einmal geschehen. Für eine Weile kniete er bei dem verletzten Scharführer. Es stand tatsächlich schlecht um ihn. Doch er hatte immer noch eine Chance. Der Pfeil hatte zwar offensichtlich seine Lunge verletzt, doch es hatte schon Männer gegeben, die eine solche Wunde mit viel Ruhe und guter Pflege überlebt hatten. Als Kormund die Augen schloss und in Bewusstlosigkeit fiel, machte Garodem einer Frau Platz, die sich um den Scharführer bemühte. Erst jetzt erkannte er die Elfenfrau Leoryn. Blut befleckte ihr Gewand und ihre Hände.

„Ihr versteht viel von Wunden, Hohe Frau Leoryn. Sagt mir, wird er überleben?“

„Ich bin Heilerin, Garodem, Pferdefürst. Ja, ich verstehe viel davon. Und ganz gewiss mehr als derjenige, der Eurem Scharführer den Pfeil einfach aus der Brust gerissen hat. Seht Ihr die klaffenden Ränder? Kriegspfeile haben leichte Widerhaken. Man muss sie sorgsam herausschneiden. Hier jedoch wurde der Pfeil einfach aus der Wunde herausgezogen. Wer das getan hat, dachte wohl an die glatte Spitze eines Jagdpfeils. Doch er hat die Verletzung dadurch vergrößert und das Gewebe zerfetzt." Die Elfin betastete den Wundbereich an Kormunds Brustkorb. „Die Verletzung der Lunge ist nicht stark. Der Pfeil hatte nicht viel Kraft, und der Harnisch hat ihm wohl die meiste Wucht genommen. Es blutet stärker nach außen denn nach innen. Das ist gut, Garodem, Pferdefürst. Ich werde ihm einen neuen Verband anlegen, der die Wunde nicht so dicht verschließt. Es ist besser, wenn Euer Hauptmann nach außen blutet, als wenn seine Lunge voll Blut läuft und er daran erstickt."

„Wird er es überleben?" Garodem hatte seinem Scharführer noch eine Reihe von Fragen zu stellen. So tapfer Kormund auch gekämpft haben mochte, so hing doch immer noch der schreckliche Verdacht des Mordes an Derodem an ihm.

Die Elfin sah Garodem von der Seite an. „Das liegt in der Hand des Schicksals. Aber wenn Ihr mich meine Kunst ausüben lasst, Garodem, Pferdefürst, werden seine Chancen etwas besser stehen."

Der Pferdefürst verstand den Wink der elfischen Frau, nickte ihr dankend zu und suchte dann nach der Hohen Frau Jasmyn, die es sich zur Aufgabe gemacht hatte, den Männern und Frauen Eodans beizustehen, da Beomunt sich um die Wehrfähigen kümmern musste. Er sah einen älteren Pferdelord, der eine Gruppe leitete, die noch immer versuchte, brennende Wagen von der Straße zu schieben, soweit es die Hitze und der Rauch zuließen.

Die Bevölkerung Eodans und die Pferdelords der Hochmark hatten schwere Verluste erlitten. Garodem sah die lange Reihe der Toten im Gras liegen, und noch immer wurden vereinzelt leblose Körper nebeneinandergelegt.

„Es tut mir leid um Euren Scharführer Kormund."

Garodem wandte den Kopf. Mit von Ruß und Schmutz verdrecktem Wams trat Beomunt zu ihm heran. „Es war mein Fehler, Garodem. Ich zielte auf einen Ork, doch die Bestie duckte sich, und so traf ich Euren Scharführer."

„Also Ihr wart es", murmelte Garodem leise. „Was für ein schreckliches Unglück. Aber so etwas passiert."

„Wenn Ihr gestattet, würde ich ihm gerne die letzte Ehre erweisen."

Garodem musterte den Schwertmann vom Hofe des Königs und legte ihm die Hand auf die Schulter. „Keine Sorge, Beomunt. Euer Ansinnen ehrt Euch, aber Kormund wird vielleicht überleben. Zumindest glaubt Leoryn daran, und die Elfin versteht sich gut auf die Heilkunst."

„Er wird leben?" Für einen winzigen Moment glaubte Garodem einen Anflug von Unsicherheit in Beomunts Gesicht zu sehen, doch dann verzog es sich zu einem freudigen Lächeln. „Das ist eine gute Nachricht. Eine der wenigen guten Nachrichten dieses Tages."

Garodem seufzte leise. „Ich hatte fest damit gerechnet, dass die Orks uns an den Furten angreifen würden, dort, wo wir praktisch keinerlei Deckung gefunden hätten. Aber vielleicht haben sie es aus genau diesem Grunde nicht getan. Mir scheint eine sorgfältige Planung hinter den Handlungen der Orks zu stecken, die ich von diesen Bestien nicht erwartet habe. Zudem traten uns zwei Graue Zauberer entgegen. Zwei! Wie können uns solche weisen Männer nur als Feinde begegnen?"

„Die Macht des Dunklen Turms muss ungeheuer gewachsen sein." Beomunt blickte zu der gerade noch sichtbaren Turmspitze des Weißen Zauberers hinüber. „Der Dunkle Turm muss den Weißen Zauberer bezwungen haben. Die Grauen sind nicht so stark wie die Weißen."

„Ihr versteht sicher mehr davon als ich", knurrte Garodem

missmutig. „Hoffen wir nur, dass uns kein weiterer Zauber mehr begegnet, denn er hat meinen Männern fast den Mut genommen."

„Aber nur fast. Sie kämpften als rechte Pferdelords." Beomunt blickte zu den Wagen. „Auch die Männer von Eodan und ihre Weiber haben sich als tapfer erwiesen, obwohl sie noch weit mehr Verluste erlitten haben als Eure Pferdelords, Garodem."

„Und es werden nicht die letzten Verluste sein, Freund Beomunt." Garodem legte dem Schwertmann vom Hofe des Pferdekönigs zum zweiten Mal die Hand auf die Schulter. „Aber es liegt an uns, sie so gering wie möglich zu halten. Daher können wir hier nicht verweilen."

„Ja, wir müssen weiter", stimmte der Schwertmann zu und wies auf die Wagen. „Weniger Wagen, aber auch weniger Menschen und Tiere, sie zu bewegen. Der Weg wird noch beschwerlicher und gefährlicher werden als bisher, Garodem."

„Noch in dieser Nacht müssen wir Hammerturm passieren." Garodem rückte seinen Schwertgurt ungelenk auf die andere Seite, um die Klinge mit dem unverletzten Arm ziehen zu können. „Lasst uns dies mit der Hohen Frau Jasmyn und den Elfen besprechen."

Auch der Hohen Frau Jasmyns Kleidung war von Schmutz und Blut befleckt. Sie wischte sich über die Stirn, und ihre Hand hinterließ eine blutige Schliere. „Weiterziehen? Noch in dieser Nacht?"

„Es gibt keinen anderen Weg", sagte Garodem bestimmt.

„Das ist nicht möglich", erwiderte Jasmyn und wies mit einer heftigen Geste auf die erschöpften Menschen und die Verwundeten. „Seht sie Euch an. Die Menschen sind zu Tode erschöpft. Jeder Einzelne von ihnen. Zudem haben wir viele Verwundete, die noch versorgt werden müssen. Viele von ihnen werden den Morgen nicht erleben. Andere werden sterben, wenn wir sie zu früh bewegen. Wir müssen unbedingt bis zum Morgen warten, Garodem, Herr der Hochmark. Die Leute können Euch heute nicht mehr folgen."

„Sie müssen es." Garodem wies zum Turm des Zauberers. „Wir müssen ihn in der Nacht passieren, Hohe Frau Jasmyn. Zwei Graue Zauberer sind uns schon entgegengetreten. Könnt Ihr Euch vorstellen, welche Macht erst der Weiße gegen uns anzuwenden vermag? Doch der Zauberer muss uns sehen können, um seinen Zauber wirken zu lassen, und darum müssen wir, solange es noch dunkel ist, an seinem Turm vorbei, Hohe Frau des Pferdekönigs."

„Und die orkischen Horden?" Jasmyn sah ihn entschlossen an. „Die sehen in der Nacht besser als unsere Kämpfer, Garodem."

„Aber sie kämpfen mit Pfeil und Klinge", warf Beomunt ein. „Und dem können wir besser begegnen als der Magie eines Zauberers. Ich stimme dem Hohen Lord Garodem zu."

Die junge Frau sah zuerst den Schwertmann forschend an, dann glitt ihr Blick zu den beiden Elfen, die schweigend zugehört hatten.

Lotaras nickte. „Der Pferdefürst hat Recht. Ihr müsst weiter. Ihr müsst an Hammerturm vorbei sein, bevor es wieder hell wird."

„Mit diesen zu Tode erschöpften Leuten und den schweren Wagen?" Jasmyn schloss kurz die Augen. „Ihr verurteilt sie zum Tode."

„Sie werden sterben, wenn wir hier verweilen", entgegnete Garodem düster. „Glaubt Ihr, ich würde den Männern und Frauen nicht gerne eine Pause gönnen? Ich weiß sehr wohl, dass sie Erholung brauchen. Ich weiß auch, dass sie kaum einen weiteren Kampf bestehen können. Aber die Orks werden wiederkommen. Und Ihr wisst, wie sehr sie uns bereits hier zugesetzt haben. Wir brauchen Raum, um uns bewegen zu können. Sobald wir wieder vom Rücken der Pferde aus kämpfen können, gewinnen wir auch wieder an Kraft."

Widerwillig gab Jasmyn nach. „Ihr werdet wohl Recht haben, Garodem. Und wenn auch die anderen Eurer Meinung sind, so will ich mich ihr nicht verschließen."

Lotaras und Beomunt nickten. Garodem seufzte erleichtert. „So ist es also beschlossen, und wir ziehen in der Nacht an Hammerturm vorbei. Nun gut, wie viele sind von uns noch übrig?"

Beomunt spuckte auf den Boden. „Wohl dreißig Bogenschützen und Axtkämpfer aus Eodan. Kaum dreißig Pferdelords Eures Beritts, Garodem. Die anderen sind tot oder zu schwer verwundet, um noch kämpfen zu können."

„Fast die Hälfte der Pferdelords verloren", sinnierte Garodem.

„Auch die Stadtbevölkerung Eodans hat tapfer gekämpft", warf Jasmyn grimmig ein. „Und sie hat einen hohen Blutzoll entrichtet. Fast siebzig Männer, Frauen und Kinder Eodans wurden erschlagen."

„Verzeiht, Hohe Frau Jasmyn, Ihr habt Recht", wandte Garodem beschwichtigend ein. „Die Männer und Frauen Eodans haben tapfer gekämpft. Ich habe selbst gesehen, wie gut sie die Bogenschützen mit ihren Schilden schützten. Doch die Pferdelords, die nun tot neben den Bürgern Eodans liegen, werden uns schmerzhaft fehlen."

„Sie alle werden uns schmerzhaft fehlen."

Zusammen mit den anderen schritt Garodem zu der langen Reihe der Toten hinüber, unter denen sich auch einige Kinder befanden. Kinder, die stets die ganze Hoffnung und die Zukunft einer Mark bedeuteten. Instinktiv legte der Pferdefürst einer weinenden Frau Eodans die Hand in einer tröstenden Geste um die Schulter. Worte waren hier überflüssig. Schweigend nahmen die Angehörigen von ihren Toten Abschied und legten dann traditionell die Hände der Getöteten ineinander. Mit demselben Respekt, mit dem auch die Hand eines toten Pferdelords an seine Waffe gelegt wurde.

Die Sonne begann zu sinken, und die hereinbrechende Nacht kündigte sich an. Garodem blickte zur Spitze des Hammerturms hinüber, die von der untergehenden Sonne blutrot beschienen wurde. „In einem halben Zehnteltag ist es dunkel, und in einem Zehnteltag brechen wir auf." Garodem überlegte kurz. „Macht Feuer. Die Menschen haben es verdient, wenigstens eine warme Mahlzeit zu sich nehmen zu können." Er lächelte knapp. „Zudem werden sie uns kaum verraten. Der Feind weiß ja jetzt, wo er uns finden kann."

Beomunt erwiderte sein Lächeln. „Und ich denke, die Feuer werden auch nach unserem Weitermarsch noch brennen, damit der Feind weiterhin zu wissen glaubt, wo wir uns aufhalten, nicht wahr?"

Als die Nacht schließlich hereingebrochen war, kam sie den Pferdelords düsterer vor als alle Nächte, die sie bislang erlebt hatten. Ein merkwürdiger Dunst schien das Licht der Sterne zu mildern und das Land in eine ungewohnte Finsternis zu tauchen. Selbst das Wasser des Flusses Eisen wirkte plötzlich matt und trübe. Doch Garodem war dies nur recht. Je dunkler die Nacht war, desto besser würde man sich an Hammerturm und dem Weißen Zauberer vorbeischleichen können. Falls der Weiße Zauberer überhaupt noch dort war. Aber Garodem rechnete lieber mit dem Schlimmsten. Noch immer glosten zwei der fast niedergebrannten Wagen am Ufer des Flusses Eisen in roter Glut, als weitere Feuer entfacht wurden.

Leoryn war froh, dass Garodem in dieser Nacht erlaubte, Feuer zu entzünden. Die Männer, Frauen und Kinder konnten sich an den Kochstellen aufwärmen, und die warme Mahlzeit tat ihnen allen gut. Der Überfall der Orks und ihrer Grauen Zauberer hatte viele Leben gekostet und vielen Menschen schreckliche Verwundungen beigebracht. Manche der Menschen hatten sich einfach dort, wo sie zuvor noch gestanden hatten, auf den Boden gelegt und waren sofort eingeschlafen. Einige übermüdete Pferdelords und Männer Eodans wachten währenddessen, aber zwischen zweien der Wagen des Trecks schien das Grauen des Kampfes noch immer zu herrschen, denn hier litten die verletzten Männer, Frauen und Kinder schwer unter ihren Verletzungen.

Einige hatten sich schwere Brandverletzungen zugezogen, wieder andere hatten tiefe Wunden durch die Pfeile der orkischen Spitzohren erlitten. Alle Beherrschung und Tapferkeit kam gegen die Schmerzen nicht an, und sosehr sie sich auch bemühten, sie vor den anderen zu verbergen, waren manche Wunden doch zu schwer. Leoryn und die Bürger Eodans versorgten die Menschen, so gut sie es vermochten. Die Elfin hatte Garodem zähneknirschend die Zustimmung abgerungen, einige Wachen und Frauen in den Wald schicken zu dürfen, um dort frisches Moos für die Wundversorgung zu besorgen. Glücklicherweise war der Fluss Eisen nahe, und so gab es wenigstens genug Wasser, um den Menschen zu trinken zu geben und ihre Wunden säubern zu können. Leoryn sorgte sich vor allem um jene, die zu schwach waren, um ihren Schmerzen überhaupt noch Ausdruck zu verleihen. Zu ihnen gehörte auch ein junges Mädchen, das fast schon eine junge Frau war.

„Sie heißt Jallarana“, murmelte ein älterer Mann verzweifelt. „Sie ist alles, was mir geblieben ist, Heilerin. Ich bitte Euch, rettet ihr Leben.“

Jallarana hieß die Verletzte also. Ihr Name zeigte an, dass sie sich noch im Stand der unvermählten Frau, der Maid, befand und dass sie den Namen Jallaranya, als Zeichen einer erwachsenen Frau, erst später erhalten würde. Leoryn betastete behutsam den Verband, der einen stark geschwollenen Arm verhüllte. „Wann ist dies geschehen?“

„Schon gestern“, jammerte der ältere Mann. „Sie stürzte, und eines der Pferde trat sie versehentlich.“

„Der Arm brach?“ Und als der alte Mann verzweifelt nickte, winkte Leoryn eine Frau mit einer Fackel heran. „Traf sie das Eisen des Hufes?“

„Ja, Hohe Frau Heilerin.“ Der alte Mann war den Tränen nahe. „Die Wunde blutete nicht stark, aber ihr Handgelenk war gebrochen, und unser eigener Heiler hat es versteift. Könnt Ihr meiner Tochter helfen, elfische Frau?“

Leoryn begann vorsichtig den Verband zu entfernen. „Ich werde es versuchen, Menschenwesen. Vertraut mir, was ich zu tun vermag, wird geschehen.“ Die Elfin schloss kurz die Augen, als sie die Binde endgültig gelöst hatte und ein Bastpolster und etwas Moos zu Boden fielen. Leoryn seufzte leise. Hand und Unterarm waren stark geschwollen und verfärbt. Es war offensichtlich, dass die Wunde am Tag zuvor nicht ausreichend gesäubert worden war. „Das Hufeisen war nicht sauber, mein Freund. Es hat Schmutz in die offene Wunde gedrückt, und diese ist nun entzündet.“

„Was wollt Ihr damit sagen, Hohe Frau?“, fragte der alte Mann ängstlich. „Könnt Ihr … könnt Ihr es sauber machen?“

„Es tut mir leid, guter Herr“, sagte Leoryn bedauernd. „Doch die Wunde hat sich bereits zu stark entzündet. Ich muss Eurer Tochter die Hand und den unteren Arm entfernen."

Der Mann stieß ein heiseres Keuchen aus und erblasste. „Ihr ... Ihr wollt Jallarana den Arm abschneiden?"

Leoryn legte ihm die Hand auf die Schulter. „Ich muss es tun, guter Mann, oder Eure Tochter wird sterben."

„Aber ... aber sie braucht doch ihren Arm", schluchzte der Mann. „In vier Monden wird sie Jallaranya heißen. Wie soll ihr denn ein guter Mann das Gehöft machen und sie in sein Heim nehmen, wenn Ihr Jallarana den Arm abschneidet? Ihr ... Ihr könnt das nicht tun, Heilerin. Ihr könnt das nicht."

Die Elfenfrau sah einen Mann Garodems an, der trotz seiner Müdigkeit wachte. „Ich muss es tun, mein Freund, sonst wird sie sterben. Und selbst wenn ich es tue, vermag ich ihr Leben vielleicht nicht mehr zu retten. Ihr da, guter Pferdelord, seid so gut und führt diesen Mann zur Seite."

Die Wache kam herbei und nickte verständnisvoll. Der Pferdelord zog den jammernden Mann von seiner Tochter fort und sprach auf ihn ein, während er mit ihm in der Dunkelheit verschwand. Leoryn bat nunmehr einige der Frauen zu sich, die mit ihr zusammen die Verwundeten versorgten. „Ich brauche Moos, frische Binden, heißes Wasser und einen sehr scharfen Dolch mit starker Klinge. Und besorgt mir außerdem ein glühendes Eisen und frisches Baumharz."

Leoryn betastete die Stirn Jallaranas. „Und holt mir das starke Leder aus meiner Tasche."

Die Elfin entblößte den Arm des Mädchens, das nahezu bewusstlos schien und nur noch gelegentlich leise stöhnte. Doch dies würde sich wohl rasch ändern, wenn Leoryn beginnen würde, ihre Heilerkunst auszuüben. Die Frauen brachten, was sie verlangt hatte, und Leoryn ordnete, was sie benötigte. „Haltet Jallarana nun gut fest, ihr Frauen. Es wird sehr schmerzhaft für sie werden, und ich habe kein Mittel mehr, um ihre Schmerzen zu dämpfen."

Ein Mann trat herbei und sah mitleidvoll auf die junge Frau hinunter. „Ein kräftiger Schlag vermag dies vielleicht auch zu bewirken."

„Sorgt lieber dafür, dass sich ihr Arm nicht bewegt. Ich muss ihn am Ellbogen entfernen." Leoryn wartete, bis das Eisen im Feuer zu glühen begann, und betrachtete zwischenzeitlich den kräftigen Dolch, der in heißem Wasser lag. Dann nahm sie ein Stück starkes Leder und reichte es einer der Frauen. „Steckt ihr das zwischen die Zähne. Der Schmerz wird sie beißen lassen, und sie soll sich nicht auch noch selbst die eigene Zunge verletzen." Mit diesen Worten zog Leoryn einen breiten Lederriemen um den Oberarm der Verletzten und zog ihn so straff zusammen, dass sich das Blut staute. „Und nun haltet sie gut fest."

Es musste schnell geschehen, denn Leoryn wusste um den Schmerz und den Schock, den ein Lebewesen erlitt, wenn eine Klinge in seinen Leib fuhr. Sie stieß den Dolch in die Ellenbeuge Jallaranas, und der Körper der jungen Frau bäumte sich auf. „Haltet sie fest!"

Rasch führte sie den Schnitt sauber um das Gelenk herum, da sie so den Knochen nicht sägen musste, und drehte ihn danach behutsam im Gelenk, bis er sich löste. Der junge Körper wand sich im Griff des Mannes und der Frauen vor lauter Schmerzen so lange, bis das glühende Eisen Blut und Fleisch verschmorte und die junge Frau endlich erschlaffte.

„Ist sie bei den Goldenen Wolken?", fragte der Mann erschrocken, worauf Leoryn rasch den Kopf schüttelte. „Nein, doch sie fühlt nun keinen Schmerz mehr. Haltet sie dennoch gut fest, denn sie darf sich jetzt auf keinen Fall bewegen."

Leoryn gab Moos auf die Wunde, nahm das mit Baumharz bestrichene Tuch und hüllte es dann über den Stumpf. Schließlich gab sie Bastpolster darüber und begann alles fest miteinander zu verbinden. Zuletzt löste sie langsam den Lederriemen an Jallaranas Oberarm und betrachtete kritisch den Verband. Sie nickte zufrieden, als er nicht durchblutete. „Mehr vermag ich nicht zu tun", sagte sie leise. „Der Rest liegt nun in der Hand der Schöpfung." Sie wickelte den abgetrennten Unterarm in einen Lappen, und eine der Frauen nahm ihn entgegen. „Vergrabt dies am Wegesrand, gute Frau. Ich danke euch für eure Hilfe. Was meine Heilkunst vermochte, ist getan. Nun müssen wir der Natur ihren Lauf lassen."

Sie deckten das Mädchen zu, als schon der Vater aus dem Dunkel heranhastete. Schluchzend sackte er über seiner Tochter zusammen. „Wird sie leben?", fragte er verzweifelt. „Sagt mir, Heilerin, wird sie leben?"

Leoryn sah ihn mitleidvoll an. „Das vermag ich nicht mit Sicherheit zu sagen, guter Herr. Wenn wir aufbrechen müssen, so werden wir Eure Tochter behutsam auf einen der Wagen betten. Wenn sie den morgigen Tag übersteht, so mag sie genesen."

Leoryn fühlte tiefe Trauer in sich, denn es gab elfische Kräuter und Getränke, welche die Heilung erleichtert und der jungen Frau ihre Schmerzen genommen hätten. Doch wegen der vielen Verletzten waren Leoryns Mittel nun fast aufgebraucht, und so konnte sie nur hoffen, dass Jallaranas Leben auch so erhalten bliebe. Aber einen knappen Zehnteltag später stand fest, dass Jallarana niemals Jallaranya heißen würde. Ihr Vater schlug mit seinen Fäusten verzweifelt auf Leoryn ein, bis ein paar Frauen und Männer ihn schließlich von der Elfin fortzogen. Leoryn konnte ihn nur allzu gut verstehen. Auch ihr Volk kannte den Schmerz des Verlustes. Doch sie wusste, dass das dem Mann kein Trost war, und auch sie selbst fühlte sich trotz all ihres Wissens manchmal auf eine furchtbare Weise hilflos.

Da Garodem nun keinen Scharführer mehr zur Verfügung hatte, bat er Beomunt, diese Aufgabe zu übernehmen, und der blonde Schwertmann stimmte bereitwillig zu. So war es jetzt allein an Jasmyn, sich um die Probleme zu kümmern, welche Menschen und Wagen des Trecks aus Eodan aufwarfen. Doch die junge Frau erwies sich als unermüdlich und zudem als praktisch denkend.

Kurz vor dem Aufbruch kam sie zu Garodem, der mit Lotaras zusammen an einem der kleinen Feuer saß. Dankbar ließ sie sich einen Bissen Brot und etwas warmen Hülsenbrei geben und meinte dann, während sie kaute: „Die alte Handelsstraße hat einen harten Boden und viele Steine."

„Sicher." Garodem reichte ihr einen Becher mit frischem Wasser. „Über viele Generationen hinweg sind Händler und Reisende auf ihr entlanggezogen. Und mancher Feldzug. Sie alle haben den Weg so sehr gehärtet, dass er selbst dann noch passierbar bleibt, wenn Regen fällt. Aber worauf wollt Ihr hinaus, Hohe Frau Jasmyn?"

„Ich habe Tuchstreifen um die eisenbeschlagenen Räder der Wagen wickeln lassen, und die Frauen sind dabei, aus Stoffen Überzieher für die Hufe der Pferde zu nähen." Jasmyn lachte leise auf. „Man wird kaum hören, wenn wir an Hammerturm vorbeiziehen. Allenfalls das Getrappel der Pferdelords und das Klirren ihrer Waffen. Vielleicht wollt Ihr diese auch noch umwickeln? Es sind jedenfalls genug Kleider, Umhänge und Stoffe da, die wir dazu verwenden können."

„Es behagt mir nicht, sich wie ein Räuber durch die Nacht zu schleichen." Garodem lächelte die junge Frau freundlich an.

„Aber Eure Idee ist gut und wird uns helfen. Doch wird das Tuch nicht die Pferde behindern?“

Jasmyn zuckte die Achseln. „Ein wenig, doch nicht viel.“

„Wir brechen in weniger als einem halben Zehnteltag auf. Wenn Ihr bis dahin fertig werdet, so werde ich den Männern sagen, dass sie diese Überzieher verwenden sollen“, stimmte Garodem zu.

„Ich schlage bei allem Respekt vor, Garodem, Pferdefürst, dass wir morgen nur bis zur alten Grenzfeste marschieren und dort eine längere Pause einlegen.“ Jasmyn wies auf die Menschen des Trecks. „Wir sind zu wenige Pferdelords und zu viele Frauen und Kinder, um einen erneuten Kampf auf offenem Feld zu überstehen. Außerdem sind die Leute erschöpft und brauchen dringend Ruhe.“ Sie stellte den Napf mit dem Hülsenbrei zur Seite und holte die Elfenkarte hervor. „Ich habe es mir angesehen. Wenn wir an Hammerturm vorbei sind, ist es nicht mehr besonders weit. Gegen Mittag könnten wir die alte Grenzfeste erreicht haben.“

Garodem setzte sich neben sie und beugte sich über die Karte. „Wir sprachen schon über die alte Festung, wenn ich mich recht erinnere.“ Im schwachen Schein des Feuers war die Karte gerade noch lesbar. „Von der alten Feste aus ist es normalerweise höchstens ein Tagesmarsch zum Pass der Hochmark. Für ausgeruhte Pferdelords. Mit dem Treck werden wir allerdings eher drei Tagesmärsche oder mehr brauchen, denn die Straße steigt zum Gebirge hin an. Andererseits befinden wir uns jenseits der alten Befestigung bereits in den Bergen. Bislang hatten wir dort kaum Probleme mit den Orks. Mit Ausnahme einer Horde, die wir rasch vernichtet haben. Unser Pass ist außerdem gut zu halten, und notfalls haben wir immer noch unsere Burg Eternas.“ Garodem dachte kurz nach. „Wenn wir also erst einmal die alte

Feste erreicht haben, denke ich, dass uns danach auch keine Orks mehr in die Hochmark folgen werden."

Jasmin lächelte. „Somit könnte man dort notfalls sogar einzelne Kämpfer zurücklassen, die die Orks am weiteren Vordringen hindern würden, während der Treck zur Hochmark weiterzieht."

Garodem nickte. „Wenn dies erforderlich ist. Doch dazu müssen wir erst an Hammerturm vorbei sein. Lasst uns also aufbrechen, Hohe Frau Jasmyn."

Die junge Frau faltete die Karte wieder zusammen, schob sie in ein Futteral und wollte sich gerade erheben, um mit Garodem zu den Wagen hinüberzugehen und die Anweisungen für den Aufbruch zu geben, als unerwartet Bewegung vor ihnen aufkam und ein lauter Ruf über das Lager hallte, dem aufgeregte Schreie folgten. Unwillkürlich zückte Garodem sein Schwert, fluchte leise, weil er seinen rechten Schwertarm noch nicht wieder richtig gebrauchen konnte, und näherte sich mit hastigen Schritten dem Tumult. Er befürchtete schon den nächsten nächtlichen Überfall, doch die Unruhe war schon wieder am Verebben, als der Pferdefürst die Stelle erreichte, von der sich die Schreie erhoben hatten. Als er sich durch eine zusammengedrängte Gruppe schob, erkannte er eine verkrümmt am Boden liegende Gestalt. Leoryn, die elfische Heilerin, kniete am Boden und untersuchte den dort hingestreckten Mann mit kundigen Händen.

„Kormund", dachte der Pferdefürst entsetzt, der das Gesicht des Mannes noch nicht erkennen konnte, da ihm der Blick verstellt war. Aber es war ein anderer Schwertmann, der an derselben Stelle, an der die Elfin zuvor den verwundeten Scharführer versorgt hatte, am Boden lag. In seiner Brust klaffte eine frische Wunde.

„Er ist tot. Doch er starb nicht an den Wunden, die er durch den Feind erlitt, Garodem, Pferdefürst", stellte die Heilerin mit bitterer Stimme fest. „Er wurde ermordet." Anklagend sah sie die Umstehenden an, und ihr Blick fiel erneut auf Garodem. „Ist es euch Menschenwesen denn nicht genug, dass die Orks euch töten? Müsst ihr Euch jetzt auch noch untereinander umbringen?"

„Was ist geschehen?", fragte Garodem mit fester Stimme. Ein Mord? Ein weiterer Mord, wie bei Derodem? Dann würde der Mörder keinerlei Gnade zu erwarten haben, wenn er ihn finden würde.

Hinter ihm drängten sich zwei Pferdelords und Beomunt heran. „Was soll der Tumult? Was geht hier vor?"

„Jemand schlich hierher, zum Verbandsplatz, und ermordete diesen Mann", antwortete eine unbekannte Stimme aus der umstehenden Menge. „Ich konnte ihn zwar nicht erkennen, aber es war eindeutig ein Pferdelord. Ich konnte seinen grünen Umhang erkennen."

„Aber nicht sein Gesicht?" Garodem sah zweifelnd in die Richtung, aus der die Stimme kam.

„Nein", antwortete der Mann, der sich nun nach vorne drängte. „Aber die Farbe des Umhangs konnte ich gut erkennen. Er war ohne Zweifel von dem Grün, wie es nur die Pferdelords tragen."

Garodem nickte. Die Stadtbewohner trugen die meist braunen oder auch andersfarbigen Umhänge der einfachen Bevölkerung, doch das Grün war allein den Kämpfern des Pferdevolkes vorbehalten. Was ging hier vor sich? Bisher hatte er Kormund in dem schrecklichen Verdacht gehabt, ein Mörder zu sein, doch Kormund war viel zu schwer verletzt, um diesen Mann getötet haben zu können.

„Warum sollte jemand einen Pferdelord ermorden?“ Beomunt betrachtete den Toten. „Das ist Algar, ein guter Mann und Pferdelord. Außerdem bei jedermann beliebt. Ich wüsste keinen Grund, warum ihn jemand töten sollte.“

Garodem spürte die allgemeine Unruhe, die sich auszubreiten begann, denn es gab kein schlimmeres Verbrechen im Land des Pferdevolkes als Mord, vom Pferdediebstahl einmal abgesehen. „Das ist genau der Platz, an dem zuvor Scharführer Kormund gelegen hat, den wir aber vor einer Weile hinter den nächsten Wagen gebracht haben, weil ein paar Männer dort eine Trage für ihn hergerichtet haben.“ Leoryn, die Elfin, erhob sich und sah die Umstehenden durchdringend an. „Vielleicht wollte der Mörder den Scharführer töten und nicht diesen Mann.“

„Beide tragen Brustverbände“, überlegte Beomunt laut. „Möglich wäre es, doch wir werden wohl nicht so schnell erfahren, wer der heimtückische Täter war.“

Garodem nickte grimmig. „Wie dem auch sei, ich werde einen Posten an das Lager des Scharführers stellen und ihn bewachen lassen.“ Deutlich bemerkte er wieder die Angst, welche die Menschen beschlich. Neben der Gefahr von außen drohte ihnen nun also auch noch Gefahr durch einen gemeinen Meuchelmörder in den eigenen Reihen. Wer sollte da noch wem trauen, solange solch ein Wahnsinniger unter ihnen weilte?

Garodem erhob seine Stimme. „Ihr alle habt in diesen Tagen Furchtbares erlebt. Es mag sein, dass all dies Schreckliche den Verstand eines Mannes verwirrt hat. Doch wir müssen zueinander stehen, wenn wir überleben wollen. Noch in dieser Nacht müssen wir am Hammerturm vorbeiziehen. So fasst nun Mut und bereitet euch vor. In wenigen Augenblicken werden wir aufbrechen.“

Garodem wandte sich von der Menge ab und sah Beomunt

an. „Stellt einen Pferdelord ab, der in der Nähe Kormunds bleibt. Dann nehmt die Hälfte der kampffähigen Pferdelords und bleibt mit ihnen hinter dem Treck. Legt außerdem noch einmal Brennholz auf die Feuer. Die Orks sollen ruhig glauben, dass wir hier noch etwas länger verweilen. Ich selbst werde die anderen Männer an der Spitze führen."

Lotaras trat mit seinem Pferd aus dem Dunkel. „Und wenn Ihr erlaubt, Garodem, Pferdefürst, werde ich nochmals ein Stück vor Euch herreiten."

## 24

Nedeam und Stirnfleck fühlten gleichermaßen Erleichterung, als sie der verborgene Pfad endlich auf den Boden der Nordmark des Pferdekönigs führte. Von dem ungewohnt langen Marsch auf steinigem Boden schmerzten Nedeams Füße, und er war erleichtert, als er schließlich das grasbedeckte kleine Tal am Ende des Bergpfades vor sich sah. Er konnte keine Gefahr ausmachen und schlug Stirnfleck erleichtert auf die Kruppe, der sofort in weiten Sätzen durch das Tal galoppierte, während sich der Zwölfjährige zunächst einmal auf den Boden setzte und eine Weile erholte. Seufzend zerrte er seine Stiefel von den Beinen und betrachtete seine geschwollenen Füße.

„Ich bin ein Pferdelord“, knurrte er verdrießlich. „Kein Bergschaf.“

Seine Füße waren nicht nur geschwollen, sondern geradezu von Blasen bedeckt, die teilweise aufgegangen waren und das darunterliegende Fleisch zeigten. Nedeam verzog sein Gesicht, als er die abstehenden Hautfetzen abzog. Die Berührung der offenen Stellen schmerzte ihn. Er sah auf seine Stiefel. An einem von ihnen hatte sich bereits ein Teil der Sohle gelöst. Nicht mehr lange, und sie würde ganz abfallen. Bei der goldenen Halle des Königs, wenn er nur noch ein wenig weiter marschiert wäre, wären ihm wohl auch noch die Füße abgefallen. Nedeam massierte sie ächzend und fluchte, wenn er an die offenen Stellen kam. Er hatte sich sein erstes Abenteuer wahrhaftig etwas ruhmreicher und weniger schmerzhaft vorgestellt. Aber sollte es ausgerechnet an seinen Füßen scheitern?

Ächzend erhob sich der Knabe und nahm die Provianttasche vom Sattel, aus der er die Wasserflasche aus Schafdarm herauszog sowie einen Beutel mit Brot, Trockenfrüchten und gedörrtem Fleisch. Ganz unten in der Tasche fand sich außerdem die metallene Dose, nach der er suchte. Nedeam öffnete den Deckel und verzog das Gesicht, als ihm der Geruch der Salbe in die Nase stieg. Selbst der unerschrockene Stirnfleck mochte diese Salbe nicht, die bei offenen Verletzungen, welche Pferde sich zuziehen konnten, half und verhinderte, dass sich die Wunden entzündeten. Jetzt würde sie Nedeams Füßen zugutekommen, obwohl es sicherlich das Beste war, sie als Erstes einmal abzukühlen.

Nedeam spähte nach Stirnfleck aus, konnte ihn aber nirgendwo erblicken. Besorgt pfiff er und war erleichtert, als der Hengst sofort zwischen den Bäumen auftauchte. Seine Schnauze schimmerte vor Nässe, und der Zwölfjährige stellte erfreut fest, dass Stirnfleck ganz in der Nähe instinktiv Wasser gefunden haben musste. Nedeam schob all seine Sachen in die Provianttasche zurück, packte diese und humpelte dann zu seinem Pferd hinunter, so gut er vermochte. Er konnte froh sein, dass der Boden mit Gras bewachsen und weich genug war, so dass seine Füße nur auf wenige Steine trafen. Die verspürte Nedeam jedoch doppelt schmerzhaft. Nedeam erinnerte sich daran, dass sein Großvater Windemir ihm einmal von einem Volk kleinwüchsiger Menschen im Nordwesten erzählt hatte, die den ganzen Tag über barfüßig liefen. Nedeam hatte diesen Geschichten nie ganz getraut, und jetzt zog er sie erst recht in Zweifel. Kein Wesen konnte so verrückt sein, den ganzen Tag mit nackten Füßen herumzulaufen, mochte der Boden auch noch so weich sein. Das war nicht nur verrückt, sondern geradezu selbstmörderisch. Wenigstens gelangte Nedeam zu dieser

Überzeugung, als er endlich den Waldrand erreicht hatte. Ging es überhaupt mit rechten Dingen zu, wenn hier so viele kleine Äste mit unendlich vielen Spitzen auf dem Boden herumlagen? Er versuchte, die weichen Stellen am Boden zu finden, stakste dabei durch den Wald und stieß immer wieder schmerzerfüllte Laute aus.

Endlich hörte er erleichtert das Plätschern eines Wasserlaufes und sah Stirnfleck, der sein Maul in den nahen Bach senkte. Nedeam erreichte schließlich den kleinen Bach und ließ dann mit vernehmlichem Stöhnen seine wunden Füße in das kalte Wasser gleiten. Nie zuvor hatte der Zwölfjährige etwas Schöneres erlebt.

Seufzend ließ sich Nedeam zurücksinken und stützte sich auf den Ellbogen ab. Das kalte Wasser linderte seine Schmerzen, und nach einer ganzen Weile zog der Knabe seine geschundenen Füße wieder heraus und öffnete die Proviantasche erneut. Die Salbe brannte auf den offenen Stellen, aber Nedeam ignorierte den erneuten Schmerz und ließ sie einwirken. Tapfer zog er nun seine Stiefel zu sich heran, dessen einen mit der losen Sohle er jedoch zuerst noch reparieren musste. Doch das würde kein Problem sein, denn jeder Reiter des Pferdevolkes führte an seinem Sattel auch Werkzeug und Material mit, das er für eine eventuelle Reparatur seines Sattelzeugs benötigte.

Nedeam nahm die eiserne Nadel und einen langen Lederriemen, der ihm aber für sein Vorhaben zu wenig dick erschien, weshalb er ihn zunächst ins Wasser legte, damit das Material aufquellen konnte. Wenig später legte er den Lederriemen auf einen Stein an der niedrigen Böschung des Bachlaufes und begann ihn mit seinem Dolch zu spalten. Ja, so war es besser. Nedeam zog das beschädigte Stück des alten Lederriemens aus der Sohle des Stiefels und stach den neuen Riemen sorgsam vom

Oberstiefel aus nach unten in die Sohle und von dieser wieder zurück in den Oberstiefel. Das Nähen ging ein wenig schwer, da das Leder nass und aufgequollen war, doch genauso musste es sein. Er musste den Riemen nur sehr straff ziehen, damit dieser, sobald er trocknete, beim Schrumpfen die Sohle fest an den Oberstiefel ziehen würde.

Als Nedeam seine Arbeit beendet hatte, schob er alles wieder zufrieden in den Sattel zurück und widmete sich dann ausgiebig einer kleinen Mahlzeit. Das Wasser des Bachlaufes schmeckte köstlich und erfrischend, und nachdem Nedeam seinen gröbsten Hunger und Durst gestillt hatte, ließ er sich entspannt auf den Rücken sinken und verschränkte die Hände im Nacken. Erst jetzt nahm er sich auch die Zeit dazu, sich den Wald näher anzusehen, der ganz anders war als die Wälder, die er von zu Hause kannte.

Es gab nur wenige Bäume in der Hochmark, die eine solche Höhe erreichten, und keiner von ihnen war so gerade gewachsen und hatte so viele Blätter oder Nadeln wie die Bäume hier. Nedeam sah außerdem viele kleine Tiere und zahllose Insekten, welche den Boden und die Bäume belebten. Unterschiedlichste Wildblumen und Kräuter wuchsen zudem zwischen dichten Farnen und Moosen. Der Wald strotzte nur so von Leben, und Nedeam hörte nun auch das Summen der Insekten und die gelegentlichen Schreie von Vögeln. Ab und zu knackten Äste, was Nedeam zunächst immer wieder erschrocken auffahren ließ. Aber niemals sah er einen Ork, der durch das Gehölz heranschlich, sondern nur einmal ein Geweihtier, das kurz zu ihm herübersah und dann friedlich weiteräste.

Schließlich richtete sich der Knabe auf und packte die Proianttasche wieder zusammen. Er musste weiter. Vorsichtig versuchte er, seine Stiefel wieder anzuziehen, was ihm nach einigem Ziehen und unter einigermaßen erträglichen Schmerzen auch gelang. Nein, nie wieder würde er eine solche Strecke zu Fuß zurücklegen. Die Bäume des Waldes standen weit genug auseinander, so dass man mühelos zwischen ihnen hindurchreiten konnte, und Nedeam hatte ohnehin die Nase voll davon, zu Fuß zu gehen. Also schwang er sich in Stirnflecks Sattel und überließ es dem Spürsinn des Hengstes, den richtigen Weg aus dem Wald herauszufinden. Tatsächlich erreichten sie schon bald einen Pfad, der von zahlreichen Spuren bedeckt war, zwischen denen Nedeam auch die Abdrücke beschlagener Hufe erkannte. Ja, hier musste vor kurzem eine Truppe der Pferdelords geritten sein, und dabei konnte es sich nur um Garodem, den Pferdefürsten, gehandelt haben. Nedeam würde der Spur also folgen und so den Herrn der Hochmark und seinen Beritt finden.

So groß der Wald Nedeam zu Beginn auch vorgekommen war, so trabte Stirnfleck doch kaum einen Zehnteltag später wieder zwischen den Bäumen hervor, und vor den Augen Nedeams breitete sich eine solch gewaltige Ebene aus, wie er sie noch nie zuvor gesehen hatte. Sie war um ein Vielfaches größer als das große Tal von Eternas. Dies also war das eigentliche Land der Pferdelords. Riesige Ebenen und Steppen, die von hartem Gras und Büschen bewachsen und immer wieder von großen Flachen ohne Bewuchs unterbrochen waren. Auch Wälder konnte Nedeam von hier aus erkennen und ein riesiges Gebirge, das sich weit im Osten erhob. Auch im Süden und Südwesten erhoben sich Gebirgsmassive. Im Norden dagegen sah er eine gewaltige grüne Masse und erinnerte sich erneut an die Geschichten seines Großvaters. Er wusste, dass dies der unglaubliche, versteinerte Wald sein musste, den er niemals betreten würde. Doch auch im Land der Pferdelords erhoben sich Wälder, die wie grune Inseln in der gesamten Ebene verteilt waren. Nedeam glaubte sogar, weit im Süden den großen Hügel erkennen zu können, auf dem der Pferdekönig seine Hauptstadt errichtet hatte. Aber er war sich nicht ganz sicher und spähte deshalb zunächst danach aus, ob er irgendwo ein Gehöft oder einen Ort finden konnte, in dem er sich nach dem Beritt des Pferdefürsten erkundigen konnte. Aber das Einzige, was er erblickte, war eine frei lebende Herde wilder Pferde, die in großer Entfernung ungestüm dahingaloppierte und ihre Freiheit genoss. Er folgte ihr mit den Blicken und stieß dadurch auf Rauch.

Es war nicht viel Rauch, nur ein dünner Schleier, der sich hinter einem der sanften Hügel erhob. Doch wo Rauch war, da war auch Feuer, und wo Feuer war, da war auch Leben. Das hatte Nedeam schon früh von seinem Vater gelernt, selbst wenn es nicht immer die Feuerstellen von Menschen sein mussten, die da brannten. Auch Orks machten Feuer. Er musste also auf der Hut sein, hatte aber nun immerhin eine erste Anlaufstelle gefunden.

Nedeam trieb Stirnfleck dem dünnen Rauch entgegen, und der Hengst galoppierte los, wobei er sichtlich die freie Bewegung genoss. Seine Hufe schienen die Hundert- und Tausendlängen förmlich aufzusaugen, aber Nedeam erinnerte sich an den Rat seines Vaters und ließ Stirnfleck langsamer werden. Der Hengst sollte bei Kräften bleiben und durfte sich nicht verausgaben. Möglicherweise würde Nedeam seine Schnelligkeit noch brauchen. Schließlich trabte Nedeam über einen lang gestreckten Hügel und hatte endlich den Ursprung des Rauches vor Augen. Was er sah, gefiel ihm nicht.

Es war offensichtlich, dass die Ortschaft einmal befestigt gewesen sein musste. Jetzt war sie allerdings vollständig niedergebrannt, und selbst von den sie ehemals umgebenden Palisaden standen nur noch verkohlte Reste. Nedeam konnte keinerlei Bewegung erkennen, also trieb er Stirnfleck langsam den Hügel hinunter und auf den Ort zu. Je näher er kam, desto deutlicher wurden die Spuren, dass hier ein schwerer Kampf stattgefunden haben musste. Er ritt durch Getreidefelder und an den stinkenden Überresten toter Orks vorbei, die immer mehr zunahmen, je näher er dem Ort kam. Die meisten Getreidefelder wirkten jedoch seltsam unberührt von dem grausamen Geschehen ringsherum und trugen volle Ähren, so als warteten sie darauf, dass die toten Bewohner des Ortes jederzeit zurückkämen, um die Ernte endlich einzubringen. Er sah die Kadaver einiger Pferde und erkannte an ihren Sätteln, dass es Pferde der Hochmark waren. Garodem war demnach an diesem Ort gewesen und hatte hier gekämpft. Aber Nedeam fand nur erschlagene Orks und keine toten Pferdelords. Also musste Garodem gesiegt und seine Toten danach bestattet haben.

An der Nordseite des Ortes fand der Zwölfjährige dann eine Reihe von Ruhestätten. Hier waren Pferdelords zu den Goldenen Wolken geritten. Nedeam spürte tiefe Trauer. Es ließ sich nicht sagen, wie viele Männer Garodems hier den Tod gefunden hatten, denn man begrub die Toten entweder einzeln oder in Gruppen, je nachdem wie es sich ergab und der Boden es zuließ. Insgesamt mussten es jedoch Hunderte sein, und Nedeam nahm an, dass sich auch die toten Dorfbewohner unter ihnen befanden.

Nedeam saß ab, führte Stirnfleck am Zügel und begann den Boden nach weiteren Spuren abzusuchen. Es hatte seit einiger Zeit nicht mehr geregnet, weshalb der Grasboden der Ebene alle Abdrücke gut erhalten hatte und Nedeam die Spuren von Reitern, Wagen und Menschen zu Fuß sofort gut ausmachen konnte. Es gab große und kleine Fußspuren. Sogar so kleine Fußspuren, dass sie nur von Kindern stammen konnten. Damit war klar, dass der Pferdefürst die Bewohner dieses Ortes mit sich geführt hatte. Doch wohin? Nedeam folgte den Spuren und erkannte, dass sie ihn in westliche Richtung führten. Führte Garodem die Menschen etwa in die Hochmark zurück?

Nedeam biss sich auf die Unterlippe. Er stand vor einem schweren Entschluss. Sollte er Garodem folgen? Oder sollte er tiefer in das Land der Pferdelords reiten, um dort nach Hilfe zu suchen? Aber wenn der Herr der Hochmark nun in diese zurückkehrte, so würde er dort ohnehin erfahren, was Nedeam zu berichten hatte. Nedeam blickte unschlüssig über die Ebene, so weit er sie überblicken konnte. Die Hügel raubten ihm mehr an Sicht, als er anfangs vermutet hatte. Das Land des Pferdekönigs war also ebenso überfallen worden wie die Hochmark. Dieser niedergebrannte Ort verriet es. Doch wusste es auch der König der Pferdelords?

Nedeam musste sich entscheiden, und die Entscheidung fiel ihm zunehmend schwerer. So beugte er sich zuletzt im Sattel vor und klopfte sanft an Stirnflecks Hals. „Nun, mein treuer Freund, entscheide du über den Weg."

Worauf sich Stirnfleck für den Weg nach Süden entschied.

# 25

Garodem und die anderen Männer und Frauen empfanden es als ein Wunder. Unbeschadet und scheinbar unentdeckt hatten sie in der Nacht den gewaltigen Hammerturm des Weißen Zauberers passiert und sich auf der alten Straße daran vorbeigeschlichen. Dabei hatten sie einen eigenartigen brandigen Geruch nach erhitztem Metall wahrgenommen, der die Pferde unruhig werden ließ. Nur Lotaras, der Elf, war dicht an jenen Bereich herangeritten, der die Grenze zu Hammerturm markierte, und war dann rasch und so lautlos wieder zurückgekommen, dass ein nervöser Pferdelord sogar einen Pfeil auf die plötzlich auftauchende Gestalt abgeschossen hatte, der sein Ziel jedoch verfehlt hatte. Der Elf hatte dem Schützen nicht einmal einen Blick zugeworfen, sondern war sofort zu Garodem und Beomunt herangetrabt, die an den Flanken des Wagenzugs auf ihn warteten.

„Der Hammerturm wurde angegriffen und zerstört", sagte der Elf. „Dort ist kein Leben mehr."

„Seid ihr sicher, Hoher Herr Lotaras?", fragte Garodem betroffen. „Zerstört? Welche Macht könnte dies bewerkstelligen?"

„Welche Macht könnte Graue Zauberer auf die Seite des Feindes zwingen?", erwiderte der Elfenmann leise. „Dies vermag kein Ork und auch keine ihrer Horden, wie stark sie auch immer sein mag. Es kann nur die Macht des Dunklen Turms und des Schwarzen Lords sein, die solches bewerkstelligte."

„Dann hat sie den Weißen Zauberer bezwungen, und es gibt keine Hoffnung mehr", erklang Leoryns Stimme hinter ihnen. Die Elfin löste sich von einem der Wagen, die leise knirschend über die Straße rollten. Nur gelegentlich war zu hören, dass ein Stein an etwas Eisen schlug. Jasmyns Idee mit den Tuchstreifen hatte sich bewährt.

„Das Bündnis wurde erneuert", widersprach ihr Lotaras leise und wandte sich dann direkt an die beiden Männer. „Ihr wisst, dass es Hoffnung gibt. Wir dürfen nur nicht verzagen. Wir wissen nicht, auf wessen Seite der Weiße Zauberer von Hammerturm steht. Ich glaube nicht, dass man ihn bezwungen hat. Wahrscheinlich war er gar nicht hier, als Hammerturm zerstört wurde."

„Ob er nun hier war oder nicht", warf Beomunt ein, „die Orks sind in jedem Falle unterwegs, und sie können diesen langsamen Zug erschöpfter Menschen noch immer erreichen."

„Ihr habt Recht, Beomunt", stimmte Garodem zu. „Zudem können Mensch und Tier kaum noch weiter. In einem halben Zehnteltag wird es hell werden. Wir sollten also eine Rast einlegen und uns dann überlegen, wie wir die alte Festung am besten erreichen."

Der Elfenmann zog eine Karte aus seiner Tasche, welche jener von Jasmyn ähnelte und dennoch anders war. Ihr Material wirkte glatter und heller, war dabei aber geschmeidig wie weicher Stoff. Als Lotaras sie jedoch an den Seiten ergriff, versteifte sie sich auf seltsame Weise. „Es ist nicht mehr weit. Ein Zehnteltag Marsch."

„Wir halten keinen Zehnteltag mehr durch, so verlockend die Nähe der Feste auch ist", merkte Garodem missmutig an. „Lediglich die Pferde sind noch halbwegs ausgeruht." Er straffte sich. „Nun gut, legen wir eine kurze Rast ein, bis es hell wird. Die Leute sollen sich ausruhen, aber nicht schlafen. Denn wer nun einschläft, wird so rasch nicht mehr aufstehen. Danach ziehen wir zur Feste weiter."

„Das wird den Leuten nicht gefallen“, wandte Beomunt ein.

„Nein, das wird es nicht.“ Garodem schüttelte den Kopf. „Aber sie werden dem Befehl Folge leisten.“ Der Pferdefürst zog sein Pferd herum. „Hört zu, ihr Männer und Frauen der Hochmark und Eodans. Einen Zehnteltag voraus liegt die alte Festung, an den Grenzen des Gebirges. Dort, und erst dort, werden wir in Sicherheit sein. Dort könnt ihr euch ausruhen. Dort könnt ihr schlafen. Doch bis dahin müsst ihr durchhalten. Es gibt keine andere Möglichkeit.“ Garodem sah in die wenigen erschöpften Gesichter, die er im Dunkel erkennen konnte. „Ihr habt nun eine kurze Pause, in der ihr euch ein wenig ausruhen könnt, dann geht es weiter zur alten Feste.“

Garodem wusste nicht, ob sie dort wirklich in Sicherheit sein würden. Die alte Festung war schon seit der Zeit, in der der Zauberer den Hammerturm für sich beansprucht hatte, nicht mehr besetzt. Sie mochte längst zerfallen sein und war vielleicht sogar von Orks okkupiert. Doch sie war der einzige Platz, an dem die Menschen etwas Ruhe finden konnten, bevor sie den Marsch ins Gebirge und in die Hochmark antraten. „Eine kurze Rast nur“, rief er nochmals beschwörend. „Dann ziehen wir weiter.“

Wenig später waren sie erneut auf dem Marsch.

Wahrscheinlich hatte auch der Anblick des Landes um sie herum dazu beigetragen, dass sie sich bereitwillig wieder in Bewegung gesetzt hatten. Der große Turm des Zauberers war noch intakt, aber er strahlte eine düstere Atmosphäre der Bedrohung aus. Der Turm hatte die Form eines Schmiedehammers, der senkrecht auf seinem Stiel auf dem Boden stand. Eine Seite des Hammerkopfes war gerade, die andere gekrümmt. Aber unheimlich daran war, dass diese Form für den Betrachter aus jedem Blickwinkel heraus gleich blieb. Egal, von wo aus man den Hammerturm auch betrachtete, seine Silhouette schien stets gleich. Der Hammerturm erhob sich auf einem kreisförmigen Areal, das wohl zwei Tausendlängen umfasste und einen trostlosen und leblosen Anblick bot. Klaffende Spalten, aus denen Dunst aufstieg, waren im verbrannten Boden zu sehen. Verbogene und verbrannte Überreste von Waffen oder Geräten waren ebenfalls überall zu erkennen. Sie alle konnten sehen, dass hier eine furchtbare Schlacht getobt haben musste. Welche Mächte waren hier wohl aufeinandergeprallt und hatten eine solche Zerstörung bewirkt?

Nein, keinen von ihnen verlangte es danach, hier länger als nötig zu verweilen. Der Wind trug außerdem den Geruch von Verwesung und Bränden zu ihnen, und eine feine Ascheschicht hatte sich auf der Straße mit dem Staub vermischt und begann unter ihren Füßen aufzuwirbeln, als sich die Kolonne aus Eodan nun auf den weiteren Weg zur Hochmark machte.

Der Hammerturm hatte bisher in einem riesigen Wald gestanden, doch jetzt war dieser Wald verschwunden und das Land über viele Tausendlängen hin verödet. Schutzlos fühlten sich die Menschen fremden Blicken ausgesetzt, die ihnen folgen mochten, und Furcht trieb sie trotz ihrer Erschöpfung an und dem Gebirge entgegen, dem sie sich quälend langsam näherten. Erst am späten Mittag erreichten sie endlich dessen Ausläufer, und die Konturen der alten Grenzfestung zeichneten sich vor ihnen ab.

Niemand wusste zu sagen, wann und von wem die alte Festung errichtet worden war, aber sie musste alt sein, sehr alt sogar, denn ihre einst glatten und fast fugenlos gefügten Steine wirkten rau, und Risse und Spalten zeigten sich in ihrem Mauerwerk. Längst hatten auch Moose und Kletterpflanzen begonnen, sich auszubreiten, und an einigen Stellen war das graue Gestein vom satten Grün der Natur bereits überwuchert worden. Die umfassende Wehrmauer war an mehreren Stellen eingestürzt, so dass man von der Straße aus einen Teil der inneren Anlagen erkennen konnte. Die Festung war nicht groß, eigentlich nicht mehr als ein befestigter Grenzposten, und als solcher mochte sie vor langer Zeit auch gedient haben.

Die Anlage erhob sich am vorderen Ausläufer des Gebirges, direkt an der alten Handelsstraße, und nur wenige Dutzendlängen von ihr entfernt war ein ausgedehntes Waldstück zu erkennen. Garodem vermutete, dass sich dieses ungestört ausgebreitet hatte, nachdem die Festung verlassen worden war, denn keine Besatzung hätte es geduldet, dass der Feind in ihrer unmittelbaren Nähe eine so gute Deckung gefunden hätte.

Garodem, sein Bannerträger, Beomunt und Lotaras ritten dem Treck voraus auf die alte Festung zu, und je näher sie ihr kamen, desto zweifelhafter erschien ihnen der Schutz, den sie ihnen wohl noch zu bieten vermochte. Die Spuren des Zerfalls wurden immer deutlicher, je näher sie ihre Pferde lenkten.

„Sie soll schon lange vor dem Hammerturm des Weißen Zauberers errichtet worden sein." Beomunt wies auf die sichtbaren Ecken der Wehrmauer. „Seht Ihr dort drüben die in die Mauer eingelassenen Statuen? Sie sehen aus wie jene, welche auch in den vergangenen Königreichen zu finden sind."

Die übermannshohen Statuen zeigten Krieger oder Könige in voller Rüstung mit unzweifelhaft menschlichen Zügen, obwohl der Stein stark verwittert war. Die Zinnen der Feste des Turms und der Wehrmauer besaßen alle eine konische Form, und die Schießscharten zwischen ihnen hatten die Form flacher Dreiecke. Garodem konnte sich nicht daran erinnern, jemals zuvor eine solche Bauweise gesehen zu haben. Sie lenkten ihre Pferde zu der Stelle der Mauer, an der ein großes Stück von ihr eingebrochen war. Die Spalte war breit genug, um mit den Pferden hindurchreiten zu können. Vorsichtig setzten die Tiere ihre

Hufe zwischen die größeren und kleineren Reste der Mauer, und als die vier Männer schließlich in den Innenhof der Anlage einritten, seufzte Garodem enttäuscht.

„Mir scheint, hier finden wir nur Verwüstung und Tod." Garodem saß ab und betrachtete die Hinterlassenschaften eines Kampfes, der schon lange Zeit zurückliegen musste.

Über den ganzen Hof hinweg lagen verstreut Skelette, die noch ein paar letzte verwitterte Reste von Rüstungen und Bekleidung trugen. Auch die Überreste einiger Pferde waren zu erkennen. Lotaras schwang sich von seinem Pferd und ging zwischen den Toten längst vergangener Zeiten umher, wobei er sich immer wieder bückte, um das ein oder andere Skelett näher zu untersuchen.

„Es waren nur wenige Soldaten", stellte er fest. „Ich sehe nur wenige Männer, die Rüstungen trugen. Doch diese Rüstungen bestanden nicht nur aus Harnisch und Helm, sondern auch aus Armschutz und Beinschienen. Es müssen Männer aus den alten Königreichen gewesen sein. Die meisten der Toten haben jedoch keine Waffen getragen. Mir scheint, es handelt sich um die Überreste einer Handelskarawane, die hier einst Schutz vor Überfällen suchte."

„Jedenfalls muss es schon sehr lange her sein." Garodem betrachtete einige der Skelette näher. Deren einstige Bekleidung war nur noch an wenigen verwitterten Fetzen zu erkennen, und die Reste ihrer Rüstungen waren rostig. Wo das Leder vermodert war, hatten sich die Rüstungsteile gelöst. „Sie haben gekämpft. Die Rüstungen sind teilweise verbeult und haben Einschnitte." Zwischen einigen der zerfallenden Skelette waren sogar noch die verrosteten Überreste von Pfeilen zu finden. Garodem ließ seinen Blick über den Innenhof und die Gebäude schweifen. „Das Tor ist eingestürzt und unpassierbar, und mir scheint, dass es um die übrigen Gebäude nicht viel besser steht. Sie werden uns kaum Schutz bieten können."

Tatsächlich war der in die Wehrmauer eingelassene Rundbogen des nach Norden weisenden Tores eingebrochen. Das einst mächtige Haupttor war zerborsten, und seine Überreste ragten nunmehr zwischen den Steinen hervor. Zwei kleinere Gebäude im Innenhof hatten wohl früher der Besatzung und ihren Reittieren als Unterkunft gedient. Doch ihre Dächer waren nach innen gestürzt und ihre Räume komplett ohne jede Einrichtung.

„Die Anlage wurde nicht überrannt." Garodem blickte in das einstige Unterkunftsgebäude der Besatzung. „Man muss sie vor langer Zeit geräumt und verlassen haben. Danach wurde sie nie wieder genutzt und zerfiel."

Beomunt zuckte die Achseln und wies auf die Skelette. „Einige müssen sehr wohl versucht haben, sie zu nutzen. Aber vielleicht suchten sie Schutz vor Räubern oder gar vor Orks."

„Eher vor Räubern." Lotaras blickte zu dem alten Turm hinüber. „Ich konnte an den alten Rüstungen und Knochen keinerlei Spuren orkischer Schlagschwerter entdecken. Zudem hätten die Orks irgendwo eine Lanze mit dem Schädel eines Erschlagenen als Siegeszeichen in den Boden gerammt und zurückgelassen." Der Elfenmann zuckte die Achseln. „Nun, sie könnte allerdings auch schon längst zerfallen sein. Doch lasst uns nun den Turm in Augenschein nehmen. Er scheint mir als einziges Gebäude noch in einem guten Zustand zu sein."

Außerhalb der alten Festung ertönten Hufschlag und Räderrollen. Garodem sah seinen Bannerträger an und sah dann zur hoch stehenden Sonne auf. „Gebt Bescheid, dass wir hier rasten. Lasst Feuerstellen errichten, aber achtet darauf, trockenes Brennmaterial zu verwenden, und macht so wenig Rauch wie nur möglich. Lasst also kein frisches Holz aus dem Wald schlagen, denn es wird zu feucht sein." Der Bannerträger ritt wieder aus der Burg heraus, und Garodem blickte zu dem alten Turm hinüber. „Nun gut, lasst uns sehen, was uns dort erwartet."

Der Turm maß sechs Längen im Quadrat und erhob sich gute fünfzehn Längen in die Höhe. Er lag in der nordwestlichen Ecke der alten Anlage und wirkte noch immer massiv und drohend. Unterhalb seiner zinnenbewehrten Plattform waren Öffnungen zu sehen, die sich um den ganzen Turm herumzogen. Sie waren breiter als normale Schießscharten und hatten an ihren oberen Enden Rundbögen. Sie schienen eher der Aussicht als der Verteidigung gedient zu haben. Ansonsten war der Turm bis auf die untere Zugangstür ohne jede weitere erkennbare Öffnung.

Die Tür hing schief in der einzigen verbliebenen Angel. Lotaras klopfte mit dem Schwertknauf an ihr Holz und nickte zufrieden. „Das Holz ist noch erstaunlich gut. Wenn man die Tür neu richtet, könnte sie wohl eine Weile standhalten."

Mit diesen Worten betraten sie die untere Ebene des Turms, wo sie noch einige Tische und Bänke im Lichtschein, der durch die offene Tür hereinfiel, erkennen konnten. Diese waren teilweise zusammengebrochen, würden sich aber richten lassen. An einer Seite des Turms befand sich eine gemauerte Einfassung, an der sie einen tiefen Schacht fanden, und Beomunt nickte, als er einen Stein aufhob und ihn hineinfallen ließ. Ein deutliches Platschen war zu hören. „Wohl überlegt. Sie hatten ihren Brunnen an der wehrhaftesten Stelle ihrer Anlage. Und er führt noch immer Wasser."

„Wir werden prüfen müssen, ob es noch gut ist." Garodem trat an die steinerne Treppe, die um die Wände herum zu den oberen Ebenen hinaufführte.

Die nächste Ebene lag vollkommen im Dunkel, und Lotaras

zog eine merkwürdige Fackel aus seinem Gewand hervor, die sofort ein silbriges Licht auszustrahlen begann und alte Bettstätten beleuchtete, die jedoch zerfallen und unbrauchbar waren. Dann erreichten sie die Ebene mit den Fensteröffnungen. Von hier aus hatten sie einen weiten Überblick über das umliegende Land und die vorderen Ausläufer des Gebirges. Sie sahen Garodems Pferdelords und die Bevölkerung von Eodan, wie sie vor der alten Festung ein provisorisches Lager errichteten. Von dieser Turmebene aus führte nur noch eine beschädigte hölzerne Treppe nach oben auf die Plattform des Turmes, auf der noch die Reste einer alten Kriegsmaschine zu erkennen waren. Ihr Holz und Metall waren zerfallen.

„Eine alte Wurfmaschine, deren Munition wohl die Kugeln waren, die hier liegen", stellte Lotaras fest und untersuchte die Überreste.

Tatsächlich lagen am Rand des Turms einige steinerne Kugeln, die ungefähr die Größe eines menschlichen Schädels hatten. Am Boden der Plattform, unterhalb der Zinnen, befanden sich zudem einige steinerne Rinnen im Boden, die in schnabelartigen Ausläufern endeten. Einige davon waren bereits zerbrochen, aber es war klar, dass man über diese Rinnen einst entweder die Kugeln oder aber auch heißes Fett auf einen Angreifer gegossen hatte.

„Die Anlage ist zu klein und zu stark beschädigt, um all diesen Menschen Schutz zu gewähren", sagte Garodem nachdenklich. „Wir werden also eine ausgiebige Rast einlegen und danach sofort wieder weiterziehen. Die Leute brauchen jetzt Ruhe und einen kräftigenden Schlaf, und den sollen sie haben, denn von hier aus blicken wir weit über das Land und können von keinem Feind so schnell überrascht werden."

Da legte Lotaras, der über die Einfassung des Turms nach

Süden geblickt hatte, Garodem eine Hand auf die Schulter. „Es mag ein sehr langer Schlaf werden, Garodem, Pferdefürst."

Sie alle wussten sofort, was der Elfenmann damit andeuten wollte. Gemeinsam traten sie an die Brüstung, wo Lotaras mit ausgestrecktem Arm in die Richtung Hammerturms deutete. „Dort ist Bewegung auf der Straße. Ich erkenne die dunklen Rüstungen und Banner einer orkischen Horde. Und es ist eine große Horde, Garodem, Pferdefürst."

„Eure Augen sind besser als die unseren, Hoher Herr Lotaras", gestand Garodem, der zu erkennen versuchte, was sich dort in der Ferne bewegte, finster ein. „Was schätzt Ihr, wie groß die Horde sein mag?"

Lotaras schwieg einen Moment und sah die beiden Männer dann bedauernd an. „Mindestens vierhundert. Zwei oder drei ihrer Kohorten." Sie sahen ihn betroffen an, und der Elf nickte bekräftigend. „Mindestens. Und sie werden in zwei bis drei Zehnteltagen hier sein."

„Hier können wir ihnen nicht widerstehen." Garodem sah auf das kleine Lager des Trecks hinunter. „Dazu sind unsere Leute mittlerweile zu erschöpft." Garodem blickte erneut nach Süden, von wo aus sich der Feind unaufhaltsam näherte. Musste dies nun auch noch geschehen? Nach allem, was sie bisher schon erlitten hatten?

„Nun gut", sagte er schließlich, „wir haben zwei bis drei Zehnteltage. Die Männer und Frauen dort unten sollen einen Zehnteltag ruhen, dann müssen sie weiter."

„Der Feind wird uns einholen", knurrte Beomunt. „Und ein Zehnteltag reicht nicht aus, um uns erholen zu können. Die Horde wird uns schnell stellen und dann niedermachen."

„Nicht, wenn wir den Männern, Frauen und Kindern Eodans Zeit verschaffen", sagte Garodem entschlossen und sah Lotaras und Beomunt eindringlich an. „Zehn Pferdelords und zwanzig der Bogenschützen Eodans werden den Treck zur Hochmark begleiten. Die anderen werden hierbleiben und ihr Entkommen ermöglichen."

Beomunt nickte. „Ihr seid ein wahrer Pferdelord, Garodem. Es wird ein blutiger Tag werden, und wir werden ihn nicht überleben, mein Freund."

Garodem wies auf den Treck hinunter. „Aber sie werden ihn überleben, wenn wir einen guten Kampf liefern, und für uns wird es ein ehrenvoller Ritt zu den Goldenen Wolken werden."

Lotaras lächelte. „So sollten wir uns schnellstens daran machen, den Turm zu verstärken, so gut wir es in der kurzen Zeit vermögen."

Garodem sah den Elfenmann fragend an. „Ihr bleibt bei uns, Hoher Herr Lotaras?"

Der Elfenmann nickte und wies nach Süden. „Wie könnte ich mir dies entgehen lassen? Doch ich werde mit meiner Schwester sprechen, denn ich möchte, dass Leoryn mit dem Treck weiterzieht."

Die Männer und Frauen des kleinen Lagers waren viel zu sehr erschöpft, um noch groß Aufregung zu zeigen, als ihnen Garodem und Beomunt von der erneuten Gefahr berichteten. Doch sie wussten sehr wohl, welches Opfer die Pferdelords ihnen bringen würden, weshalb ein Bewohner Eodans an Garodem herantrat, als dieser seine Männer antrieb, den alten Turm herzurichten.

„Ruht ihr euch aus, ihr Pferdelords", bot er Garodem an. „Ihr werdet eure Kraft noch brauchen, um der Horde zu widerstehen. Wir haben Männer aus Eodan, die den Turm zu richten wissen. Ruht euch aus, ihr Pferdelords."

Auch die hohe Frau Jasmyn trat an Garodem heran und

legte ihm in einer bedauernden Geste die Hand auf den Arm. „Wir wissen wohl, was Ihr zu tun gedenkt. Euer Bruder, der König, wäre stolz auf Euch, Hoher Lord Garodem. So, wie ich es bin." Mit diesen Worten wandte Jasmyn sich ab, noch bevor Garodem etwas erwidern konnte.

Oben auf dem Turm stand Lotaras, der Elfenmann, und beobachtete die Kolonne der Orks, die bereits sichtlich näher gekommen war, so dass erste Einzelheiten zu erkennen waren. Lotaras blickte Garodem ernst an, als dieser über die hölzerne Treppe heraufkam. „Einen Zehnteltag noch, Garodem, Pferdefürst, dann sind sie hier. Sie haben sich viel Zeit gelassen, die Bestien, doch nun werden sie bald da sein."

Währenddessen bewegte sich der Treck aus Eodan auf der alten Handelsstraße zielgerichtet nach Nordwesten. Schon in wenigen Zehnteltagen würde er die Grenzen der Hochmark erreicht haben und dann nach Norden zum Pass einschwenken. Dort, so hofften sie alle, würden die Männer, Frauen und Kinder endlich Schutz und Sicherheit finden. Garodem hörte die gedämpften Schläge einiger Äxte. Noch immer waren ein paar Männer dabei, einen neuen Balken für die Tür zu fertigen und diese zu verstärken. Eine Gruppe hatte Holz aus dem nahen Wald geschlagen, und zwei Jäger Eodans hatten zudem angeboten, nach Wild zu spähen. Garodem hatte dem Jagdersuchen stattgegeben. Es war gut, wenn die Männer Zuversicht empfanden.

„Hinter der Festung ist eine Ehrenstätte." Schwertmann Beomunt stieg die wankende Leiter zur Plattform herauf, wobei er kurz vor dem Dach einen regelrechten Klimmzug machen musste, denn die Leiter besaß an einigen Stellen keine Sprossen mehr. Der Schwertmann trat neben Garodem und nahm seinen Helm mit dem langen Rosshaarschweif der königlichen Wache ab, um sich den Schweiß von der Stirn zu wischen. „Schwer zu sagen, wie alt sie ist und wer sie anlegte. Zudem hat das Raubgetier bereits die Ehre der Toten gestört und ihre Leiber zerteilt und in alle Winde verstreut. Keine Ahnung, welchem Banner sie einst angehörten." Beomunt wies auf die Konstruktion, die auf der Plattform Gestalt annahm. „Ein richtiges Katapult bekommen wir nicht zusammen, aber es wird in jedem Fall ein brauchbares Schleuderbrett werden. Wir sollten außerdem zusehen, dass wir noch mehr Steine heraufschaffen können. Wenn wir sie über die Zinnen stoßen oder schleudern, werden sie am Boden eine Menge Schaden anrichten."

Garodem nickte. „Ja. Vor allem über dem Eingang werden sie sich als effektiv erweisen."

Wenigstens um die Wasserversorgung mussten sie sich keine Sorgen machen. Der Brunnen im Inneren des Turms war zwar nicht im besten Zustand und seine Winde verrottet, aber es waren genügend Eimer und Seile vorhanden, und das Wasser war sauber und klar. Allerdings war der Wasserspiegel nicht sehr hoch, und wenn man eine Reihe von Eimern geschöpft hatte, musste man erst wieder eine Weile warten, bis sich der Brunnen erneut gefüllt hatte. Doch sie würden den Brunnen wohl nicht lange in Anspruch nehmen. Kaum fünfzig erschöpfte Männer gegen vierhundert Orks – sie würden all ihr Geschick und ihre Kraft aufbringen müssen, um standzuhalten. Dennoch, der Turm bot ihnen einen gewissen Schutz. Sein einziger Schwachpunkt war die Tür, die man nur unvollkommen wieder hatte befestigen können.

Die Konstruktion auf dem Dach nahm indessen immer mehr Form an. Ein Hebelarm, auf den ein grobes Brett gebunden worden war, wurde gerade zwischen zwei Rundhölzer eingeführt. Zwei Männer konnten den Hebelarm nun mit aller Kraft nach hinten ziehen und ihn festhalten, während ein Dritter einen großeren Stein auf das Brett legte. Sobald die beiden anderen losließen, würde der Stein auf das Gelände vor dem Turm geschleudert, wobei Wurfweite und Richtung allerdings einem gewissen Glück überlassen blieben, denn das einfache Schleuderbrett wies keine große Ähnlichkeit mit dem justierbaren Katapult auf, das früher einmal auf dem Turm gestanden hatte.

Garodem blickte nach Süden. Über der sich nähernden Kolonne der Orks waren nunmehr auch die schwarzen Banner der Horde zu erkennen, und allmählich wurde auch das leise Stampfen ihres Marschtrittes hörbar. Garodem sah nach unten in den Hof. „Bringt mein Banner auf den Turm herauf. Die Bestien mögen wissen, wer sie erwartet."

Die Orks würden das Banner der Hochmark schon von weitem sehen, und es würde sie vorsichtiger machen, denn das Banner eines Pferdefürsten wies stets auf einen starken Beritt hin. Sollten die Orks nur glauben, dass hier weit mehr Verteidiger auf sie warteten, als sie tatsächlich waren. Vielleicht würden sie sich dann langsamer nähern, um sich besser auf den Sturm vorzubereiten. Jede Verzögerung ihres Angriffes würde den Männern und Frauen Eodans wiederum mehr Zeit verschaffen und sie der Sicherheit näher bringen. Zufrieden sah Garodem, wie der Bannerträger die Fahne der Hochmark über dem Turm aufpflanzte. Weit sichtbar wehte das springende weiße Ross auf dem grünen Tuch aus, ganz so als ob es bereit sei, den Feind anzuspringen, und Garodem empfand sowohl Stolz auf das Symbol der Pferdelords als auch auf seine Männer. Sie alle würden ihr Letztes geben, um die Hilflosen zu schützen.

## 26

Nedeam trieb Stirnfleck über den nächsten Hügel hinweg und sah sich dann rasch um. Er hatte schon lange keine Ahnung mehr, ob er sich noch in der Nordmark oder bereits schon in der Reitermark befand, denn er kannte die Marken des Pferdekönigs nicht und fand auch niemanden, den er danach hätte fragen können. Das Land um ihn herum schien menschenleer zu sein. An verschiedenen Stellen stieg Rauch in den Himmel auf und zerfaserte dann im Wind. Manche der Rauchfahnen waren dick und schwer und verrieten, dass dort mehr als nur ein Gehöft brannte. Andere wiederum zerfaserten auf eine Weise, die anzeigte, dass der Brand kurz vor dem Erlöschen war. Nedeam war inzwischen an einigen Gehöften und sogar an einer kleinen Ortschaft vorbeigekommen, doch alle waren geräumt gewesen. Es schien, als wären die Bewohner noch rechtzeitig vor der drohenden Gefahr gewarnt worden und hätten ihre Wohnstätten daher hastig und unvorbereitet verlassen. In einem der Häuser hatte Nedeam sogar noch die nicht geleerten Näpfe einer Mahlzeit vorgefunden, doch die Speisen waren verdorben gewesen. Nur zweimal hatte der Zwölfjährige ein Gehöft vorgefunden, in dem er die Überreste einer erschlagenen Familie vorgefunden hatte. Dort hatte er auch erstmals die hörnertragenden Rinder gesehen, welche in den unteren Marken des Königs gezüchtet wurden. Er hatte die Tiere neugierig gemustert und hätte gerne eines von ihnen berührt, aber sie erwiesen sich als scheu und wichen vor ihm zurück.

Gelegentlich sah Nedeam auch die Kadaver von Rindern und Schafen und einmal sogar ein erschlagenes Pferd. Doch die meisten Tiere waren entweder von ihren Besitzern mitgenommen worden oder hielten sich verborgen.

Nedeam vermutete, dass sich die Horde der Orks zwischen Eodan und den anderen Marken hindurchbewegt haben musste, denn er hatte eine breite Marschspur entdeckt und zudem an vorhandenen Exkrementen erkannt, dass diese von Orks und nicht von Menschen stammten. Die Orks waren also nach Süden marschiert, tiefer in das Land des Pferdekönigs hinein, und das erfüllte Nedeam mit Sorge, machte ihm dies doch eindeutig klar, dass sich der Feind zwischen ihm und der Stadt des Pferdekönigs befand, und Nedeam fragte sich, auf welche Weise es ihm wohl gelingen könnte, die Horde zu umgehen und Kontakt mit den Pferdelords des Königs aufzunehmen. So war er von neuem äußerst angespannt, wenn er über die Kuppe eines Hügels hinwegritt und in die sich dahinter ausbreitende Ebene hinabblickte. Aber bislang hatte er Glück gehabt.

Der Knabe öffnete seine Provianttasche und betrachtete missmutig, was von seinen Vorräten noch übrig war. Eine Handvoll Trockenfrüchte, etwas Dörrfleisch und ein Kanten Brot. Wenn er sparsam damit umging, mochte er noch zwei Tage damit auskommen. Das war vielleicht gerade noch genug, um die Stadt des Pferdekönigs zu erreichen, reichte aber keinesfalls aus, um den Rückweg in die Hochmark antreten zu können. Er musste also zusehen, dass er schon bald seine Vorräte neu auffüllte.

Nedeam sog prüfend Luft ein. Es roch nach einem schweren Gewitter, obwohl der Himmel noch klar und blau war, aber Nedeam wusste, dass sich dies rasch ändern würde. In den Bergen konnte das Wetter manchmal blitzschnell umschlagen, und dann war es besser, Schutz vor den schweren Wettern mit ihren Blitzen zu suchen. Nedeam empfand Respekt vor der Kraft eines Gewitters. In seinen jungen Jahren war einmal ein Blitz ganz in seiner Nähe eingeschlagen. Nedeam hatte damals geglaubt, dass der Boden unter ihm beben würde, und der Donner hatte ihn fast betäubt. Eine Felsspitze war nicht weit von ihm entfernt vom Blitz getroffen worden, und Nedeam hatte danach ungläubig gesehen, dass der Felsen vollkommen zertrümmert worden war. Sein Großvater, Windemir, hatte ihm daraufhin erklärt, es sei der Zorn der toten Pferdelords, die nicht den Weg in die Goldenen Wolken gefunden hätten, der sich bei einem Gewitter gegen die Erde richte. Weil sie nicht ehrenhaft gestorben seien, wären sie nun dazu verurteilt, auf ewig in dunklem Zorn zu grollen, und das Funkeln ihrer Waffen entsende die gleißenden Blitze. Es sei also eindeutig besser, tapfer zu sein und als wahrer Pferdelord in den Goldenen Wolken zu reiten. Wahrscheinlich hatte sein Großvater ihn damit nur ermahnen wollen, ein guter Pferdelord zu werden, aber die Blitze mit ihrer Kraft waren Nedeam von da an immer ein wenig unheimlich gewesen.

Der Zwölfjährige richtete sich instinktiv im Sattel auf und sah sich um. Ein Stück weiter östlich vor sich sah er ein Waldstück, das ihm Schutz bieten würde. Der Wald würde außerdem gut geeignet sein, den einsamen Reiter neugierigen Blicken zu entziehen. Es mochte noch ungefahr einen halben Zehnteltag lang hell sein. Dann ging die Sonne unter. Also trieb Nedeam Stirnfleck auf das Waldstück zu. Dicht vor dem Waldrand verharrten Knabe und Hengst und witterten gleichermaßen. Der Wind kam aus Richtung des Waldes, und der typische Geruch eines Orks war nicht wahrzunehmen. Also saß Nedeam ab und führte Stirnfleck zwischen die ersten Bäume.

Es dunkelte zunehmend, als die ersten Gewitterwolken sich zusammenzogen und ein erstes Grollen in der Ferne zu hören war.

Erste Regentropfen begannen zu fallen, aus denen innerhalb weniger Sekunden ein heftiger Guss wurde, der Nedeam bis auf die Haut durchnässte, obwohl er sich dicht an den Stamm eines Baumes und in den Schutz seines Blätterdaches stellte. Nedeam begann zu frieren, doch der Regen hielt die ganze Nacht über an. Erst am Morgen versiegte seine Kraft, und mit der Sonne stieg dichter Dunst zwischen den Bäumen und Gräsern auf. Völlig erschöpft nahm Nedeam seine Proviantasche zur Hand, um wenigstens seinen gröbsten Hunger zu stillen.

Der dichte Nebel nahm ihm jegliche Sicht, und so wurden er und Stirnfleck gleichermaßen überrascht, als wenige Längen neben ihnen ein dumpfes Brüllen ertönte.

Stirnfleck stieg wiehernd auf die Hinterhand und war schon auf und davon, bevor Nedeam nur daran dachte, seine Zügel zu ergreifen und sich am Sattel festzuhalten, um sich auf den Rücken des Hengstes zu schwingen. Mit Stirnfleck und dem Sattel zusammen waren auch Nedeams Pfeil und Bogen verschwunden. Die einzige Waffe, die ihm jetzt noch blieb, war sein Dolch. Unsicher zog er ihn hervor, als das Brüllen erneut und nochmals näher als zuvor erklang. Der Nebel machte es schwierig, den Ursprung des Brüllens genau zu lokalisieren, aber es klang furchtbar nahe und bedrohlich. Ob es wohl ein Rundohr war? Nein, die Orks brüllten anders und auch bei weitem nicht so kräftig. Außerdem konnte Nedeam zudem nun auch das Knacken und Brechen von Ästen hören.

Knacken und Gebrüll näherten sich gleichermaßen. Nedeam duckte sich, reckte den Dolch vor und drehte sich im Kreise. Aus welcher Richtung würde der Feind wohl kommen?

Er kam von vorne.

Der nebelige Dunst teilte sich für einen Moment, und Nedeams Augen weiteten sich vor Schreck. Er hatte schon einmal einen Pelzbeißer gesehen. Oben in der Hochmark. Aber dieses Exemplar hier schien ihm der Urahn aller Pelzbeißer zu sein. Sein Körper war vollständig mit dichtem braunem Pelz bedeckt, und gerade riss er seine kurze Schnauze erneut auf. Nie zuvor in seinem Leben hatte Nedeam solche Zähne gesehen. Der Pelzbeißer schien Nedeam jetzt ebenfalls erblickt zu haben, denn er erhob sich auf seine Hinterläufe. Erneut ertönte das angriffslustige Gebrüll, und Nedeam sah Geifer von den Fängern des Raubtieres tropfen. Dann schloss sich der Nebel erneut. Doch das Gebrüll kam näher, begleitet von dem schweren Stapfen der Bestie.

Nein, Nedeam war nicht tollkühn genug, um sich mit seinem Dolch der Bestie entgegenzustürzen. Also warf er sich herum und suchte nach einem anderen Weg, sich zu retten. Stirnfleck war verschwunden, und der Pelzbeißer würde außerdem sicherlich schneller rennen, als Nedeam dies konnte. Der Knabe sah auf den großen Baum, der ihm in der Nacht zuvor nur unvollkommen Schutz geboten hatte, und lief los. Vielleicht würde dieser Nedeam ja nun vor dem großen Raubtier retten.

Das Brechen der Äste und das Gebrüll waren bereits ganz nahe, als Nedeam den Baum erreichte und dort versuchte, den dicken Ast, der ein gutes Stück über ihm aufragte, zu ergreifen, indem er zum Sprung ansetzte. Er verfehlte ihn, sprang erneut, doch wieder rutschten seine Hände ab.

Der Knabe stieß einen entsetzten Schrei aus, war aber für den Moment gerettet, denn noch während er links zu Boden stürzte, konnte er schockiert erkennen, wie über ihm eine mächtige Pranke in den Baum schlug, genau an jene Stelle, an der er zuvor noch gestanden hatte. Die Krallen des Pelzbeißers fetzten die Rinde vom Stamm. Der Zwölfjährige rollte sich zur Seite und sprang hinter den Stamm, aber das brüllende Raubtier folgte ihm. Wieder sah Nedeam einen Ast über sich aufragen, doch dieses Mal ein Stück tiefer, und wieder sprang er, ergriff das sich durchbiegende Holz und zog sich daran empor. Seine Stiefel mit den glatten Ledersohlen schrammten über die Borke des Stammes, als er sich verzweifelt nach oben zog. Dann spürte er das Zittern des Baumes, als die Bestie dagegenprallte und wie etwas glühend Heißes sein Bein berührte.

Nedeam sah nach unten, was er sofort bereute, denn nah unter ihm tauchte der weit aufgerissene Rachen des Pelzbeißers auf, und als das Tier erneut nach ihm schlug, fetzte die Pranke nur knapp unter dem Fuß des Knaben ins Holz. Der Baum wankte erneut, und Nedeam fragte sich, welche Kraft dieses Monstrum wohl besitzen musste, um einen solchen Stamm in Bewegung versetzen zu können. Er hangelte sich noch etwas höher in die Äste und hoffte nur, dass der Baum dem Ansturm des Tieres standhalten würde. Auf einem stabilen Ast, etliche Längen über dem Boden, fand er endlich einen festen Sitz und starrte hilflos auf den Pelzbeißer unter sich herab.

Neben dem Pelzbeißer sah Nedeam seine Provianttasche am Boden liegen. Doch es sah nicht so aus, als ob sich das Raubtier mit deren Inhalt begnügen würde. Im Moment erschien es sogar außerordentlich fraglich, wer von ihnen beiden wohl zuerst ein Frühstück genießen mochte.

# 27

Das Volk der Pferdelords war es gewohnt, das Land, das es bewohnte, auch zu nutzen. Allerdings hatte es schon früh gelernt, ihm nicht mehr abzuverlangen, als es zu geben bereit war. „Nimm nicht mehr vom Land, als es zu geben bereit ist“, hatten schon die Vorväter ihrer Ahnen gesagt, „sonst nimmt das Land mehr von dir, als du zu geben bereit bist.“ Ein Säugling brauchte viele Jahre, um zu einem Pferdelord heranzuwachsen, ebenso wie ein Baum Jahre brauchte, um gutes Holz hervorzubringen. Genauso brauchte auch ein fruchtbarer Boden seine Zeit, um sich nach einer Ernte wieder erholen zu können. In den weiten Ebenen der anderen Marken des Pferdekönigs war es relativ leicht, einen neuen Ackerboden zu wählen oder einen Teil des Waldes neu zu roden, während sich ein Feld erholte. Das Land der Hochmark hingegen war weit rauer und unwirtlicher, und hätte es nicht das Tal von Eternas gegeben, so hätte Garodem die seinen hier nicht ansiedeln können. Doch Eternas und seine fruchtbaren kleinen Nebentäler hatten ihnen Raum zum Siedeln geboten sowie die Möglichkeit gegeben, hier zu überleben und sich zu entwickeln.

Dreißig Jahre waren vergangen, seitdem Garodem die Männer und Frauen in das Tal von Eternas geführt hatte. Es war gut fünfundzwanzig Tausendlängen breit und fast vierzig Tausendlängen lang, wobei eine Länge das Maß eines ausgewachsenen und starken Hengstes von seiner Kruppe bis zu seiner Brust war. Der kleine Fluss Eten wurde hier durch zahlreiche kleine Gebirgsbäche gespeist, und der Boden war stark und fruchtbar. In den Seitentälern gediehen die Schafe und die starken Pferde der Hochmark, und Eternas' Tal selbst lieferte den Bewohnern Getreide und Früchte, Kräuter und wilde Beeren.

Zuerst hatte man die Burg errichtet, und zwar genau jenen Teil, der nunmehr die vordere Burg mit den beiden großen Wehrtürmen und dem Haupthaus bildete. Später war die Burg dann um den hinteren Hof mit seiner runden Wehrmauer und den Nebengebäuden erweitert worden. Ebenso wie die Burg war auch die Stadt selbst gewachsen, denn wie sich Schafe und Pferde mehrten, so mehrte sich auch die Bevölkerung der Hochmark.

Die Stadt Eternas hatte die Form eines lang gezogenen Rechtecks und zog sich auf der linken Seite des Flusses Eten entlang. Längst hatten die beiden Seiten dieses Rechtecks ihre gerade Form eingebüßt und sich zusammen mit der Bevölkerung Eternas' immer weiter ausgedehnt. Die Häuser der Stadt standen eng beieinander und waren voneinander nur durch schmale Gassen und ein paar wenige, etwas breitere Straßen getrennt. Obwohl die Häuser aus Stein und nur mit wenig Holz errichtet waren, bestand dennoch immer die Gefahr, dass ein Feuer entstand und auf andere Gebäude übergriff. Da half es nur wenig, die einzelnen Balken der Gebäude zum Schutz mit frischem Blut von Schafen einzustreichen. Zumal die Einrichtungen der Häuser selbst wiederum überwiegend aus Holz bestanden, das einem Brand gute Nahrung bot. Und so hatte erst vor ein paar Jahren ein um sich greifendes Feuer einige Gebäude samt ihrer Bewohner verschlungen, die sich nicht rechtzeitig aus den oberen Stockwerken hatten retten können. Der Ältestenrat Eternas' hatte daraufhin beschlossen, dass ein Gebäude zukünftig nicht mehr als zwei Geschosse aufweisen sollte, damit sich Mann und Frau noch immer durch einen Sprung aus dem Obergeschoss retten konnten, wenn das Untergeschoss bereits in Flammen stand. Diese Maßnahme zum Schutz gegen ein verheerendes Feuer hatte die rasche Ausdehnung Eternas' zu beiden Seiten hin bewirkt, und da Eternas keine befestigte Stadt war, konnte dies mühelos geschehen. Städte, die dagegen durch einen Wall oder eine Mauer geschützt waren, wuchsen eher in die Höhe, was nur natürlich war, da jeder der Bürger innerhalb der schützenden Umfriedung leben wollte. Doch für die Ausdehnung Eternas' war der rechts liegende Fluss stets eine natürliche Grenze gewesen, und das jenseitige Flussufer würde auch künftig der Ernährung der Bevölkerung vorbehalten bleiben.

Ganz am Anfang, als die Stadt nur wenige hundert Menschen umfasst hatte, hatten sich Mann und Frau noch außerhalb der Häuser erleichtert, doch rasch war klar geworden, dass der reichliche Dung zwar gut für den Boden sein mochte, die Nasen der Bewohner jedoch zunehmend belästigte. Auch war es nicht jedermann angenehm, in die Erleichterung seines Nachbarn zu treten und diese an den Schuhen ins eigene Haus hineinzutragen. Die Gemahlin des Pferdefürsten hatte deshalb rasch für Abhilfe gesorgt, indem sie Rinnen zwischen den Häusern hatte anlegen lassen, die ein geringes Gefälle aufwiesen und an ihren beiden Seiten gemauert waren. Diese Rinnen wurden nun, unabhängig vom Regen, der die Täler und Felder wässerte, immer wieder regelmäßig von den Hausbewohnern gespült. Der lästige Geruch hatte abgenommen, während der Fluss Eten dadurch reicher an Nährstoffen geworden war, die aber durch das nachfließende frische Wasser rasch mit sich geführt wurden. An den Übergängen der Gassen waren die Rinnen jeweils abgedeckt, so dass man sie trockenen Fußes passieren konnte. Doch vornehmlich in der Nähe der Schänken und in der Nacht verfehlte so mancher unsichere Fuß die Übergänge, weshalb der Betroffene seinen Heimweg dann übel riechend und von eigenen sowie von fremden Flüchen begleitet fortsetzen musste.

Die Höfe und Getreidefelder der Bauern erstreckten sich einige Tausendlängen auf beiden Seiten der Stadt Eternas, und zwischen den voll tragenden Äckern konnte man die abgeernteten Brachen der Vorjahre erkennen, die man erst in späteren Jahren wieder nutzen würde, um den Boden nicht auszulaugen. Die Höfe lagen in unmittelbarer Nähe der Bachläufe, und obwohl die Menschen des Pferdevolkes vor allem ein wehrhaftes Reitervolk waren, erwiesen sie sich durchaus auch als geschickte Bauern. Jedes Jahr fuhren sie gute Ernten ein, und die Vorratslager der Stadt und der Burg waren voller Getreide. Dies wiederum zog kleine Nagetiere an, wie sie stets dem Pfad der Menschen folgen, und der Kampf gegen diese Nager erwies sich neben dem Kampf gegen die Unbill der Natur als besonders schwierig.

Barus war ein stämmiger und grobschlächtig wirkender Mann, der kunstvolle Fallen zu fertigen verstand, der seinem Handwerk als Nagerfänger jedoch überwiegend mit einem gewaltigen Prügel nachging. Er verstand das keulenartige Holz ebenso zielsicher zu schwingen wie zu werfen, und er verfügte über ein unglaublich gutes Auge und scharfe Reflexe, denn er war überaus erfolgreich darin, den Nagern nachzustellen. Das gewalttätige Handwerk rief bei Barus oft einen intensiven Durst hervor, und so gehörte der stämmige Nagerjäger zur Stammkundschaft des „Donnerhufs“.

Der „Donnerhuf“ lag direkt am Ortseingang Eternas’, und sein Wirt Malvin, ein ehemaliger Pferdelord, hatte diesen Standort mit Bedacht ausgewählt, denn der Blick jedes durstigen Heimkehrers wurde automatisch von dem Schild des Gasthauses angezogen. Außerdem lag der „Donnerhuf" auch weit genug von der Burg entfernt, so dass sich deren Pferdelords durchaus gelegentlich ein wenig Entspannung verschaffen konnten, ohne dass die Burgwache dies sofort bemerkte.

Natürlich servierte Malvin seinen Gästen nur erstklassigen Wein. Zumindest in den ersten Bechern. Später allerdings, wenn die Zecher ohnehin schon ein wenig benommen waren, sah er keinen Grund mehr, seine beste Qualität noch weiterhin an sie zu verschwenden. Sein begehrtestes Getränk war Blutwein, der ursprünglich zu Ehren der Pferdelords „Blut der Hochmark" geheißen hatte, doch der lange Begriff war schon rasch durch das kürzere Wort Blutwein ersetzt worden. Der Blutwein bestand aus dem Saft wilder Beeren, war gut gegoren und mit einem Ferment versetzt, dessen Zusammensetzung Malvin geheim hielt. Böse Zungen behaupteten sogar, dass er hineinuriniere, um den Geschmack aufzubessern, doch solange das Getränk guten Absatz fand, waren dem Wirt solche üblen Nachreden egal.

Gerade schob er einen neuen Becher zu Esyne über den Tresen. Die Schuhmacherin vertrug stets eine ordentliche Menge. Im Gegensatz zu Toslot, dem Bauern, der an ihrer Seite saß, wankte sie dabei aber kein bisschen, und Malvin liebte Gäste, die einen guten Trunk vertrugen. Toslot hatte dagegen gerade einmal zwei Becher getrunken, würde aber sicher schon vor der Neige des dritten zu Boden gehen. Wahrscheinlich würde der schmächtige Mann dabei auch die Dielen wieder übel verunreinigen. Nein, solche Gäste bevorzugte Malvin nicht unbedingt, auch wenn sie den größten Teil seines Publikums ausmachten.

Da war ihm Esyne schon lieber, selbst wenn diese manchmal fürchterlich ausfällig wurde, sobald sich ihr Verstand nach mehreren Bechern zu umnebeln begann. Die schlanke Frau pflegte dann durchaus handgreiflich zu werden, und es gab inzwischen kaum noch einen Mann in Eternas, der dumm genug war, sich mit ihr anzulegen, wenn es so weit war. Obwohl Malvin eine nette, durstfördernde Wirtshausschlägerei bei weitem lieber gewesen wäre als Esynes wilde Keifereien. Man musste sich schon wundern, wie eine sonst so sanfte Stimme auf einmal so schrill und unangenehm werden konnte.

Malvin seufzte entsagungsvoll, als Toslots Kopf wie schon erwartet nach vorne sackte und mit einem dumpfen Geräusch auf den hölzernen Tresen schlug. Wie üblich verlor der Bauer dabei seinen Halt auf dem schmalen Schemel und sackte, noch bevor Malvin zupacken konnte, auf den Boden. Esyne sah dem Schauspiel gleichgültig zu, doch sie musste den Boden später ja auch nicht aufwischen. Da öffnete sich die Wirtshaustür ein wenig quietschend, und eine kräftige Gestalt zeichnete sich gegen das helle Tageslicht ab. Als der Mann dann weiter in den Raum trat, erkannte Malvin den Nagerfänger Barus, der grinsend auf die am Boden liegende Gestalt von Toslot blickte.

„Ah, der“, sagte Barus mit einer sanften Stimme, die man dem riesigen Mann nicht zugetraut hätte. „Hat er heute mehr als zwei geschafft?“

Esyne wandte sich ihm zu. „Zwei und den Schaum vom dritten.“

Barus grunzte belustigt und trat an den Tresen. „Getreidesaft.“

Malvin zapfte die goldgelbe und nur schwach alkoholische Flüssigkeit für seinen neuen Gast direkt aus einem Fass und servierte sie ihm dann. Barus war bekannt dafür, dass er nur wenig trank, aber ein guter Geschichtenerzähler war. In seiner Gesellschaft wurde es selten langweilig, denn er verstand es, aus kleinen Geschehnissen große Ereignisse zu machen. Und das förderte wiederum den Durst der anderen Gäste, was Malvin sehr zu schätzen wusste.

„Also, wisst ihr, ich war heute Morgen in der Burg", begann Barus auch schon und kratzte sich umständlich. Das tat er immer, damit die Leute Zeit hatten, ihm ihre volle Aufmerksamkeit zu schenken. „Ich will ja eigentlich nicht darüber sprechen und sollte es wohl auch nicht …" Barus legte eine Kunstpause ein, und spätestens jetzt lauschten alle Gäste, auch wenn sie genau wussten, dass der Nagerfänger seine Neuigkeit sowieso niemals für sich behalten würde.

„Gehen Euch eigentlich nie die Geschichten aus?", fragte Esyne, die heute ihren schlechten Tag zu haben schien und den stämmigen Mann unfreundlich unterbrach.

Barus nahm einen tiefen Schluck, wischte sich den Schaum vom Mund und rülpste herzhaft. „Nie, gute Frau Esyne, nie. Die Leute stehen immer ein wenig herum, während ich meine Arbeit für sie verrichte, und wenn ihnen langweilig wird, erzählen sie mir halt, was sie bewegt."

Natürlich war das Unsinn, denn Barus duldete niemals, dass jemand mit ihm zusammen auf Jagd ging und dabei die Nager verscheuchte, die er zu erlegen gedachte. Aber was machte es schon aus, woher Barus seine interessanten Neuigkeiten wirklich erfuhr?

„Und Ihr gebt es dann an uns weiter", nickte Esyne und prostete ihm zu. „Auf Euer nimmermüdes Schandmaul, guter Herr."

Barus kniff die Augen zusammen, da er sich noch nicht sicher war, ob die schlanke Frau wieder einmal Streit suchte oder ob ihre Worte tatsächlich freundlich gemeint waren.

„Ihr wart also in der Burg", nahm Malvin den Faden wieder auf.

Barus nickte mechanisch. „Ja, genau. Also, ich muss euch sagen, da …“, er unterbrach sich und sah Esyne erneut an. „Wie meintet Ihr das mit dem Schandmaul?“

„Die Burg“, erinnerte Malvin in fast flehendem Unterton. „Die Burg.“

„Ja, die Burg“, sagte jetzt auch Esyne mit einem giftigen Unterton.

Malvin zuckte zusammen. Die Schuhmacherin war also auf Blut aus. Verdammt, er hatte wirklich nichts gegen eine lustige Schlägerei. Schließlich förderte sie den Durst, und wer etwas zertrümmerte, musste den Schaden ja ohnehin begleichen. Aber bis jetzt waren nur Esyne und Barus und so gut wie keine anderen Gäste da, die durch einen fröhlichen Streit die Stimmung und den Umsatz hätten heben können. Und Toslot war noch da, den Malvin gedanklich hinzufügte, als der betrunkene Bauer sich durch heftige Darmwinde in Erinnerung brachte. Aber Toslot zählte im Augenblick nicht.

„Da war ein Pferd in der Burg“, sinnierte der Nagerfänger.

Esyne zog ihre Augenbrauen hoch und machte ein betont verblüfftes Gesicht. „Nein, so was. Ein Pferd. Im Land der Pferdelords ein Pferd?“

Doch Barus reagierte nicht auf ihren Spott, sondern nahm nur einen erneuten Schluck. „Ein Pferd von einem der Boten, die unsere Herrin Larwyn nach Garodem entsandt hat, jedoch ohne seinen Reiter, und sein Sattel war ganz blutig. Eingetrocknetes Blut. Das arme Tier muss tagelang unterwegs gewesen sein, bevor es schließlich seinen Stall wiedergefunden hat.“

„Beim Dunklen Turm“, fluchte Esyne nun leise. „Seid Ihr sicher?“

Barus reckte sich und zeigte dabei unwillkürlich seine imponierenden Muskeln. „Natürlich bin ich sicher. Der Sattel trug das Zeichen unserer Hochmark. Und noch etwas anderes."

Jetzt beugten sich sowohl Malvin als auch Esync interessiert vor. „Was noch? Na los, erzählt schon."

Barus leerte seinen Becher und hielt ihn dann dem Wirt demonstrativ entgegen. Malvin, der den kleinen Wink verstand, füllte sofort nach. Der Nagerjäger nahm einen erneuten Schluck, wobei er sich der gespannten Aufmerksamkeit der anderen voll bewusst war. „Da war sehr viel Blut am Sattel."

„Sehr viel?"

Barus nickte gewichtig. „Sehr viel. So viel, dass der Bote tot sein muss."

„Hat die Herrin etwas gesagt? Was will Larwyn unternehmen?" Esync beugte sich angespannt vor.

„Was kann sie denn schon unternehmen", sagte Malvin langsam. „Bei den paar Leuten, die als Wache hier zurückgeblieben sind. Wir ... he, hört mal." Der Wirt unterbrach sich und hob lauschend den Kopf. Die anderen beiden sahen ihn zunächst irritiert an, bis auch sie schließlich die schwachen Geräusche vernahmen, die nicht dem normalen Tagesgeschehen der Stadt zuzuordnen waren.

„Hufe und Räder", sagte Barus.

„Und eine Menge Füße", fügte Malvin hinzu. Den Becher in der Hand, trat er näher ans Fenster, doch dessen Durchsicht war so stark verschmutzt, dass der Wirt, obwohl er seine Nase an die aufgespannte Schafblase drückte, nichts sehen konnte.

„Noch zu weit weg", knurrte er. Als er sich wieder von der Scheibe löste, klebte Schmutz an seiner Wange. Ohne darauf zu achten, ging Malvin zur Tür und trat aus dem „Donnerhuf" auf die Straße.

Die beiden anderen folgten ihm. Am Anfang der Hauptstraße konnten sie aufgewirbelten Staub sehen sowie sich dazwischen bewegende Schemen und das Blitzen von Metall, wenn das Licht der Sonne reflektiert wurde.

„Unsere", sagte Esyne ungewohnt leise. „Der Pferdefürst kehrt zurück."

Sie fertigt gewiss wunderbares Schuhwerk, dachte Malvin, aber im Gegensatz zu ihrer Figur sind ihre Augen nicht die besten. Aber bei dieser Figur hätte sich Malvin auch mit ihr verbunden, wenn sie tatsächlich blind gewesen wäre. Er hatte ihr sogar schon einmal einen dezenten Antrag gemacht, für den sie allerdings nicht blind genug gewesen war. Malvin stieß einen entsagungsvollen Seufzer aus und kehrte mit seinen Gedanken dann wieder in die Gegenwart zurück.

„Ja, unsere." Malvin beschattete seine Augen. „Teilweise", fügte er trocken hinzu.

Barus kratzte sich erneut. „Ich kann unseren Berittwimpel vorne an einer Lanze sehen. Aber da sind auch noch Wagen mit dabei. Hat der Herr denn Wagen mit sich geführt?"

„Nein, hatte er nicht. Und auch nicht so viele Leute." Malvin war unzufrieden, da er die Länge der Kolonne nicht abschätzen konnte. Waren diese Leute Gefangene, die der Pferdefürst mit nach Eternas brachte, oder waren sie Flüchtlinge aus den anderen Marken? Wie dem auch sei, die Menschen mussten in jedem Fall versorgt werden, und das würde den Umsatz heben. Dann fiel ihm ein, dass die Flüchtlinge wohl nicht mehr viel besitzen würden, mit dem sie zahlen könnten, und seine Gedanken trübten sich wieder.

„Pferdelords vom Beritt des Pferdefürsten", meinte Barus. „Und Männer und Frauen in städtischen Gewändern. Keine Ahnung, was das zu bedeuten hat."

Malvin erinnerte sich an seine Zeit als Pferdelord zurück. „Wir sollten die Herrin und die Burg verständigen."

Barus nickte. „Das mache ich."

Ja, das konnte Malvin sich denken. Dann würde es wieder Geschichten zu erzählen geben. Schweigend sahen sie zu, wie die Bewegungen vor ihnen immer mehr Gestalt annahmen. Es waren eine Menge Leute und etliche Wagen. Wirklich, eine ganze Menge.

## 28

Die Abenddämmerung brach herein und tauchte die Mauern der alten Festung in blutrotes Licht. Mit den fünf Posten und dem Elfenmann Lotaras auf dem Dach des Turmes waren sie insgesamt fünfundvierzig Verteidiger. Pferdelords der Hochmark und Bogenschützen aus Eodan. Auf dem dichten Raum des kleinen Vorplatzes und im unteren Geschoss des Turms um die Tische gedrängt, wirkten sie zahlreich, doch Garodem wusste nur zu gut, dass sie viel zu wenige waren, sollten die Orks sie angreifen.

Beomunts Gesicht drückte deutliches Missfallen aus. Er schob einen Bogenschützen Eodans zur Seite, der an dem kleinen gemauerten Brunnen im Inneren des Turmes kniete und gerade eine Handvoll feuchten Schlamms aus dem Eimer schaufelte. Der Mann sah Beomunt dabei zu, wie dieser den Eimer in den Brunnen hinabließ und das hölzerne Gefäß dann immer wieder auf den Grund des Brunnens aufschlagen ließ. Doch statt des erhofften Platschens war von dort nur ein matschiges Geräusch zu hören. Beomunt holte den Eimer wieder heraus und sah auf das wenige Wasser und den Schlamm, den er enthielt.

Dann richtete sich der Schwertmann auf und verließ den Turm, um Garodem aufzusuchen, der an einer kleinen Feuerstelle außerhalb des Turms saß. „Es ist nicht mehr viel Wasser im Brunnen, Garodem, Pferdefürst. Wir müssen jedes Mal eine ganze Weile warten, bis wieder genug nachgesickert ist, um nur einen Becher Flüssigkeit zu gewinnen. Der Brunnen versiegt, und wir verbrauchen mehr, als er uns liefern kann.“

„Wir könnten in den Schacht hinuntersteigen und ihn tiefer graben."

„Ja, aber es bleibt dennoch ungewiss, ob wir dadurch mehr Wasser gewinnen werden."

Beomunt sah auf die um sie herumstehenden Männer. Ihnen allen war klar, was ein Versiegen ihrer einzigen Wasserquelle für Folgen haben würde. „Ich denke, dass die Flüchtlinge Eure Hochmark mittlerweile erreicht haben dürften, wenn nicht, werden sie dort auch nie mehr ankommen. Also könnten wir diese Stellung aufgeben."

Garodem nickte. „Warten wir die Dunkelheit ab. Wenn die Orks bis zum Beginn der Nacht noch nicht angegriffen haben, werden wir uns heimlich zurückziehen."

Die beiden Jäger aus Eodan hatten Glück gehabt und zwei kleinere Geweihtiere erlegen können, deren ausgenommene und entfellte Körper sich bereits über den Feuern der Kochstelle drehten und im eigenen Saft brieten. Schon fehlten ein paar gute Stücke aus Brust und Lenden, und Garodem konnte die Zufriedenheit seiner Männer nachvollziehen. Er selbst fühlte sich behaglich, wie er da so neben dem Feuer kauerte und der Bratensaft über sein Kinn lief. Es war schon erstaunlich, wie sehr ein voller Magen den Optimismus beflügelte. Sogar ein paar scherzhafte Worte gingen zwischen den Männern hin und her.

Sie hatten die Kochstelle unmittelbar vor dem Turm angelegt, damit das Innere des Verteidigungsturms von aufsteigendem Rauch frei bleiben würde. Garodem hatte zudem feuchtes Holz auflegen lassen, damit den Orks auch nur ja nicht entging, dass die Anlage besetzt war. Vielleicht würden sie nun sofort und massiv angreifen, aber der Pferdefürst hoffte noch immer, dass sie sich Zeit nehmen und erst einen Spähtrupp entsenden würden.

„Die Jäger berichten von einer Menge Spuren am Wald. Ein großer Pelzbeißer soll darunter sein." Beomunt schluckte einen großen Bissen hinunter. „Den hat es möglicherweise hierher verschlagen, als die großen Wälder um Hammerturm herum verbrannten."

„Soll mir Recht sein", erwiderte Garodem. „Solange er uns nur in Ruhe lässt." Er lachte. „Stattdessen soll er sich lieber ein paar Orks zum Frühstück nehmen."

Beomunt stimmte in sein Lachen ein. „Die werden ihm wohl kaum schmecken." Er blickte nach dem Stand der Sonne. „Der Treck mit den Frauen und Kindern müsste die Hochmark jetzt erreicht haben, Garodem, Pferdefürst", sagte der Schwertmann und biss anschließend einen guten Happen aus seiner Bratenkeule.

„Ja", entgegnete Garodem undeutlich, der gerade sein eigenes Bratenstück zerkaute und hinunterschluckte. Er spülte mit einem großen Schluck Wasser nach. „Ich hoffe, sie sind gut durchgekommen. Sobald sie oben an der Quelle des Eisen vorbei sind, haben sie es praktisch geschafft und sind in Sichtweite der Wachen am Pass."

„Wenn die Pferdelords der Hochmark den Pass noch halten", murrte Beomunt. Der Schwertmann vom Hofe des Königs wischte seine fettigen Hände an seiner Hose ab und erhob sich. „Eure Mark hat sicher gute Männer, aber es sind nicht viele."

Garodem setzte schon zu einer Erwiderung an, als plötzlich wilde Schreie erklangen und das Brechen von Ästen am Rande des nahe gelegenen Waldes zu hören war.

Noch immer auf einem Stück Fleisch kauend, erhob sich Garodem und blickte ebenso wie Beomunt und die anderen in die Richtung, aus der der Lärm kam. Die Geräusche wurden lauter und näherten sich, aber noch bevor Garodem den Befehl geben konnte, im Turm Kampfstellung zu beziehen, brach schon eine Gruppe schreiender Orks aus dem nahen Unterholz hervor. Für einen winzigen Moment schienen sich Menschen und Orks überrascht anzusehen. Dann aber kümmerten sich die Orks nicht weiter um die Pferdelords, und der Grund hierfür zeigte sich rasch.

Mit forderndem Gebrüll preschte ein Pelzbeißer zwischen den Bäumen hervor. Ein Pfeil ragte aus seiner Schulter, und die verwundete Bestie war aufs Äußerste gereizt und auf Blut aus. Die Schnauze weit geöffnet, bewegte sie sich auf allen vieren unglaublich schnell und war völlig darauf fixiert, die panisch vor ihr fliehenden Spitzohren einzuholen.

Erst als ein paar schlecht gezielte Pfeile zwischen die Orks und den Pelzbeißer flogen, bemerkte Letzterer die Männer, die am Turm lagerten. Für ein paar Sekunden schien er in vollem Lauf zu überlegen, ob diese nicht eine lohnende Zwischenmahlzeit für ihn sein könnten, erreichte dann aber schon die zuhinterst fliehenden Orks und begann unter ihnen zu wüten. Die spitzohrigen Orks hatten keinerlei Chance gegen die Fänge und Krallen des Pelzbeißers.

Während das Raubtier über die Orks herfiel, gewann Garodem endlich seine Fassung wieder. „Alles in den Turm und auf Kampfposition“, brüllte er den anderen Männern zu.

Hinter ihnen war das Fauchen des Pelzbeißers zu hören, der gerade den schwachen Widerstand der letzten Orks brach. Garodem und seine Männer wünschten den Spitzohren alles erdenklich Schlechte, doch das Wüten des Raubtieres ließ sie dennoch erschauern. Als Letzter betrat Garodem den Turm, und hinter ihm wurde die erneuerte Tür zugeworfen und der Schließbalken vorgelegt. An seinen Männern vorbei hastete der Pferdefürst erst die Treppe und dann die obere Leiter zur Plattform hinauf. Dort stand bereits Beomunt neben Lotaras und den anderen fünf Posten und blickte auf das Gemetzel hinunter.

„Haben diese Biester Kiefer“, flüsterte einer der Männer tonlos. Bis hier herauf war das Reißen von Gewebe und das Splittern der Knochen zu hören, als der erfolgreiche Pelzbeißer seine Jagd beendet hatte. Dann blickte derselbe Pferdelord zu Garodem und zuckte entschuldigend mit den Schultern. „Verzeiht, mein Hoher Lord, aber wir haben so lange nichts gesehen und gehört, bis der Lärm losging und die Orks und der Pelzbeißer plötzlich vor uns auftauchten.“

Beomunt warf dem Posten einen undefinierbaren Blick zu. Dann trat er neben Garodem und Lotaras. „Also haben die Orks doch erst einen Spähtrupp geschickt. Ihr Pech, dass der Pelzbeißer sie aufgescheucht hat. Es werden wohl so um die zehn Spitzohren gewesen sein. Aber ich habe kein Verlangen, hinunterzugehen und ihre Einzelteile zu zählen.“

„Also wollte die Hauptmacht der Horde nicht blindlings vorrücken. Sie haben das Banner der Hochmark gesehen und wissen noch immer nicht, wie viele Pferdelords sie hier tatsächlich erwarten. Vielleicht befürchten sie auch einen Hinterhalt.“ Der Pferdefürst blickte hinunter zu den Feuerstellen, wo die Braten der erlegten Geweihtiere verschmorten.

Beomunt folgte seinem Blick. „Der Braten wird nun keinem mehr nützen.“

Garodem hob den Blick und sah zur Straße hinüber. Automatisch legte er Beomunt eine Hand auf die Schulter. Der Straßenabschnitt, welcher vom Turm aus zu sehen war, wimmelte nun von Orks. „Lasst die Männer über die Südmauer ausschwärmen“, forderte er Beomunt auf. „Und lasst die Hörner blasen. Die Orks sollen glauben, dass hier eine große Streitmacht steht.

Ich denke, das Verschwinden ihres Spähtrupps hat sie ohnehin schon verunsichert, und von der Straße aus konnten sie nicht sehen, dass es ein Pelzbeißer war, der uns die Arbeit abgenommen hat."

Beomunt und die anderen Männer befolgten die Anweisungen rasch und ohne Zögern. Die Männer aus den unteren Ebenen des Turms rannten auf die Südmauer, die noch intakt war. Von dort aus waren die Einbrüche der Ostmauer und des Nordtores für die Orks nicht zu erkennen. Und da die Länge der Mauer hier nur kurz war, erweckten die Männer den Eindruck, dicht an dicht zu stehen. Zudem schien ein fordernder Hörnerklang im Inneren der Festung kontinuierlich weitere Pferdelords zu den Waffen zu rufen.

Die Horde auf der Straße zögerte. Von ihrem Standort aus war nicht festzustellen, wie stark die Besatzung der alten Grenzfestung wirklich war. Die Orks formierten sich in Kampfformation. Die schwer gerüsteten Rundohren traten mit ihren Lanzen und Schlagschwertern in die vorderen Reihen, die Spitzohren gingen mit ihren Bogen dahinter in Stellung.

„Worauf warten die?", knurrte Garodem.

Lotaras wies mit ausgestrecktem Arm nach Süden. „Auf jene dort." Der Elfenmann wusste, dass die Menschenaugen noch nicht sehen konnten, was er bereits erkannt hatte. „Eine weitere Horde nähert sich von Hammerturm. Und sie ist um vieles stärker als die Horde, die sich vor uns sammelt."

„Dann können wir ihnen keinesfalls standhalten", stellte Garodem fest. „Meint Ihr, Lotaras, dass sie warten werden, bis sie sich zusammenschließen können?"

Der Elfenmann nickte. „Zwei oder drei Zehnteltage, und die andere Horde wird da sein. Die Dunkelheit stört sie nicht. Dann werden sie angreifen."

„Und uns überrennen.“ Garodem biss sich auf die Unterlippe. „Zumindest hier, wo wir ihnen nicht viel entgegensetzen können. Zwei oder drei Zehnteltage, sagt Ihr? Gut, das gibt uns Zeit, die Anlage zu räumen. Sobald es ganz dunkel ist, nehmen wir Mann und Pferd und ziehen uns in die Hochmark zurück. Oben im Pass haben wir bessere Möglichkeiten, einer solchen Übermacht zu trotzen.“ Garodem seufzte leise. „Es gefällt mir nicht, vor der Horde zu weichen. Aber jeder Pferdelord, der hier fällt, kann von uns nicht ersetzt werden und wird bei der Verteidigung der Hochmark fehlen. Diese Horden da unten werden die Mark angreifen, daran gibt es für mich keinen Zweifel. Also brauchen wir eine bessere Ausgangsposition, um sie aufhalten zu können.“

# 29

Malvin stützte sich zufrieden auf den Tresen und blickte zu Esyne hinüber. Die schöne und streitsüchtige Schuhmacherin hielt einen kleinen Farmer aus Eodan am Wams gepackt und unterstützte ihre Argumente ihm gegenüber immer wieder mit der flachen Hand. Der verdutzte Farmer schien noch immer unschlüssig, ob er nicht lieber die Flucht ergreifen oder sich aber zur Wehr setzen sollte. Die keifende Stimme Esynes und das Klatschen ihrer Hand besaßen nun die volle Aufmerksamkeit der anderen Gäste. Malvin war das nicht unangenehm, denn Esyne hatte sich für ihre Handgreiflichkeiten eine ruhige Ecke gewählt, in der nicht viel kaputtgehen konnte, und auch einige der anderen Gäste schienen bereits nicht mehr abgeneigt, sich in eine fröhliche Wirtshausbalgerei zu stürzen. Das würde den Nachdurst fördern, auch wenn die Zahl der trinkfähigen Anwesenden zuvor reduziert worden war. Er polierte ein paar Becherabdrücke von der Holztheke, schüttelte dann den Kopf und meinte: „Ach was, ich habe absolut nichts gegen diese Leute aus Eodan. Die sind doch ganz nett."

Barus stieß einen grunzenden Laut aus und nahm dann einen kräftigen Schluck. „Klar", sagte er mit spöttischem Unterton, „die saufen ja auch kommentarlos, was Ihr ihnen vorsetzt. Selbst Euren gepanschten Blutwein."

Malvins Gesicht verfinsterte sich leicht. Verdammt, was konnte er denn dafür, dass die plötzliche Ankunft des Trecks seine Produktion überforderte? Was blieb ihm denn anderes übrig, als den Blutwein nun mit ein wenig Wasser zu strecken?

Sollte er die armen Flüchtlinge etwa dursten lassen? Schweigend schenkte er dem Nagerjäger nach. „Ihr trinkt ja sowieso nur Euren Gerstensaft.“

„Ich brauche auch einen klaren Kopf.“ Der Nagerjäger lachte dröhnend, denn soeben hatte der Farmer zum ersten Mal zurückgeschlagen und dafür von Esyne wiederum einen kräftigen Hieb kassiert, der ihn rückwärts auf die Bank warf. Die anderen Gäste begannen nun, sich in zwei Lager zu spalten, und feuerten entweder Esyne oder den Farmer an. „Stellt Euch mal vor, ich würde schielen und danebenschlagen.“ Barus stellte mit seinen Fäusten das Schlagen seiner Keule auf einen Nager nach. „Dann hätte ich keine Arbeit mehr, und es wäre bald vorbei mit den Neuigkeiten.“

„Ach ja?“ Malvin steckte das Tuch in die Tasche seiner Lederschürze. „Jetzt mit den ganzen Leuten aus Eodan muss es ja jede Menge Neuigkeiten geben, nicht wahr? Ich meine, wir haben doch schon lange nichts mehr aus den anderen Marken des Pferdekönigs gehört. Sicher habt Ihr jetzt viel zu tun, oder?“

Barus machte eine wegwerfende Handbewegung. „Halb so wild. Die Schmiede haben natürlich zu tun, da ein paar der Wagen einmal gründlich überholt werden mussten. Aber nachdem sie nun entladen sind, braucht man die Dinger kaum noch. Und die Leute wissen nicht viel. Ihr wisst ja selbst, die orkische Horde ist so rasch über sie gekommen, dass sie nicht einmal mehr einen Boten zum König entsenden konnten.“

In der Ecke brach nun ein Tumult los, der sich rasch ausweitete, als Esyne den Farmer an den Haaren packte und mit dem Kopf ein paarmal auf die Tischplatte schlug. An der anderen Seite des Tresens hob ein Pferdelord träge seinen Kopf und blickte zu den Streitenden hinüber. Es handelte sich um einen Schwertmann der Burgwache, den die Hohe Dame Larwyn abgestellt hatte, damit er die Ordnung in dem sichtlich überfüllten Savage Eternas aufrechterhielt.

„Nun, ihr habt jetzt sicher viel zu tun“, rief Malvin dem Pferdelord zu. „Bei all den vielen Menschen, die man unterbringen und versorgen muss.“

Der Pferdelord wandte sich ihm zu. Man sah ihm deutlich an, dass er schon zwei oder drei Blutwein zu viel hatte. Doch schließlich nickte er. „Irgendwo müssen die Leute ja hin. Verdammt, unsere Bevölkerung hat durch die Leute aus Eodan reichlich zugelegt. Da wird es halt eng, und bis Garodem zurück ist und die neuen Häuser fertig sind, muss man sich eben behelfen.“

„Ja, sie sind kräftig am Schuften, die Leute“, stimmte Malvin zu.

Hinter den gefüllten Vorratshäusern an der Südseite der Stadt hatte man begonnen, neue Straßen und Häuser zu bauen. Aber so eifrig die Männer und Frauen auch arbeiteten, der Bau von Häusern für fast dreihundert zusätzliche Menschen erforderte einfach Zeit. Zudem war man sich nicht ganz über den Sinn der Baumaßnahmen einig. Die Optimisten gingen davon aus, dass die Leute aus Eodan bald in ihre Nordmark zurückkehren würden, die pessimistischeren unter ihnen führten dagegen an, dass die Stadt ohnehin bald von Orks überrannt werden würde. Larwyn, ihre Herrin, hingegen sagte, die Leute könnten nicht einfach auf der Straße schlafen. Malvin seinerseits fand, dass es gut war, wenn die Arbeit die Leute von ihren Sorgen ablenkte, zumal Arbeit auch durstig machte.

Vor der Tür der Schänke kam Lärm auf. Ein Mann stürzte herein und sah sich gehetzt um. „Orks“, stammelte er atemlos. „An der Baustelle im Süden.“

Malvin stierte ihn überrascht an. „Blödsinn.“

Der Pferdelord wandte sich mit ungläubigem Gesicht dem Neuankömmling zu.

„Verdammt, da sind Orks auf der Baustelle. Sie sind in der Stadt“, schrie der Mann erneut.

Der Soldat im grünen Umhang langte nunmehr neben den Tresen und griff nach seiner abgestellten Lanze. Die aufgeregten Schreie des Neuankömmlings hatten die anderen Gäste verstummen lassen. Esyne ließ den Kopf des Farmers achtlos auf die Tischplatte fallen und schob sich hinter einem Tisch nach vorne. Dann warf sie einen kurzen, verächtlichen Blick auf den hereingekommenen Mann und ging zur Tür. Die anderen sahen ihr nach, wie sie aus der Schänke ging, um nur Sekunden später mit bleichem Gesicht wieder hereinzuhasten und die Tür hinter sich ins Schloss zu werfen.

„Oh, bei allen Dunklen Mächten“, meinte sie ungewohnt leise.

Ein dunkler Schatten fiel auf das Fenster, und Malvin machte die Silhouette einer Gestalt in schwerer Rüstung aus, die gemächlich an seinem Gebäude entlangging. Der Form des Helmes war dabei eindeutig anzusehen, dass dieser keinen menschlichen Schädel schützte. Der Wirt wurde blass. Er war noch nie einem lebendigen Ork begegnet, und die Vorstellung, dies jetzt zu ändern, reizte ihn wenig. Unsicher sah er den Pferdelord an. „Das wäre doch Aufgabe der Wache, oder?“

Der angetrunkene Soldat warf ihm einen unsicheren Blick zu. Nervös leckte er sich über die Lippen und betrachtete dann zögernd seine Lanze. „Etwa allein? Da draußen soll eine ganze Horde sein.“

„Da sind doch bestimmt noch andere Wachen vor der Tür“, ermunterte Malvin den Mann.

„Wenn ich jetzt meine Keule dabeihätte, wäre das kein Problem“, knurrte Barus, der Nagerfänger, und ließ seine Muskeln spielen.

Keiner wusste so recht, ob der kräftige Mann seine Worte ernst meinte. „Also, mir macht er jedenfalls Angst“, flüsterte einer der Gäste und musterte dabei Barus’ muskulöse Statur. „und den Orks vielleicht auch.“ Malvin bückte sich unter seinen Tresen und holte ein kräftiges Rundholz darunter hervor, mit dem er manchmal randalierende Gäste ermunterte, wieder etwas Ruhe zu bewahren. Auffordernd hielt er es nun dem Nagerjäger unter die Nase. Barus blickte das kräftige Hartholz stirnrunzelnd an. Von den anderen Gästen kamen aufmunternde Rufe.

„Ihr seid verrückt“, stieß der angetrunkene Pferdelord hervor. „Ihr habt noch keine angreifende Horde erlebt. Ich schon. Ich war mit am Pass.“

„Na, dann komm mal, Jungchen“, meinte Barus schließlich und packte den Prügel. Aufmunternd schlug der stämmige Mann dem Schwertmann auf die Schulter. „Die Bestie marschiert gerade um die Ecke. Nun, wie ist es?“

Der Pferdelord sah Barus an, als habe er einen Verrückten vor sich. Doch dann grinste er plötzlich breit. „Warum eigentlich nicht?“

Eine seltsam andächtige Stille herrschte, als die beiden Männer nun zur Tür gingen und sie öffneten. Barus warf einen kurzen Blick hinaus, dann verließ er zusammen mit dem Lanzenträger die Gaststätte.

„Macht bloß die Türe wieder zu“, sagte Malvin nervös, und der Mann, der sie alarmiert hatte, folgte dieser Aufforderung ohne Zögern.

Auf der Straße war Geschrei zu hören, und Malvin glaubte außerdem, auch das Schmettern eines Horns zu vernehmen, das aus der Richtung der Burg ertönte. Wo kam diese Bestie plötzlich her? Der Pass war doch besetzt, und es hatte auch kein Signalfeuer gegeben, das ihnen bedeutet hätte, dass er von einer Horde angegriffen wurde. Sollten etwa noch immer kleinere Gruppen der Bestien in der Hochmark herumstreifen und hatte eine von ihnen sich nach Eternas verirrt? Schatten bewegten sich vor dem Fenster, und Rufe waren zu hören. Als Malvin schließlich das Gefühl hatte, dass sich bereits genügend Bewohner auf der Straße befanden, die die Bestie notfalls von ihm ablenken konnten, verließ auch er mit anderen Gästen zusammen die Schänke.

Ein Stück die Straße hinunter standen einige Wachen, Lanzenkämpfer und Bogenschützen. Sie bildeten einen Kreis um etwas, das nicht genau zu erkennen war. Neugierig, aber mit der gebotenen Vorsicht, ging Malvin zu ihnen hinüber. Er bemerkte Esyne, die ihm folgte und die zwar noch immer etwas blass, aber offensichtlich schon wieder in Geberlaune war, denn sie teilte herzhafte Kniffe und Hiebe aus, um sich und dem Wirt einen Weg durch den Menschenring zu bahnen.

Innerhalb des Rings lag ein Ork. Das Rundohr war tot, doch es hatte nicht kampflos aufgegeben. Der Pferdelord aus dem „Donnerhuf" und ein Bogenschütze lagen tot neben ihm auf der Straße. Auch Barus hockte am Boden und hielt sich den Arm, der einen klaffenden Riss aufwies und aus dem Blut strömte. Mit zusammengebissenen Zähnen ließ sich der Nagerjäger den Arm verbinden.

„Verdammtes Mistvieh", stöhnte der kräftige Mann. „Fast hätte es mich erwischt, wenn der Pferdelord die Bestie nicht rechtzeitig abgelenkt hätte." Er sah anerkennend auf den toten Schwertmann. „Tapferer Bursche, alles was recht ist. Ah, das tut weh, verdammt! Dieses Rundohr hat mich doch wahrhaftig gebissen."

Ein älterer Pferdelord Eternas' zog die Binde am Arm des Nagerjägers fest. „Ihr seid aber auch ein tapferer Kerl, guter Herr Barus. Noch nie habe ich gehört, dass jemand einen Ork mit einem Prügel erlegt hat."

Barus Gesicht strahlte sichtlich vor Stolz, und das nicht ganz zu Unrecht. „Halb so wild", knurrte er. „Mein Vater hat mir einmal erzählt, dass die Bestien sehr dünne Schädelknochen haben. Zumindest, wenn man nicht von oben, sondern von der Seite her schlägt, und wie ihr seht, stimmt das."

„Ja, es stimmt", grinste der ältere Mann. „So, der Verband sitzt. Aber Ihr solltet trotzdem zu dieser Heilerin gehen, die mit dem Treck gekommen ist. Diese Elfin versteht etwas von der Wundversorgung, und ich habe meinerseits von meinem Vater gehört, dass sich die Bisse der Bestien entzünden können."

„Ist nur ein Kratzer", meinte Barus und richtete sich stöhnend auf. Da sah er Malvin und Esyne in der Schar der Schaulustigen stehen. Schmunzelnd hielt er Malvin das verschmierte Rundholz entgegen.

Malvin zuckte zunächst zurück und wollte seine hölzerne Hausordnung erst nicht wieder an sich nehmen. Aber dann fiel ihm ein, dass mit diesem Holz ein Ork erschlagen worden war und dass dieser Umstand gut für lange Geschichten und durstige Zuhörer war. Er lächelte Barus breit an. „Ich schätze, unser tapferer Nagerjäger hat jetzt großen Durst und eine Menge zu erzählen, nicht wahr?"

Barus nickte unwillkürlich, und Malvin fragte sich, ob er wohl ein oder zwei Runden spendieren sollte, um das Ereignis gebührend zu feiern. Als er jedoch sah, wie viele Neugierige folgten, entschloss er sich rasch, die Freirunde auf das kleinstmögliche Maß zu reduzieren. Wenn er es sich recht überlegte, so würde es auch ausreichen, sie auf sich und Barus zu beschränken. Man musste ja nicht immer gleich übertreiben, oder?

Larwyn, die Gemahlin des Pferdefürsten und derzeitige Herrin Eternas', stand zu diesem Zeitpunkt auf dem Signalturm der Burg. Neben ihr spähte die Hohe Frau Jasmyn über die Brüstung zur Stadt hinüber. Larwyn legte eine Hand auf die Einfassung. Der sanfte Wind ließ ihre goldenen Locken wie einen Fächer auswehen. „Wir haben unsere Streiftrupps in der Hochmark und halten den Pass. Deshalb war ich davon ausgegangen, dass keine Bestien mehr durch die Mark streifen. Ich hatte gehofft, wir seien in der Hochmark sicher."

„Es ist seltsam, Herrin der Hochmark. Das Rundohr soll ganz alleine in die Stadt eingedrungen sein. Vielleicht ist es ihm auch deshalb gelungen, sich an den Wachen vorbeizuschleichen. Aber Orks kommen selten alleine, Hohe Dame Larwyn", sagte Jasmyn leise. „Meist sind sie im Rudel oder in einer starken Horde."

„Ja, meistens." Larwyn sah in den Burghof hinab. „Ich werde Pferdelords von der Burg abziehen müssen, um die Stadt besser schützen zu können."

Jasmyn betrachtete die Burg und die Stadt, die sich unter ihnen ausbreiteten. „Wenn Euer Gemahl erst mit seinem Beritt und den anderen Bogenschützen Eodans zurück ist, wird es besser werden."

„Wenn sie überhaupt zurückkommen", seufzte Larwyn. „Ich sorge mich um sie."

Jasmyn lächelte unglücklich. „Ich sorge mich vor allem um den König. Hoffentlich hat er noch rechtzeitig von den orkischen Horden erfahren. Die Marken der Pferdelords müssen zusammenstehen, wollen wir sie erfolgreich schlagen."

Larwyn lächelte und deutete über die Burg und Stadt. „Nun, zwischen der Hochmark und den Menschen Eodans funktioniert dies schon vorzüglich. Wenn alle Pferdelords in Zukunft so zusammenstehen wie sie, wird der König auch die Kraft finden, die Bestien zu besiegen."

Die junge Frau vom Hofe des Königs seufzte leise. „Doch es gibt auch Unfrieden in Eternas. Es ist nun eng geworden in Eurer Stadt, und es gibt Geraune über die Bevorzugung der Menschen Eodans." Larwyn sah die Hohe Frau vom Hof des Königs betroffen an. „Das ist Unsinn, Hohe Frau Jasmyn."

„Ja, das weiß ich. Aber viele Menschen in der Stadt scheinen das anders zu sehen." Jasmyn wies zu den Gebäuden Eternas' hinüber. „Ich habe das Gefühl, dass jemand Zwietracht zwischen ihnen schürt."

„Warum sollte jemand so etwas Unsinniges tun?" Larwyn schüttelte ihre blonden Locken. „Ihr müsst Euch irren, Jasmyn."

„Ich hoffe es, Herrin der Hochmark." Jasmyn nickte freundlich. „Denn in diesen Zeiten können wir keine Zwietracht zwischen den Menschen Eternas' und Eodans brauchen. Doch wenden wir uns nun anderen Dingen zu. Ich würde gerne einmal nach Eurem Scharführer Kormund sehen."

„Ah, da tut ihr recht. Er scheint sich langsam zu erholen. Die Graue Frau Merawyn und die Elfenfrau Leoryn leisten gute Arbeit. Habt Ihr Einwände, wenn ich Euch begleite?"

Lachend schüttelte Jasmyn den Kopf, und die beiden jungen Frauen gingen die Treppe hinunter ins Haupthaus. Unten im Innenhof der Burg, an ihrer Ostseite zwischen der Schmiede und den Stallungen, standen ein paar Soldaten mit dem alten Schmied Guntram beieinander und verglichen ihre Waffen mit dem orkischen Querbogen, den Guntram inzwischen erheblich verbessert hatte.

„Der Querbogen hat mehr Durchschlagskraft" sagte einer

der Bogenschützen fachmännisch. Er benutzte sein Messer, um einen Bolzen aus einer Zielscheibe zu schneiden. „Aber unsere Bogen sind schneller."

Guntram verschränkte kritisch seine Arme. „Es kommt noch immer vornehmlich darauf an, zu treffen und nicht schnell zu schießen."

Der Bogenschütze ging zu ihm hinüber und reichte ihm den Bolzen. „Wenn wir hier Ärger mit den Orks bekommen, müssen wir schnell *und* treffsicher sein. Beides ist dann wichtig."

Ein auf seine Waffe gestützter Lanzenkämpfer lachte nur dazu. „Dann solltet ihr euch beide an die Arbeit machen und schon einmal kräftig üben."

„Alles zu seiner Zeit", meinte der Bogenschütze ruhig. „Darf ich mal?" Er nahm dem Schmied den Querbogen aus der Hand und betrachtete ihn ausgiebig. „Sagt mal, könnt Ihr mir einen von den Querbogen zur Verfügung stellen? Ich habe da so eine Idee."

Guntram hatte keine Einwände. „Schaut ihn Euch ruhig an, Bogenschütze Naik. Ich habe den Hebelmechanismus verbessert und so das Spannen der Sehne erleichtert."

„Ja, aber der Bolzen ist noch ein wenig schwer", merkte der Bogenschütze an.

„Auch die Rüstungen der Rundohren sind schwer", knurrte Guntram.

Der Bogenschütze zuckte mit den Achseln. „Ich will Euch nicht verärgern, guter Herr Schmied. Aber unsere Pfeile sind leichter und durchschlagen die Rüstungen trotzdem, wenn sie gerade auftreffen."

Ein anderer Bogenschütze begann mit den Männern zu üben, während Naik und Guntram, ins Gespräch vertieft, in die kleine Schmiede gingen. Um sie herum waren Dutzende Männer und

Frauen damit beschäftigt, die verschiedensten Arbeiten zu erledigen. Brot, Gemüse und Feldfrüchte mussten für die Verpflegung zubereitet werden, die Lager wurden aufgefüllt, und durch das offene Haupttor rumpelten Karren mit mehreren am Fluss gefüllten Wasserfässern heran. Den Brunnen vor dem Hauptgebäude würde man erst nutzen, wenn der Zugang zum Fluss durch den Feind blockiert wäre. Man konnte von Glück sagen, dass der Brunnen von einer reichen Quelle gespeist wurde und dass er den später ansteigenden Wasserbedarf wohl sättigen würde. Dies galt ebenso für die beiden Brunnen in der Stadt, die man auf der dem Fluss abgewandten Seite angelegt hatte. Der kleinere Brunnen im inneren Burghof bot dagegen nicht so viel Wasser. Er war gerade ausreichend für die Besatzung und Pferde der Festung, so dass man für den Fall, dass die Stadt evakuiert werden musste, zusätzlich auf das Wasserloch im unterirdischen Gewölbe der Burg angewiesen sein würde.

Von den Baustellen der neuen Häuser klang der Lärm der Handwerker und ihrer Helfer herüber. Einträchtig arbeiteten die Menschen Eternas' und Eodans nebeneinander. Als hätten sie nie etwas anderes getan. Hier merkte man nichts von den Spannungen, die teilweise zwischen den Gruppen herrschten. Das Volk der Pferdelords war es gewohnt anzupacken und den Flüchtlingen aus Eodan hatten wenige Zehnteltage Schlaf gereicht, um ihren Tatendrang wieder neu zu entfachen. Vielleicht verdrängte die viele Arbeit aber auch die Kümmernisse des Erlittenen. Aus der Wäscherei und dem Badehaus am südlichen Rand des inneren Burghofes erklang dagegen das aufgeregte Geschrei von kleinen Kindern, die von ihren Müttern oder Vätern gereinigt wurden. Sauberkeit war eine zwingende Notwendigkeit in einer Burg oder Stadt, in der viele Menschen auf engstem Raum zusammenlebten, wenn man nicht riskieren wollte, dass sich Ungeziefer leicht ausbreitete.

Währenddessen suchten die Hohe Dame Larwyn und die Hohe Frau Jasmyn das Hauptgebäude auf, um dort Kormund einen Besuch abzustatten. Man hatte darauf verzichtet, den Scharführer zu den anderen Verletzten in das Hospital zu legen, wo Merawyn, die Graue Frau und die Elfin Leoryn unentwegt arbeiteten und gegenseitig Erfahrungen austauschten.

Das Haupthaus war relativ groß, da der Erste Schwertmann und die Scharführer jeweils über ein eigenes Gemach verfügten. Doch jetzt wirkte der Bau still und verwaist, bis auf eine junge Frau, die sich dort aufhielt und ihr Augenmerk allein auf den verletzten Scharführer richtete.

„Hohe Dame, Hohe Frau“, flüsterte Kormund schwach, als die beiden jungen Frauen seine Kammer betraten. Er sah schon ein wenig besser aus. Seine schwere Brustverletzung blutete nicht mehr, und Leoryn hatte bereits vor kurzem berichtet, dass sich die Wunde langsam schließen würde. Trotzdem schwebte Kormund noch immer zwischen Leben und Tod und lag schwach und blass auf seinem Bett. Doch Larwyn war vor allem zufrieden, dass es im Raum nicht nach Eiter oder gar dem bestialischen Gestank von Wundbrand roch.

„Wie geht es, guter Herr Kormund?“ Larwyn zog einen Schemel zu sich heran und bedeutete Jasmyn, es ihr gleichzutun.

Kormund wandte ihr mühsam den Kopf zu. „Ich habe Tumult in der Stadt gehört, Herrin.“

„Nichts Besonderes. Nur ein Ork, der etwas zu neugierig war, was sehr ungesund für ihn war. Übrigens, Ihr werdet es kaum glauben, aber der Nagerjäger Barus hat die Bestie mit einer Keule erschlagen.“

„Barus?“ Kormund lächelte matt. „Ja … ja, dem traue ich

das zu." Er schwieg einen Moment, denn das Sprechen fiel ihm noch sichtlich schwer. „Ihr müsst vorsichtig sein, Hohe Dame. Die Bestien sind selten alleine ..."

„Macht Euch keine Sorgen, guter Herr Kormund. Die Männer geben Acht."

„Der Pferdefürst ... habt Ihr etwas ... gehört?"

„Noch nicht, Scharführer. Aber er ist ein guter Pferdefürst. Er wird es gewiss schaffen."

„Herrin", die Stimme des Scharführers war nur noch ein schwaches Flüstern. „Ich muss Euch dringend sprechen. Alleine, Herrin", fügte er bittend hinzu.

Jasmyn sah die Herrin der Hochmark und den Verwundeten kurz an. Dann lächelte sie freundlich und erhob sich. „Ich wollte sowieso noch einiges mit den Heilern besprechen. Wenn Ihr mich also entschuldigen wollt?"

Sie ging zur Tür und sah sich noch einmal um. „Werdet rasch gesund, Scharführer Kormund."

Larwyn sah ihr kurz nach. „Sie ist nett und unkompliziert."

Kormund schüttelte unmerklich den Kopf. „Täuscht Euch nicht, Herrin. Die Hohe Frau Jasmyn weiß ihre Sorgen nur gut zu verbergen. So, wie auch Ihr dies gelegentlich tut."

Kormund berührte leicht ihre Hand, und Larwyn war überrascht, dass der Hauptmann sich dies getraute. Denn niemand berührte ungefragt eine Hohe Dame, und gerade Kormund achtete sonst immer sehr auf Traditionen und Etikette. Aber in den Augen des Scharführers lag eine stumme Bitte, und als er erneut mit schwacher Stimme zu sprechen begann, beugte sie sich vor, um ihn besser verstehen zu können.

## 30

Noch immer saß Nedeam auf dem Baum fest, und der Pelzbeißer bewies seine ungewöhnliche Geduld oder seinen großen Hunger, indem er noch immer unter Nedeam herumstreifte. Vielleicht roch er auch den leicht blutenden Kratzer, den er mit einer Kralle in Nedeams Bein gerissen hatte. Jedenfalls war der Junge froh, dass die Wunde nicht tiefer war, denn es gab keine Möglichkeit, das Bein hier oben zu versorgen, ohne dabei den Halt zu verlieren. Gelegentlich entfernte sich das große Raubtier, doch es ließ den Baum mit seiner verheißungsvollen Mahlzeit niemals aus den Augen. Der Knabe hoffte sehr, dass der Pelzbeißer irgendwann doch einmal aufgeben würde, aber inzwischen stand die Sonne bereits hoch am Himmel, und in dem Waldstück wurde es schwül. Nedeam spürte, wie sein Durst zunahm, und rechnete damit, dass das pelzbedeckte Scheusal unter ihm noch einen weit größeren Durst verspüren musste. Aber das Raubtier machte nicht die geringsten Anstalten, endlich zu verschwinden.

Immer wieder blickte der Knabe um sich, ob ihm nicht von irgendeiner Seite jemand zu Hilfe eilen könnte. Doch kein Pferdelord erschien zu seiner Rettung, und auch der brave Stirnfleck ließ sich nirgendwo blicken. Aber der Hengst hätte auch schwerlich eine Chance gegen den gewaltigen Räuber gehabt. Nein, Nedeam war auf sich alleine gestellt, und so überlegte er fieberhaft, wie er den Pelzbeißer wieder loswerden konnte.

Den Versuch, sich von Baum zu Baum zu hangeln und auf diese Art und Weise dem Räuber zu entgehen, konnte er vergessen, denn der Pelzbeißer würde ihm bequem am Boden entlang folgen und abwarten, bis Nedeam die Kräfte verließen. Sein Dolch war eine zu kümmerliche Waffe, um sich dem Tier damit zu stellen. Doch der Dolch bot ihm immerhin die Möglichkeit, sich eine andere Waffe zu verschaffen.

Nedeam musterte die Äste des Baumes und suchte nach Zweigen, die seinen Vorstellungen entsprachen. Doch keiner war lang und gerade genug, um einen brauchbaren Speer abzugeben. Trotzdem sah er keine andere Möglichkeit, als den Versuch zu unternehmen, sich eine solche Waffe zu bauen. Vorsichtig, um nicht abzustürzen, kletterte er weiter in den Baum hinauf und sah, wie der Pelzbeißer ihn dabei neugierig beobachtete und begierig den Rachen aufriss. Nedeam fand zwei dünnere Äste, die er vorsichtig mit seinem Dolch vom Stamm schnitt. Sorgsam achtete er darauf, nicht den Halt zu verlieren, hakte sich mit den Beinen unter einem stärkeren Ast fest und begann dann die Aste von kleineren Zweigen zu befreien. Nach einiger Zeit hielt er zwei ungleichmäßige und krumme Stäbe in den Händen, die er sorgfältig mit dem Dolch anspitzte. Missmutig betrachtete er die Resultate. Die Stäbe waren kaum als Lanze tauglich, und er würde sie außerdem von Hand führen müssen, denn sie waren so krumm, dass ihre Flugbahn nicht im Voraus zu bestimmen war, doch er hatte nichts anderes. Er überlegte, ob er den Dolch mit dem Lederriemen einer seiner Stiefel an die Spitze eines Stabes binden sollte, entschied sich dann aber dagegen, denn ginge der Dolch verloren, würde Nedeam über keine Waffe mehr verfügen, so kümmerlich sie auch sein mochte. Er überlegte auch, ob er sich einen behelfsmäßigen Bogen bauen sollte. Einen entsprechenden Zweig zu biegen und mit einem Riemen der Stiefel zu einem Bogen zu machen, würde nicht besonders schwer sein. Aber die Pfeile, die er aus den kleineren Zweigen fertigen konnte, wurden nicht genug Durchschlagskraft aufweisen, um dem Pelzbeißer ernsthaft zu schaden. Also schob er den Dolch in die Scheide zurück und betrachtete seufzend das pelzige Monstrum unter sich.

Langsam und vorsichtig begann der Zwölfjährige wieder an dem Baum herunterzuklettern, und je niedriger er kam, desto deutlicher wuchs die Aufmerksamkeit, die der Pelzbeißer ihm zuteil werden ließ. Als sich Nedeam nur noch ein Stück außerhalb der Reichweite der Tatzen befand, klammerte er sich an einem der Äste fest, um einen Arm zum Stoßen oder Werfen seiner provisorischen Waffen frei zu haben. Dabei verhedderte er sich in seinem braunen Umhang, und es dauerte eine ganze Weile, bis er seinen Arm wieder aus dem Stoff befreit hatte. Er wollte gerade versuchen, den Pelzbeißer zu reizen, als ihm ein Gedanke kam. Wenn der Umhang ihn gerade selbst behindert hatte, konnte er ihm vielleicht auch dabei helfen, das Raubtier zu überwinden …

Nedeam öffnete die Spange, die den Umhang geschlossen hielt, und nahm ihn ab. Dann klemmte er das große Stück aus Wollstoff zwischen dem Baumstamm und seinem Körper ein. Er begann den Pelzbeißer anzuschreien und fuchtelte mit dem ersten der Stäbe über dem Tier herum. Das Raubtier reagierte gereizt, fletschte sein Gebiss und richtete sich auf den Hinterbeinen auf. Nedeam hätte fast den Halt verloren, als der mächtige Körper gegen den Baum prallte. Instinktiv schlang er die Arme um den Stamm, wobei ihm einer seiner kostbaren Stäbe aus den Händen glitt und nutzlos zu Boden fiel. Nedeam schrie in einer Mischung aus Frustration, Angst und Zorn auf, während das Raubtier unter ihm stand und wütend nach dem Knaben schlug, der so verheißungsvoll dicht über ihm auf dem Ast saß. Der Zwölfjährige nahm nun den zweiten Stab zur Hand, verlor dabei aber seinen Umhang. Der Stoff segelte nach unten, breitete sich aus und fiel zufällig über den Kopf des Pelzbeißers. Instinktiv schlug das Tier nach dem Umhang, und ebenso instinktiv beugte Nedeam sich vor und stieß seine improvisierte Lanze gegen den Kopf des Raubtieres. Er spürte Widerstand, während der Pelzbeißer getroffen aufbrüllte. Der pelzige Koloss bäumte sich auf und riss Nedeam dabei den zweiten Spieß aus der Hand, der noch immer in seinem Körper steckte. Schließlich ging das Brüllen in eine schmerzhafte Tonlage über, die Tatzen des Pelzbeißers schlugen blind um sich, und der Spieß zerbrach. Dann, mit einem erneuten, letzten Aufbrüllen, wandte sich das mächtige Tier endlich ab.

Fassungslos über seinen unerwarteten Erfolg sah Nedeam das verletzte Raubtier zwischen den Bäumen verschwinden. Zitternd und schwer atmend kletterte Nedeam nunmehr von dem Baum herunter und lehnte sich mit weichen Knien an den Stamm, der ihn gerettet hatte. Vor sich sah er seine Provianttasche am Boden liegen, aber dem Knaben war jeglicher Appetit vergangen, zumal das Raubtier auch noch seine Duftmarke auf den Beutel gesetzt hatte.

Ein Stück neben dem Baum fand er auch die Wasserflasche aus Schafsblase, die unbeschädigt war. Dankbar stillte er seinen Durst, sah aber immer wieder misstrauisch zu der Stelle hinüber, an der der Räuber verschwunden war. Er war froh, der Bestie entkommen zu sein, und hatte keinerlei Ambitionen, ihre Bekanntschaft nochmals zu erneuern. Also beeilte sich der Junge, so schnell wie möglich dem lichten Waldrand entgegenzueilen und das Waldstück zu verlassen.

Als er erleichtert ins helle Sonnenlicht hinaustrat, konnte er in einiger Entfernung Stirnfleck sehen, der friedlich auf einer Wiese graste. Als Nedeam den leisen Signalpfiff ausstieß, hob der Hengst schnaubend den Kopf und kam rasch herangetrabt.

Der Knabe hätte nicht zu sagen gewusst, wer von ihnen beiden wohl mehr Erleichterung über das Wiedersehen verspürte. Er schwang sich in den Sattel des Hengstes und trieb ihn dann an. Rasch trug das Tier ihn von dem Waldstück fort, das ihm fast zum Verhängnis geworden wäre.

Das verletzte Bein brannte ein wenig, doch es bildete sich bereits ein fester Schorf über der Verletzung, und Nedeam würde nicht mehr als eine Narbe von seiner Begegnung mit dem Pelzbeißer zurückbehalten. Den Umhang, der zusammen mit dem Untier im Wald verschwunden war, konnte Nedeam leicht verschmerzen, doch der Verlust der Provianttasche war ein wirkliches Ärgernis. Zwar gab es Kräuter und essbare Beeren, aber Nedeam hätte etwas Handfesteres bevorzugt. Zudem musste er sich für den Weiterritt einen Vorrat anlegen, den er jedoch verstauen musste. Aber nun war die Tasche fort, ebenso wie sein Umhang, in den er die Vorräte hätte einschlagen können. Also konnte er nur hoffen, auf seinem weiteren Weg nach Süden bald ein Gehöft zu finden, wo er Lebensmittel und eine geeignete Tasche auftreiben würde, die er weiterhin mit sich führen konnte.

Aber als Nedeam abermals über eine Hügelkuppe ritt, fand er etwas ganz anderes.

Im ersten Moment war er zu erschrocken, um reagieren zu können, und starrte nur auf das Unfassliche, das sich seinen Augen bot. Dann aber riss er Stirnfleck herum und hoffte, dass man ihn noch nicht gesehen hatte. Er rutschte aus Stirnflecks Sattel, ließ den braven Hengst zurück und kroch bäuchlings zurück auf den Kamm der Hügelkuppe.

Es mussten Hunderte, wenn nicht Tausende von Orks sein, die ein gutes Stück von Nedeam entfernt durch das Tal zogen. Jetzt, nachdem er sich darauf konzentrierte, konnte er auch das rhythmische Stampfen ihres Marschtrittes vernehmen und das gelegentliche Gebrüll, das aus den Kehlen Tausender von Rundohren und Spitzohren aufstieg, die dort in langen Marschkolonnen nach Westen strebten. Nedeam konnte die bleiche Haut der Bestien erkennen, die sich gut von den dunklen Metallrüstungen abhoben. Viele der Orks trugen Spieße, die wohl an die drei oder sogar vier Längen maßen und mit schweren Klingen versehen waren und die Nedeams Meinung nach einen undurchdringlichen Wall und Schutz gegen einen Angriff der Pferdelords bildeten. Einige schwere Konstruktionen wurden ebenfalls in den Kolonnen mitgeführt, aber Nedeam konnte sie nicht genau erkennen. Instinktiv zählte der Zwölfjährige die schwarzen Banner mit den Symbolen der Dunklen Macht und kam auf ungefähr zwanzig. Er konnte spüren, wie die Furcht ihn befiel. Doch dieses Mal hatte er keine Angst um sich, sondern um das Land der Pferdelords.

Es waren Tausende von Orks. Welche Macht sollte ihnen widerstehen können? Sein Großvater hatte Nedeam früher oft von den großen Schlachten des alten Bundes erzählt. Von Schlachten, in denen die Ebenen bedeckt gewesen waren mit den Kämpfern der Dunklen und der Weißen Mächte. Von Elfen und Menschen, die gemeinsam gegen die Horden der Orks und ihren Herrscher angetreten waren. Doch Nedeam hatte sich bis heute nicht wirklich vorstellen können, dass es überhaupt so viele Menschen und Orks geben konnte, denn das Volk der Hochmark zählte gerade einmal tausend Seelen. Aber jetzt marschierte unter ihm eine Streitmacht der Orks dahin, die alles in den Schatten stellte, was er bisher gesehen und gehört hatte.

Wenn diese dunkle Horde die Hochmark angriff, so würde sie keine Macht der Welt mehr aufhalten können. Wohin marschierte diese Streitmacht? Nedeam sah, dass die Orks nach

Westen, also nicht auf die Stadt des Königs zumarschierten. Nein, von hier aus konnten sie nur zur Festung des Pferdevolkes marschieren, die sich in einer Klamm des südlichen Gebirges befand, oder aber zu den Furten des Eisen und über diese hinaus nach Norden, in die Hochmark. Das bedeutete den Untergang, denn selbst wenn Garodem zweihundert Pferdelords aufbringen könnte, so würden zwanzig bis dreißig Orks gegen jeden von ihnen stehen.

Die Hochmark brauchte Hilfe, und jetzt gab es nur noch einen, der ihr diese Hilfe geben konnte: den König aller Pferdelords.

Nedeam kauerte mit klopfendem Herzen am Boden der Hügelkuppe und wartete, bis die riesige Horde ganz an ihm vorübergezogen war. Dann stieg er wieder in den Sattel von Stirnfleck und trieb ihn in raschem Galopp nach Süden. Er konnte nur hoffen, dass es den König noch gab und dass dieser ihnen Hilfe bringen würde. Sonst war die Hochmark verloren.

# 31

Dreifinger war nun schon seit Tagen im Land der Pferdelords unterwegs. Hinter ihm trotteten drei andere Spitzohren über die Steppe, die von Dreifinger verächtlich als Maden bezeichnet wurden. Die drei nahmen dies widerspruchslos hin, denn Dreifinger galt als erfahrener und entschlossener Kämpfer. Seine rechte Hand, an der sich nur noch drei Finger befanden, bewies es. Vier Zwerge hatte Dreifinger bei der Erstürmung der Zwergenstadt im Gebirge erschlagen und bei einem heftigen Kampf einen seiner Finger eingebüßt. Dreifinger vergaß nur selten, seine Kampferfahrung in die Gespräche mit den anderen Spitzohren einfließen zu lassen, vor allem dann nicht, wenn seine Führerschaft angezweifelt wurde. Glücklicherweise ahnte keiner seiner Begleiter, dass sich Dreifingers Geschichte nicht ganz so ereignet hatte, wie er sie immer wieder erzählte, denn die vier Zwerge waren von einem zufällig von der Höhlendecke herabstürzenden Felsblock erschlagen worden, und seinen Finger hatte er durch die eigene Klinge eingebüßt, als er versehentlich gestürzt war. Doch Dreifinger sah keine Veranlassung, seine Geschichte zu korrigieren. Letztendlich waren die Zwerge ja doch durch ihn zu Tode gekommen nicht wahr? Hätten sie ihn bei seiner Flucht nicht verfolgt, so hätte der Felsen sie auch niemals erschlagen können. Das war schließlich fast genau so, als habe er ihre Schädel mit eigener Hand zerdrückt. Seine Geschichte hatte ihn immerhin zum Unterführer gemacht, und er war ein Unterführer, der unnötige Verluste umsichtig zu vermeiden wusste. Vor allem, wenn es um den Verlust seiner eigenen Person ging. Es war ja nicht so, dass er den Kampf gescheut hätte. Gewiss nicht. Ein Kampf musste nur eine gewisse Verhältnismäßigkeit aufweisen. Und da war es eben ein Gebot der Umsicht, sich gegebenenfalls hinter dem breiten Rücken eines Rundohrs Deckung zu verschaffen. Wie hätte ein Unterführer sonst auch noch Befehle geben können, wenn er tot und nutzlos auf dem Boden lag? Dreifinger beabsichtigte durchaus, seiner Horde noch lange von Nutzen zu sein.

Im Augenblick standen Dreifinger und seinem kleinen Trupp jedoch keine Rundohren zur Verfügung, denn ihre Aufgabe war es, den Feind auszuspähen, und nicht, sich auf einen Kampf einzulassen. Dies kam Dreifingers Bestreben auch durchaus gelegen, obwohl es ihn mit Unbehagen erfüllte, wenn er daran dachte, wie schnell sich die Pferdelords auf ihren Pferden bewegen konnten. Weit schneller, als Dreifinger zu laufen vermochte. Die Vorsicht gebot somit, den Feind aus einer gesunden Distanz heraus zu beobachten. Nun war der Spähtrupp der Horde bereits seit einigen Tagen unterwegs. Sie waren vom Norden heruntergekommen und trabten nun dem Süden entgegen, wo noch andere Horden durch das Land der Pferdelords streifen mussten.

„Warte", keuchte da eines der Spitzohren hinter ihm.

„Was ist los, du Made?", knurrte Dreifinger missmutig. „Befeuchtest du dir etwa gerade das Beinkleid?"

„Hier ist eine Spur", klang es beleidigt zurück.

Dreifinger seufzte und blieb stehen. Er wandte sich um und musterte die anderen drei Spitzohren, die auf eine Stelle am Boden starrten. „Zeigt her", brummte er, ging zu ihnen hinüber und dann in die Hocke, um die Spur näher in Augenschein zu nehmen.

„Ein Pferd", sagte einer der anderen eifrig.

„Das sehe ich auch, du Made." Dreifinger beäugte die Abdrücke. Sie waren nur schwach ausgeprägt, aber deutlich genug. „Ein Pferd mit Eisen an den Hufen. Also ein Pferdelord."

„Er muss noch in der Nähe sein", sagte eines der Spitzohren und schaute um sich. „Die Ränder des Abdrucks sind noch scharf. Sie zeigen nach Süden. Er muss nach Süden geritten sein."

Die vier Orks blickten nun alle nach Süden, doch in der sanften Hügellandschaft war nichts Ungewöhnliches zu entdecken. Dreifinger kratzte sich ausgiebig im Schritt. „Ein einzelner Pferdelord auf dem Weg nach Süden. Bald wird es dunkel, dann wird er sich ein Lager suchen, denn Menschen sind in der Dunkelheit nicht gerne unterwegs."

„Wir könnten ihm folgen", sagte eines der Spitzohren und leckte sich dabei die Lippen. „Er ist allein, und wir sind zu viert."

Dreifinger nickte nachdenklich. „Aber wir müssen ihm behutsam folgen. Denn sobald er uns entdeckt, wird ihn sein Pferd rascher forttragen, als wir jemals laufen können." Er kratzte sich erneut und sah dann eines der Spitzohren an. „Du gehst voraus, du Made."

„Warum soll ich vorausgehen?" Das Spitzohr zuckte nervös mit den Ohren. „Du bist doch der Anführer."

„Eben", knurrte Dreifinger und fletschte das Gebiss. „Und deshalb werde ich mich auf die Spur am Boden konzentrieren, während du vorausschaust." Schließlich würde der Pferdelord den vordersten Ork zuerst töten, und es war nicht wünschenswert, dass die überlebenden Maden unvermittelt ohne Anführer waren, der ihnen riet, was zu tun war. „Deine Augen sind etwas besser als meine", log Dreifinger ungerührt. „Also gehst du voraus."

Das Spitzohr knurrte. „Dann bekomme ich aber auch das beste Stück von seinem Gesäß."

Die vier Orks begannen erneut in ihrem typischen Laufschritt über die Steppe zu traben und der Spur des beschlagenen Pferdes zu folgen, die jetzt, nachdem sie die Abdrücke erst einmal entdeckt hatten, nicht mehr zu verfehlen war. Die Spur führte stur nach Süden, und auch wenn sie sie einige Male aus den Augen verloren, fanden sie sie doch ein Stück weiter voraus wieder. Dreifinger wusste, wie schnell und ausdauernd die Pferde der Pferdelords laufen konnten, aber die Schritte des Pferdes standen nicht weit auseinander. Es schien müde und schon lange geritten worden zu sein. Sicher würde ihm sein Reiter schon bald eine Pause gönnen, und dann würde Dreifingers Spähtrupp zu dem Mann aufschließen.

Es begann zu dunkeln, und für eine Weile wurden sie langsamer, da das Zwielicht sie in ihrer Sicht einschränkte. Als jedoch das Licht der Sterne und des Mondes die Ebene erhellte, liefen sie wieder schneller, und nachdem sie die Kuppe eines der zahlreichen Hügel erreichten, sahen sie endlich ein schwaches Licht am Boden vor sich auftauchen, das unruhig flackerte.

„Dieser dumme einfältige Narr hat ein Feuer angemacht", stellte Dreifinger zufrieden fest. „Entweder glaubt er sich außer Gefahr oder aber er hat keine Kriegserfahrung."

Das erste Spitzohr leckte sich genüsslich die Lippen. „Dann lasst uns hinübergehen und ihn schlachten."

„Wartet", knurrte Dreifinger. „Lasst mich erst überlegen."

„Wozu warten? Er wird schon schlafen und gar nicht mitkriegen, was ihn tötet."

„Halt dein Gebiss, du Made." Dreifinger ging in die Hocke und betrachtete das Feuer aus der Ferne. „Wenn er uns zu früh bemerkt, dann schwingt er sich auf sein Pferd und reitet uns davon. Oder er wehrt sich und tötet einen oder zwei von uns."

Die vier Spitzohren sahen sich an und schienen alle den gleichen Gedanken zu haben. Zwei der ihren zu entbehren, das konnte man noch verschmerzen, dafür würde der Braten vor ihnen auch nur noch durch zwei geteilt werden müssen. Doch keiner wollte zu den Opfern zählen. Dreifinger grinste und entblößte dabei seine Fangzähne. Erneut blickte er zu dem fernen Feuer hinüber. „Zwei von uns müssen an ihm vorbei nach Süden gehen und ihn von dort aus angreifen, während ihn die beiden anderen von Norden aus angreifen. Dann haben wir den Pferdelord zwischen uns. So oder so hat er dann jeweils zwei von uns in seinem Rücken."

Eines der Spitzohren scharrte mit den Füßen. „Wer soll nach Süden?"

„Du und du", knurrte Dreifinger und wies auf zwei der Gefährten. „Und legt eure Rüstungen ab. Ihr Geklapper würde sogar noch einen toten Pferdelord aufwecken."

Es behagte den beiden Auserwählten nicht, ihren Schutz ablegen zu müssen, aber Dreifinger und das andere Spitzohr beobachteten sie, und so legten sie ihre Brustpanzer ab. Die beiden Spitzohren machten sich auf den Weg und trabten in einem weiten Bogen nach Westen, um den Schläfer zu umrunden und dann von Süden wieder auf ihn zuzukommen. Das andere Spitzohr stieß Dreifinger an. „Warum erledigen wir den Pferdelord nicht mit Pfeilen?"

Dreifinger schnaubte. „Weil er dicht am Feuer liegt. Wenn er getroffen wird, rollt er vielleicht in die Flammen, und ich mag meinen Braten nicht mit Wolle."

Der andere Ork lachte meckernd. „Ich mag ihn auch lieber blutig."

Nach einer Weile trabten auch sie auf die Feuerstelle zu, bis sie sich nur wenige Längen von ihr entfernt in die dürftige Deckung eines Busches kauerten, der nicht mehr vom Feuer beschienen wurde.

„Er sieht winzig aus“, knurrte das Dreiohr. „Von dem werden wir kaum satt werden. Nichts dran an ihm. Vielleicht ein Knabe oder ein Zwerg?“

Dreifingers Gesicht färbte sich für einen Moment dunkel. Die Aussicht, einem Zwerg zu begegnen, gefiel ihm überhaupt nicht, denn die kleinen Bastarde waren unglaublich flink und zu Fuß ebenso gemeingefährlich wie ein Pferdelord auf seinem Pferd. Er biss sich auf die Unterlippe, schüttelte dann aber den Kopf. „Kein Zwerg reitet auf einem Pferd. Und kein Knabe trägt den grünen Umhang eines Pferdelords.“

„Aber es gibt keine so kleinen Pferdelords“, flüsterte das andere Spitzohr.

„Ah, gleich ist Fütterungszeit.“ Dreifinger stieß seinen Kameraden an und wies mit einer Hand auf die beiden anderen Spitzohren, die jetzt im Süden auftauchten und nur undeutlich zu sehen waren. Dreifinger erhob sich zusammen mit dem anderen Ork und stieß ihn herausfordernd an, worauf dieser sogleich losstürmte und Dreifinger selbst nur noch zwei Sekunden wartete, bevor er ihm nachfolgte.

Am Feuer vor ihnen lag der Pferdelord am Boden. Eingehüllt in seinen grünen Umhang und offensichtlich noch immer völlig ahnungslos ob der Gefahr, die sich ihm näherte. Sein Pferd stand ein Stück abseits und schnaubte nicht einmal, als es die Orks nun erkennen konnte, auch ohne dass ihm der Wind ihren Geruch hinübertrug. Dreifinger war hochzufrieden. Ein ahnungsloser Pferdelord und sein völlig verblödetes Pferd, das nicht einmal fortlief, sondern einfach nur dastand. Die Gestalt am Boden begann sich nun träge zu bewegen, doch viel zu spät, denn schon stießen die beiden Spitzohren im Süden ein triumphierendes Gebrüll aus und warfen sich über den erwachenden Schläfer.

Da quiekte das erste Spitzohr auf einmal auf und blieb seltsam vornübergebeugt über dem winzigen Pferdelord stehen, bis sich an seinem Rücken eine Wulst bildete, aus der plötzlich die blutige Schneide einer gewaltigen Streitaxt austrat. Der Pferdelord am Boden rollte sich blitzschnell zur Seite und zog die Axt mit sich. Das getroffene Spitzohr stürzte daraufhin über die Lagerstätte des Menschen, der es mit einem Tritt auf den Rücken drehte, um seine Axt frei zu bekommen. Das Schlagschwert des zweiten Spitzohrs verfehlte den sich wegduckenden Pferdelord, der seine Axt nun wieder frei hatte und sie schweigend von unten zwischen die Beine des zweiten Gegners trieb. Das Spitzohr fiel quiekend mit dem Rücken zu Boden, wo es zu zucken begann, während sich der kleine Pferdelord bereits Dreifinger und seinem Begleiter zuwandte.

Dreifinger begriff augenblicklich, dass dieser Pferdelord weder ein Knabe noch unerfahren war und dass es wichtig sein konnte, der Horde davon zu berichten. Also warf er sich herum und machte sich sofort auf den Weg zurück. Das andere Spitzohr sah etwas irritiert, wie Dreifinger floh, und wandte sich dann wieder dem Menschen zu, aber es war schon zu spät. Die von Orkblut triefende Streitaxt spaltete ihm Helm und Schädel bis zwischen die Schultern, so dass der kleine Pferdelord kräftig an ihr ziehen musste, um sie wieder aus dem zusammengebrochenen Leichnam frei zu bekommen.

Dreifinger rannte, so schnell ihn seine Füße trugen, doch hinter sich konnte er bereits das furchtbare Geräusch hören, das die Pferde der Pferdelords immer dann machten, wenn sie schnell liefen. Das Geräusch kam entsetzlich schnell näher.

Dreifinger wollte sich gerade umwenden, als das Pferd des Pferdelords auch schon neben ihm galoppierte. Dreifinger war erleichtert, denn sein Sattel war leer. Er wollte schon einen triumphierenden Schrei ausstoßen, da keilte das Tier unvermittelt nach hinten aus.

Ein beschlagener Huf traf Dreifingers Brustkorb, zerquetschte ihn trotz seiner Rüstung und warf ihn aus vollem Lauf zurück. Dreifinger überschlug sich einige Male am Boden, bis er schließlich auf dem Rücken liegen blieb. Sein Atem ging pfeifend, und er konnte spüren, wie er zu ersticken begann. Blut trat aus seinem Mund. Da tauchte der Pferdelord in seinem Blickfeld auf.

„Das habt ihr dummen Bestien euch wohl so gedacht, wie?" Der kleine Pferdelord grinste, und sein Gesicht war über und über mit dem Blut der Spitzohren bespritzt. „Habt ihr wirklich geglaubt, dass Dorkemunt euch nicht längst bemerkt hätte? Ah, was seid ihr Orks doch dumm und gierig." Der Pferdelord stützte sich auf den Stiel seiner mächtigen Axt. „Ich weiß nicht recht, ob ich mir deinen Schädel voll zurechnen kann, Spitzohr. Allenfalls halb, denke ich, denn mein braver Wallach hat dich übel getreten. Tut weh, nicht wahr? Ich sollte dich noch ein bisschen leiden lassen, aber ich will noch etwas schlafen. Zudem bin ich meinem Sohn und seiner Frau noch etwas schuldig." Der Pferdelord seufzte und hob seine Axt an. „Und natürlich Hellewyn."

Dreifinger verstand nicht, von was der verrückte Pferdelord überhaupt sprach, aber er wusste, dass er jetzt sterben würde. Er wollte noch schreien, aber ihm fehlte die Luft dazu. Dann sauste schon die Axt auf ihn herab.

# 32

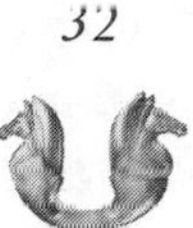

Ist doch wahr“, nörgelte Esyne und blickte auf ihren Becher. „Mein Dach ist gestern bei diesem Gewitter beschädigt worden. Es hat auf mein ganzes neues Leder hinabgeregnet und es ruiniert. Wenn ich nicht wie ein Tier geschuftet hätte, könnte ich jetzt in den nächsten Wochen keine Schuhe mehr machen. Ich habe dem Mann von der Wache gleich gesagt, was los ist und dass mein Dach sofort repariert werden muss. Aber was, glaubst du, hat mir diese Ausgeburt eines Schafes gesagt?“ Malvin hatte es an diesem Nachmittag schon einige Male gehört und mit ihm viele andere. „Dieser Schwachkopf hat mir glatt gesagt, dass jetzt alle Materialien viel dringlicher beim Bau der neuen Häuser benötigt würden. Natürlich habe ich ihm gleich gezeigt, was ich davon halte.“

Ja, das konnte Malvin sich lebhaft vorstellen. Der Mann war am Morgen da gewesen, hatte seinen ausgeschlagenen Zahn in Blutwein gespült und außerdem seine Schmerzen ordentlich betäubt.

„Ach, nun ja“, versuchte ein Gast zu beschwichtigen. „Je eher die Häuser fertig sind und die vielen Leute ihr eigenes Heim haben, desto schneller läuft das Leben wieder in ordentlichen Bahnen.“

„Blödsinn“, keifte Esyne. „Weil die Leute aus Eodan angeblich möglich schnell in neue Häuser einziehen sollen, hat man ihnen gestattet, ihre Häuser aus Holz zu errichten. Aus Holz. Hat man uns jemals Häuser aus Holz zugestanden? Nein, wir mussten die unseren aus Steinen errichten. Und den Schmieden haben sie jede Menge Metall aus den Schmieden geholt. So ein Bogenschütze, natürlich aus Eodan, der irgendetwas damit bauen wollte. Zusammen mit Guntram, der sich ja kaum noch blicken lässt. Diese Leute aus der Nordmark breiten sich überall aus."

„Ja, irgendwie sind die Verhältnisse ein bisschen durcheinandergeraten", stimmte einer der Bewohner Eternas' zu. „Aber in der Not müssen wir natürlich zusammenstehen, das sehe ich ja ein."

„Ich glaube, das tun wir sicher alle gern", beschwichtigte Malvin rasch. „Die Menschen Eodans sind tatsächlich in Not und brauchen unsere Hilfe. Da müssen wir uns zusammenraufen, wie es sich für das Volk der Pferdelords gehört."

„Unsinn", keifte Esyne. „Sollen sie in eines der anderen Täler ziehen und sich dort ausbreiten."

„Seid Ihr toll, gute Frau?", fragte einer der Männer. „Da stehen die Orks vor unseren Toren, und Ihr jammert, weil es ein wenig eng in Eternas wird. Wenn die Bestien kommen, so werdet Ihr noch froh sein, wenn wir mit den Männern und Frauen Eodans Schulter an Schulter stehen."

„Orks, bah." Esyne spuckte aus. „Wo sind sie denn, die Orks? Alle machen gleich unter sich, sobald von den Orks nur die Rede ist. Und? Wo sind sie? Ich habe noch keinen gesehen."

„Euer Gedächtnis ist so kurz wie Euer Verstand", knurrte der Mann. „Denkt an die Bestie, die Barus erschlagen hat."

Die Tür öffnete sich, und wie auf ein Stichwort trat Barus zusammen mit drei Männern Eodans ein. Der Nagerfänger wirkte blass, als er sich mit den dreien an den Tresen setzte.

„He, Barus, was meint Ihr", rief ihm einer von Esynes Tisch aus zu. „Sind noch weitere Orks in der Mark?"

Barus sah den Fragesteller trübe an. „Was ist los? Stiftet

Esyne wieder einmal Unfrieden? Verdammt, wir haben auch, ohne dass uns unbefriedigte Weiber aufeinanderhetzen, schon genug zu tun."

Die Schuhmacherin wäre glatt über den Tisch gesprungen, wenn ihre Zuhörerschaft sie nicht daran gehindert hätte. So warf sie nur ihren Becher nach dem stämmigen Mann, wobei sie sich nicht darum kümmerte, dass der Blutwein verschwenderisch auf die Umstehenden spritzte. Barus wich dem Gefäß nicht einmal aus, sondern verdrehte nur kurz die Augen, als er an der Schulter getroffen wurde.

„Lasst mich in Ruhe", murmelte er. „Mir ist nicht gut."

„Klar, weil Ihr den ganzen Tag für die Leute aus Eodan schuften müsst", stichelte die Schuhmacherin.

Barus schien sich von seinem Platz erheben zu wollen, aber einer der Männer Eodans an seiner Seite legte ihm beruhigend die Hand auf die Schulter. Barus schüttelte sie jedoch ab und erhob sich trotzdem. Er machte zwei langsame Schritte auf Esyne zu und stürzte dann plötzlich wie ein gefällter Baumstamm ohne einen weiteren Laut zu Boden.

Die in der Schänke anwesenden Leute sahen verdutzt auf die am Boden liegende Gestalt. Selbst Esyne schien für einen Moment sprachlos zu sein, erhob sich dann aber und ging zu Barus hinüber.

„He, Ihr Ork-Töter, so viel habt Ihr heute doch noch gar nicht getrunken." Sie rüttelte an seiner Schulter. Ein leises Stöhnen war von Barus zu hören. Als die Schuhmacherin versuchte, ihn herumzudrehen, rollte Barus schließlich auf den Rücken. Sein Gesicht war wächsern blass, aber an einigen Stellen seines Gesichts hatten sich rote Flecken gebildet. „Bei den Dunklen Mächten, was ist das?", stammelte Esyne. Beunruhigt tastete sie über die roten Stellen, die sich sichtbar rasch vergrößerten.

„Seht euch das an. Rote Flecken. Rote Flecken!“

Sie wich von Barus zurück und sah die drei Männer der Nordmark an, die ebenso überrascht wie Esyne selbst am Tresen standen. „Bei uns hat es nie rote Flecken gegeben, die müssen von euch sein. Er hat sie von euch. Ihr habt ihn verhext.“

Esyne machte ein abwehrendes magisches Zeichen und nahm sofort Abstand von den verwirrten Männern.

„Also, ehrlich“, sagte einer der Männer aus Eodan langsam. „Von uns hat er die nicht. Wir haben keine roten Flecken, echt nicht.“

„Da seht ihr es“, rief Esyne triumphierend. „Sie selbst haben keine roten Flecken. Sie haben einen geheimen Fluch auf uns gelegt.“

„Äh, wartet mal, gute Frau Esyne“, brummte einer ihrer Zuhörer. „Das ist nicht gesagt. Vielleicht ist Barus auch nur ein wenig übel?“

„Und dann bekommt er rote Flecken? Etwa von Malvins Blutwein?“ Ihre spöttischen Worte ließen die Männer zu Malvin hinüberblicken, der automatisch seine Hände in einer abwehrenden Geste hob.

„Ich habe damit nichts zu tun.“ Der Wirt zupfte nervös an seinem Reinigungstuch. „Glaubt ihr etwa, ich hätte ihn vergiftet?“

„Vergiftet. Das ist es.“ Esynes Finger zeigte wie ein Dolch auf die Männer der Nordmark. „Sie waren mit ihm zusammen. Sie haben ihn vergiftet. Mörder“, schrie sie lauthals.

Ein wilder Tumult brach aus, als zwischen den Gästen zunächst ein wütender Streit entbrannte, in dem anfänglich noch beschwichtigende Worte fielen, dann aber zunehmend Fäuste und andere Gegenstände flogen. Irgendwie schaffte es Malvin, sich durch die Kämpfenden zu winden und die Tür zu erreichen.

Er lief hinaus und schrie lauthals nach der Wache. Das wilde Gerangel in Malvins Schänke nahm deutlich an Heftigkeit zu. Die beiden Pferdelords, die auf Malvins Rufe herbeigerannt waren, sahen sich nur kurz an, bevor sie sich kurzerhand erst einmal um Verstärkung bemühten und einige weitere Männer der Wache zu Hilfe eilten. Es handelte sich dabei um ein paar Pferdelords und bewaffnete Bürger, welche der Wache zugeteilt worden waren. Als die Gruppe der Wachen nun die Türe öffnete und im geschlossenen Pulk eintrat, dauerte es erst einmal eine Weile, bis die sehr beschäftigten Gäste des Wirts ihre Anwesenheit bemerkten. Ein paar kräftige Hiebe und Knüffe später breitete sich dann aber Ruhe aus, und Malvin huschte nun ebenfalls herein, wobei er vorerst noch darauf achtete, die Pferdelords zwischen sich und den Kontrahenten zu haben. Allerdings kam ihm rasch der Gedanke, dass dies unklug sein könnte, denn die Parteiungen von fröhlichen Wirtshausraufereien hatten oftmals die seltsame Angewohnheit, sich nur allzu gern gegen eine heranrückende Ordnungsmacht zu vereinen. Also schob Malvin sich wieder hinter seinen Tresen zurück, der immerhin aus bestem Hartholz gebaut war. Der Unterführer der Pferdelords brüllte zunächst gewohnheitsmäßig ein wenig herum und brachte sich dadurch in Stimmung. Als die Streithähne daraufhin ein Stück weiter zurückwichen, entdeckten die Soldaten den Körper von Barus, der noch immer am Boden lag, durch unbeabsichtigte Tritte aber noch weitere Blessuren erhalten hatte.

„Ihr da“, der Unterführer zeigte auf einen der Streithähne. „Ihr nehmt diesen und diesen da und bringt den Verletzten unverzüglich zu den Heilern ins Hospital der Burg.“ Der Schwertmann musterte Barus’ kräftige Gestalt. „Nehmt lieber auch noch diese beiden, da hinten aus der Ecke, mit. Und tragt ihn behutsam dorthin, verstanden?“

Die Angesprochenen wanden sich sichtlich. Der zuerst vom Unterführer Angesprochene machte sogar eine beschwörende Geste. „Oh, verdammt, guter Herr Unterführer, das könnt Ihr nicht von uns verlangen. Der Nagerjäger ist verhext worden. Seht ihn Euch doch an. Nein, den fasse ich nicht an."

Der Unterführer betrachtete den Mann und stieß dann einen knurrenden Laut aus. „Unsinn, Leute. Es sind keine Zauberer in der Stadt oder Burg, die einen Fluch aussprechen könnten. Also packt mit an, oder ihr bekommt meinen Zorn zu spüren."

Der Unterführer war zwar etwas kleiner als Barus, aber annähernd genauso breit in den Schultern wie dieser. Nun verzog er seinen Mund zu einem gemeinen Grinsen, und der Anblick zweier fehlender Zähne ließ ihn den dergestalt Angesprochenen nicht Vertrauen erweckender erscheinen. So zögerten sie und wussten nicht, ob sie sich lieber dem möglichen Fluch aussetzen oder sich aber mit der langsam wütend werdenden Wache anlegen sollten.

„Na ja, da ist was dran", meinte einer der ramponierten Gäste endlich. „Ich meine, es stimmt schon. Es ist kein Magier da. Und ich kenne keinen Fluch, der von einem auf den anderen überspringt, wie?"

„Das ist er!" Esynes Stimme war unverwechselbar. Malvin sah, wie sich die hübsche Frau aus der Gruppe nach vorne drängte und auf einen der Bogenschützen in Begleitung des Unterführers wies. Sie war sichtlich ramponiert, und ihr Kleid war vor der Brust zerfetzt. Doch offensichtlich störte es sie nicht, dass man ihre entblößten Brüste sehen konnte. „Der hat Barus das ganze Metall weggenommen."

Der Unterführer sah sie verdutzt an. „Um was geht es hier bei diesem Zwist eigentlich?"

Die Stimmen der Anwesenden begannen sich wieder zu überschlagen, und selbst Esynes keifendes Organ schaffte es nicht mehr, sich gegen die anderen durchzusetzen. Schließlich wurde es dem stämmigen Pferdelord zu bunt, er brüllte die Leute an, Ruhe zu halten, und griff sich dann völlig willkürlich einen Bäcker unter ihnen heraus. „Ihr da. Ihr erzählt, was hier vor sich geht, und ihr anderen haltet das Maul."

Und während Barus nun von den Trägern aus der Schänke gebracht wurde, schilderte der Bäcker die Vorgänge im Wirtshaus, unterbrochen von den ständigen Kommentaren der anderen. Der drohende Blick des Unterführers brachte sie schließlich zum Schweigen, nur Esyne wollte wie immer nicht an sich halten.

„Haltet Euer Schandmaul, Weib", brüllte der Pferdelord sie schließlich an. „Lasst Euch endlich von einem Mann besteigen und schenkt der Hochmark ein paar Kinder. Das würde Euch besser anstehen, als andauernd nur Unfrieden zu stiften." Doch da geriet er bei Esyne an die falsche Frau, und ungeachtet der Drohungen des Unterführers entspann sich sofort ein neues Wortgefecht, und ein paar schadenfrohe Blicke trafen die sich ereifernde Frau. Aber gegen ihren Wortschwall kam selbst der Pferdelord nicht an, bis er in seiner Not seinen Dolch zog und ihn für alle sichtbar in die Höhe hielt.

„Wenn Ihr jetzt nicht sofort Eure Zunge im Gehege Eurer Zähne haltet, Weib, dann schneide ich sie Euch ab und hänge sie zur Warnung an die Tür dieser Schänke." Die Augen des Mannes blitzten dabei derart, dass Esyne seine Drohung ernst nahm und tatsächlich schwieg. „Ihr werdet jetzt alle nach Hause gehen und eure Arbeiten verrichten, ihr guten Herren und Frauen. Die Schänke ist geschlossen und Ihr, Wirt," der Dolch zeigte auf Malvin, „werdet sie erst am morgigen Tage wieder öffnen.“

Sowohl Malvin als auch seine Gäste waren sich darin einig, gegen diesen Beschluss protestieren zu müssen, doch der Unterführer blieb hart. Grummelnd verließen die Leute das Wirtshaus, und mancher hoffnungsvolle Blick zurück wurde durch die Tatsache getrübt, dass zwei Pferdelords der Wache Posten vor der Tür bezogen.

Inzwischen hatte man Barus in das Hospital der Burg gebracht, in dessen Erdgeschoss sich der Raum befand, in dem die Graue Frau Merawyn und der Heiler Eternas' die Patienten untersuchten und versorgten, bevor sie in die Genesungsräume des Obergeschosses kamen. Noch immer wurden einige Pferdelords und ehemalige Bewohner Eodans behandelt, die bei den Kämpfen mit den Orks verletzt worden waren. Leoryn, die elfische Frau, hatte diese Arbeit nun ganz den anderen überlassen, denn keine der Wunden war noch kritisch, allein Kormund im Haupthaus der Burg hatte noch eine so schwere Verletzung, dass er Anlass zur Sorge gab.

Nogud, der Heiler Eternas', sah zu wie die Helfer den reglosen Barus auf einen Tisch legten und dann sofort Abstand nahmen. „Unfall oder Schlägerei?“, erkundigte sich Nogud und trat an den Tisch. „Ausgerechnet Barus. Wer hat denn das geschafft? Doch bestimmt nur einer, der von hinten mit einem riesigen Knüppel gekommen ist, oder?“

Die Träger stammelten ein paar unzusammenhängende Sätze, aus denen der Heiler nur das Wort Fluch deutlich heraushören konnte. Er sah die Träger skeptisch an und begann sofort damit, den schlaffen Körper methodisch zu untersuchen. „Nichts gebrochen, obwohl er ein paar ordentliche Knüffe abbekommen hat. Lag er am Boden? Ja? Die Flecken sind dennoch komisch.“ Der Heiler tastete um die roten Stellen herum und bemühte sich dabei, sie nicht direkt zu beruhren. „Leicht geschwollen. Ich möchte wetten, dass Hitze im Gewebe ist." Er tastete an Händen und Füßen des Nagerfängers entlang. „Das Herz schlägt schnell, aber sein Schlag ist ungewöhnlich schwach zu spüren."

Merawyn, die Graue Frau, kam aus dem Obergeschoss herunter. „Die Frau mit den Verbrennungen macht mir noch immer Sorgen. Ihre Brandwunde will einfach nicht heilen. Ich fürchte, das Gewebe wird sich zersetzen, und wir werden es schneiden müssen. Oh, wer ist denn das? Ah, Barus, der Bestientöter."

Die Graue Frau und der Heiler sahen sich nur kurz an, und man konnte spüren, dass ein seltsames Einvernehmen zwischen ihnen herrschte. Dann nahm Merawyn eine scharfe Klinge und trennte das Wams des hilflosen Barus auf. Als sie seinen verletzten Arm entblößte, hörte man sie scharf Luft holen. „Seht Ihr hier, Hoher Herr Nogud? Ich wette, sobald wir den Verband abnehmen, werden wir sehen, dass sich das Gewebe dort, wo der Ork ihn gebissen hat, entzündet hat. Die Verfärbung geht offensichtlich von der Wunde aus und zieht sich an der Schulter bis zum Halsansatz hoch."

„Bis zum Gesicht. Machen wir den Verband ab."

„Braucht ihr uns noch?" Die Träger hatten keine Lust, dem möglicherweise blutigen Handwerk der Heiler noch länger zuzusehen.

„Nein, nein, geht nur", sagte Nogud geistesabwesend. Seine Klinge schnitt durch den Verband. Behutsam zog er den Stoff von der Wunde. „Seht nur. Kein Wundbrand. Es ist nicht einmal Eiter in der Wunde." Er drückte seitlich gegen die Wundränder, aber Barus spürte nicht, wie sein bereits heilendes Gewebe zerriss und frisches Blut austrat. „Die Wunde ist sauber. Seltsam, ich hatte eigentlich gedacht, dass sie sich entzündet hätte und Barus vergiften würde."

Merawyn beugte sich vor. „Ich gebe immer frisches Moos auf solche Verletzungen. Es verhindert Entzündungen, juckt dafür aber höllisch."

„Ich weiß, ich wende es auch an. Die Leute versuchen dann immer, es sich wieder von der Wunde zu kratzen." Nogud klopfte nachdenklich mit seinem Zeigefinger gegen seine Zähne. Es war eine unbewusste Geste, die zu seinen Eigenheiten gehörte. „Trotzdem scheint mir Barus' Zustand mit seiner Wunde zusammenzuhängen. Ich habe dergleichen noch nie zuvor gesehen."

„Ich auch nicht", gab die Graue Frau unumwunden zu. „Ich schlage vor, wir geben frisches Moos auf die Wunde und verbinden sie dann wieder. Zudem sollten wir Barus kühlen, er scheint hohes Fieber zu haben."

„Die beiden jungen Männer, die wir gerade unterweisen, können seinen Körper in feuchte Tücher wickeln. Das wird ihn kühlen."

Merawyn nickte. „Aber die Tücher müssen regelmäßig gewechselt werden."

Die beiden Heiler versorgten Barus und riefen danach nach ihren beiden jungen Gehilfen. Gemeinsam trugen sie den Nagerjäger ächzend die Treppe hinauf und legten ihn in einem der großen Genesungsräume auf ein Bett. Als sie die Treppe wieder hinuntergingen, kamen ihnen zwei Pferdelords entgegen, die einen blassen Mann zwischen sich führten.

„Noch einer von den Schlägern in Malvins Schänke", berichtete einer der Bewaffneten und half seinem Gefährten, den stöhnenden Mann auf den gleichen Tisch zu legen, auf dem kurz zuvor noch Barus gelegen hatte. „War schon auf dem Weg nach

Hause und ist einfach umgefallen."

Merawyn und Nogud warfen sich einen raschen besorgten Blick zu. Die roten Flecken im Gesicht des Mannes waren unübersehbar.

„Ich denke", sagte Nogud leise, „wir sollten die elfische Hohe Frau um Rat ersuchen."

# 33

„Helderim, mein Guter und Bester, hast du die Eimer mit Wasser gefüllt und auf den Dachboden gestellt?“ Helderim hörte die Stimme seiner Frau aus dem Untergeschoss nach oben dringen und seufzte leise. Vier Eimer hatte er nun heraufgebracht, obwohl man unter den Balken und Sparren des Daches kaum stehen konnte. Gelegentlich nächtigte Helderim zwar hier oben, vor allem dann, wenn seine brave Gunwyn ihn mit ihrem Geschnarche aus der Bettstatt trieb, dennoch war es alles andere als gemütlich hier. „Ja, meine teure Gunwyn, vier Eimer sind bis zum Rand gefüllt und bereit“, rief er durch die schmale Dachluke nach unten. Sein Blick glitt die Decke entlang. Das Dach war mit Schindeln aus grauem Plattstein bedeckt, es würde sich nur schwerlich von einem Brandpfeil der Orks oder von Funken in Brand setzen lassen. Die meisten Häuser Eternas’ besaßen solche Dächer oder waren mit Grassoden bedeckt. Doch es gab in der Nachbarschaft auch einige Häuser, die mit hölzernen Schindeln gedeckt waren. Diese verrieten zwar den Reichtum ihrer Besitzer, wurden aber schnell zu einer Gefahr, sobald es brannte, denn hölzerne Schindeln fingen rasch Feuer. Ah, warum mussten manche Leute auch nur so mit ihrem Besitz prahlen?

„Helderim, mein Guter und Bester, hol mir bitte die eisenbeschlagene Truhe aus der Kammer. Du weißt ja, wie schwer sie ist“, klang ihre Stimme von unten.

Helderim seufzte abermals. „Ja, meine teure Gunwyn, ich hole sie dir.“

Er stieg vorsichtig die Stiege hinunter, deren Stufen unter seinen Tritten ächzten. Nicht, dass Helderim über die Maßen an Statur besaß, aber die hölzernen Stufen waren alt und ausgetreten und hätten eigentlich schon längst ausgebessert werden sollen. Aber dafür würde Helderim viel gutes Holz und die Hilfe eines Schreiners benötigen, was ihn wiederum viele Tauschwaren kosten würde. Früher, als es noch eine Spur von Handel mit den Marken des Königs gegeben hatte, wäre dies Helderim weniger schwergefallen, denn er hatte viele kleine Eisenbarren und Brennsteine, die in den unteren Marken so einiges wert waren. Aber hier in der Hochmark? Hier verfügte jeder über kleine Eisenbarren. Die Mark war voll von Eisen. Also würde der Schreiner für sein Holz Dinge verlangen, die in der Mark von Wert waren.

Helderim erreichte endlich das Erdgeschoss, wo Gunwyn den großen Schrank ausräumte.

„Was tust du da, Gunwyn, meine Teure?"

Sie sah ihn ironisch an. „Was schon? Meinst du etwa, ich würde unser kostbares Holzgeschirr im Haus zurücklassen, falls wir in die Burg fliehen müssen?"

„Gunwyn, meine Teure, wir werden nicht die Zeit dafür haben, all dies mit uns zu führen, wenn es zum Äußersten kommt", seufzte Helderim.

Gunwyn sah ihn schockiert an. „Helderim, mein Guter und Bester, du weißt, dass dieses Geschirr noch von meiner Mutter stammt. Es ist feinstes Holz mit edlen Schnitzereien und wurde damals in der Stadt des Königs selbst gefertigt. Du wirst es mir doch nicht antun und es zurücklassen wollen?"

Ihre liebliche Stimme nahm nun einen Klang an, den Helderim schon manches Mal zuvor gehört hatte. Immer, wenn Gunwyn ihm gegenüber ihren Kopf durchsetzen wollte, hatte sie diesen anklagenden Ton an sich, und Gunwyn wollte ihren

Kopf recht oft durchsetzen. Eigentlich immer. Oh ja, bei allem Liebreiz, den sie mitunter gut zu verbergen wusste, kannte sie unendlich viele Möglichkeiten, um ihm ihre Meinung kundzutun. Zum Beispiel Kopfschmerzen, die sie zu peinigen pflegten, und viele andere Unpässlichkeiten. Doch ihre schärfste Waffe war es stets, seine Liebe zu ihr anzuzweifeln, und Helderim wusste, dass dieser Vorwurf nun nicht mehr lange auf sich warten lassen würde, wenn er ihrem Wunsch nicht nachgab.

„Helderim, mein Guter und Bester, ich fürchte wirklich, dass mir dein Herz nicht mehr zugetan ist“, seufzte sie auch schon, und Helderim blickte nach oben zur Decke hinauf, als könne ihm von dort eine Eingebung zu Hilfe kommen. Doch wie üblich standen ihm keine übergeordneten Mächte bei, und Helderim nahm den Weg, den wohl alle guten Männer zu nehmen pflegen, wenn sie mit einem Weib konfrontiert sind, das den Tränen nahe scheint.

„Ah, du weißt, wie sehr mir dein Herz nahe ist, Gunwyn, meine Teure.“ Er zuckte hilflos mit den Achseln und wies dann auf das hölzerne Geschirr. „Wir werden es in der Truhe verstauen.“ Doch da Helderim nicht bedingungslos kapitulieren und zumindest sein Gesicht wahren wollte, fügte er rasch hinzu: „So uns die Zeit bleibt, werden wir die Truhe auch mitnehmen.“

Gunwyn schenkte ihm das Lächeln, mit dem sie ihn schon bezaubert hatte, als er ihr vor so vielen Monden das Gehöft gemacht hatte. Rasch öffnete sie die beschlagene Truhe, warf einen kritischen Blick hinein und begann dann ein paar Dinge herauszuräumen, um mehr Raum für das Geschirr zu schaffen. Helderims Gesicht rötete sich ein wenig. „Nicht den Bogen, meine Teure.“

Gunwyn sah ihn vorwurfsvoll an. „Aber er ist schon alt und

taugt zu nichts mehr."

„Mein Vater nahm ihn einst als eine Trophäe von einem Barbaren des Dünenlandes im Süden", sagte Helderim bestimmt. „Er ist mir so teuer wie dir das Geschirr."

„Wie mir das Geschirr?" Erneut verzog sich ihr Gesicht anklagend. „Wie kannst du einen so nutzlosen Gegenstand wie diesen alten Bogen nur mit dem teuren Geschirr unserer Familie vergleichen?"

„Mein Vater nahm ihn vom Feind", protestierte Helderim. „Er war ein guter Pferdelord."

„Ah, ich verstehe", seufzte Gunwyn. „Du hängst diesem Plunder nach, weil du selbst kein Pferdelord, sondern Händler geworden bist. Aber ich habe dir damals schon gesagt, dass es dir mehr einbringen wird, mit Waren zu handeln, als deine Zeit mit nutzlosen Wehrübungen zu vertun."

„Sie sind nicht nutzlos", knurrte Helderim, der nun spürte, wie der Grimm in ihm wuchs. „Und jetzt, wo die Hochmark in Gefahr ist, werden die Pferdelords gebraucht. Wer sonst soll uns denn schützen, wenn nicht die Schnelligkeit unserer Pferde und die Kraft unserer Arme?"

„Ah, Helderim, mein Guter und Bester, du sprichst von der Kraft eurer Arme?" Gunwyn sah ihn ironisch an. „Wo du doch eben noch furchtbar geächzt hast, als du die kleine Truhe hierhergetragen hast."

„Sie ist schwer", protestierte Helderim. „Aus massivem Holz und mit guten Eisenbeschlägen."

Gunwyn, die erkannte, dass er sich verletzt fühlte, trat an ihn heran und strich beschwichtigend über seinen Arm. „Helderim, mein Guter und Bester, du bist nun einmal ein Händler und noch dazu ein guter. Aber du bist kein Pferdelord. Du bist außerdem auch nicht mehr der Schnellste, und deine Kraft lässt rasch nach, das weißt du selbst. Deine Schläfen sind grau, und deine Augen werden trübe."

Helderim knurrte. Es gefiel ihm nicht, daran erinnert zu werden, dass sich seine besten Jahre dem Ende zuneigten, auch wenn er ganz genau wusste, dass dem so war. „Ich kann noch immer ganz gut mit der Axt schlagen", murmelte er, „und mit dem Bogen schießen."

„Ja, Helderim, mein Guter und Bester, solange das Ziel nicht zu klein ist und sich nicht zu schnell bewegt." Gunwyn besann sich auf die Tugend der Verantwortung. „Schau, mein Guter und Bester, auch wenn du kein Pferdelord bist, so bist du doch ein allseits geschätzter Mann in der Hochmark. Stets spricht man deinen Namen achtungsvoll aus, und die Leute wissen, dass du ehrlich handelst. Zudem weißt du, wie schwach und hilflos ich bin. Wie könntest du zu den Pferdelords gehen, während dein Weib schutzlos zurückbleibt?"

Helderim gab nach. Schutzlos und hilflos? Es mochte wohl zwei Rundohren der Orks benötigen, um Gunwyn überwältigen zu können und deren drei, wenn sie zudem ihr Mundwerk noch zu Hilfe nahm. Doch dieses Argument konnte er wohl schwerlich nutzen, also schluckte er seinen Kommentar brav hinunter und nickte ergeben. „Ich werde meine Dienste jedoch nicht verweigern", brummte er missmutig. „Es wird viele Hände brauchen, um die Stadt gegen einen Angriff zu wappnen. Man will wohl Barrikaden an den äußeren Straßen errichten, und die Vorräte müssen noch eingebracht werden. Wenn unsere Vorbereitungen hier abgeschlossen sind, werde ich daher beim Ältesten vorsprechen."

„Doch zunächst will ich die Truhe packen, Helderim, mein Guter und Bester", sagte seine Frau bestimmt und schob den Bogen wieder zur Seite. „Und der bleibt hier. Selbst ein Ork vermag damit nichts mehr anzufangen." Gunwyn ächzte leise und stützte sich an der Truhe ab. „Helderim, mein Guter und Bester, dieser Wortwechsel mit dir hat mich doch sehr angestrengt."

Helderim, der wusste, dass sie damit den Disput für beendet erklärte, machte sich daran, ihr die Teile des hölzernen Geschirrs zu reichen, die sie sorgsam verstaute. Plötzlich fiel einer der Teller zu Boden, als Gunwyns Hand einfach danebengriff. Doch anstatt ihn wieder aufzuheben, stöhnte Gunwyn nur leise, umklammerte den Rand der schweren Truhe und begann zu wanken.

„Was ist mit dir, Gunwyn, meine Teure?", fragte Helderim besorgt.

Seine Frau hob keuchend den Kopf und sah ihn an. Schockiert nahm Helderim auf einmal rote Flecken wahr, die sich überall in ihrem Gesicht auszubreiten begannen. „Gunwyn", keuchte er entsetzt.

Aber sie antwortete ihm nicht mehr, sondern sackte vornüber und fiel halb über die Truhe. Im ersten Augenblick wollte Helderim zu ihr eilen, um ihr zu helfen. Doch dann dachte er an die roten Flecken. Die roten Flecken. Gunwyn hatte also auch den Fluch. Wie konnte dies geschehen sein? Er brauchte Hilfe, und zwar rasch. Helderim lief aus der Tür und trat auf die enge Gasse hinaus. „Der Heiler", rief er lauthals. „Wo ist der Heiler? Holt den Heiler, rasch!"

Einige Nachbarn eilten besorgt heran. „Was ist los, guter Herr Helderim?"

„Die Flecken", ächzte der. „Meine Gemahlin hat wohl die Flecken."

Da wichen die anderen vor ihm zurück, und einige von ihnen machten sogar die alten Bannzeichen. „Holt den Hohen

Herrn Nogud, den Heiler“, rief ein Mann lauthals. „Und eilt euch, sonst wird sich der Fluch noch weiter ausbreiten.“

Daraufhin wichen die Umstehenden nochmals ein Stück vor ihm zurück und achteten darauf, dem besorgten Helderim nur ja nicht zu nahe zu kommen. „Bleibt uns vom Leibe“, riefen sie ihm zu. „Der Fluch mag auf uns übertreten.“

Ein Pferdelord eilte mit einem bewaffneten Bürger herbei. „Was geht hier vor sich?“, rief er. „Was soll der Aufruhr?“ Aber die Menschen riefen weiterhin aufgeregt durcheinander, bis die Wache schließlich einen der Männer am Arm packte. „Ihr da, berichtet mir, und ihr anderen, haltet jetzt Ruhe.“ Als der Nachbar dem Bewaffneten den Grund der Aufregung nannte, wurde der Pferdelord ein wenig blass, dann drängte er die Menschen zurück. „Haltet Abstand zu diesem Haus, ihr Leute. Der Heiler Nogud mag sich die Flecken ansehen. Vielleicht ist es nur ein harmloses Fieber.“

Schon wenig später eilten Schritte heran, und der Heiler erschien in Begleitung eines der Nachbarn Helderims.

„Was ist hier los?“, fragte Nogud, dem man seine Müdigkeit deutlich ansah.

„Es sind die Flecken, Hoher Herr Heiler, sie sind es ganz sicher.“ Die Angst stand den Menschen ins Gesicht geschrieben. „Das Haus ist verflucht, Hoher Herr.“ Einer der Männer zerrte Nogud am Ärmel zum Eingang des Hauses hinüber und wies dort auf ein paar Zeichen, die von unbeholfener Hand mit Farbe auf die Steine gemalt worden waren. „Seht Ihr, Heiler? Der gute Herr Helderim hat schon die alten Bannzeichen aufgezeichnet, um damit den Fluch zu vertreiben. Doch dies haben auch viele andere vor ihm getan, und dennoch sind die Flecken nun in ihre Häuser gekommen. Selbst die Magie der Grauen Frau Merawyn vermag den Fluch nicht zu vertreiben.“

Nogud sah Helderim unter der offenen Tür stehen. „Ist dies Euer Haus?“ Als Helderim nickte, schob Nogud ihn einfach durch die Tür ins Haus hinein. „So lasst uns denn nachsehen, ob es auch tatsächlich die roten Flecken sind.“

„Es sind die Flecken“, rief einer der Menschen ihnen nach. „Des guten Herrn Helderims Frau hat sie. Sie muss aus dem Haus, Heiler, sonst springt der Fluch noch auf uns alle über.“

Helderim zuckte zusammen, als der Heiler die ohnmächtig gewordene Gunwyn von der Truhe zog. Nogud sah ihn spöttisch an. „Nun fasst schon mit an, schließlich ist es Eure Frau, nicht wahr? Sie wird Euch schon nicht beißen, guter Herr.“

„Aber die … die Flecken …“

„Niemand ist bisher an den Flecken gestorben“, knurrte Nogud. „Es wird nichts weiter als ein neues Fieber sein und sicher kein Fluch.“ Er untersuchte Gunwyn. „Wir werden sie in das Hospital der Burg bringen. Holt ein paar Männer, die uns dabei helfen.“

„Sie werden nicht anpacken wollen“, seufzte Helderim. „Versteht, Hoher Herr Nogud, die Menschen haben Angst vor dem Fluch.“

Nogud nickte grimmig, richtete sich dann auf und schritt zur Tür. „Dies ist kein Zauber, der auf euch überspringt, ihr Leute. Fasst also guten Mutes mit an und helft, die Frau ins Hospital zu bringen.“

Eine merkwürdige Bewegung entstand daraufhin in der Menge, als die Vorderen nunmehr hastig versuchten, sich nach hinten zu schieben, während die hinten Stehenden keinerlei Bedürfnis hatten, weiter nach vorne gerückt zu werden. Ein paar Knüffe wurden ausgetauscht, so lange, bis der Pferdelord und der bewaffnete Mann neben ihm die Ruhe wiederhergestellt hatten. Nogud stemmte erbost die Hände in die Hütten.

„Von Anbeginn an habe ich die Erkrankten, die die Flecken haben, versorgt. Seht ihr an mir etwa rote Flecken, ihr Narren? Schon manchen von euch, der die Flecken trägt, habe ich mittlerweile berührt, und doch werdet ihr nicht einen einzigen davon an mir finden. Selbst wenn die Flecken ein Fluch wären, so springen sie nicht einfach zwischen den Menschen einher. Ihr braucht also keine Angst vor der Berührung zu haben, das versichere ich euch." Nogud sah einen nach dem anderen mit finsterer Miene an. „Habe ich euch jemals belogen? Sagt es frei heraus!" Die Leute schwiegen betreten und wichen seinem Blick aus. Nogud schnaubte durch die Nase. „Ihr, Ihr und Ihr und auch Ihr dort, mit den kräftigen Armen, kommt her zu mir."

Die Angesprochenen wagten nicht, sich dem Heiler zu widersetzen, und nur wenig später legte man Gunwyn auf einen Karren. Helderim wollte sie in die Burg begleiten, aber Nogud zog ihn vom Wagen fort. „Nehmt es mir nicht übel, guter Herr, doch das Hospital ist für die Kranken und Verwundeten bestimmt. Bleibt Ihr nur in der Stadt und vertraut darauf, dass ich alles tun werde, um Eure brave Frau wieder gesund werden zu lassen."

Kaum war der Karren mit der Gruppe aus der Gasse verschwunden, als sich die Menge auch schon zu zerstreuen begann. Nur der Pferdelord und der bewaffnete Mann blieben noch eine Weile und sahen den Bogen neben der Truhe liegen, wo Gunwyn ihn zuletzt hingelegt hatte. Neugierig hob der Pferdelord den alten Bogen auf, der sich deutlich von denen des Pferdevolkes unterschied. „Das ist ein merkwürdig kurzer und sehr stark gekrümmter Bogen, guter Herr Helderim. Woher habt Ihr ihn?"

„Mein Vater erkämpfte ihn einst von einem Barbaren des Dünenlandes im Süden", erklärte Helderim. „Er war ein Pferdelord wie Ihr“, fügte er nicht ohne Wehmut hinzu.

Der Mann im grünen Umhang nickte anerkennend. „Und wohl ein sehr guter. Ihr solltet den Bogen gut pflegen, guter Herr Helderim. Er gereicht Eurem verstorbenen Vater zur Ehre.“

Kurz darauf verabschiedeten sich die Männer voneinander, und Helderim blieb alleine in der Wohnstube des Hauses zurück. Nachdenklich pendelte sein Blick zwischen dem alten Bogen und dem sorgfältig in der Truhe gestapelten Holzgeschirr hin und her. Schließlich zuckte er die Achseln und räumte dann so viel Geschirr aus der Truhe, dass der Bogen wieder darin Platz fand. Die brave Gunwyn würde einfach akzeptieren müssen, dass sie beide jeweils die Erinnerung an ihre Eltern pflegen wollten. Zudem konnte sie ihm, was diesen Fall betraf, momentan nicht mehr widersprechen. Irgendwie, so fand Helderim, lag doch in jedem Übel noch ein Gutes.

Die vier Männer bewegten sich langsam und vorsichtig, als sie von dem hageren Mann im weißen Gewand des Heilers durch den vorderen Burghof dirigiert wurden. Die anderen Menschen im Hof wichen ihnen, wie es schien, eher aus Furcht denn aus Respekt aus, denn die vier Männer zogen und schoben einen kleinen Karren, auf dem eine leise stöhnende Frau lag. Nachdem die Gruppe durch den inneren Burgwall zwischen Haupthaus und Unterkunft der Schwertmänner getreten war, betrat sie den hinteren Burghof. Auch dort wichen die Menschen vor der dortigen kleinen Schmiede und den Ställen zurück, als die Gruppe den Karren vor das kleinere Unterkunftsgebäude rollte, in dem das Hospital eingerichtet war.

Wie alle Gebäude, die den hinteren Burghof umgaben, war auch das Hospital zweigeschossig errichtet worden, dennoch konnte man durch die Dachschräge im vorderen Teil des Gebäudes kaum aufrecht stehen. Und so stand Merawyn, die Graue Frau, gebückt hinter einem der niedrigen Fenster und sah zu, wie die beiden Männer und der Heiler die Erkrankte vom Karren hoben.

„Man könnte glauben, dass es sich um einen Fluch handelt", flüsterte die Graue Frau Merawyn leise, als man die neue Patientin die wenigen Stufen des Eingangs zum Behandlungsraum hinauftrug. „Jetzt sind schon fast fünfzig Menschen von diesen roten Flecken befallen." Die Graue Frau machte ein bannendes Zeichen. „Der große Zauberer aus dem Hammerturm mag einen Fluch über uns ausgebracht haben. Ich weiß, wie machtvoll die Magie ist, glaubt mir."

Leoryn, die elfische Heilerin, schüttelte den Kopf. Sie hatte ihren blauen Umhang abgelegt und trug nun ein schlichtes Gewand, dessen fließender Stoff einfache Muster aufwies, die nicht mehr elfischen Ursprungs waren. Larwyn, die Herrin Eternas', hatte es der Elfenfrau geliehen, da deren Gewand bei der Flucht aus Eodan stark gelitten hatte. Leoryn und Merawyn waren gerade mit der Pflege der Menschen beschäftigt, die hier im oberen Stock des Hospitals lagen und auf Genesung hofften. „Nein, gute Graue Frau, dies hat nichts mit einem Fluch zu tun."

„Wie wollt Ihr das wissen, Hohe Frau Elfin?", fragte Merawyn. „Kennt Ihr Euch denn mit der Zauberei aus, so wie ich?"

„Gut genug, um zu wissen, dass es sich bei den Flecken um etwas anderes handeln muss", erwiderte die Elfin. Sie legte einem der Erkrankten die Hand auf die Stirn. „Alle haben hohes Fieber und sind zu schwach, um sich zu bewegen. Es ist fast ein Wunder, dass sie noch leben." Die Elfin richtete sich behutsam von einem Krankenlager auf, und ihre hohe und schlanke

Gestalt berührte nun beinahe die niedrigen Deckenbalken des Obergeschosses. „Es sind Menschen verschiedenen Ursprungs und von verschiedenen Orten. Ein Zauber mag gegen einzelne Menschenwesen wirken oder gegen eine eng beieinanderstehende Gruppe, doch dazu muss der Zauberer die Menschen sehen können. Ich glaube nicht, dass ein Zauberer hierfür verantwortlich ist. Es gibt keine Gemeinsamkeiten, Graue Frau."

„Der Zauber, der sie traf, das ist ihre Gemeinsamkeit", entgegnete Merawyn düster.

Aus dem Behandlungsraum unter ihnen drang ein Ruf zu ihnen herauf. „Wir sollten nun sehen, wen uns der Hohe Herr Nogud gebracht hat." Leoryn nahm ihre Arzneitasche und eine kleine Schriftrolle auf und ging dann die schmale Treppe hinab, die in den Behandlungsraum führte. Merawyn hörte, wie die Elfin den Heiler begrüßte, und folgte ihr.

Die Träger hatten die Erkrankte auf den Untersuchungstisch gelegt und waren erleichtert, als Nogud, der Heiler Eternas', sie mit einem Wink entließ. Während sie sich hastig entfernten, trat Leoryn auch schon an den Tisch heran und begann die Frau sachkundig zu untersuchen.

Der Hohe Herr Nogud war hager und sehr alt, doch trotz seines weißen Haupthaares hielt er sich aufrecht. Er war in der Hochmark als Heiler bekannt und konnte ein Fieber ebenso behandeln, wie einen Knochenbruch versorgen oder einen Pfeil aus einem Körper schneiden. Aber in diesem Augenblick wirkte er ungewohnt hilflos.

Während die Elfin die Frau untersuchte und Merawyn zu ihnen trat, sah Nogud die Elfenfrau ernst an. „Dies ist Gunwyn, die Frau des Händlers Helderim. Ich fürchte, es ist nur eine Frage der Zeit, bis die Menschen an den Flecken sterben werden. Die Krankheit beginnt immer gleich. Die Menschen fühlen sich plötzlich schlecht, rote Flecken erscheinen an ihrem Körper, und dann brechen sie zusammen. Sie sind vollkommen kraftlos, und ihre Haut ist heiß vom Fieber. Doch alle meine Mittel versagen. Weder schlagen die Kräuter an noch helfen die Umschläge mit kaltem Wasser. Das Fieber und die Flecken wollen einfach nicht weichen."

„Es ist der Fluch", murmelte Merawyn düster. „Kein Kraut und kein Umschlag kann gegen einen Zauber bestehen."

Leoryn ignorierte die Graue Frau. Sie hielt ein Schriftstück mit elfischen Symbolen in ihren Händen, auf dem sie die Namen aller erkrankten Menschen vermerkt hatte. „Barus war der Erste. Auf ihn folgten ein Pferdelord und zwei weitere Gäste aus der Schänke von Malvin. Dann wieder zwei Pferdelords. Und im Anschluss noch andere Bewohner der Stadt."

Nogud seufzte. „Die meisten sind wohl in der Schänke gewesen, aber ich glaube nicht, dass es daran liegt. Malvin mag zwar panschen, aber er ist weder ein Magier noch vergiftet er seine Kunden." Er klopfte mit dem Finger gegen seine Zähne. „Aber Ihr habt Recht, Hohe Elfenfrau. Es muss einen Grund für die Erkrankungen geben. Doch welchen?"

Leoryn schien in Gedanken versunken. „Ja, wo ist das Verbindungsglied? Barus war der Erste, und er ist von allen auch derjenige, der am schlimmsten erkrankt ist."

Nogud nickte. „Wegen seiner Armwunde, ja. Sie hat ihn wohl zusätzlich geschwächt."

Die Elfenfrau musterte ihre Schriftrolle. „Armwunde, Armwunde. Irgendetwas stört mich an dieser Armwunde. Sie war nicht entzündet, nicht wahr?"

„Nein. Es gab keinen Eiter und auch keinen Wundbrandgeruch."

Leoryn trat an eines der Fenster, die auf den Burghof hinaus zeigten. Unter ihr schritt eine Magd mit einem Wäschekorb entlang. Doch die Heilerin nahm sie gar nicht wahr. „Wir haben etwas übersehen. Ordnen wir die Dinge nochmals neu. Zuerst war es also Barus, der an den roten Flecken litt. Der Pferdelord, der dann erkrankte, gehörte er auch zu den Gästen der Schänke?"

Nogud wusste es nicht. Aber einer der jungen Gehilfen des Hospitals entsann sich der beiden Männer, die den Soldaten gebracht hatten, und ging auf Noguds Bitte hinaus, um sich nochmals bei ihnen zu erkundigen. Merawyn, die Graue Frau, trat jetzt zu den beiden heran. „Eure Schriften werden Euch nicht helfen, Elfenfrau. Die Männer sind von einem bösen Zauber getroffen worden. Nur ein Gegenzauber wird sie wieder heilen können."

Merawyn, die Graue Frau, war vor vielen Jahren in der Hochmark aufgetaucht. Sie war auf Wanderschaft gewesen und erzählte den Menschen, dass sie sich auf die Heilkünste und die Magie verstehen würde. Die Menschen hatten zuvor schon oft von den Grauen und den Weißen Zauberern gehört, jedoch noch nie von einer Zauberin. Anfangs begegneten sie Merawyn mit Furcht und Aberglauben, doch die Frau half vielen von ihnen mit ihren Kräutern und Sprüchen, und so ging man ihr mit der Zeit zwar noch immer aus dem Weg, respektierte sie jedoch zunehmend. Nogud gehörte nun zu den Menschen, die Zauberern stets mit einem gewissen Respekt, aber auch mit einer gehörigen Portion Skepsis begegneten. Und vieles von dem, was Merawyn bereits magischen Vorgängen zuschrieb, lag für ihn einfach in der Natur der Dinge begründet.

„Ein Gegenzauber? Das mag sein", sagte die Elfin und lächelte Merawyn nicht unfreundlich an. „Doch solange wir die Ursache der roten Flecken nicht gefunden haben und Ihr, gute

Graue Frau, den Gegenzauber nicht kennt, so lange will ich sehen, was meine Heilkunst vermag." Leoryn fuhr in ihren Gedankengängen fort. „Es waren überwiegend Gäste der Schänke, nicht wahr? Nein, das stimmt nicht ganz. Im Grunde sind es zwei Gruppen gewesen, die nahezu gleichzeitig erkrankten."

„Ihr meint also auch, dass es keine Vergiftung ist?" Nogud klopfte erneut an seine Zähne. „Manches erinnert mich an das Sumpffieber. Ich kann mich einer Schrift entsinnen, nach der einst vor vielen Jahren, als die Pferdelords aus dem Dünenland nach Osten wanderten, etliche Männer und Frauen erkrankt sind. Damals sollen viele Menschen in den Siedlungen der östlichen Sümpfe hohes Fieber und Schüttelfrost bekommen haben, und als einige starben, wollte der damalige Pferdefürst schon die dortigen Siedlungen aufgegeben. Aber dann verschwand das Fieber so plötzlich, wie es zuvor gekommen war."

„Ja, das Fieber kenne ich." Leoryn wandte sich dem Heiler zu. „Aber hier treten Flecken auf, die beim Sumpffieber oder dem Winterfieber nicht vorkommen."

„Barus hat es am schlimmsten erwischt, und ich glaube, es hängt mit seiner Wunde zusammen."

„Die ihn zwar zusätzlich schwächt, ja, die aber trotzdem heilt. Es kann also kein Gift in der Wunde gewesen sein."

Nogud setzte sich auf einen Schemel und betrachtete die Schränke und Regale entlang der Wände, in denen sich alle Instrumente der Heilerkunst befanden. Töpfe, Tiegel und Gefäße standen dort, und in ihnen befanden sich wiederum die verschiedensten Kräuter, Salben und andere Substanzen. „Aber Gift kann sehr wohl über eine Wunde in den Körper eindringen. Die Flecken haben am Arm angefangen. Vielleicht ist Gift in die Wunde gelangt und hat sich von dort aus ausgebreitet."

„Kein Gift", beharrte Leoryn. „Es muss eine Krankheit

sein. Eine neue Art von Fieber, denn die anderen Kranken haben keine Wunden gehabt. Bis auf die paar Gäste aus Malvins Schänke, die sich selbst welche im Streit zugezogen haben, wiesen alle anderen keine Wundmale auf."

In diesem Augenblick kam der junge Gehilfe zurück und berichtete ihnen, dass der erkrankte Soldat nicht in der Schänke gewesen war und auch nur einmal Kontakt mit dem Nagerjäger gehabt hatte, nämlich als er diesem den verletzten Arm versorgt hatte, kurz nachdem Barus von dem Ork gebissen worden war. Leoryn wies den Gehilfen an, die erkrankte Gunwyn zu den anderen Erkrankten ins Obergeschoss zu bringen. „Haltet sie warm und macht ihr Umschläge", wies die Elfin die Gehilfen an, „mehr können wir momentan nicht für sie tun."

„Es muss vom Arm ausgehen", sann Nogud weiter nach. Er schreckte aus seinen Gedanken auf, als Schritte am Eingang des Hospitals erklangen.

Ein Bürger Eodans, der nun in der Burg als Bogenschütze diente, hastete herein. „Sie hat den Fluch", rief der Mann aufgeregt. „Die roten Flecken."

„Wer?", fragte Nogud. „Und hört endlich auf, von einem Fluch zu reden. Es ist kein Fluch."

„Die Hohe Frau vom Hofe des Pferdekönigs, die Herrin Jasmyn", stammelte der Mann. „Es muss der Fluch sein. Sie hat die Flecken. Die roten Flecken."

Die beiden Heiler und die Graue Frau sahen sich betroffen an. „Gut", sagte Leoryn mit ruhiger Stimme. „Wir werden sofort nach der Hohen Frau sehen."

Zusammen mit dem aufgeregten Mann traten sie aus dem Hospital der Burg, betraten den Wehrgang über die seitliche Treppe und gingen dann zum Haupthaus hinüber. Hier befanden sich die Unterkünfte der Scharführer und des Ersten

Schwertmanns sowie die Privatgemächer des Pferdefürsten. Nur wenig später standen sie im zweiten Obergeschoss des Haupthauses vor einem großen Bett, das frei in der Mitte eines kleinen Schlafgemachs stand. Als sie den feinen Stoffvorhang, der die Schlafende vor Insekten schützen sollte, zur Seite schoben, konnten sie sehen, dass die Augen der jungen Frau tief in den Augenhöhlen lagen. Deutlich waren die roten Flecken in ihrem Gesicht zu erkennen.

„Der Fluch", murmelte der Bedienstete erneut und machte ein magisches Schutzzeichen.

Leoryn stieß ein verächtliches Schnauben aus und schickte den Mann vor die Tür, vor der sich inzwischen auch andere Bedienstete des Pferdefürsten drängten, doch niemand von ihnen betrat den Raum. Larwyn, die Gemahlin des Pferdefürsten und Herrin Eternas', die bislang neben dem Bett auf einem Schemel gesessen hatte, wandte sich nun um und sah die Heiler und die Graue Frau Hilfe suchend an.

„Es hat erst vor Kurzem begonnen", berichtete Larwyn. „Zu Anfang dachte ich, Jasmyn wäre einfach nur erschöpft. Die Reise aus Eodan bis zu uns, dann die viele Arbeit, bei der sie sich nicht schonte – bis ich die roten Flecken sah. Die Leute sagen, es sei ein Fluch."

„Es ist ein Fieber, dessen Ursache wir noch nicht kennen, Larwyn, Herrin von Eternas", sagte Leoryn leise. „Aber solange wir die Ursache nicht kennen, sind unsere Möglichkeiten zugegebenermaßen begrenzt." Sie untersuchte Jasmyn, doch das Ergebnis war offensichtlich. „Lasst die Hohe Frau in feuchte Tücher wickeln und haltet sie gut zugedeckt", sagte die Elfenfrau sanft. „Wenn es geht, verabreicht ihr eine stärkende Brühe. Mehr können wir derzeit nicht tun."

Larwyn nickte. „Ich werde darauf achten." Die junge Frau

sah die beiden Heiler zögernd an. „Ihr wisst, dass die Menschen sich zu fürchten beginnen? Sie glauben, dass wir verflucht worden sind, ihr Hohen Heiler. Doch das ist nicht alles." Larwyn räusperte sich. „Die Menschen der Hochmark beginnen den Flüchtlingen der Nordmark die Schuld daran zu geben. Ich weiß, dass dies Unsinn ist. Aber die Menschen sind einfach in ihrem Denken und jemand schürt Misstrauen zwischen ihnen. Ich versuche, dem entgegenzutreten, so gut ich kann, doch je mehr rote Flecken auftauchen, desto furchtsamer werden die Menschen von Eternas und Eodans. Ihr müsst rasch ein Mittel finden, um die Flecken zu besiegen."

„Wir müssen vor allem den Ursprung des Zaubers finden", sagte die Graue Frau Merawyn mit düsterer Stimme. „Nur dann können wir den Fluch besiegen. Denn kein Kraut hilft gegen die Kraft eines Zaubers." Die Graue Frau sah die anderen ernst an. „Ich werde in meinen Schriften nachsehen, ob ich nicht einen Spruch entdecke, der das Unheil verursacht haben könnte. So mag es mir auch vielleicht gelingen, einen Gegenzauber zu finden."

„Ich danke Euch, gute Graue Frau Merawyn", sagte Larwyn und nickte dann den Heilern zu. „Und auch euch bitte ich inständig, alles zu versuchen, um die roten Flecken endgültig zu besiegen."

Die beiden Heiler und die Graue Frau verließen das Schlafgemach Jasmyns, aber während sich die Graue Frau Merawyn in jene Räume im Kellergeschoss der Burg zurückzog, die sie inzwischen bewohnte, standen Nogud und Leoryn noch lange unter den Torbögen des Haupthauses und hingen ihren Gedanken nach.

Schließlich ergriff Nogud das Wort. „Jetzt bin ich vollkommen ratlos, Hohe Elfenfrau Leoryn. Denn die Hohe Frau Jasmyn hat bestimmt keinen Kontakt zu Barus oder dem „Donnerhuf“ gehabt. Damit scheiden der Nagerjäger und der Biss als Auslöser der Krankheit aus, und Malvins Schänke auch.“

Die anderen Menschen sahen die in Gedanken versunkenen Heiler und gingen ihnen aus dem Weg. Noch immer rief der Anblick der Elfenfrau in Eternas großes Erstaunen hervor. Sie war der lebende Beweis dafür, dass die alten Sagen und Erzählungen auf Wahrheit beruhten, und viele Geschichten, die man einst gehört hatte, gewannen dadurch ein ganz neues Gewicht. Noch immer warfen die Menschen auch verstohlene Blicke auf die schöne Elfenfrau und ihre spitzen Ohren.

Geistesabwesend sah Leoryn zu, wie ein paar Frauen aus der Küche im linken Gebäudeflügel kamen und zum Hospital hinübergingen. Sie führten einen großen Topf und Geschirr mit sich, um die Verletzten und Erkrankten zu versorgen. „Sagt einmal, Hoher Herr Nogud, die Burg besitzt doch eine eigene Küche, aus der alle in ihr lebenden Menschenwesen versorgt werden, nicht wahr?“

„Ihr meint, dass es am Essen liegen kann? Die Festung Eternas hat ebenso eine eigene Küche wie jeder andere Haushalt in der Stadt“, seufzte Nogud. „Es kann nicht am Essen liegen.“ Der Heiler klopfte wieder unbewusst an seine Zähne. „Es sei denn, jemand fügt dem Essen ein Gift zu. Auch daran habe ich schon gedacht, Hohe Elfenfrau. Aber die Frauen kochen in ihren eigenen Häusern, versteht Ihr? Kein Mensch kann in so viele Küchen eindringen und gleichermaßen alle Mahlzeiten vergiften. Das gelänge nur dann, wenn jemand zuvor auch die Vorräte vergiftet hätte. Das Getreide in den Lagern oder die Früchte. Doch dann hätten wir in jedem Haus erkrankte Menschen gehabt.“

„Ihr habt Recht, Hoher Herr Nogud.“ Die Elfenfrau blickte

zu dem fröhlich plätschernden Springbrunnen neben dem Haupthaus hinüber. „Wir müssen uns wieder ganz dem Ursprung zuwenden, um die Ursache für die Flecken zu finden.“

Nogud lächelte unmerklich. „Barus, dem Nagerjäger.“

„Barus.“ Die Elfenfrau nahm die kleine Schriftrolle aus ihrer Tasche und studierte sie. „Nein, ich glaube immer mehr, dass Barus der Ursprung der Flecken ist. Nicht unbedingt Barus selbst, versteht Ihr? Aber irgendetwas oder irgendjemand, mit dem er in Berührung gekommen ist.“

„Der Ork.“ Nogud blickte nachdenklich über den vorderen Burghof. „Der Nagerjäger Barus und der erste Pferdelord mit den Flecken gehörten zu denjenigen, die gegen den Ork gekämpft haben. Barus wurde dabei gebissen.“

„Aber nicht der Pferdelord“, seufzte Leoryn. „Lasst uns mit ein paar Leuten sprechen, die bei Barus’ Kampf gegen den Ork dabei waren, Nogud. Vielleicht täuschen wir uns ja, aber besser eine geringe Chance als gar keine.“

Sofort benachrichtigten Leoryn und Nogud ihre beiden Helfer im Hospital, die mittlerweile auch ohne sie dazu in der Lage waren, die roten Flecken zu erkennen und die übliche Versorgung zu veranlassen. Danach ließen sie zwei Pferde satteln und ritten in die Stadt hinüber. Während Nogud im Sattel jedoch eine eher unglückliche Figur machte, schien die Elfenfrau geradezu im Sattel geboren zu sein und den kurzen Ritt sichtlich zu genießen. Nogud dagegen, der immer nur in der Stadt gewohnt hatte und diese auch nur verließ, um Kräuter und Wurzeln zu sammeln, folgte ihr langsam und in einigem Abstand nach. Vor der Stadt wartete Leoryn, bis Nogud zu ihr aufgeschlossen hatte, und sie ritten gemeinsam in die Hauptstraße ein.

Die Veränderungen in Eternas waren augenfällig. Wo noch vor Kurzem Menschen beieinander gestanden und miteinander ein Schwätzchen gehalten hatten, ging man sich nun offensichtlich aus dem Weg. An einem der Häuser, die gerade neu erbaut wurden, gaben sich die arbeitenden Menschen das Baumaterial nicht einmal mehr direkt in die Hand, sondern legten es zuerst auf dem Boden ab, wo es sich die anderen dann holen mussten. Ängstlich schien jedermann darauf bedacht, direkte Berührungen zu vermeiden. Ein merkwürdiger Anblick, der die beiden Heiler augenblicklich von der wachsenden Furcht der Bewohner überzeugte.

„Die roten Flecken gehen nicht vom Menschen auf den Menschen über“, sagte Leoryn überzeugt, während sie nebeneinander die Straße entlangritten. „Im Hospital der Burg liegen Verletzte neben Erkrankten, aber die Flecken gehen nicht auf Erstere über. Es muss also etwas anderes sein, an dem die Krankheit haftet und von dem aus sie auf den Menschen überspringt.“

„Wo gehen wir hin?“, fragte Nogud.

„Wohin wohl? Zu Malvin, dem Schankwirt. Dort werden wir am ehesten erfahren, an wen wir uns wenden müssen. Denn schließlich ist der Ork vor seiner Schänke erschlagen worden.“

Misstrauische Blicke begleiteten sie, als sie den „Donnerhuf“ Malvins betraten. Wer wusste schon, ob die Heiler nicht zu einem neuen Opfer des Fluches wollten? Die Schänke selbst war bis auf drei Gäste leer, von denen sich ein jeder möglichst weit vom anderen entfernt hingesetzt hatte. Malvin sah sie mürrisch an. Sein rechtes Auge war geschwollen und verfärbt.

„Ärger mit einem Gast, guter Herr Malvin?“, erkundigte sich Nogud freundlich und stellte sich an den Tresen.

Malvin stieß einen undefinierbaren Laut aus und musterte neugierig die schöne Elfin, deren Anblick auch bei ihm Erstaunen hervorrief. Sein Blick haftete so lange auf ihren spitzen Ohren, bis Leoryn schließlich sanft zu lächeln begann und ihm ihr Ohr entgegenreckte. Errötend wandte der Wirt seine Augen ab und nahm dann einen Lappen zur Hand, mit dem er verlegen über den Tresen wischte.

„Sagt einmal, guter Herr Wirt, Ihr habt doch den Kampf miterlebt, den Barus sich mit dem Ork geliefert hat, nicht wahr?"

Malvin blickte die Heiler misstrauisch an. Als Leoryn ihn jedoch freundlich anlächelte, begann er zögernd, den Ablauf der Ereignisse zu schildern. Er erwärmte sich zunehmend für das Thema und erzählte schließlich gänzlich ungehemmt, wie der Nagerjäger Barus dem Rundohr den Prügel über den Schädel gezogen hatte. „Genau diesen Prügel hier", sagte er stolz und präsentierte den beiden Heilern die hölzerne Keule. „Ist sogar noch Blut von der Bestie dran. Ich habe es extra nicht abgewischt."

Leoryn nahm die Keule vorsichtig aus der Hand des Wirtes entgegen und achtete dabei darauf, nicht mit den eingetrockneten Resten von Blut und Hirnmasse des Orks in Berührung zu kommen.

„Ah, nur nicht so zaghaft", grinste Malvin. „Die anderen hatten auch keine Angst davor, die Keule anzufassen."

Nogud und Leoryn sahen sich in plötzlichem, stummem Einvernehmen an. „Sicher haben viele die Keule sehen wollen, nicht wahr?"

„Na und ob", sagte Malvin zufrieden. „War richtig was los und alle hatten Durst. Aber jetzt ..." Der Wirt setzte ein trübsinniges Gesicht auf und zeigte in den Raum hinein. „Aber das seht ihr ja selber."

„Ich vermute, dass der Ork krank war", sagte Leoryn. „Denn es sind auch schon Menschen mit dem Blut von Orks in Kontakt gekommen oder wurden von ihnen gebissen. Doch nie ergaben sich danach rote Flecken oder ein schweres Fieber. Außer bei einem Wundbrand natürlich."

„Der Fluch", nickte Malvin verständnisvoll.

Die Elfenfrau sah ihn spöttisch an. „Der Fluch besteht allein darin, dass ihr Menschenwesen an einen Fluch glaubt." Sie wandte sich wieder Nogud zu. „Wir sollten uns den Kadaver der Bestie ansehen. Vielleicht kann man noch erkennen, ob und woran sie erkrankt war."

„Sagt, Wirt, wisst Ihr, wohin man das Biest gebracht hat?"

Der Wirt wusste es nicht, aber da schaltete sich einer der drei Gäste, ein Pferdelord der Wache, in das Gespräch ein. „Der Kadaver liegt außerhalb der Stadt. Wenn ihr wollt, kann ich ihn euch zeigen. Riecht aber nicht mehr besonders gut. Na ja, eigentlich stinken die Bestien ohnehin immer. Aber jetzt liegt er zudem auch schon eine Weile."

Nogud zog die Keule zu sich heran und wollte sie gerade an den Pferdelord weiterreichen, als Malvin zu einem lautstarken Protest anhob.

„Schweigt, guter Herr Wirt", sagte Leoryn mit ruhiger Stimme. „Ich glaube, dass diese Keule dazu beigetragen hat, die roten Flecken zu verbreiten. Also wird sie verbrannt werden."

„Meine Keule?" Malvin sah die Heiler entsetzt an, während der Blick des Pferdelords zwischen dem Wirt und den beiden Heilern hin- und herging. „Das könnt ihr nicht tun. Barus hat damit den Ork erschlagen."

„Eben. Und weil die anderen Menschen die Keule berührt haben, sind sie erkrankt."

„Ihr meint, die Keule ist verflucht", flüsterte Malvin mit erstickter Stimme.

„Wenn Ihr so wollt, ja." Leoryn drückte dem Pferdelord das

Holz in die Hand, der es mit einem merkwürdigen Gesichtsausdruck und spitzen Fingern entgegennahm. Die Elfenfrau sah den Pferdelord eindringlich an. „Berührt nur den sauberen Teil der Keule. Verbrennt sie sofort und vergewissert Euch, dass nichts von ihr übrig bleibt außer Asche. Nein, es ist besser, wir kommen mit Euch. Dann könnt Ihr uns anschließend gleich zu dem toten Ork führen."

Malvin sah ihnen verstört nach. Sein Prachtstück verschwand gerade auf Nimmerwiedersehen durch die Türe. Jene Keule, mit der Barus eigenhändig das Rundohr erschlagen hatte. Seine Keule. Jetzt konnte er sie niemandem mehr zeigen. Es würden sich keine Geschichten mehr um sie ranken und den Durst der Gäste anregen. Missmutig wischte Malvin über den Tresen. Und das alles bloß, weil die Keule verflucht worden war. Seit wann konnten Orks zaubern? Doch andererseits – eine verfluchte Keule? War das nicht ebenfalls ein paar gute Geschichten wert? Malvins Gesicht hellte sich wieder auf, und mit neuem Eifer polierte er das Hartholz seines Tresens.

Die beiden Heiler gingen unterdessen mit dem Pferdelord zu den Baustellen hinüber, wo zusätzliche Häuser für die aus Eodan geretteten Menschen errichtet wurden. Da kein ausreichender Vorrat an behauenen Steinen verfügbar gewesen war, um die Häuser rasch zu errichten, hatte Larwyn, die Herrin Eternas', in der Stunde der Not die Weisung gegeben, in den Wäldern des Tales frisches Holz zu schlagen. Die Verwendung des kostbaren Holzes hatte Missmut bei den Bürgern Eternas' hervorgerufen, und nur zögernd hatten die Menschen der Hochmark die Notwendigkeit und den Sinn dieser Order eingesehen. Glücklicherweise waren sich die meisten Menschen Eternas' und Eodans jedoch verbunden, denn sie alle gehörten dem Volk der Pferdelords an, und bis die roten Flecken aufgekommen waren, hatten sie einander auch viel zu erzählen gehabt. Die Bürger Eodans waren vor allem über den reichen Gebrauch von Metallen erstaunt gewesen, den sie im Land des Pferdekönigs so nicht kannten. Und sie waren überrascht gewesen zu sehen, dass sich hier überall die Spiralen metallener Bohrer durch das Holz fraßen, während in ihrer Mark die Löcher für die Verzapfung von Holzbauteilen mit glühenden Eisen hergestellt wurden.

Nogud nahm die Keule und legte sie auf das erstbeste Feuer der Baustelle. Dann sah er gemeinsam mit Leoryn und dem Pferdelord zu, wie diese verbrannte.

„Meint Ihr, dass der Fluch jetzt besiegt ist?“ Der Kämpfer trat misstrauisch näher und beobachtete, wie die Flammen das Holz zu Asche verbrannten.

„In gewisser Weise, ja“, erwiderte Nogud und sah, wie der Pferdelord sichtlich erleichtert aufatmete. Einigen der Umstehenden, die dem Treiben der Heiler verwundert zugesehen hatten, war die Erleichterung ebenfalls deutlich anzusehen. Der Heiler hatte keine Ahnung, ob die Gefahr wirklich gebannt war, aber er fand, dass es nicht schaden konnte, wenn die Menschen dies zumindest glaubten. Als von der Keule nur noch ein Häufchen Asche und ein verkohlter Kern übrig waren, stieß Nogud den Pferdelord an und meinte „Nun kommt und lasst uns nach dem Kadaver sehen.“

Rechts und links von ihnen erhoben sich die Gerüste für die neuen Häuser in unterschiedlichster Höhe. Für die Hochmark war die Bauweise der anderen Marken, bei der zunächst ein tragfähiges Gerüst errichtet und ein Dach montiert wurde, noch bevor man Wände und Räume hochzog, vollkommen ungewohnt. Einige der Häuser wurden aus starken Bohlen errichtet, andere wiederum wiesen die typische Konstruktion aus Hartholz auf, bei der die Balken auf verwirrende Art und Weise kreuzten und deren Zwischenräume später mit Stroh und Lehm aufgefüllt wurden.

Ein paar Frauen, die gerade dabei waren, mit ihren Füßen Lehm zu stampfen, aus dem dann später Ziegel geformt werden würden, winkten ihnen zu. Andere wiederum spannten durchsichtige Tierhäute, meist aus dem Magen oder der Blase eines Schafes, auf hölzerne Rahmen, um sie danach anderen Arbeitern zu übergeben, die sie endgültig zu Fenstern verarbeiteten. Überall klopfte, bohrte oder hämmerte es. Die Neuankömmlinge aus Eodan brauchten wirklich eine ganze Reihe neuer Häuser, und erst wenn man über die ganze Baustelle ging, sah man, wie viel Raum die zusätzlichen Menschen tatsächlich benötigten.

Ein Stück weit von den neuen Häusern entfernt, erhoben sich die massiven Steinbauten der Vorratshäuser, hinter denen wiederum ein noch nicht abgeerntetes Getreidefeld und der Wald lagen, aus dem das Holz stammte.

Der Pferdelord, der die beiden Heiler führte, wies lächelnd zur Baustelle zurück. „Die Leute aus Eodan haben schon gefragt, warum wir hier keine Palisaden errichten, wie es in der Nordmark üblich ist. Ich glaube, die wissen gar nicht, wie viele gute Bäume wir dafür schlagen müssten und dass es danach wohl keinen Wald mehr in der Hochmark geben würde." Der Mann lachte gutmütig. „Ich habe ihnen gesagt, dass die Berge unsere Wehrmauern sind. Habt ihr gesehen, dass sie die Rinde vom Holz schälen, bevor sie es verarbeiten?"

Leoryn lächelte. „Unter den Rinden der Hartbäume befinden sich oft Insekten, Pferdelord, die das Holz, wenn es nicht geschält wird, rasch zerfressen würden. Also wird es geschält, denn die Häuser sollen ja eine Weile halten."

Der Pferdelord nickte. „Sie sollten aus gutem Stein bauen. Der hält ewig."

Vor ihnen erstreckte sich nunmehr das Feld mit seinen vollen Ähren. Sie gingen an ihm vorbei über einen Feldweg auf den Waldrand zu. Dort standen nun in größeren Abständen Wachtposten, denn der Überfall des einzelnen Orks hatte die Menschen nervös gemacht. Und obwohl man nicht glaubte, dass sich noch andere Bestien in der Mark aufhielten, sondern dass die Bestie ein letzter Überlebender der Gruppe vom Pass gewesen war, die der Hunger aus Verzweiflung in die Stadt getrieben hatte, wollte man auf Nummer sicher gehen. Einer der Posten wandte sich ihnen zu, als sie an ihm vorübergingen, und erkundigte sich nach ihrer Absicht. Als der sie begleitende Pferdelord ihn daraufhin auf den Kadaver des toten Orks ansprach, wies der Posten ein Stück in den Wald hinein. „Sie haben ihn ein gutes Stück in den Wald geschleift. Die Biester stinken im Tod noch schlimmer als im Leben. Er soll noch ganz gut erhalten sein. Ich glaube, selbst Flugschwärmer und Aasfresser meiden das Biest."

Der Waldrand war licht und verdichtete sich erst allmählich, so dass die drei mühelos zwischen den Bäumen hindurchgehen konnten. Die teilweise sehr großen Abstände zwischen den Bäumen ließen außerdem genug Licht einfallen, so dass die Heiler zwischen den Bäumen eine große Anzahl von Baumstümpfen sehen konnten: die Hinterlassenschaften der Holzfällerarbeiten der letzten Tage. Um sie herum waren die Geräusche des Waldes zu hören: das Knacken brechender Hölzer und das Knarren der Stämme, die sich im leichten Wind wiegten. Dazwischen das Schwirren von Insekten. Die Stelle, an der der Kadaver des Rundohrs lag, war leicht zu finden. Eine ganze Wolke von Aasinsekten umschwirrte den toten Ork, doch Nogud und Leoryn fiel auf, dass sich die Tiere nicht auf dem Aas niederließen, um es zu beseitigen. Für die beiden Heiler war dies ein eindeutiges Alarmzeichen, während der sie begleitende Pferdelord nur spöttisch die Bemerkung seines Wache stehenden Kameraden von vorhin wiederholte.

Der Ork war tatsächlich recht gut erhalten. Sein Rumpf lag auf der Seite, und sein deformierter Schädel war dort, wo die Keule ihn tödlich getroffen hatte, gut zu erkennen. Die beiden Heiler hüteten sich jedoch davor, den Kadaver zu berühren.

Der Pferdelord sah den beiden beschäftigten Heilern kurz zu und meinte dann: „Werde mal kurz hinter einen Baum verschwinden."

„Ich glaube nicht, dass er Wasser lassen wird. Wahrscheinlich will er nur ein kleines Schläfchen einlegen", meinte Nogud geistesabwesend. „Seht Euch einmal den Körper des Orks an. Er sieht ungewöhnlich dünn für ein Rundohr aus. Rundohren, so heißt es, sind stets groß und kräftig gebaut. Doch dieser hier ist hager und ausgezehrt. Die Rüstung schlottert ihm um den Leib, als ob er lange Zeit nichts mehr zu essen bekommen hätte. Vielleicht hat ihn wirklich der Hunger in die Stadt getrieben."

Die Elfenfrau nahm einen Ast in die Hand und hebelte damit die Kiefer des Orks auseinander. „Seine Zähne sind in Ordnung. Daran kann es nicht gelegen haben, und auch Barus' Verletzung weist darauf hin, dass die Bestie noch gut beißen konnte."

„Das bestätigt meinen Verdacht", nickte Nogud. „Ich glaube, dass das Rundohr tatsächlich zu krank und schwach war, um noch erfolgreich jagen zu können, und dass es deshalb in die Stadt gekommen ist." Leoryn nickte. „Womit wir wieder am Anfang wären. Dass die Krankheit durch die Berührung mit der Bestie ausgelöst wurde. Und durch die Keule."

„Aber was ist mit der Hohen Frau Jasmyn?“, sinnierte Nogud. „Die Hohe Frau hat bestimmt nicht in Malvins Schänke mit der Keule gespielt.“

„Nun, wir haben gesehen, was wir hier sehen wollten. Lasst uns in die Stadt zurückgehen. Befragen wir Jasmyn. Wenn wir Glück haben, hat sie das Rundohr oder die Keule doch berührt.“ Leoryn seufzte. „Wenn das allerdings nicht der Fall ist, haben wir ein großes Problem, und es gibt noch einen anderen Überträger.“

Nogud stimmte der Elfenfrau zu und wandte sich dann dem Waldrand zu. Neben einem der Bäume stand dort noch immer die Wache, die ihnen den Weg gewiesen hatte.

„Wir gehen zurück“, rief Nogud ihr zu. „Wir brauchen Eure Dienste nicht mehr.“

Der Mann hob kurz die Hand, und die beiden Heiler stapften weiter. Der Pferdelord, der sie begleitet hatte, hatte sich dagegen tatsächlich ein wenig hingelegt, und Leoryn lächelte Nogud unmerklich zu. Etwas weiter entfernt von ihnen stand noch ein dritter Pferdelord, der den Helm zum Schutz gegen die Sonne tief ins Gesicht gezogen hatte. Die Elfenfrau winkte ihm zu, und der Posten hob grüßend seine Lanze. Sie war irritiert, denn sie hatte den Mann von vorhin weit schlanker in Erinnerung gehabt. Doch vielleicht war die Wache ja inzwischen abgelöst worden.

„Lasst uns ganz gemütlich zurückgehen“, schlug die Elfenfrau vor. „Das wird den Leuten zeigen, dass wir keine Eile haben und alles in Ordnung ist.“ Und so schlenderten sie gemeinsam den Weg in die Stadt zurück.

Dort stand Malvin vor seiner Schänke und redete auf eine Gruppe ein, die er offensichtlich zum Besuch seiner Schänke motivieren wollte. Ein gutes Zeichen. Das Verbrennen der

Keule hatte wohl schon die Runde gemacht und den Leuten etwas von ihrer Angst genommen.

Einen guten halben Zehnteltag später suchten die beiden Heiler das Schlafgemach von Jasmyn auf, wo Larwyn ihnen besorgt entgegensah.

„Der Hohen Frau geht es nicht gut.“ Larwyn wies auf die stöhnende Gestalt in dem riesigen Bett, neben dem die Heiler Tücher und eine Wasserschüssel stehen sehen konnten. Offensichtlich bemühte sich die Hohe Dame Larwyn persönlich um ihren Gast aus Eodan. „Einige Male hat sie zu sprechen versucht, aber sie ist zu schwach dafür.“

Leoryn erzählte Larwyn von ihrem Verdacht, und die Herrin der Hochmark hörte schweigend zu. Nachdenklich sah sie dann auf die Erkrankte. „Ja, ich glaube, dass sie Barus berührt hat, sowohl Barus als auch die Keule. Ja, jetzt erinnere ich mich auch. Sie hat Barus belobigt und sich die Keule angesehen.“

Die beiden Heiler sahen sich an, und man konnte ihnen ihre Erleichterung ansehen. „Das ist eine gute Nachricht. Eine sehr gute Nachricht sogar.“ Leoryn sah die etwas irritierte Larwyn lächelnd an. „Denn sie bedeutet, dass die Krankheit nicht von Mensch zu Mensch überspringen kann. Niemand kann sich an den Erkrankten anstecken. Nur wer die Keule oder Barus berührt hat, wurde krank. Ja, das ist eine gute Nachricht.“ Leoryn sah Nogud nachdenklich an. „Jetzt müssen wir nur noch herausfinden, wie wir die Krankheit bekämpfen können. Kommt, Nogud, zeigt mir einmal Euren Kräutervorrat, und dann wol len wir einmal sehen, was wir zwei zusammenstellen können.“

Die beiden Heiler suchten das Hospital auf, wohin ihnen die gute Nachricht schon vorausgeeilt zu sein schien. Denn kaum stiegen sie die wenigen Stufen zum Eingang hinauf, stürzte ihnen auch schon Merawyn, die Graue Frau, entgegen. „Ihr müsst irren, ihr Heiler. Keine Bestie und keine Keule vermag solches Unheil anzurichten. Nur ein Zauberer mit großer Macht vermag dies zu tun."

Leoryn aus dem Haus Elodarions empfand durchaus großen Respekt vor den Grauen Zauberern, die den Menschen übergeordnete Wesen waren, doch die Graue Frau strahlte weder die Weisheit noch die Würde oder die Kraft eines solchen aus, und nur die Höflichkeit gebot der Elfenfrau nunmehr, Merawyn mit nicht allzu harten Worten zu begegnen. „So Ihr dieser Überzeugung seid, Graue Frau Merawyn, so müsste sich ein Zauberer unter uns befinden, der dies bewirkt."

Merawyn erblasste ein wenig. „Ihr glaubt doch nicht ..."

Die Elfenfrau hob beschwichtigend ihre Hand. „Es mag hilfreich sein, wenn Ihr Eure Kraft darauf richtet, einen solchen Zauberer für uns zu entdecken, Graue Frau."

Merawyn nickte langsam. Dann sah sie die beiden Heiler merkwürdig an und schritt grußlos davon. Die beiden Heiler betraten nun das Hospital, wo sie sofort von ihren beiden Gehilfen und einigen Frauen umringt wurden, die sich der Pflege der Patienten widmeten. „Ist es wahr", drangen die Stimmen gleichzeitig auf Leoryn und Nogud ein, „dass ihr die Quelle der Flecken gefunden habt und dass der Zauber gebannt ist?"

„Haltet Ruhe, ihr guten Leute." Leoryn hob kaum ihre Stimme, aber allein die ernste Erscheinung der Elfenfrau ließ die Umstehenden augenblicklich verstummen. „Wir wissen jetzt, dass die roten Flecken von dem toten Ork und der Keule ausgingen, mit der er erschlagen wurde. Nur wer eines von beiden berührte, konnte an den Flecken erkranken. Die Krankheit springt nicht von Mensch zu Mensch, ihr könnt also alle beruhigt sein. Auch ist noch niemand an der Krankheit gestorben. Jetzt gilt es, ein Heilmittel zu finden. Geht nun also alle an euer

Tageswerk zurück und lasst uns das unsere verrichten."

Die Nachricht, dass die Krankheit nicht ansteckend war, schien die Stimmung in der Stadt und der Burg schlagartig zu verbessern. Die Frauen und Männer, die bislang die Kranken und Verletzten versorgt hatten, lebten sichtbar wieder auf, und gelegentlich waren sogar einige Scherzworte zu hören. Leoryn und Nogud sortierten und katalogisierten inzwischen ihre Kräuter. Jeder von ihnen konnte ein oder zwei beisteuern, die dem anderen bislang fremd gewesen waren. Und so breiteten die beiden Heiler auf einem großen Tisch alles aus, was ihre Tasche, Töpfe und Tiegel an Schätzen beinhalteten. Danach beratschlagten sie, welches Kraut oder welche Kombination von Substanzen wohl am ehesten helfen würde, die Krankheit zu besiegen.

„Normalerweise müsste das Fieber längst gesunken sein. Barus und einige andere werden nun schon seit fast zwei Tagen in feuchte Tücher gewickelt. Trotzdem sinkt es nicht." Nogud klopfte wieder gegen seine Zähne. „Jedes andere Fieber wäre schon längst besiegt. Also muss das, was das Fieber auslöst, noch immer in ihnen stecken."

Langsam begann es zu dämmern. Die beiden Heiler hatten gar nicht bemerkt, wie schnell die Zeit verstrichen war. Frauen eilten durch die Gebäude, wo sie Fettlampen und kleine Brennsteinbecken entzündeten. Und am Haupttor der Burg wurden die beiden großen Eisenpfannen mit den schwarzen Brennsteinen der Berge aufgefüllt.

„Wenn der Körper fiebert, wehrt er sich gegen etwas Böses in ihm", sann Nogud. „Eigentlich genauso, wie es auch eine Wunde tut, die sich entzündet und eitert. Der Eiter schwemmt den Schmutz heraus."

Die Elfenfrau nickte müde. „Das Gleiche macht das Fieber auch mit dem Bösen im Körper. Aber dieses Böse, diese Krankheit scheint leider stärker zu sein als die Kraft des Fiebers. Hm“, nachdenklich strich sie sich durch ihr Haar. „Bei einer entzündeten Wunde gebe ich frisches Moos unter den Verband. Es nimmt die Entzündung und fördert die Heilung. Hier jedoch sitzt die Entzündung im Inneren des Körpers. Wir müssten also etwas in den Körper hineingeben, das die Krankheit von innen heraus bekämpft. Dragenwurzeln wären hilfreich. Ihr Sud nimmt innere Entzündungen und Fieber. Aber hier gibt es keine Dragenwurzeln.“

„Elfenmoos findet sich dagegen reichlich bei uns“, sagte Nogud und reckte sich. „Doch es wird auf die Wunden gelegt und gelangt nicht in den Körper. Aber könnte man es den Erkrankten nicht doch irgendwie verabreichen? Vielleicht in aufgelöster Form?“

Leoryn nickte. „Ja, das könnte helfen. Aber wir dürfen es nicht kochen. Denn wenn es welkt oder kocht, wirkt es nicht mehr. Man müsste es ganz klein schneiden oder pressen und dann einem Getränk beimischen. Ja, so könnte es funktionieren.“ Die Elfenfrau sprang vom Tisch auf und eilte zum Regal. „Es ist nicht mehr viel Moos da. Nun ja, man kann es ja auch nicht lange lagern. Es muss frisch sein. Aber das, was noch hier ist, könnten wir an Barus und der Hohen Frau Jasmyn ausprobieren.“

„Und wenn es hilft, holen wir mehr. Ich weiß, in welchen Tälern es zu finden ist.“ Begeistert schlug Nogud auf den Behandlungstisch. „Ja, so machen wir es.“

Da ertönte von draußen plötzlich der fordernde Ruf eines Horns. Irritiert blickten die beiden zum Fenster, aber inzwischen war es draußen dunkel geworden. Ein junger Bursche kam eifrig die Treppe herauf. „Orks sind vor der Stadt“, schrie er. „Sie haben die Außenposten überwältigt und greifen jetzt bei den Vorratshäusern an. Die Pferdelords der Wache rücken aus, um zu helfen, und die Herrin lässt Euch bitten, jederzeit bereit zu sein, um den Verwundeten zu helfen."

„Selbstverständlich", erwiderte Nogud.

„Bereitet Ihr das Moosgetränk", schlug Leoryn vor. „Während ich meinen Beutel nehme und mich am Haupttor der Burg bereithalte."

Nogud nickte und holte Schüssel, Moos und Mörser aus dem Schrank. Dann wies er seine Gehilfen an, ihm frisches Wasser zu holen.

Die Elfenfrau warf einen raschen Blick in ihren Beutel und fand darin ein paar scharfe Klingen, eine spitze Pinzette, frische und saubere Tuchstreifen in verschiedenen Größen und ein paar dicke Stoffpolster für besonders tiefe Wunden oder Gliederstümpfe. Mit einem entschuldigenden Lächeln nahm sie sich noch eine kleine Portion frischen Mooses von Noguds Tisch, dann schulterte sie ihre Tasche und ging die Treppe hinunter. Vor dem Eingang des Hospitals blieb sie stehen und sog die frische Abendluft gierig ein. Der Burghof wurde nur schwach von einigen Becken mit Brennstein erhellt, war aber hell genug, um sich orientieren zu können. Nur an den Toren und Eingängen der Gebäude waren jeweils noch weitere Fettlampen aufgehängt worden. Doch die Sterne und der Mond spendeten zusätzliches Licht.

Leoryn hörte Hufgeklapper, das Scheppern von Waffen und leise Zurufe. Es kam von einer Gruppe von Pferdelords, die gerade neben ihr, am Stall, auf ihre Pferde aufsaßen und dann im raschen Galopp vom Hof der Burg stürmten. Ihre Harnische, Helme und Waffen schimmerten im flackernden Licht der Lampen und Becken.

Die Elfenfrau sah durch die offenen Tore der mittleren Wehrmauer auf das Haupttor der Burg, wo eine kleine Gruppe von Wachen dicht beieinanderstand und der Schar von Pferdelords nachsah, die gerade in die Stadt hineinritten. Sie seufzte. Es waren wohl doch mehr Orks in der Hochmark, als sie alle gedacht hatten. Schade, denn sie hatte so sehr gehofft, dass die Menschenwesen nun etwas Ruhe finden würden. Sie wandte sich gerade dem Haupttor zu, als es plötzlich hinter ihr schepperte. Unwillkürlich drehte sie sich nach der Quelle des Geräusches um und sah, wie sich in einiger Entfernung eine Wache auf der runden Wehrmauer der hinteren Burg bückte. Der Mann bemerkte Leoryns Blick und hob grüßend die Hand. Die Elfin winkte kurz zurück. Kopfschüttelnd ging sie weiter. Der Mann hatte beachtliche Ohren.

„Es ist eine Menge los da unten", meinte eine der Wachen nervös, als Leoryn am Haupttor ankam. „Die meisten von uns sind zur Stadt hinübergeritten. Einer der Bürger kam zu uns und erzählte, die Bestien seien ganz plötzlich da gewesen, sie wären direkt aus den Äckern hervorgekommen." Tatsächlich war aus der Richtung der Stadt Geschrei und Waffenlärm zu hören.

„Es scheinen aber nicht viele zu sein." Leoryn schob ihre Tasche mit den Heilmitteln auf die Schulter zurück. Schon bald würden die Menschenwesen ihre Hilfe brauchen, und sie war bereit, ihnen diese zu geben.

„Zum Glück sind es wohl wirklich nicht viele", knurrte ein Bewaffneter. „Wenn die Bestien so schlau gewesen wären und sich im Dunkeln angeschlichen hätten, wäre die Stadtwache sicher von ihnen überrumpelt worden. Aber diese Orks waren blöd genug, bei vollem Mondlicht über das freie Feld anmarschiert zu kommen. Ganz gemächlich. So hatte die Stadtwache schließlich noch Zeit genug, um Verstärkung aus der Burg herbeizurufen."

„Nun, wir sind eh zu wenig Pferdelords in der Burg. Es wird Zeit, dass Garodems Männer zurückkehren", meinte ein anderer Mann und stützte sich auf seiner Lanze ab. „Daher waren es auch viel zu wenig Männer, die wir in die Stadt senden konnten, wollten wir die Burg nicht völlig entblößen. Auch die Mauern wollen schließlich bewacht sein." Der Mann machte eine unbestimmte Geste. „Bei der Dunkelheit sind zwei Mann außerdem kaum ausreichend für den Abschnitt einer Mauer."

„Aber auf der hinteren Mauer reicht einer?"

„Natürlich nicht." Der Wachführer lachte. „Die lange Rundmauer hat drei Abschnitte und keinen Turm. Da halten sechs Mann die Augen offen, Hohe Elfenfrau."

Leoryn schüttelte den Kopf. „Aber dort ist nur einer. Glaubt mir, ich habe es genau gesehen."

Die Augen des Mannes weiteten sich für einen Moment. „Was sagt Ihr da? Ihr müsst Euch täuschen, Heilerin."

Leoryn war blass geworden. Wären ihre Gedanken zuvor nicht so mit den roten Flecken beschäftigt gewesen, wäre es ihr sicher sofort aufgefallen. „Der Mann hatte sehr große Ohren, ihr Pferdelords."

Der Wachführer winkte vier seiner Männer zu sich. „Ihr bleibt hier bei den anderen Wachen, Heilerin. Ich werde mir das einmal ansehen."

Nur der Wachführer und ein zweiter Mann waren Schwertmänner. Begleitet von zwei Lanzenträgern und einem Bogenschützen eilte er nun über den Burghof nach hinten. Die Gruppe musste jedoch erst unter dem überdachten Wehrgang zwischen Haupthaus und Unterkunft hindurch, um freies Blickfeld auf die hintere Mauer zu gewinnen. Leoryn sah ihr nach. Als sich die Gruppe direkt unter dem Wehrgang befand, stieß der Unterführer einen kurzen Laut der Überraschung aus. Seine Gruppe schwärmte aus und war kurz darauf aus Leoryns Blickfeld verschwunden.

Die Heilerin bemerkte, wie die anderen Männer am Tor nervös wurden. Die meisten von ihnen waren bewaffnete Bürger und keine ausgebildeten Pferdelords. Aber zwei der Männer hatten bereits mit Tasmund am Pass gekämpft und dort Erfahrungen gesammelt. Sie beruhigten die nervösen Gemüter. „Nur ruhig, ihr Männer. Auch wenn die Orks die Burg überfallen haben, so können es doch nicht viele sein, denn sonst würde die Horde längst über den Hof schwärmen. Bewahrt also den Mut und Eure Waffen in der Hand."

Aus dem Wachhaus traten jetzt weitere Männer heraus und formierten sich, Pferdelords, wie ihre grünen Umhänge verrieten. Diese Männer wirkten im Verhältnis zu der Gruppe am Tor ruhig und warteten auch in aller Ruhe ab, bis einer aus der Gruppe des Unterführers zurückkam. Atemlos erreichte dieser das Haupttor und musste erst Luft holen, bevor er ihnen berichten konnte. „Die Mauer ist frei. Weit und breit keine Wache zu sehen. Der Unterführer und ein Mann sind oben auf dem Wall. Der dritte sucht die Gebäude ab. Ich brauche eine Gruppe zur Verstärkung."

Mit acht Pferdelords hastete der Mann wieder zurück, und die Elfenfrau betrachtete die kleine Schar, die am Haupttor verblieben war. Mit den beiden Posten oben in den Tortürmen mochten es jetzt noch zehn oder zwölf Kämpfer sein, und Leoryn wurde unmittelbar klar, dass die Burganlage wirklich dünn besetzt war.

Der Unterführer kam zurück. „Die Posten sind allesamt verschwunden. Nur einer von ihnen lag auf dem Wehrgang: Klassischer Eröffnungsschnitt eines verdammten Rundohrs durch ein Schlagschwert. Rein in den Bauch und zum Herzen hinauf eröffnet. Verdammte Sauerei! Der Posten war unbekleidet. Ich fürchte, die Heilerin hat einen Ork mit der geraubten Rüstung und dem Umhang der Wache gesehen. Das kann nur eines bedeuten, nämlich dass die Bestien schon längst in die Burg eingedrungen sind."

Der Unterführer ließ seine Worte eine Weile auf die Soldaten einwirken. Dann gab er seine Kommandos. „Nur noch in Zweiergruppen bewegen. Sechs Mann bleiben am Tor und halten es offen. Ihr", der Unterführer wies auf einen schmächtigen Bogenschützen, „seid der schnellste Läufer. Runter zur Stadt. Sie sollen uns schicken, was sie auch immer entbehren können. Und keine Panik! Bisher kann nur eine Handvoll Bestien eingedrungen sein, denn sonst wären sie schon längst über uns hergefallen. Wo ist der Hornbläser? Ah, ja. Haltet Euch bereit für das Alarmsignal bei der Erstürmung der Mauer. Sollten zu viele Bestien eingedrungen sein, werdet Ihr es blasen. Dann wissen die Leute, dass der Feind in der Burg ist. Bleibt also stets in meiner Nähe. Ihr vier teilt euch in zwei Gruppen und warnt die Menschen in den übrigen Gebäuden. Dort, wo die Eingänge noch bewacht sind, wird bislang wohl kein Ork eingedrungen sein. Los jetzt."

Der Unterführer schob die Elfenfrau zu dem rechten Aufgang neben dem Haupttor. „Steht nicht im Weg herum, Hohe Frau Heilerin, sondern macht Euch nützlich und steigt auf einen der Türme. Haltet dort mit Euren elfischen Augen Ausschau, und wenn Ihr einen Ork seht, oder einen Posten mit ungewöhnlich großen Ohren, dann schreit."

Leoryn schwankte noch in ihrer Entscheidung, zum Hospital zurückzukehren und Nogud zu warnen oder aber der Aufforderung des Unterführers nachzukommen. Da nahm ihr der Mann die Entscheidung ab, indem er sie einfach an der Hüfte fasste und ein Stück die steinerne Treppe hinaufschob. So hastete die Heilerin die Stufen hinauf, bis sie schließlich neben zwei Bogenschützen auf der oberen Plattform des rechten Torturms stand. Von hier aus konnte sie die Stadt gut überblicken, und auf deren südlichen Rand und auf einem der Felder sah sie Feuerherde. Vereinzelt nahm die Elfenfrau auch undeutliche Gestalten vor dem Widerschein der Brände wahr, aber Leoryn konnte nicht sagen, ob sich diese auf die Stadt zu- oder von ihr wegbewegten.

Rufe aus dem Innenhof der Burg nahmen ihre Aufmerksamkeit in Anspruch. Dort sah sie Männer und Frauen aus verschiedenen Gebäuden herausstürzen. Doch nur ein paar der Männer waren voll bewaffnet oder trugen für den Kampf brauchbare Gegenstände. Nur ganz selten waren der Harnisch und der Umhang eines Pferdelords zu sehen. Und meistens handelte es sich dabei um leicht Verwundete, die man anhand der Verbände, die im Licht der Lampen vor den Eingängen leuchteten, sehen konnte. Die voll kampffähigen Pferdelords waren größtenteils dem Ruf der Waffen in die Stadt gefolgt.

Der Anblick verwirrte sie und erinnerte sie an das, was sie bei dem Sturm der Orks auf die Stadt Eodan erlebt hatte. Für Leoryn hatte das Leben bisher nur aus ästhetischen und moralischen Werten bestanden – ungeachtet der düsteren Drohung, die im Laufe der vielen Jahre erneut im Osten herangewachsen war. In der Stadt Eodan, in der Nordmark des Pferdekönigs, war sie jedoch das erste Mal in ihren Leben mit Gewalt und Tod konfrontiert worden, und nun sah sie sich erneut dieser Bedrohung gegenüber.

Das zischende Geräusch eines Pfeils war zu hören, und ein

Mann vor der Schmiede stürzte getroffen zu Boden. Sofort erhob sich ein wildes Geschrei unter den Menschen im Burghof. Während einige von ihnen nach Deckung suchten, liefen andere in die Gebäude zurück und kollidierten dabei mit Personen, die noch aus ihnen heraus wollten. Neben all dem Geschrei waren vereinzelte Befehle zu hören, dann stellten die Pferdelords die Ordnung wieder her. Mit grimmigen Gesichtern spähten die Kämpfer mit den grünen Umhängen in die Dunkelheit, um den Feind endlich entdecken und stellen zu können.

Auch Leoryn blickte angestrengt in den Burghof, aber das Nebeneinander von beleuchteten Zonen und Dunkelheit machte sie unsicher. Außerdem warfen die Menschen, die vor den Fettlampen und den Brennsteinbecken hin und her liefen, Schatten, die ihr eine Bewegung vorgaukelten, wo gar keine war.

Ein Pfeil traf auf die Steine an ihrem Ausguck, und der Bogenschütze neben ihr zog sie zurück. „Langsam, Heilerin. Ihr werdet noch gebraucht. Haltet Euch bei Dunkelheit nie im Lichtschein auf, sonst bietet Ihr ein zu gutes Ziel. Tretet lieber zwei Schritte zurück. Ja, so. Zwar ist Euer Gesichtsfeld jetzt kleiner, doch dafür kann man Euch von außerhalb der Burg auch nicht mehr erkennen.“ Ein weiteres Geschoss zischte durch die Schießscharte der Plattform, schlug aber harmlos an die gegenüberliegende Zinne. „Was nicht heißt, dass die Biester nicht einfach auf gut Glück schießen“, fügte der Bogenschütze hinzu.

„Da ist etwas“, flüsterte die Elfenfrau unsicher.

„Wo?“

Leoryn deutete auf den gegenüberliegenden Wehrgang der Ostmauer. „Da, über dem zweiten Gebäude.“

„Orks auf dem Wehrgang über dem Stall“, schrie der Bogenschütze daraufhin so laut, dass die Elfenfrau schon befürchtete, ihre Trommelfelle würden platzen.

Ein weiteres Geschoss traf die Brüstung vor Leoryn, richtete jedoch keinen Schaden an. Sie sah ein paar Männer zu der Treppe hasten, die auf den östlichen Wehrgang hinaufführte. Einer von ihnen stürzte, dann fiel ein dunkler Schatten vom Wehrgang auf das Dach des Stalls, rollte über die Schindeln und schlug im Burghof auf.

„Einer weniger", knurrte der Bogenschütze zufrieden. Er beugte sich ein Stück vor. „Einer ist neben dem Eingang vom Gesindehaus!"

Mit lauten Rufen dirigierte der Mann ein paar Kämpfer zu der Stelle, wo kurz darauf ein Handgemenge entbrannte. Dann kam ein Ruf von unten, dass alles klar sei.

Doch der Bogenschütze neben Leoryn konnte dies nicht mehr hören. Es gab ein seltsam patschendes Geräusch, und die Elfenfrau fühlte eine klebrige Nässe an ihrem Kopf. Als sie sich daraufhin zu dem Mann umdrehte, stürzte dieser bereits zu Boden. Sein Schädel war durch den Bolzenschuss eines Querbogens zerplatzt und hatte Blut und Hirnmasse versprüht. Leoryn sah den leblosen Leichnam zitternd an, fasste sich dann aber wieder. „Das kam vom Dach des Hospitals", rief sie gellend.

Der orkische Querbogenschütze war mit ihrer Warnung gar nicht einverstanden und feuerte noch zweimal auf sie, bevor die Lanze eines Pferdelords schließlich seinen Hals durchstieß und seinen Kopf fast vollständig vom Rumpf trennte. Inzwischen hatten die Leute im Burghof eine feste Ordnung angenommen und suchten in mehreren Gruppen systematisch den Innenhof ab, während wieder andere Männer vor den Eingängen Wache hielten. Die Frauen waren verschwunden und in die relative Sicherheit der Gebäude zurückgeschickt worden. Unter Leoryn rumorte es im Torgang, und sie sah eine geschlossene Formation von fast vierzig Pferdelords und Bogenschützen, die eilig in das Burginnere hasteten. Ein paar Minuten später kam der Unterführer, der Leoryn auf den Turm geschickt hatte, die Treppe hoch. Der Mann sah kurz auf den toten Bogenschützen, dann blickte er Leoryn an.

„Ihr werdet unten benötigt, Hohe Frau Heilerin. Der hier braucht Euch nicht mehr." Der Unterführer bückte sich kurz und legte dem toten Posten die Waffe in die Hand zurück. „Schneller Ritt und scharfer Tod, mein Freund."

Als die Elfin langsam die steinernen Stufen hinunterging, rief der Unterführer ihr noch etwas nach. „Ihr habt uns wirklich geholfen, Elfenfrau. Habt Dank dafür. Und sollten Euch einmal die Kräuter und Binden ausgehen, könnt Ihr jederzeit bei den Schwertmännern anfangen."

Leoryn aus dem Hause Elodarions erwiderte nichts. Gewiss hatte der Unterführer ihr nur seine Anerkennung zollen wollen, doch mit dem Humor der Pferdelords konnte sie nicht viel anfangen. Dafür sah sie rasch, dass ihre Hilfe und ihre Binden hier unten wirklich gebraucht wurden.

Es war erstaunlich, wie viele Querbogenbolzen und Pfeile sie aus den Verwundeten herausschneiden musste. In der anfänglichen Hysterie hatten viele der kampfungewohnten Männer auf alles geschossen, was sich bewegt hatte. Ein verletzter Lanzenkämpfer der Pferdelords biss die Zähne zusammen, als sie einen Pfeil aus seiner Schulter schnitt.

„Das kommt davon, wenn man Städtern anständige Waffen gibt", knurrte der Mann.

Leoryn legte ihm ein Wundpolster und eine Binde an. „Immerhin, Pferdelord, sind die Orks in der Stadt erschlagen worden.", sagte sie mit fester Stimme.

„Bims aber auch.“ Der Pferdelord wies auf einen anderen Mann im grünen Umhang, der tot auf dem Bauch lag und aus dessen Rücken ein Pfeil ragte. „Und das war kein orkisches Geschoss, Hohe Elfenfrau.“

Alles in allem waren sie dennoch glimpflich davongekommen. Man zählte zwölf tote Bestien, hatte selbst aber nur neun Menschen verloren. Inklusive der toten Posten auf der Rundmauer, welche nun wieder besetzt war. Allerdings gab es fast dreißig Schwerverletzte, von denen drei den morgigen Tag vielleicht nicht mehr erleben würden. Beim Kampf in der Nacht waren die Orks in einem Vorteil, den sie zu nutzen wussten.

Die beiden Helfer aus dem Hospital tauchten auf und halfen Leoryn, die Verwundeten zu versorgen. Diese waren überwiegend Stadtbewohner, denn die Pferdelords hatten sich im Kampf als unglaublich zäh erwiesen und halfen sich außerdem meist gegenseitig. Als die elfische Heilerin ihre Arbeit beendet hatte, ging sie erschöpft zum Hospital zurück und ließ sich im Behandlungsraum müde auf einen Schemel sinken. Nogud hatte von dem Kampf im Burginneren kaum etwas bemerkt. Er war vollauf damit beschäftigt gewesen, frisches Moos zu zerreiben und in kleine Schalen mit Wasser zu füllen. Inzwischen war es Mitternacht.

„Barus und den zu Beginn Erkrankten habe ich es schon eingeflößt“, berichtete Nogud. „Wir sollten jetzt zu der Hohen Frau Jasmyn gehen und auch ihr etwas verabreichen. Übrigens, äh, Ihr habt da etwas in Eurem Haar. Seid Ihr etwa verletzt?“

Leoryn, die merkte, dass sie noch immer die Spuren des toten Kämpfers an sich trug, schüttelte langsam den Kopf.

„Äh, nun, Hohe Frau Leoryn, so solltet Ihr nicht vor die Hohe Dame treten“, empfahl Nogud.

Die Heilerin nickte, dann ging sie in einen Nebenraum und

wusch sich. „Kommt, Nogud, lasst uns zu Larwyn und Jasmyn gehen. Danach will ich mich hinlegen und schlafen."

Kaum hatten sie der erkrankten Jasmyn den bitteren Trank eingeflößt, als Leoryn auch schon auf dem Schemel neben ihrem Bett einschlief. Der verdutzte Nogud konnte sie gerade noch vor einem Sturz bewahren, während Larwyn, die Herrin Eternas', die Schlafende nachdenklich ansah. „Bringen wir die Elfenfrau in ihr Gemach, Nogud. Dort kann sie in aller Ruhe schlafen. Für heute hat sie wahrlich genug geleistet."

## 34

Sie hatten sich aus der alten Grenzfestung hinausgeschlichen wie Diebe, und es war Garodem und seinen Männern tatsächlich gelungen, völlig unbemerkt von den Orks zu entkommen, indem sie die Lappen, die Jasmyn hatte fertigen lassen, um die Hufe der Pferde gewickelt und die Tiere an den Zügeln geführt hatten. So waren sie über die alte Straße geschlichen, bemüht, nur ja keinen Lärm zu machen oder Staub aufzuwirbeln, den man im Mondlicht hätte sehen können. Dennoch erschien es Garodem noch immer wie ein Wunder, dass sie unentdeckt geblieben waren und nun Zehnteltag um Zehnteltag durch die Nacht zogen.

Erst kurz vor dem Morgengrauen konnten sie weit hinter sich, dort wo die alte Festung stand, das Gebrüll der orkischen Horde hören. Doch das Angriffsgeschrei der Bestien verwandelte sich rasch in Enttäuschungsrufe, als die Orks keine Menschen mehr in den verfallenen Gemäuern vorfanden.

Lotaras, der Elfenmann, blieb mit Garodem ein Stück hinter den Männern zurück und blickte nach Süden. „Sie haben bis kurz vor dem Morgengrauen gewartet." Der Elf lächelte. „Sie wissen wohl, dass der Schlaf der Menschenwesen dann am tiefsten ist und ihre Wachen müde und unaufmerksam sind. Die Bestien dachten wohl, uns zu überraschen, nun sind sie selbst die Überraschten."

Garodem nickte und fühlte sich trotz seiner Erschöpfung recht zufrieden. Aber der Schlafmangel war nicht länger zu leugnen. „Wir haben fast drei Zehnteltage Vorsprung erzielt. Allerdings werden die Bestien uns nun folgen, und im Gegensatz zu uns sind sie ausgeruht. Sie werden rasch aufholen."

„Dafür haben wir unsere Pferde, mit denen wir weit schneller vorankommen, als die Orks marschieren."

Garodem blickte zu den Bergen, zwischen denen die alte Handelsstraße dahinzog. „Es sind noch einige Zehnteltage bis zum Pass der Hochmark." Der Pferdefürst musterte die lang auseinander gezogene Kolonne seiner dezimierten Männer. „Ich werde den Männern nun eine Rast gönnen. Danach ziehen wir weiter."

„In dieser Zeit wird die Horde aufholen." Lotaras zuckte die Schultern. „Wir Elfen brauchen nicht so viel Schlaf wie ihr Menschenwesen. Also werde ich die Straße im Auge behalten und hier wachen. Ich werde Euch rechtzeitig Nachricht geben, Garodem, Pferdefürst."

Garodem legte dem Elfen dankbar die Hand auf den Arm und führte sein Pferd dann zu der Kolonne zurück, die sich in der Zwischenzeit ein Stück weit von ihnen entfernt hatte. „Wir legen eine Rast von zwei Zehnteltagen ein, Männer", rief er mit erhobener Stimme. „Der Hohe Herr Elf wird wachen, so dass uns die Horde nicht überraschen kann. Und nun ruht euch aus, ihr Männer aus Eternas und Eodan."

Die Männer waren zu erschöpft, um sich noch ein richtiges Lager zu bereiten. Die meisten von ihnen schlangen sich einfach die Zügel ihres Reittieres um eines der Handgelenke und sanken dann neben ihrem Pferd zu Boden, wo sie fast augenblicklich in einen tiefen Erschöpfungsschlaf fielen. Garodems Bannerträger wollte noch die Lanze in den Boden zu rammen, traf aber auf harten Grund. Er war schlichtweg zu müde, um es erneut zu versuchen. Also ließ er sich wie die anderen zu Boden sinken, umklammerte den langen Schaft und nickte augenblicklich ein. Garodem selbst hatte in seiner Jugend oft genug auf hartem Boden genächtigt, und so schlief auch er im Bruchteil weniger Sekunden tief und fest ein.

Er glaubte, sich gerade erst niedergelegt zu haben, als er ein leises Zupfen an seinem Unterarm spürte. Zuerst dachte er, dass sich sein Pferd bewegt hätte, doch dann rüttelte Lotaras ihn stärker an der Schulter, und Garodem richtete sich ächzend auf. Er fühlte sich ausgelaugt und steif, dennoch hatten ihm die wenigen Zehnteltage Schlaf gutgetan. Er sah den Elf fragend an. „Die Horde?"

„Noch einen halben Zehnteltag zurück."

Garodem erhob sich und streckte sich ächzend. Die Sonne war längst aufgegangen; es war bereits schon später Vormittag, und die umstehenden Berge warfen lange Schatten auf die Straße, die zwischen ihnen entlangführte. „Erhebt euch, ihr Männer", rief er. „Versorgt eure Pferde und dann euch selbst. Die Horde ist nur wenig hinter uns, also bewegt euch, ihr Pferdelords der Hochmark und ihr Bogenschützen der Nordmark."

Gehorsam versorgten die Männer zunächst ihre Pferde, wie es sich für gute Pferdelords gehörte. Erst danach stillten sie den eigenen Durst und Hunger. Währenddessen blickte Garodem mit Beomunt und Lotaras auf die Straße nach Süden zurück. „Sie sind nur ein kurzes Stück hinter uns. Aber die Pferde sind ausgeruht, und wir werden gut vorankommen. Der Abstand zwischen ihnen und uns wird sich wieder vergrößern, so dass wir am Pass genügend Zeit haben werden, uns auf sie vorzubereiten. Dort müssen wir uns ihnen stellen."

Lotaras nickte. „Sie sind zahlenmäßig weit überlegen. Wie wollt Ihr standhalten? Ist der Pass befestigt?"

Garodem schüttelte bedauernd den Kopf. „Dafür bestand früher nie ein Erfordernis. Nein, Hoher Herr Lotaras, mein Freund, dort gibt es keine schützende Festung, die den Zugang deckt. Aber der Pass ist lang und an einigen Stellen sehr schmal, seine Felswände sind hoch und nicht zu ersteigen. Und die Horde muss durch den Pass hindurch, wenn sie die Hochmark angreifen will. Sie kann ihn nicht umgehen. Nur ganz oben im Norden gibt es einen weiteren Zugang, aber dazu müsste die Horde erst einmal ins Dünenland oder das Land der Zwerge vordringen, um von dort aus in unsere Mark einfallen zu können. Sie werden also den direkten Weg wählen. Den Pass. Und dort werden wir sie aufhalten."

Der Erste Schwertmann Beomunt und Lotaras kannten die Beschaffenheit des Passes nicht, darum wischte Garodem den Straßenstaub zu seinen Füßen glatt und zog mit dem Finger ein paar Linien. „Der Pass ist insgesamt fast fünfzehn Tausendlängen lang, und an der breitesten Stelle misst er drei Tausendlängen. Aber hier, hier und hier verengt er sich auf eine halbe bis zu einer Hundertlänge. Das sind Stellen, an denen eine Truppe gut in Formation gehen und auch eine Übermacht aufhalten kann."

„Wenn die Übermacht nicht wie eine Woge durch den Pass schwemmt und alles mit sich reißt."

Garodem nickte. „Richtig. Vorne am Zugang ist der Pass rund zwei Hundertlängen breit, hier oberhalb des Zuganges ist das vordere Signalfeuer auf einem kleinen Plateau angebracht. Aber ich will mich der Horde hier stellen. Hier, am hinteren Ende des Passes, wo der Signalturm steht und wo er nur eine Hundertlänge breit ist und seine Seitenwände unpassierbar. Mit Ausnahme dieser einen Stelle: Ein Pfad, der zu dem Plateau führt, auf dem der Turm mit dem Signalfeuer steht. Von diesem Plateau aus haben Bogenschützen ein gutes Schussfeld weit in den Pass hinein."

„Eure Bogenschützen können zehn bis zwölf Pfeile in der

Minute lösen", überlegte Lotaras, für den dies eine eher erbärmliche Leistung darstellte. Doch die Menschen besaßen weder seine Augen noch seine Reflexe. „Unsere elfischen Langbogen tragen gute drei Hundertlängen. Die euren wohl zwei?"

Garodem seufzte. „Ich weiß sehr wohl, worauf Ihr hinauswollt, Lotaras. Wir haben dreißig Bogen. Das ergibt ungefähr 300 Pfeile, die in der Minute abgeschossen werden. Bei zwei Hundertlängen Reichweite. Die Orks werden diese Distanz in vielleicht zwei oder höchstens drei Minuten überwinden. Uns bleiben also an die sechshundert Pfeile, die wir ihnen entgegensetzen können. Von denen aber nicht jeder richtig treffen wird. An dieser Stelle des Passes werden aber zweihundert Rundohren nebeneinander anstürmen können." Garodem seufzte erneut. „Nein, nicht jeder Pfeil wird treffen. Ich weiß, guter Herr Lotaras, sie werden durchbrechen, wenn wir uns nur auf die Bogenschützen verlassen werden. Und darum werden wir Pferdelords ihnen zusätzlich noch am Boden des Passes begegnen. Zu Pferde, wie es sich geziemt, und nötigenfalls auch mit dem Schild in der Hand."

Garodem richtete sich auf, verwischte die Zeichnung am Boden wieder mit seinen Füßen und blickte zu den wartenden Pferdelords und Bogenschützen. Alle Männer waren beritten und würden rasch vorankommen. „Auf die Pferde, ihr Männer", befahl er ihnen und saß dann selbst auf. Gemeinsam mit Lotaras, Beomunt und dem Bannerträger ritt er an die Spitze der kleinen Kolonne und hob die Hand. „Nun eilt, ihr Männer. Dem Pass und der Hochmark entgegen."

Die Männer ritten an, und die ausgeruhten Pferde trugen sie rasch über die alte Handelsstraße ihrem Ziel entgegen. Je näher sie dem Pass kamen, umso mehr fiel die Horde hinter ihnen zurück, doch sie würden die Orks rasch genug wiedersehen.

Die Truppe trabte an der Hauptquelle des Flusses Eisen vorbei, stillte dort kurz den Durst der Pferde und ritt dann weiter. Wenige Tausendlängen hinter den Quellen bogen sie von der alten Straße nach Nordwesten ab, und nun ragte vor ihnen das scheinbar unüberwindbare große Gebirge auf. Wer es nicht besser wusste, vermochte kaum zu ahnen, dass sich hinter ihm fruchtbare Täler befinden sollten. Rasch kam die steile Felswand mit dem Einschnitt des Passes näher.

Vor und im Zugang, wo Tasmunds Männer den Angriff der Horde zurückgeschlagen hatten, lagen die zahlreichen Kadaver erschlagener Orks. Garodem nickte zufrieden, als sie an einer Lanze vorbeiritten, die über einem Haufen verrottender Bestien aufragte und die mit dem Kopf eines Rundohrs geschmückt war.

„Eure Männer haben den Pass, wie es aussieht, gehalten und sich gut geschlagen", stellte Beomunt fest. „Doch nun scheinen sie nicht mehr hier zu sein und den Weg freigegeben zu haben."

Garodem schüttelte den Kopf und wies in die Richtung, in der sie den Pass entlangtrabten. „Sie halten nun das andere Ende des Passes, das auch wir als Stellung nutzen werden."

Die tiefe Schlucht hallte vom Hufschlag der Pferde wider, und nach einer Weile sahen sie den Turm des hinteren Signalfeuers vor sich aufragen und wurden von dort angerufen. Die Freude war auf beiden Seiten groß, als Garodem den Pass noch immer besetzt sah und die dortigen Wachen ihren Pferdefürsten erkannten. Doch es blieb ihnen keine Zeit zu feiern. Garodem wies hinter sich in die Schlucht. „Unter uns folgt eine riesige Horde der Orks. Es mögen an die tausend und mehr ihrer Rundohren und Spitzohren sein", sagte er mit ruhiger Stimme. „Und dies ist die Stelle, an der wir sie aufhalten werden."

Die Männer der Turmwache waren beunruhigt, als sie die große Anzahl der zu erwartenden Feinde erfuhren. Aber sie nickten zu Garodems Worten und waren entschlossen, ihre Heimat zu verteidigen. Der Pferdefürst blickte die Pferdelords der Hochmark an. „Ihr werdet außerhalb des Passes warten und dort rasten, denn ich brauche eure Arme und Pferde ausgeruht und frisch. Ihr Bogenschützen aus der Nordmark, folgt mir zum Turm hinauf."

Mit den Bogenschützen und begleitet von Lotaras und Beomunt lief Garodem nunmehr den schmalen Pfad zum Plateau hinauf, auf dem sich der Turm erhob. Von der großen Horde war noch nichts zu erkennen, und so trat Garodem an den Rand des Plateaus, wo er den anderen seinen Plan unterbreitete.

Nur Zehnteltage später hallte die Schlucht vom Stampfen der Horde wider. Ihr Marschtritt schien die Felsen in Schwingungen zu versetzen. Es begann zu dunkeln, und Garodem hätte sich und seinen Männern gewünscht, dass die Horde früher eingetroffen wäre, denn nun würde die Dunkelheit seine Bogenschützen behindern. Das Stampfen kam näher, begleitet von einem rhythmischen Gebrüll, das die Bestien anzustacheln schien.

Unten im Pass, unterhalb des Turmes und im schwindenden Tageslicht noch gut zu erkennen, lagerte eine kleine Schar von Pferdelords an einer Kochstelle. Die Männer hatten sich erhoben und starrten nun den sich nähernden Orks entgegen.

Lotaras ergriff Garodems Arm. „Ich kann die Vorhut der Horde erkennen. Wohl fünfzig von ihnen. Rundohren und Spitzohren. Ihr hattet Recht, Garodem, Pferdefürst."

Garodem nickte. „Nun kommt es nur noch darauf an, auch in den anderen Punkten Recht zu behalten." Er blickte hinter sich. „Nur die ausgewählten fünf, mehr nicht."

Der Pferdefürst schlug dem Elfen auf die Schultern. „Nun habt Ihr die Befehlsgewalt über die Männer beim Turm, mein elfischer Freund. Mögen Eure Pfeile schnell und tödlich sein. Ich werde nun zu meinen Pferdelords gehen, denn dort ist mein Platz."

Die Vorhut der Orks kam nun um die sanfte Kurve des Passes herum und erblickte die kleine Gruppe der Pferdelords, die dort lagerte. Männer und Orks sahen sich scheinbar gleichermaßen überrascht an. Die Männer in den grünen Umhängen begannen hektisch zu dem Signalturm hinaufzurufen und schwangen sich dann auf die Rücken ihrer Pferde, während oben auf dem Plateau fünf Bogenschützen erschienen, die in den Pass hinunter auf die Orks starrten. Die Gruppe der Orks stieß ein angriffslustiges Brüllen aus, und die fünf Schützen hoch über ihnen legten die ersten Pfeile auf und begannen zu schießen.

Orks brachen zusammen, und einige Spitzohren versuchten ihrerseits, die Männer auf dem Plateau mit ihren Pfeilen zu treffen, waren aber erfolglos. Die Sonne schien den Orks entgegen und blendete sie, während die Bestien für die Pferdelords hingegen noch klar zu erkennen waren. Noch mehr Orks fielen, und die Vorhut schien unschlüssig. Plötzlich brach ein einzelner Pferdelord in ungewohnt prächtiger Rüstung aus einem dunklen Einschnitt hervor und gesellte sich zu der kleinen Schar von Reitern, die noch immer verwirrt am Kochfeuer auf ihren Pferden saßen. Mitgerissen von ihrer Blutgier und Angriffslust stürmten die Rundohren daraufhin vor, nur die Spitzohren zögerten noch. Schon lagen fast zwanzig Orks am Boden, als die Reitergruppe der Menschen die Pferde herumzog und die restliche Vorhut der Horde ein triumphierendes Gebrüll ausstieß. Die Pferdelords flohen, und die Bestien folgten ihnen siegesgewiss über den Grund der Schlucht, zumal hinter ihnen schon der Rest der Horde in der Biegung des Passes auftauchte.

Doch die orkische Vorhut war kaum eine Hundertlänge weiter vorangestürmt, als die fliehenden Pferdelords erneut ihre Pferde wendeten, ihre Schwerter und Äxte zückten, ihre Lanzen vorreckten und mit nur wenigen Sätzen inmitten der verwirrten Vorhut waren. Nur einer der Reiter wurde verwundet, doch er blieb im Sattel, und seine Kameraden stützten ihn. Die vorderen Reihen der Horde konnten jedoch nur zusehen, wie ihre Vorhut in Sekunden niedergemacht wurde.

In spöttischem Salut hielt Garodem sein von Orkblut triefendes Schwert der Horde entgegen und zog sein Pferd abermals herum. Als er mit seinen wenigen Männern zum Ausgang des Passes ritt, gab es für die Horde kein Halten mehr. Die Schlucht hallte von ihrem Gebrüll wider, und sie stürmte vor. Ork neben Ork. Reihe um Reihe. Sie füllten die ganze Breite der Schlucht, und ihr Strom schien kein Ende zu nehmen.

Oben am Turm nickte Lotaras zufrieden. „Sehr gut. Jetzt gibt es keine Vorhut mehr, die sie warnen kann." Der Elf gab den anderen einen Wink, und dreißig Schützen traten an den Rand des Plateaus. Gemeinsam mit dem Elf begannen sie zu schießen, und ein regelmäßiger Pfeilhagel ging auf die Horde. Deren anfängliches Siegesgebrüll mischte sich nun zunehmend mit den Schmerzensschreien der getroffenen Bestien, aber nach wie vor stürmte die Horde voran, und einer ihrer Anführer wies auf den Einschnitt in der Felswand, der auf den Pfad zum Turm führte. Weitere Rundohren und Spitzohren stürzten zu Boden, stolperten über die Körper der Getroffenen, aber die Horde drang vor und hatte den Einschnitt schon fast erreicht.

Da war das Donnern von Hufen zu hören. Pferde preschten in die Schlucht, und die vorderen Reihen der Horde fällten ihre Spieße, waren aber verunsichert, als sie auf den Pferden keine

Reiter erkennen konnten. Was hatte dies zu bedeuten? Konnten die Pferde der Pferdelords denn auch ohne ihre Reiter angreifen? Unablässig regneten währenddessen weiterhin Pfeile vom Himmel, bis ihre Zahl schließlich abnahm und stattdessen Bündel brennender Äste über den Rand des Plateaus in die Horde hineinflogen. Weitere Bündel, die zuvor mit brennenden Fetten getränkt worden waren, folgten und versprühten Funken. Wieder setzte verstärkter Pfeilbeschuss ein. Orks stürzten getroffen zu Boden, andere brannten, vom Feuer der brennenden Bündel erfasst, lichterloh. Die brennenden Bündel trennten einen Teil der Horde von den nachfolgenden Kohorten. Aufgeschreckte Pferde in den vorderen Reihen sorgten für Verwirrung, und die Orks begannen die Tiere abzuschlachten. Die Pferde keilten aus und bissen um sich, wieherten in ihrem Schmerz und ihrer Angst. Jegliche Ordnung in den vorderen Reihen der Horde war verloren.

Von einem Moment auf den anderen starrten die Orks nun verwirrt auf Pferde, die plötzlich Reiter trugen. Auf Männer mit Schwertern und Äxten, die bluttriefend hackten, und auf Lanzen, die sich durch die schweren Rüstungen der Rundohren in deren Leiber bohrten. Noch immer zischten Pfeile von oben, doch nun zielten sie auf die nachdrängenden Glieder der Horde, deren hintere Reihen nicht sehen konnten, was vor ihnen geschah. Sättel leerten sich, wenn Pferdelords stürzten oder von ihren Pferden aus der Schlacht gezogen wurden, aber Garodems Männer teilten blutig aus, und nichts schien sie bezwingen zu können. Die vorderen Reihen der Orks lösten sich bereits auf, und die Pferde fanden kaum noch Raum, um ihre Hufe zwischen die blutigen Leiber zu setzen. Die mittleren Reihen der Horde wollten vor den Pfeilen, den flammenden Bündeln und den unbezwingbaren Reitern zurückweichen, prallten aber mit den nachrückenden Gliedern zusammen. Da ertönte vom Ende des Passes Hörnerklang, der das Eintreffen weiterer Pferdelords anzukündigen schien.

Die Horde hatte genug, und ihre Reihen begannen endgültig zu zerfallen, als sich immer mehr Orks zur Flucht wandten. Es gab kleinere Gruppen, die in ihrem Blutrausch standhalten wollten und sich den Pfeilen und Garodems Männern entgegenstemmten, von diesen aber niedergemetzelt wurden. Doch die meisten Orks wandten sich einfach ab, brachen gegen die hinteren Ränge, um sich in Sicherheit zu bringen, und bewegten diese dadurch ebenfalls zur Flucht.

Garodem musste sich beherrschen, um die fliehenden Bestien nicht im eigenen Siegesrausch zu verfolgen, er hielt sich jedoch zurück und blickte sich nach seinem Bannerträger um, den er aber nirgendwo erblicken konnte. So reckte er seine von Orkblut triefende Klinge senkrecht nach oben, und das Blut lief ihm über Hand und Arm, während er sich nach seinen Männern umsah. „Sammelt euch an meinem Schwert, ihr Pferdelords. Sammelt euch an meinem Schwert."

Sie kamen zu ihm. Einzeln und in kleinen Gruppen. Alle erschöpft, blutig und verwundet, aber siegreich. Beomunt taumelte ein wenig im Sattel, doch er ritt zu einer Gruppe gefallener Orks, wo er sich im Sattel bückte und nach etwas griff. Einige der Leiber bewegten sich noch, man hörte ein leises Schmatzen, und plötzlich tauchte die Lanze mit dem Banner der Hochmark auf. Es war genauso blutig und zerfetzt wie die Männer, die für Garodem und sein Banner gekämpft hatten.

Beomunt nahm die Lanze auf und ritt damit zu Garodem. „Wenn Ihr gestattet, werde ich es eine Weile halten, Garodem, Pferdefürst der Hochmark. Ich fürchte, Euch gehen langsam die Bannerträger aus."

Da meldete sich einer der Axtträger zu Wort. „Solange ein Reiter der Hochmark noch im Sattel ist, wird das Banner auch von einem Pferdelord der Hochmark geführt werden“, knurrte der Mann.

Beomunt grinste mit blutverschmiertem Gesicht und reichte dem Pferdelord die Lanze. „Wohl gesprochen, mein axtschwingender Freund.“ Der Schwertmann vom Hof des Pferdekönigs sah sich seufzend um. „Doch viele Reiter der Hochmark werden es wohl nicht mehr führen können.“ Beomunt sah Garodem ernst an. „Aber ich schwöre bei den Ahnen, dass ich noch nie zuvor einen solch tapferen Kampf gesehen habe.“

Von Garodems Pferdelords saßen tatsächlich nur noch zehn in ihren Sätteln, und selbst von diesen hatten einige Mühe, sich auf den Pferderücken zu halten. Der Pass war übersät mit den Leibern getöteter Orks, deren Zahl nur schwer zu schätzen war. Doch Garodem war sich sicher, dass hier mindestens vierhundert erschlagene Rundohren und Spitzohren den Boden mit ihrem dunklen Blut tränkten. Ja, Lotaras und die Bogenschützen aus Eodan hatten blutige Ernte gehalten, doch der Sieg gebührte unbestritten den Pferdelords Garodems, die den Tod in die Horde hineingetragen hatten.

„Wir haben sie geschlagen“, seufzte Garodem mit einem Gefühl der Erleichterung. „Sie mögen sich sammeln und es erneut versuchen, doch bis sie dies vermögen, werden wir neue Männer aus Eternas am Pass haben und die Horde ein zweites Mal schlagen.“

In diesem Moment erschien Lotaras oben auf dem Plateau und legte die Hände vor den Mund, um sich besser verständlich zu machen. Garodem konnte seine Worte zunächst nicht verstehen und ritt deshalb näher. Lotaras deutete die Schlucht entlang und in die Richtung, in die die Horde geflohen war. Endlich verstand Garodem den Elfenmann, und sein Gesicht wurde bleich und schien zu verfallen.

„Eine weitere Horde am Eingang der Schlucht", schrie Lotaras. „Noch stärker als die erste Horde. Es scheint eine ganze Legion zu sein, und sie sind dabei, sich zu vereinigen."

Eine weitere Horde. Noch stärker. Eine Legion von zweitausend Kämpfern.

Garodem sah Beomunt und seine Männer betroffen an. „Wir können sie nicht aufhalten", murmelte er fassungslos. „Wir können den Pass nicht mehr halten."

Die Orks hatten also ihr Ziel erreicht, denn auch wenn sie jetzt noch am anderen Ende des Passes standen und sich dort neu formierten, hatten sie den Pass faktisch bereits eingenommen. Der Weg für den Feind war frei. Der Weg nach Eternas war somit offen.

Garodem straffte sich im Sattel. „So lasst uns nach Eternas reiten. Mögen wir den Bestien dort begegnen." Er blickte zum Plateau hinauf. „Entzündet das Feuer, Lotaras. Eternas muss wissen, dass der Feind nun vor seinen Toren steht."

Die Schatten der Dämmerung begannen die Toten in der Schlucht zu bedecken und entzogen sie zunehmend den Blicken der Lebenden. Garodems Männer nahmen die wenigen Verwundeten auf, die noch zu finden waren, und vereinigten sich danach mit Lotaras und den Bogenschützen, während hoch über ihnen die Flammen aus dem Signalfeuer schlugen und in den dunkler werdenden Himmel aufstiegen.

Garodem und seine Männer verließen den Pass, und obwohl sie siegreich gekämpft hatten, waren sie doch geschlagen worden, denn die Horde würde ihnen nun folgen. Hinein in die ungeschützte Hochmark und bis nach Eternas.

# 35

Bluthand biss zufrieden in die Schafskeule, und frisches Blut sickerte seine Fänge herunter, lief über sein massiges Kinn und tropfte von dort aus auf seine lederne Rüstung. Er verzog das Gesicht und spuckte einen Knäuel Wolle aus. Bald würde die Zeit vorbei sein, in der er und seine kleine Horde auf ein Feuer hatten verzichten müssen. Er schätzte eine Schafskeule nur dann, wenn sie scharf gebraten war. Gleiches galt auch für den gut zubereiteten Schenkel eines Mannes oder gar den Gesäßmuskel – obwohl Letzterer auch in rohem Zustand äußerst schmackhaft war. Bluthand grunzte. Schaffleisch. Das war keinesfalls die richtige Ernährung für ein Rundohr. Für eines dieser Spitzohren mochte das wohl reichen, doch sogar diese kleinen Maden mäkelten ständig wegen des Schaffleisches. Bald würde er auch wieder seine volle Rüstung tragen können und dieses nutzlose Lederzeug, das zwar keinen Lärm machte, aber auch keinen wirklichen Schutz bot, endgültig ablegen können.

Langsam zog die Abenddämmerung heran, und lange Schatten fielen über die Landschaft. Bluthand biss erneut in die Keule, bevor er sie schließlich mit einem letzten, verächtlichen Grunzen einem der Spitzohren zuwarf, das sich sofort mit gierigem Gesichtsausdruck über sie hermachte. Bluthand trat ein paar Schritte vor und konnte nun über den Rand des kleinen Bergzuges in das Tal von Eternas hinabsehen. Er erkannte die Stadt und die Burg und die ganze Hektik, mit der sich die Menschen dort unten bewegten. Vor wenigen Zehnteltagen war eine kleine Menschentruppe von Pferdelords und Bogenschützen in die Stadt gekommen, und sie hatten ein rechteckiges grünes Banner mit sich geführt. Bluthand wusste, dass es das Banner des Anführers der Menschenhorde war.

„Wann werden wir uns wieder etwas Ordentliches zu fressen holen?"

Bluthand sah zur Seite und erkannte neben sich das kräftige Rundohr, das sein Stellvertreter geworden war. Er schüttelte den Kopf. „In dieser Nacht nicht. Sie werden auf den Mauern nun besser Acht geben, und es wird nicht mehr so leicht sein, einen der ihren zu fassen. Zudem ist unsere Gruppe beim letzten Überfall auf die Menschenfestung viel zu stark reduziert worden."

„Dafür brauchen wir auch nicht mehr so viel zum Fressen", sagte das Rundohr pragmatisch. „Wir könnten uns ein paar Menschenwesen aus der Stadt holen." Das starke Rundohr leckte sich die rissig gewordenen Lippen. „Sie wird kaum bewacht, und es wird uns leichtfallen, in sie einzudringen."

Bluthand ließ ein abwehrendes Knurren hören. „Täusche dich nicht. Nachts trauen sich die Menschen kaum noch aus ihren Häusern. Ihre Wachen sind zwar nur wenige, aber sie vereinigen sich rasch. Denk an Rotbeule, der vor ein paar Tagen in ihre Stadt ging."

„Rotbeule." Das Rundohr spie aus. „Er war krank und wusste nicht mehr, was er tat. Ging am hellen Tage und alleine in die Stadt!"

Bluthand knurrte. „Er wusste genau, was er tat, denn ich habe es ihm befohlen, du Made. Es gehörte zum Plan. Das weißt du genau, schließlich habe ich alles mit euch besprochen."

„Der Plan. Der Plan." Das Rundohr spuckte erneut aus. „Immer der Plan. Das alles dauert viel zu lange. Sieh dir doch die Menschenwesen und ihre Festung an. Sie sind schwach, und ihre Festung ist es auch. Ein starker Ansturm, und alles wird zerfallen."

„Wir halten uns an den Plan", fauchte Bluthand und stieß ein tiefes Grollen aus, das den anderen Ork zur Vorsicht gemahnte. „Oder willst du etwa vor Blauauge treten und ihm sagen, was du von dem Plan hältst? Seit vielen Jahren gibt es den großen Plan. Der Dunkle hat ihn ersonnen, und wir werden ihm folgen, du Made."

„Damals wussten wir noch nicht, wie schwach die Menschenwesen sind", knurrte das Rundohr protestierend.

„Zwei Kohorten haben sie erschlagen." Rundohr blickte zu der kleinen Gruppe seines Trupps zurück, wo sich gerade mehrere Rundohren und Spitzohren zu streiten begannen. „Haltet eure Gebisse im Zaum, ihr Maden", brüllte er sie an. „Oder ihr werdet meine Fänge zu spüren bekommen." Die Orks fuhren auseinander, und nur zwei der Rundohren fletschten einen Moment lang noch ihre Fänge, senkten dann aber demutsvoll die Köpfe, als Bluthand sich aufrichtete. Er blickte drohend und wandte sich dann wieder seinem Gesprächspartner zu. Doch bevor er fortfahren konnte, hörte er ein kaum vermerkliches Stampfen. Bluthand blickte hinter sich und grunzte zufrieden. „Du wirst Blauauge deine Meinung gleich persönlich unterbreiten können."

Aus dem Tal, das zum Pass der Hochmark führte, schob sich nun eine lange Kolonne marschierender Orks hervor. Ihre dunklen Banner wehten über ihren Köpfen, und alle ihre Reihen trugen die volle Rüstung und waren bestens bewaffnet. Bluthand erhob sich und sah, wie sich eine kleine Gruppe Rundohren aus der Formation herauslöste, die mit einer einzigen Bewegung stillstand. Bluthand grunzte zustimmend. Das war keine Horde einfacher Schläger wie die, mit der er selbst sich begnügen musste. Das war eine gut ausgerüstete und ausgebildete Legion, die den Feind umgehend stellen und vernichten würde. Er sah der kleinen Gruppe von Rundohren entgegen, die nun auf sie zukam und aus deren Mitte ein Ork aufragte, der in mehrfacher Hinsicht ungewöhnlich war: Blauauge.

Blauauge war das größte und stärkste Rundohr, das Bluthand und die anderen Orks je zu Gesicht bekommen hatten. Aber er war nicht nur ungewöhnlich stark, sondern auch ungewöhnlich schlau. Das hatte auch die Dunkle Macht erkannt und Blauauge darum zu einem Führer ihrer Horden gemacht. Bluthand verspürte wieder jene ungewohnte Furcht, die ihn jedes Mal packte, wenn er Blauauge erblickte. Vor allem, wenn er dem Anführer der Horden von Angesicht zu Angesicht gegenüberstand, denn dann wurde eine weitere Besonderheit Blauauges augenfällig. Alle Orks besaßen leicht rötliche Augen, die ihnen die Fähigkeit verliehen, so gut im Dunkeln zu sehen. Blauauge aber war mit einem roten und einem blauen Auge aus dem Schleim gekrochen. Von Anbeginn an hatte das blaue Auge ihm Spott eingetragen, doch der riesige Ork hatte die Spötter mit brutaler Gewalt und Rücksichtslosigkeit zum Schweigen gebracht. Und nachdem er das dunkle Blut all seiner Kritiker vergossen hatte, hatten die anderen Orks seine Stärke anerkannt. Außerdem hatte sich schon in den ersten Kämpfen gegen die Menschenwesen gezeigt, dass Blauauge kein dummer Schläger war, sondern seine Rundohren und Spitzohren schlau einzusetzen wusste.

Die Rüstungsteile Blauauges klirrten leise, als der riesige Ork vor Bluthand trat und dieser demütig den Kopf senkte und dem Legionsführer seinen bloßen Nacken anbot.

„Berichte“, knurrte Blauauge. „Und verschweige mir nichts, du Made, denn ich weiß bereits von deinem Versagen. Du wurdest zu früh entdeckt."

Bluthand senkte den Kopf noch etwas tiefer. „Es war ein hungriges Spitzohr, das dies verursachte. Der Hunger trieb es dazu an."

Blauauge stieß ein leises Grollen aus. „Sie haben immer Hunger. Das hättest du wissen müssen. Du hättest das Spitzohr besser schlachten und verfüttern sollen."

Der riesige Ork trug nicht die gewöhnliche dunkle Rüstung der Horden, mit all ihren zahlreichen scharfen Spitzen und Kanten, sondern hatte den Harnisch eines menschlichen Anführers flach gehämmert und ihn dann vorne auf seinen eigenen Brustschild aufgenietet. Blauauge pflegte den erbeuteten Brustpanzer sorgfältig, und so schimmerte die Rüstung des Orkanführers an der Brust stets ungewöhnlich hell. Der Brustpanzer war ursprünglich von silberner Farbe gewesen und zeigte das Symbol eines Baumes. Doch Blauauge hatte ihn zudem mit dem Abdruck seiner riesigen Hand verschönert, die er zuvor in menschliches Blut getaucht hatte. Der rote Handabdruck verblasste rasch, vor allem, wenn es regnete, und so achtete Blauauge stets darauf, das alte Blut immer möglichst schnell durch neues Menschenblut ersetzen zu können. Auch jetzt schimmerte das Rot noch recht frisch, und Bluthand wusste, dass der Anführer es sich nicht hatte nehmen lassen, kurz zuvor persönlich zu töten.

Blauauge trat weiter vor, so dass er das ganze Tal von Eternas überblicken konnte und auch seine riesige Gestalt von dort unten aus gut zu sehen war.

„Eine erbärmliche Festung", knurrte Blauauge und musterte die Anlage der Burg Eternas. „Sie ist klein, und sie hat schwache Mauern." Er sah Bluthand an, der neben ihn trat. „Und sie verfügen vielleicht gerade einmal über eine Kohorte, nicht wahr?"

„Und sie sind von Furcht gepeinigt", sagte Bluthand rasch. „Ich habe den Plan ausgeführt und Rotbeule vor einigen Tagen in die Stadt geschickt. Die Flecken haben die Menschen mit Angst erfüllt."

„Gut, gut, so sollte es sein." Blauauge lachte auf. „Meine Horde nahm den Pass", sagte er, aber die Stimme klang unzufrieden. „Aber ich verlor dort in den letzten Tagen vier Kohorten. Die Pferdelords dieser Hochmark kämpfen besser, als ich vermutet habe. Ich werde die sechs Kohorten, die ich nun bei mir habe, noch nicht zum Sturm auf die Festung der Menschen schicken."

Was sollte Bluthand darauf sagen? Wenn er zustimmte, so mochte Blauauge glauben, dass er ihm nicht zutraute, die Festung zu erstürmen. Drängte Bluthand hingegen zum Sturm, würde der Anführer ihn vielleicht für dumm halten. Beide Antworten konnten den Zorn des riesigen Rundohrs hervorrufen. Also schwieg Bluthand. „Eine weitere Legion marschiert nun durch den Pass", sagte Blauauge und schien in Gedanken versunken. „Dann habe ich sechzehn Kohorten zur Verfügung." Blauauge lachte dröhnend. „Sie werden sich beim Sturm auf die Festung beeilen müssen, wenn ein jeder noch einen rechten Bissen für sich ergattern will."

Bluthand nickte zustimmend, als Blauauge ihn ansah und dabei die Fänge seines Gebisses bleckte. „Dennoch will ich die Verluste gering halten, auch wenn ihr Maden kaum von Wert seid. Deshalb soll der Diener des Dunklen in der Stadt seinen Teil dazu beitragen. Wissen die Menschenwesen von ihm?"

„Nein", versicherte Bluthand hastig. „Sie haben keine Ahnung, dass die Dunkle Macht längst unter ihnen ist."

„Gut, sehr gut." Blauauge blickte auf die wartenden Kohorten hinter ihnen. „Wir werden nun lagern. In dieser Nacht wirst du einen Stoßtrupp führen, Bluthand, und du wirst die Menschenwesen aufscheuchen und weitere Furcht in ihre Herzen senken. Außerdem wirst du Kontakt zum Diener des Dunklen aufnehmen und ihm eine Botschaft überbringen."

Bluthand zog seine Lefzen hoch. Eine ordentliche Metzelei gefiel ihm durchaus, aber Blauauges Befehl bedeutete auch, dass er sich durch die Linien der Menschenwesen hindurchschleichen musste, und das gefiel ihm weit weniger. Blauauge sah auf ihn herunter, und Bluthand verbarg seine Fänge und nickte. Blauauge grunzte befriedigt. „Gut, das ist dann also geklärt."

Der Anführer der Orks sah in das Tal Eternas, wo sich die Menschen nun in ihre Häuser begaben und die berittenen Patrouillen der Pferdelords von den Hängen hinab ins Tal ritten, um sich zu vereinigen. „Nein", knurrte Blauauge, „sie mögen das Dunkel nicht." Er lachte dröhnend. „Zwei Tage. Zwei Tage noch, und die Hochmark der Pferdelords wird Geschichte sein."

## 36

Wie steht es, ihr Hohen Heiler?“ Scharführer Kormund war noch immer schwach, doch Nogud und Leoryn waren sehr zufrieden mit ihm, denn die Brustwunde des Scharführers begann sich zu schließen, wenn ihm auch das Atmen noch immer Schmerzen bereitete.

„Ihr habt ungeheures Glück gehabt, guter Herr Kormund“, merkte Nogud sachlich an. Vorsichtig nahm er frisches Moos aus einer Schale und gab einen Striemen davon in die Wunde. Die Elfenfrau sah zu, überließ es aber dem menschlichen Heiler, den Verletzten zu versorgen. Nogud war ein fähiger Heiler, und die Elfenfrau empfand Freude dabei, ihr Wissen mit ihm zu teilen. Während Nogud zunächst eine Kompresse auflegte und dann damit begann, eine stabilisierende Binde darüberzulegen, sprach der Heiler weiter. „Die Wunde ist sauber, und an ihrem Grund hat sich schon neues Gewebe gebildet. Sie heilt von innen nach außen, weshalb es auch noch eine Weile dauern wird. Wahrscheinlich werdet Ihr auch später noch Schmerzen in der Brust haben, denn das Gewebe wird vernarben und Euch das Gefühl geben, als ob ein Fremdkörper in Euch stecke.“

„Werde ich wieder ein Schwert führen können?“ Kormund zuckte zusammen, als Nogud die Binde etwas straffer zog und verknotete.

„Ich weiß es nicht, Scharführer. Doch geht in jedem Fall einmal davon aus, dass es Euch Schmerzen bereiten wird.“

Kormund stieß einen knurrenden Laut aus. „Mit Schmerzen kann ich leben. Jedoch nicht ohne mein Schwert. Ein Scharführer der Pferdelords braucht sein Schwert.“

Nogud zuckte mit den Schultern. „Ich habe gehört, dass Ihr ein guter Scharführer seid, Kormund. Vielleicht ist es da ja gar nicht so wichtig, persönlich das Schwert zu schwingen, oder?"

„Soll ich etwa mit einem Stock nach dem Feind schlagen?" Kormund lachte auf und zuckte sofort ein zweites Mal schmerzerfüllt zusammen.

„Warum nicht? Barus, der Nagerjäger, hat dies gern getan und großen Erfolg damit gehabt." Nogud packte die übrigen Utensilien in seine Tasche zurück und winkte eine Magd herbei, die die alten Binden in die Wäscherei bringen würde.

„Barus, ja." Kormund nickte langsam. „Das ist wohl wahr. Wie geht es ihm?"

„Unverändert. Aber vielleicht ist dies ja auch ein gutes Zeichen. Zumindest ist das Fieber ein wenig gesunken, aber er ist noch immer entsetzlich schwach und kann nicht viel sprechen. Auch bei den anderen verschlimmert sich die Krankheit nicht mehr. Ob sie jedoch überwunden ist, wer kann das schon sagen? Jedenfalls sind jetzt ständig Sammlerinnen unterwegs, die frisches Moos besorgen und zu einem heilenden Trunk verarbeiten."

Kormund blickte unwillkürlich auf den Becher, der neben seiner Schlafstätte stand und der noch immer halb voll mit einer Mischung aus Wasser und heilendem Moos gefüllt war. Es schmeckte scheußlich. Er blickte sehnsüchtig auf sein Schwert, das über dem Brennsteinkamin seines Wohnraums an der Wand hing. Auf einmal hielt es der Scharführer nicht mehr länger im Bett aus. Seit zwei Tagen schlich er nun bereits schmerzverkrümmt durch seine Unterkunft und pendelte zwischen seiner Bettstatt und seinem Schemel hin und her. Zumindest um ein paar organisatorische Dinge würde er sich schon wieder kümmern können. Zwar standen dem Pferdefürsten neben Beomunt und Tasmund noch zwei weitere Scharführer zur Seite, doch Kormund wollte nicht mehr weiter ausgeschlossen sein. Nicht, wenn die Gefahr so groß war. Garodem hatte von der großen Horde berichtet, die nun über den verloren gegangenen Pass in die Hochmark strömte und danach gierte, menschliches Blut zu vergießen.

Alle waren froh gewesen, als das Banner der Mark mit Garodem nach Eternas zurückgekehrt war, doch die Kunde, die er brachte, hatte die Hoffnung der Menschen schwinden lassen. Garodem hatte rasch veranlasst, dass die Arbeiten an den neuen Häusern eingestellt wurden, und hatte außerdem alle Knaben und Männer zusammengerufen, die nun im Gebrauch der Waffen unterwiesen wurden. Tagsüber übten diese nun auf dem großen Feld neben der Burg.

Garodem saß mit sorgenvollem Gesicht an seinem Schreibtisch und tauchte seine Feder in den Tiegel mit Schreibtusche. Während er schrieb, musterten die Scharführer und Lotaras, der Elf, die große Karte an der Wand des Arbeitsraumes. Schließlich setzte Garodem sein Zeichen auf das Pergament und schwenkte es danach durch die Luft, um die Tusche schnell zu trocknen.

„Rüstungen, die zu groß sind, Waffen, die zu schwer sind, und Arme, die zu schwach für beides sind“, seufzte er und blickte die Anwesenden an. Sein Blick fiel auf Tasmund, seinen Ersten Schwertmann. „Was meint Ihr, Hoher Herr Tasmund?“

Tasmund widmete sich der Ausbildung der neu Eingezogenen und ließ nun ein leises Schnauben hören. „Sie sind guten Willens, mein Hoher Lord. Aber sie sind Bauern und keine Kämpfer, und schon gar keine Pferdelords.“

„Sie *waren* Bauern, aber jetzt sind sie Kämpfer und Pferdelords“, erwiderte Garodem leise. „Auch wenn sie später wieder zu Bauern werden, nachdem wir die Orks geschlagen haben.“

„In der Kürze der Zeit werdet Ihr keine Pferdelords aus alten Männern und Knaben machen können", warf Beomunt ein. „Sie werden der Horde nicht widerstehen können."

„Sie müssen der Horde widerstehen." Garodem schlug mit der flachen Hand auf den Tisch. „Die Mauern Eternas' mögen zwar nicht besonders hoch sein, aber sie stehen fest. Und wir haben die Horde schon mehrmals geschlagen, Beomunt. Denkt an die Nordmark, den Weg nach Hammerturm und den Pass. Ihr wisst selbst, dass wir sie schlagen können."

„Ja, mit ausgebildeten Pferdelords und den Bogenschützen Eodans", stimmte Beomunt zu. „Nun stehen Euch jedoch weit mehr junge Knaben und alte Männer als kampffähige Pferdelords zur Verfügung. Und die Horde ihrerseits ist größer als jemals zuvor. Sehr viel größer sogar."

„Sie werden kämpfen", wandte Tasmund ein. Er trat an eines der Fenster und blickte auf das Feld hinab, auf dem die Stadtbewohner übten.

Es war nicht so, dass die Stadtbewohner sich keine Mühe gaben oder gar unwillig waren. Aber ein Pferdelord brauchte schnelle Reflexe, ein gutes Auge und eine sichere Hand. Mochten die Eingezogenen auch stark und willig sein und ihre Hände die Werkzeuge sicher führen, der Instinkt eines Kämpfers fehlte vielen von ihnen. Und so gaben sich die ausbildenden Pferdelords vor allem Mühe, fehlenden Instinkt durch eifrigen Drill zu ersetzen.

„Sie werden kämpfen", wiederholte Tasmund. „Sie werden hilfreich im Kampf sein und die Pferdelords unterstützen. An Stärke mag es ihnen mangeln, nicht jedoch am Mut."

Garodem blickte den Elfen an. „Was sagt Eure Schwester Leoryn, mein Hoher Herr Elf? Sind noch mehr Menschen an den roten Flecken erkrankt?"

Lotaras blickte von der Karte auf schüttelte den Kopf. „Nein. Ich glaube, die Heiler haben die Ursache der Krankheit gefunden und beseitigt. Aber es liegen noch über achtzig Männer und Frauen im Hospital. Die meisten der Kranken sind Männer und die meisten von diesen wiederum ausgebildete Kämpfer."

„Was uns weiter schwächt", knurrte Beomunt.

Garodem erhob sich hinter seinem Schreibtisch. „Wir müssen mit dem kämpfen, was wir haben. Ihr alle wisst, dass man vor einer Horde nicht einfach kapitulieren kann. Es gibt nur den Sieg oder den Tod. So müssen wir alles daran setzen, dass es nicht die Hochmark ist, die stirbt, sondern die Legion der Orks."

„Die Bogenschützen sind recht gut", wandte Lotaras ein. „Jedenfalls für menschliche Schützen", schränkte er lächelnd ein. „Und hinter den Mauern der Feste werden sie einen guten Stand haben. Doch die Stadt selbst ist nicht befestigt. Ihr werdet sie aufgeben müssen, sobald die Horde sie erreicht."

Beomunt zeigte auf den Burghof hinunter. „Hunderte von Menschen in der Burg? Dann wird sich kein Mann mehr bewegen können, um sein Schwert zu schwingen."

Garodem blickte den Schwertmann vom Hof des Pferdekönigs unwillig an. „Wir haben ausgedehnte Gewölbe unter der Burg angelegt, die viele Menschen aufnehmen können. Ihr sprecht, als wolltet Ihr uns allen Mut nehmen, Beomunt. Hat er Euch denn vielleicht schon verlassen?"

Der Schwertmann errötete. „Wollt Ihr mich fordern, Garodem?", fragte er.

Zum ersten Mal schien sich ein ernsthafter Streit anzubahnen, weshalb Tasmund schnell vortrat und beschwichtigend die Hand hob. „Keinem von uns oder den Menschen aus Eternas oder Eodan fehlt es an Mut, ihr Herren. Es geht nur darum, abzuwägen, wie wir uns der Horde am besten erwehren können.

Die Burg mag für zweihundertfünfzig Menschen gut sein, doch die tausend, die hinzukommen, wenn die Stadt geräumt wird, werden ein Problem. Sie brauchen Raum und Verpflegung. Und Wasser, ihr Herren."

„Die Brunnen sind tief und reich", knurrte Garodem. Er sah Beomunt grimmig an und trat dann wieder an seinen Schreibtisch. „Das Gewölbe verfügt ebenfalls über eine Quelle. Und die Waffenkammer ist wohlgefüllt."

Lotaras räusperte sich. „Es könnte nicht schaden, noch weitere Pfeile herzustellen, Garodem, Pferdefürst. Ihr wisst, wie rasch die Schützen sie verbrauchen. Und wenn wir sie aufs Feld hinausschießen, können wir sie schwerlich hinterher wieder aufsammeln und erneut verwenden."

Beomunt wandte sich dem Elfen zu. „Ich lasse schon seit einer Weile Holz schlagen. Außerdem werden Unmengen von Kratzfüßlern für die Befiederung der Pfeile gerupft. Schmiede und Handwerker arbeiten in höchster Eile. Es wird nicht an Waffen mangeln, Lotaras." Beomunt blickte Garodem herausfordernd an. „Nicht an Waffen, aber an Männern, welche sie benutzen können."

Garodem schaute ihn finster an. „Es braucht wenigstens sechzehn Jahre, um aus einem Säugling einen Pferdelord zu machen. Die Orks dagegen schlüpfen in nur wenigen Wochen aus ihren Schleimbeuteln. Dann sind sie bereits ausgewachsen und brauchen nur noch ihre Waffen und eine Unterweisung in deren Handhabung. Ihre Horden wachsen schnell und stark. Aber trotz allem haben wir sie schon geschlagen und werden sie erneut schlagen."

Beomunt machte eine besänftigende Geste. „Seid ohne Zweifel, Garodem, Pferdefürst, dass ich meinen Teil dazu beitragen werde."

„Das weiß ich, Beomunt", brummte der Pferdefürst und machte eine versöhnliche Geste in die versammelte Runde. „Wetzen wir uns nicht aneinander, sondern lieber am Feind. Lasst uns also beratschlagen, was noch zu tun ist."

„Viel mag es nicht mehr sein", sagte Tasmund. „In den letzten Tagen wurde bereits das meiste vollbracht. Doch wenn Ihr gestattet, so werde ich mich jetzt wieder den Einberufenen widmen und sie weiter unterweisen."

„Tut das, mein Freund", stimmte Garodem zu.

Auch Beomunt trat vor. „Ich werde noch einmal meine Runde machen, Garodem, Pferdefürst. Es mag sein, dass mir dabei noch etwas einfällt, was hilfreich sein könnte."

Garodem runzelte die Brauen und sah Lotaras an. „Und Ihr, mein elfischer Freund? Ihr werdet sicher noch ein wenig mit den Bogenschützen üben wollen, nicht wahr?"

Was hätte es auch noch weiter zu besprechen gegeben?

Als alle gegangen waren, wurde hinter ihm die Tür zu seinen Privatgemächern geöffnet, und Larwyn trat ein. Sie spürte seine Sorgen und lächelte. „Sie bevorzugen es, sich zu beschäftigen, mein Gemahl. Das Warten auf die Orks zehrt manchem an den Nerven."

Garodem konnte das gut verstehen. Schließlich warteten sie alle darauf, dass die Orks endlich angreifen würden. Was möglich war, um sich gegen die Horde vorzubereiten, war längst geschehen. Auch der Plan zur Verteidigung der Burg stand fest. Aber Garodem wusste aus der Erfahrung nur zu gut, wie schnell ein Plan zerfallen konnte, wenn der Feind sich nicht dementsprechend verhielt.

Er legte seinen Arm zärtlich um ihre Schultern. „Wie geht es unserem Gast, der Hohen Frau Jasmyn? Befindet sie sich ebenfalls auf dem Weg der Besserung?"

„Sie ist noch schwach, mein Gemahl, aber sie ist auf dem Weg der Genesung." Larwyn blickte über das große Tal hinweg. „Wir werden standhalten, nicht wahr?"

Garodem drückte ihre Hand. „Ja, wir werden standhalten."

Er sah hinunter in den Hof, wo Beomunt und Tasmund gerade den inneren Burghof betraten und Guntram, der alte Schmied, zu ihnen trat und sich seine Hände an der ledernen Schürze abwischte.

„Auf ein Wort, ihr Herren." Guntram sah die beiden Schwertmänner auffordernd an und wies dann zu der Schmiede hinüber. „Wenn ihr erlaubt, so will ich euch etwas zeigen, das euch gefallen dürfte."

Beomunt und Tasmund tauschten einen kurzen Blick aus und folgten dann dem Schmied. Guntram wies auf eine metallene Konstruktion, die er in der Werkstatt errichtet hatte. Ein lächelnder Bogenschütze stand daneben und neigte grüßend den Kopf. Beomunt nickte sofort, als er das Gerät sah. „Ich verstehe, Schmied, Ihr habt ein Bogengeschütz gebaut."

„Ah, ich weiß wohl, dass die Idee nicht ganz neu ist", bekannte der Schmied und kratzte sich verlegen am Nacken. „Dergleichen hat es schon zuvor gegeben. Aber dieser kleine Querbogen der Orks hat mich auf ein paar Gedanken gebracht. Und dieser wackere Bogenschütze hier", er wies auf den grinsenden Mann neben dem Pfeilgeschütz, „hat das Seine dazu beigetragen. Das ist Naik, einer der Unterführer der Bogen." Guntram zog einen metallenen Pfeil von der Werkbank und hielt ihn den beiden Schwertmännern entgegen. „Der Pfeil ist sicher recht schwer, ihr Herren, aber der Bolzenwerfer vermag ihn dennoch weit zu schießen. Und wenn die orkische Horde dicht an dicht heranstürmt, so vermag der Pfeil gleich mehrere der Bestien mit einem Schuss zu durchschlagen."

Beomunt nickte. „Das ist nichts Neues, guter Herr Schmied. Eine solche Wirkung ist wohl bekannt. Dennoch wird uns die Konstruktion wenig nutzen, denn der Vorgang, das Bogengeschütz zu spannen und auf den Schuss vorzubereiten, dauert einfach zu lange. In dieser Zeit hat ein Bogenschütze schon dreißig Pfeile und mehr gelöst."

„Nein, nein, ihr Herren", wandte Guntram ein. Der Schmied klopfte stolz an die Konstruktion, die an den quer liegenden Bogen erinnerte, den man von den Orks erbeutet hatte, jedoch um einiges größer war. Der neue Bogen war vorne an einem metallenen Arm befestigt, in dem eine starke Sehne geführt wurde und an dem sich auch die Rinne für die Führung des Geschosses befand. Guntram wies auf zwei große Hebel, die sich seitlich an der Waffe befanden. „Ich habe mir die Kraft des Hebels zunutze gemacht, ihr Herren. Seht ihr? Man braucht ein wenig Kraft, doch mit einer einzigen Bewegung kann man die Sehne spannen, und wenn ein zweiter Mann einen neuen Pfeil einlegt, so könnt ihr in nur wenigen Augenblicken erneut schießen."

Beomunt und Tasmund betrachteten die Konstruktion mit neuem Interesse. Dann nahm Tasmund das Geschoss in die Hände und wog es. „Wenn man alle paar Augenblicke ein solches Geschoss ..."

„... einen Bolzen", warf Guntram hilfreich ein.

Tasmund sah ihn einen Augenblick lang irritiert an. „Nun, also einen Bolzen abschießt – könnte dieser wirklich eine ganze Reihe von Bestien fällen."

„Und das sogar auf große Distanz, ihr Herren", versicherte Guntram. „Der Bolzenwerfer dürfte drei oder vier Hundertlängen tragen."

Beomunt zog erstaunt die Augenbrauen hoch. „Seid Ihr sicher? Wie viele dieser Bolzenwerfer könnt Ihr fertigen?"

„Neben diesem hier ist ein zweiter fast fertig." Guntram zuckte die Achseln. „Alle Teile muss ich sorgfältig schmieden, ihr Herren. Aber für die Bolzen habe ich mir etwas ganz Besonderes einfallen lassen. Seht her, ihr Herren." Der Schmied wies auf einige Schlitze im Boden. „Diese hier dienen der Prüfung unserer Schwerter, wie ihr sicher wisst. Man steckt die Spitze des neuen Schwertes in den Schlitz und biegt dann das Heft so weit, bis es sich parallel zum Boden befindet. Bricht die Klinge ab oder bleibt sie gebogen, so war der Stahl zu hart oder zu weich, und das Schwert taugt nichts."

„Gut, gut, doch was hat dies mit dem Bolzen zu tun?" Tasmund lachte gutmütig. „Wollt Ihr ihn auch in den Boden stecken? Er wird sich wohl kaum biegen lassen."

„Es ist die Rinne, ihr Herren." Der Schmied ließ sich von dem Bogenschützen eine längliche Form reichen, die sich in zwei Hälften zerlegen ließ und die die Konturen eines Bolzens in ihrem Inneren zeigte. „Die Form ist aus gebranntem Lehm, ihr Herren. Seht ihr, wenn ich sie schließe, so gieße ich das flüssige Metall hinein und lasse es erkalten. Dann öffne ich die Form und erhalte einen fertigen Bolzen, der nur ein wenig nachgearbeitet werden muss. So kann ich sehr schnell eine ganze Reihe der Bolzen anfertigen."

Beomunt nickte zögernd. „Zwei dieser Bolzenwerfer könnten wirklich nützlich sein. Der Feind wird aus dem Süden, vom Pass her und durch die Stadt auf die Burg zu kommen." Er sah, wie Tasmund zu seinen Worten nickte und lächelte. „Könnt Ihr die beiden Bolzenwerfer und die Bolzen nach oben auf die beiden Wehrtürme schaffen?"

„Mit der Hilfe einiger Männer wird es gehen", sagte Guntram. „Auch wenn die Waffen schwer sind, meine Herren. Seht, ich habe auch die drei Füße aus massivem Metall geschmiedet.

So mag nichts brechen, wenn es darauf ankommt."

Beomunt schlug dem Schmied auf die Schulter und nickte dann auch dem Bogenschützen anerkennend zu. „So macht den zweiten Bolzenwerfer ebenfalls bereit und bringt die beiden Werfer auf die Türme. Mit einem reichlichen Vorrat an Bolzen. Ach, und stellt ein paar Männer ab, die sich dann mit den Waffen befassen und sie auch beherrschen können."

Tasmund verabschiedete sich daraufhin, um sich wieder der Ausbildung der Männer widmen zu können. Beomunt hingegen sah noch einen Moment zu, wie Guntram ein paar kräftige Männer herbeirief, und wies sie dann an, dem Schmied zu helfen. Danach ging er zum Stall hinüber, um sein Pferd zu satteln. Er wollte sich selbst noch einmal in der Stadt umsehen, bevor sie geräumt werden würde, sobald die Horde am anderen Ende des Tales auftreten würde.

Oben auf dem Wehrgang über dem Haupttor konnte er einige ältere Männer sehen, die dort unter der Anleitung eines verletzten Pferdelords übten. Die Männer führten die typischen Lanzen des Reitervolkes. Doch der Pferdelord schüttelte immer wieder den Kopf, griff korrigierend ein und versuchte den Männern zu vermitteln, wie sie die Waffen zu gebrauchen hatten.

„Nein, nein, ihr guten Herren, nicht auf diese Weise. Die Lanze wird nur weit nach vorne gehalten, wenn sich euch ein berittener Angreifer nähert. Orks aber reiten keine Pferde. Sie kommen zu Fuß, mit Sturmleitern, und wollen über die Mauern vordringen." Der Pferdelord schlug auf eine der Zinnen. „Wenn ihr den Bestien die Lanze nur entgegenstreckt, so werden diese sie einfach ergreifen und euch über die Mauer ziehen. Haltet sie also kurz und fest in beiden Händen."

Der verletzte Pferdelord nahm eine der langen Lanzen mit

den großen Klingen und zeigte den Männern zum wiederholten Male, wie sie diese zu halten hatten. „Seht ihr? Kurz halten. Kommt nun eine Bestie zwischen den Zinnen hoch, so stoßt die Lanze vor. Das wirft die Bestie nach hinten, und der Sturz mag dann ein Übriges tun."

Beomunt seufzte. Die alten Männer zeigten sich bemüht. Aber würde ihre Kraft noch reichen, um die Waffen wirkungsvoll zu führen, und dies auch über einen längeren Zeitraum hinweg? Sicher, die Wut oder die Angst konnten einem Manne zusätzliche Kräfte verleihen, aber wenn die Orks wirklich über die Mauern kamen, würden sie einer riesigen Woge gleichen, die die wenigen Verteidiger rasch mit sich reißen konnte. Der Schwertmann des Königs nickte den Männern ermutigend zu und ritt dann unter dem Torbogen hindurch. Auf der steinernen Treppe zum Wall trugen die Männer um Guntram bereits den fertigen Bolzenwerfer zum östlichen Turm des Südwalls hinauf. Wenn die Bolzen wirklich so weit trugen, wie der Schmied behauptet hatte, würde es für die Horde recht unangenehm werden, wenn sie das große freie Feld zwischen Stadt und Burg überquerten. Beomunt blickte zur Sonne hinauf. Noch eineinhalb Zehnteltage Tageslicht, dann würde sie untergehen. Und die Ankunft der Horde war längst überfällig.

Beomunt fragte sich, worauf die Bestien wohl noch warten mochten. Vielleicht auf die Dunkelheit, die ihnen Vorteile verschaffte? Er trieb sein Pferd in die Stadt hinein. Hier war allenthalben die Unsicherheit der Leute zu spüren. Die meisten von ihnen wären schon gerne in den Schutz der Burg geflohen, aber Garodem und die anderen Unterführer waren sich darin einig gewesen, damit so lange wie möglich zu warten. Die vielen Menschen hätten die Vorbereitung in der Anlage behindert und außerdem deren Vorräte unnötig in Anspruch genommen.

Die Bevölkerung in Eternas sollte sich jedoch noch von den Lebensmitteln ernähren, die in der Stadt mehr als reichlich vorhanden waren. Die Lager der Burg würden auch so rasch genug schrumpfen. Zudem produzierten viele Menschen auch eine große Menge an Exkrementen, die die Möglichkeiten der Burg rasch überfordern würden. Doch nicht die Geruchsbelästigung bot Anlass zur Beunruhigung, sondern die Gefahr von Unsauberkeit. Fäkalien zogen Schwärme von Insekten an, die sich vom Schmutz ernährten und diesen dann zu den Menschen trugen. Leoryn, die elfische Heilerin, hatte ihnen erklärt, wie rasch dies bei Wunden zu Entzündungen führen konnte.

Beomunt dachte düster an die Horde. Sie würde wohl schon bald dafür sorgen, dass es nicht mehr viele Mäuler zu stopfen geben würde, dafür aber jede Menge anderen Dung.

Am Südrand der Stadt fand er mehrere Gruppen von Frauen und bewaffneten Männern, welche die letzten Vorbereitungen für die Nacht trafen. Die Stadt würde bei einem Angriff nicht zu halten sein, denn sie war nicht befestigt, und in den zahlreichen engen Gassen würden verteidigende Truppen zu leicht zersplittern oder zu umzingeln sein. Danach wäre es nur noch eine Frage der Zeit, bis sie auch überwältigt wären. Aber man konnte zumindest kleinere Trupps der Orks aufhalten und sie daran hindern, sich die Stadt mit all ihren Häusern, Nahrung und Wasser im Überfluss zu Nutze zu machen.

Aus diesem Grund wurden in den engen Gassen zwischen den Häusern am Südrand nunmehr Metallbecken für die schwarzen Brennsteine aufgestellt und mit Brennstoff gefüllt. Das Licht der Becken würde es den Orks in der Nacht schwer machen, unbemerkt in die Stadt zu schleichen. Ein Stück hinter den Brennsteinbecken, dort, wo die Dunkelheit der Nacht Schutz bot, errichteten die Männer und Frauen behelfsmäßige

Barrikaden aus massiven Möbeln, die einem Pfeilbeschuss standhalten würden. Jenseits der Barrikaden und Brennsteinbecken sah Beomunt von seinem erhöhten Sitz aus eine Gruppe von Frauen, die am Waldrand Moos sammelten. Sie wurden von einer Schar Pferdelords geschützt.

Die Furcht vor dem Fluch war nahezu überwunden, auch wenn es sicher noch immer vereinzelt Menschen gab, die sich insgeheim vor ihm fürchteten. Doch die Zahl der Erkrankten schien seit der Verbrennung der Keule nicht mehr weiter angewachsen zu sein. Die Heiler hatten zudem verkündet, dass die Betroffenen auf dem Weg der Besserung seien, dass das Fieber sinke und die roten Flecken sich zurückbildeten.

„Zieht euch zurück, bevor es dunkelt, und zündet die Brennsteinbecken frühzeitig an", wies Beomunt die Gruppe der Männer und Frauen an der Barrikade an.

Dann lenkte er sein Pferd auf der Hauptstraße zur Burg zurück. Entlang der Hauptstraße standen die meisten Läden und größten Wohnhäuser. Hier herrschte noch immer reger Betrieb, was kein Wunder war, da die Stadtbevölkerung sich durch die Evakuierten aus der Nordmark sichtlich vergrößert hatte. Die meisten Vorbereitungen galten um diese Zeit jedoch nicht mehr der Verteidigung der Stadt, sondern der Flucht. Beomunt sah eine Reihe von Truhen und Kisten, Körben und Packen, die an den Häusern bereitstanden. Die Menschen hofften wohl, ihre Habseligkeiten bei einer Flucht in die Burg mit sich führen zu können. Aber Beomunt wusste aus Erfahrung, dass hierzu keine Zeit mehr bleiben würde. Garodem konnte außerdem auch nicht gestatten, dass ihre Habe die dann eh schon überfüllte Burg zusätzlich belasten würde.

Eine Gruppe kleiner Kinder rannte hinter einem Schuhmacherladen hervor und versuchte, ein anderes Kind zu fangen. Es war ein Spiel, denn alle kreischten vor Vergnügen, und keines von ihnen kümmerte es, dass sie dabei durch den überquellenden Abwassergraben liefen. Aus dem Schuhmachergeschäft ertönte eine keifende Stimme, und Beomunt sah für einen kurzen Moment den blonden Haarschopf einer jungen Frau.

Von der Burg aus näherten sich ihm zehn Pferdelords. Sie würden über Nacht auf dem Markplatz verweilen, um dort rasch jene Barrikaden verstärken zu können, an denen sich Orks blicken ließen. Würden die Orks zu zahlreich werden, wären es auch diese Männer, welche die Losung zur Evakuierung der Stadt geben würden. Und so klein ihre Schar auch war, gab ihre Anwesenheit der Bevölkerung doch ein Gefühl der Sicherheit und die Gewissheit, dass man sie nicht aufgab.

Beomunt, der immer ein Pferdelord des Königs gewesen war, empfand seit geraumer Zeit ein unerklärliches Maß an Verachtung für die Stadtbewohner, für die ihr persönliches Hab und Gut selbst noch im Angesicht des Todes eine größere Bedeutung zu haben schien als das Wohl der Gemeinschaft.

Von der Burg aus ertönte der Klang eines Signalhorns, das die Menschen im Tal in den Schutz der Häuser und der Festung zurückrief. Beomunt blickte auf die länger werdenden Schatten. Nun begann die Zeit der Orks.

# 37

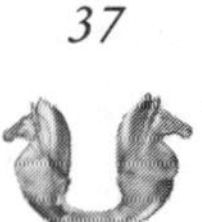

Die Menschen Eternas' waren von Sorgen um die Zukunft erfüllt, und viele von ihnen bezweifelten, dass man der großen Horde Orks überhaupt widerstehen konnte. In einer solchen Situation und Stimmung waren viele Menschen nur allzu gerne bereit, ihre Nöte zu verdrängen und wenigstens für kurze Zeit Trost und Vergessen in ausgelassenem Treiben zu suchen. Malvins Schänke, der „Donnerhuf", war bis zum Bersten gefüllt, und man konnte den Trubel gut bis in die angrenzenden Gassen hören. Singen und Gelächter füllte die Nacht. Es war eine milde Nacht, die von den Sternen und zahlreichen Brennsteinbecken erhellt wurde. Die Elfenfrau Leoryn stand zusammen mit dem Heiler Nogud und der Herrin Larwyn auf einem Teil des südlichen Wehrgangs über dem Haupttor. Von hier aus hatten sie einen guten Überblick über das unregelmäßige Rechteck der Stadt, deren Häuser im Widerschein der glosenden Brennsteine zu glühen schienen.

„Ganz schön was los", sagte Nogud schließlich.

„Ihr Menschenwesen sucht stets die Nähe anderer, wenn ihr von Ängsten erfüllt seid", sagte Leoryn leise. „Und Vergessen im Gesang und im Alkohol."

„Und ihr?" Larwyn sah die Elfin von der Seite an. „Verspürt ihr Elfen keine Ängste?"

„Unser Weg ist von etwas Höherem vorherbestimmt." Leoryn blickte in den Sternenhimmel hinauf.

„Aber was tut ihr Elfen, wenn ihr Angst verspürt?" Nogud reckte sich müde. „Kennt ihr elfischen Wesen denn gar keine Schänken?"

„Auch wir kennen Geselligkeiten", erwiderte Leoryn ernsthaft. „Auch wenn sie weniger intensiv ausfallen mögen als die euren. Und wenn wir Angst verspüren, so meditieren wir. Das gibt uns die nötige Ruhe und Kraft, um in der Gefahr zu bestehen."

„Eine der Patrouillen hat einen Geweihbock erlegt, wie ich hörte", sagte Nogud unvermittelt. „Ich meine ja immer, dass Geweihtierbraten am besten mit einer leichten Gewürzsauce schmeckt", sinnierte er. „Vor allem mit Blättern des Myrrhenstrauches."

Während Nogud wieder einmal gedankenverloren mit dem Zeigefinger an seine Zähne klopfte, warf die Elfenfrau einen kurzen Blick zu Larwyn. Die Herrin der Hochmark wirkte müde. Kein Wunder, denn seit mehreren Tagen war sie unterwegs und bemühte sich redlich, den Menschen Mut zuzusprechen.

„Sollen sie ruhig ein wenig lachen und trinken", seufzte Larwyn. „Denn morgen wird es wieder genug Arbeit und Mühen für sie geben."

Leoryn nickte unwillkürlich. „Ihr solltet Euch aber etwas mehr schonen, Hohe Dame Larwyn. Selbst Euer Gemahl und die meisten der Männer ruhen bereits."

„Schlaf werden sie jedoch schwerlich finden. Sie alle sind besorgt."

„Aber sie alle brauchen ihre Kräfte. Und Ihr ebenso, Larwyn, Herrin der Hochmark."

„Ihr habt sicherlich Recht, Hohe Elfenfrau Leoryn." Larwyn lächelte unglücklich. „Da gemahne ich meinen Gemahl zur Ruhe und bin dabei selbst rastlos. Vielleicht sollte ich noch einmal nach der Hohen Frau Jasmyn sehen und mich dann hinlegen."

„Das solltet Ihr wirklich." Leoryn sah zur Stadt hinüber. „So wie auch jene dort unten mehr Ruhe finden und ihre Kräfte schonen sollten. Ich denke, wir alle müssen noch etwas ruhen."

Die drei drehten sich um und folgten dann dem Wehrgang zum rechten Torturm, um dort die Treppe zum Burghof hinunterzugehen. Obwohl viele Burgbewohner nicht schlafen konnten, lagen die Gebäude und Mauern dennoch im Dunkeln, und man hatte die Brennsteinbecken auf den Wehrgängen nicht entzündet. In ihrem flackernden Lichtschein wären die Wachen der Burg ein allzu leichtes Ziel für verborgene Bogenschützen der Orks gewesen. Allein vor dem geschlossenen Haupttor warfen die Becken ihr Licht auf die gepflasterte Straße, welche Stadt und Burg miteinander verband, und gaben für den Fall, dass die Bewohner der Stadt noch in der Nacht zur Burg fliehen mussten, Orientierung. Die Wachen über dem massiven Haupttor hatten sich in den Schutz der Zinnen zurückgezogen. Nur ab und zu tauchte das helle Licht des Sternenhimmels die Landschaft und die Burg in silbrige Schatten, die sich zu bewegen schienen, sobald sich Wolken vor die Sterne schoben.

Die beiden Menschen und die Elfin gingen den Wehrgang der Mauer entlang und betraten die steinerne Treppe. Da nahm Leoryn plötzlich eine Bewegung zwischen den Gebäuden der Stadt wahr und verharrte irritiert. Sie blieb auf den Stufen stehen und blickte mit ihren Elfenaugen weiterhin angestrengt in die Dunkelheit hinaus. Nogud und Larwyn bemerkten erst nach ein paar Schritten, dass die Elfin ihnen nicht mehr folgte.

„Was ist los?", fragten Larwyn und Nogud gleichzeitig und gingen wieder zu Leoryn zurück.

„Ich weiß nicht", erwiderte Leoryn zögerlich. Sie war sich sicher, aus den Augenwinkeln heraus etwas in der Stadt gesehen zu haben, das dort nicht hingehörte. Aber wo genau? Und was? Sie wusste es nicht und glaubte fast schon selbst an eine Sinnestäuschung. Doch aus einem unerfindlichen Grund starrte sie weiter nach unten und suchte die Gassen und Gebäude der Stadt mit ihren Blicken ab. Dabei konzentrierte sie sich vor allem auf die kleineren Gassen, die sich in die Dunkelheit der Nacht hüllten und nicht von Brennsteinbecken erhellt wurden. Dort spendeten nur die zahlreichen Sterne des Nachthimmels und der Mond ein fragwürdiges Licht.

Aber zwischen den Schatten dort bewegte sich ein anderer Schatten. Kaum merklich, doch er war da. Er wirkte recht groß, auch wenn das wenige Licht täuschen mochte.

„Nun kommt, Leoryn, lasst uns zur Ruhe gehen", drängte Nogud, der herzhaft gähnte und dem die Aussicht auf seine bequeme Bettstatt bewusst werden ließ, wie müde er war.

„Nein, Nogud, da ist etwas. Ich bin mir sicher."

Nogud spähte nun ebenfalls zur Stadt hinüber. „Seid Ihr sicher? Es wird gewiss nur ein Bewohner sein, der nach Hause eilt. Oder eine der Wachen."

Leoryn zögerte kurz. Dann schüttelte sie den Kopf. „Nein, kein Menschenwesen. Da bin ich mir gewiss."

„Wo denn?" Nogud beugte sich ein Stück weiter vor.

Erneut bewegte sich der Schatten, und die Elfenfrau fröstelte. Dieser massige Körper mit dem mächtigen Schädel war unverkennbar. „Könnt Ihr es nun sehen? Es ist ein Rundohr."

„Ein Rundohr? Wo denn? Wo?" Noguds Blicke wechselten zwischen der Heilerin und der Stadt hin und her. Auch Larwyn trat nun neben sie an die Brüstung der Mauer.

In diesem Moment ertönten die ersten Schreie und wiesen ihnen die Richtung.

„Es ist wahr", murmelte Nogud tonlos.

Der massige Leib eines großen Rundohrs wurde nun im Schein der Brennsteinbecken besser sichtbar. Die Wachen an den Barrikaden und die wenigen Menschen in den Gassen schienen ebenfalls auf die Bestie aufmerksam geworden zu sein, denn Schreie der Überraschung klangen auf. Die drei auf der Südmauer konnten nunmehr eine weitere Bewegung ausmachen, als ein zweiter Ork auftauchte. Dann sahen sie plötzlich die dritte Bestie und viele mehr aus dem Dunkel hervortreten.

„Es ist die Legion", keuchte Nogud. „Sie greift an."

„Sie müssen es irgendwie geschafft haben, die Wachen am Stadtrand zu umgehen oder sie zu töten", sagte Larwyn und wandte sich dem schweigenden Burghof zu. „Erhebt euch, ihr Pferdelords", rief sie in die Dunkelheit hinab. „Eternas wird angegriffen, und die Kraft eurer Arme wird gebraucht."

Nur wenige Männer und Frauen in der Burg hatten wirklich Schlaf gefunden, und die meisten der Männer mussten ihre Rüstungen wohl anbehalten haben, denn schon nach wenigen Sekunden füllte sich der Innenhof mit Männern, die ihre Waffen bereithielten und ihre Pferde aus dem Stall holten.

Nogud blickte die ganze Zeit über auf die Stadt. Auch wenn sie in einiger Entfernung lag, so waren doch schemenhafte Bewegungen zwischen den Gebäuden zu erkennen. Das flackernde Licht der Brennsteinbecken ließ die Schatten von Menschen und Orks unwirklich groß erscheinen. Schreie und Waffenlärm klangen zu ihnen herüber. Vielleicht täuschte Nogud sich, aber er glaubte, zwischen all dem Lärm und Schreien sogar das triumphierende Gebrüll der angreifenden Orks vernehmen zu können. Geschockt sah er zu und musste mitansehen, wie die Bestien angriffen und Männer, Frauen und Kinder von ihnen geschlachtet wurden.

„Warum fliehen sie nicht in die Häuser?", murmelte er verzweifelt, als er sah, dass die Menschen aus ihren Häusern herauskamen, anstatt in ihnen Schutz zu suchen.

„Panik“, erwiderte Leoryn tonlos. „Sie glauben, dass die Horde angreift und sie nun fliehen müssen. Aber es ist nicht die Horde.“

„Nicht?“ Nogud sah sie fassungslos an.

„Dafür sind es viel zu wenige der Bestien“, sagte Leoryn bestimmt. „Es mag vielleicht eine Kohorte sein, die dort angreift, doch ich glaube, es ist nicht mehr als ein starker Spähtrupp. Nein, mein menschlicher Freund, das ist kein ernsthafter Angriff.“ Die Elfenfrau seufzte. „Aber wenn die Bestien erst einmal erkennen, wie erfolgreich ihre Aktion ist, könnte vielleicht doch noch ein ernsthafter Angriff daraus entstehen.“

Bogenschützen unter Lotaras’ Führung kamen auf die Südmauer geeilt. Vom Tor her ertönten Befehle, und ein Signalhorn der Hochmark rief fordernd zum Aufbruch. Dann ertönten weitere Schritte und Rufe aus dem Innenhof. Im Hof formierte sich der Beritt und galoppierte zum Tor heraus, und doch kam es den Zuschauenden auf dem Wehrgang so vor, als ob sich alles unendlich langsam abspielen würde.

Sie hatten einen Logenplatz. Einen grausamen Logenplatz, denn sie waren dazu verurteilt, dem Gemetzel in der Stadt zuzusehen. In dem ganzen Durcheinander war nicht mehr zu erkennen, wo die Menschen kämpften und Widerstand leisteten oder wo sie einfach nur versuchten, blindlings vor den Orks zu fliehen. Zudem war es in den Straßen dunkler geworden, nachdem etliche der Feuerbecken umgestürzt waren. In einem von ihnen schien sogar ein toter Mensch zu liegen, einen anderen sah Nogud wie in Zeitlupe in eines der Häuser stürzen. Das hinter ihm hereilende Rundohr ließ sich mit voller Wucht gegen die Hauswand fallen, worauf dessen Holzstützen einknickten und ein Teil des Vordaches zusammenstürzte. Für ein paar Augenblicke hoffte der Heiler, dass die Bestie erschlagen worden war, doch das Ungeheuer arbeitete sich wieder aus den Trümmern hervor und warf sich erneut gegen die eingedrückte Vorderfront des kleinen Hauses. Von irgendwoher zischte eine Lanze heran und bohrte sich in die Flanke der Bestie, doch diese schüttelte sich nur kurz und hämmerte so lange gegen die angeschlagene Wand, bis diese schließlich nachgab. Das Rundohr brüllte im Blutrausch auf und verschwand dann in der kleinen Behausung. Als es wieder auftauchte und Nogud den Kopf zuwandte, erkannte der Heiler selbst auf diese Entfernung hin, dass seine Fänge blutig waren.

Nogud wollte sich schaudernd abwenden, aber etwas hielt ihn fest und ließ ihn wie unter Zwang weiter zusehen. Zwei oder drei Frauen rannten nun in kopfloser Flucht mit einer Schar Kinder auf die Burg zu, obwohl ihnen stabilere Häuser als das zertrümmerte viel schneller Schutz bieten konnten. Doch die Gruppe hatte nur das rettende Burgtor vor Augen. Zwei oder drei Rundohren lösten sich zwischen den Gebäuden, holten sie ohne große Mühe ein und warfen sich zwischen die hilflosen Frauen und Kinder, wo sie im Tötungsrausch wüteten. Der Beritt aus der Burg erreichte nun die Stelle des Mordens, doch zu spät. Und so blieb den grimmigen Pferdelords nur noch, die mörderischen Bestien zu erschlagen.

Auf den Baustellen der Stadt brannte es, und vor dem Feuerschein sah man ein paar Männer, die sich verzweifelt am Balkengerüst eines halbfertigen Hauses nach oben zogen, um sich auf das Dach zu retten. Zwei Orks folgten ihnen am Boden, dann sprang einer von ihnen mit einem gewaltigen Satz in die Höhe und pflückte ohne Mühe einen der Männer vom Gerüst. Vom Stadtrand her näherten sich ihnen ein paar Soldaten und schossen ihre Bogen ab. Als sich eines der Rundohren ihnen zuwandte, zogen die Männer ihre Klingen, und die Gruppen prallten im Schein der Feuer aufeinander. Allmählich verstummte das Geschrei in den Straßen und machte einem grauenvollen Schweigen Platz. Nogud liefen Tränen über die Wangen, als er sah, wie die Orks auch weiterhin zwischen den Häusern umherliefen und dabei Witterung nach weiterer Beute aufnahmen. Wer sich zuvor hatte retten können, war in den Häusern, und der Heiler war froh, dass die meisten von ihnen aus massiven Steinen bestanden. Mit seltsam wippendem Gang kam eine Gruppe von Rundohren die Hauptstraße entlang, und Nogud konnte erkennen, dass sich die Gruppe um Oberkörper und Kopf einer blonden Frau stritt. Ein anderer Ork trat aus dem Dunkel hervor, schnappte nach einem der baumelnden Arme und riss ihn ab. Nogud konnte nicht mehr, er beugte sich über die Brüstung des Wehrgangs und erbrach sich. Neben sich konnte er ein gepresstes Stöhnen hören, doch er war momentan nicht in der Lage, sich darum zu kümmern.

„Was für ein Gemetzel", erkannte er Kormunds Stimme, und Nogud warf einen kurzen Blick zu ihm hinüber. Nur im Unterkleid und mit einem mächtigen Brustverband stand der verletzte Scharführer neben ihm und den Bogenschützen. Erneut stöhnte er, aber der Heiler wusste nicht, ob dies seinen Schmerzen oder aber dem Anblick geschuldet war, der sich ihren Augen bot.

„Wir müssen etwas tun", sagte Larwyn leise zu ihrem Mann Garodem, der mit steinernem Gesicht auf den Wehrgang trat. Ihre Augen schimmerten feucht. „Garodem, du musst handeln."

Kormund stützte sich auf die Brüstung. Der Scharführer benutzte sein Schwert als Gehhilfe und war noch immer sehr schwach. Mühsam rang er nach Atem.

„Wir können nichts tun", erwiderte Garodem leise. „Noch

nicht. Es ist Nacht, und die bietet den Bestien Unterschlupf. Wir müssen so lange warten, bis es hell wird, und dann die ganze Stadt absuchen. Bei unseren Vorvätern, es ist nur ein kleines Rudel der Bestien. Nur ein kleines Rudel."

„Dann tötet sie und rettet die Menschen", beschwor Larwyn ihren Gemahl. „Der Beritt ist bereits auf dem Weg, und du hast noch weitere hundert Männer, die ihm folgen können."

Das Feld zwischen der Stadt und der Burg füllte sich immer mehr mit flüchtenden Menschen, die in wilder Panik der Burg entgegenströmten und durch die hindurch sich der Beritt der Pferdelords einen Weg in die Stadt zu bahnen versuchte. In Eternas brachen zunehmend Brände aus, Flammen stiegen über den Dächern auf, aber es wurde noch immer gekämpft.

Garodem wandte sich an den neben ihm stehenden Hornbläser. „Gebt das Signal zum Rückzug."

„Was?" Larwyn sah ihren Mann fassungslos an.

„Gebt das Signal", sagte Garodem grimmig, neben dem Beomunt gerade auf den Wehrgang stieg. „Der Beritt soll umkehren. Sofort."

Das metallene Horn schallte über das Tal, und sein heller Ruf übertönte selbst den Kampflärm in der Stadt und die Schreie von Bestien und Menschen.

„Du kannst die Menschen doch nicht im Stich lassen", keuchte Larwyn.

Der Beritt der Pferdelords, der sich zuvor seinen Weg mühsam durch die Flüchtlinge gebahnt hatte, verharrte zögernd. Einige der Männer ritten noch ein Stück und blickten dann auffordernd zu den anderen zurück, um zu sehen, ob ihnen diese folgten. Dann begann sich der Beritt zu formieren, und Larwyn glaubte Tasmunds Gestalt zwischen den Reitern zu erkennen. Schon bildeten die Pferdelords eine Linie zwischen der Stadt und den Flüchtenden.

Lotaras sah sie ernst an. „Euer Gemahl kann nicht anders handeln, Larwyn, Herrin der Hochmark. Seht Euch um. Seht in die Nacht hinaus. Nur wenige Bestien sind noch in der Stadt, und die meisten der Menschen werden ihnen entkommen. Aber seht in die Nacht, Larwyn. Wollt Ihr die Männer des Beritts wirklich opfern?"

Larwyn begann zu begreifen. Garodem hatte die Augen kurz geschlossen, nun öffnete er sie wieder und atmete tief durch. Larwyn konnte die Trauer in seinem Blick erkennen, aber auch seine Entschlossenheit.

„Wir können doch nicht einfach zusehen, Garodem", flüsterte Larwyn.

„Nun, Hohe Dame Larwyn, Ihr könnt jederzeit den Wehrgang verlassen und Euren Blick abwenden", entgegnete ihr Beomunt mit kalter Ironie. „Ich für mein Teil werde hier stehen bleiben und versuchen, die Bestien im Auge zu behalten. Damit ich weiß, wo ich die Mörder finde, wenn es hell genug ist und die Truppe erneut ausrücken kann."

Unten im Burghof standen fast hundert Bewaffnete bereit, und die Mauern waren wieder dicht besetzt. Die Herrin der Hochmark wies auf die bewaffneten Männer. „Garodem, du könntest doch diese Gruppe hier hinausschicken. Sie ist stark, und gemeinsam mit dem Beritt wird es ihnen gelingen …"

Garodem hob seine Hand. „… sie werden sterben, wenn ich sie jetzt hinausschicke. Aber das tue ich nicht, Larwyn. Ich bin kein Mörder, und es wäre Mord, wenn ich die Männer jetzt in die Dunkelheit hinausschicken würde."

„Aber die Menschen Eternas' brauchen Hilfe", schrie Larwyn auf.

Gerade eben rannten die ersten Bewohner Eternas' vollkommen aufgelöst durch das offene Tor der Burg herein, während eine Gruppe Orks in die Masse der Fliehenden sprengte und dort zu wüten begann, bis eine Handvoll Pferdelords heranpreschte und die Bestien erschlug.

„Sie haben erreicht, was sie wollten", stellte Garodem mit harter Stimme fest. „Wahrscheinlich sind sie sogar selbst über ihren leicht errungenen Erfolg überrascht. Sie töten nur noch aus Vergnügen." Dann wandte er sich wieder seiner Frau zu. „Unsere Männer können ihnen nur helfen, wenn sie am Leben bleiben. Und dazu brauchen sie Tageslicht. Warum sollte ich all unsere Männer und die Menschen in der Burg in nur einer Nacht opfern? Die Horde dort im Dunkeln wartet doch nur darauf, dass ich genau dies tue." Garodem, der Herr der Hochmark, erwartete keine Erwiderung mehr.

In der Dunkelheit neben der Stadt waren Schatten zu erkennen, und gelegentlich reflektierte das Sternenlicht dort Rüstungen und Waffen. Es war offensichtlich, dass sich hier die Kohorten der Orks formiert hatten und nur auf eine Gelegenheit warteten, den ausgerückten Beritt in eine Falle zu locken. Doch die Männer Tasmunds hielten Disziplin, sosehr es sie auch nach Rache verlangen mochte.

Immer mehr Menschen strömten in die Burg, viele von ihnen waren von den Orks verletzt worden oder trugen Wunden, die sie sich auf der Flucht durch Stürze, Hiebe oder Tritte Dritter zugezogen hatten. Schließlich rückte der Beritt ein, und die massiven Tore wurden geschlossen. Der Burghof wimmelte von Menschen, die sich nur langsam von ihrem Schock erholten. Doch dann wurden Befehle gebrüllt, und das Chaos im Burghof begann sich langsam zu ordnen.

Larwyn fühlte sich entsetzlich. Dennoch blieb sie mit den anderen auf dem Wehrgang. Noch immer gellten draußen vereinzelte Schreie auf, und das Triumphgeschrei der Orks war zu hören. Larwyn sah, wie ihr Gemahl hilflos seine Fäuste ballte, bis die Knöchel weiß hervortraten. Doch seinem Gesicht war keinerlei Gefühlsregung anzusehen. Erst da begriff sie, welche Überwindung es Garodem kostete, seine Männer nicht hinaus in die Dunkelheit zu führen. Dorthin, wo die Horde lauerte.

Endlich begann es langsam zu dämmern, und als sich das Licht der ersten Sonne am Horizont zeigte, richtete Garodem sich auf. Er ließ seinen Blick nicht von der Stadt, während er erste Befehle an seine Männer richtete. „Es geht los, ihr Pferdelords. Nun habt ihr genug Licht. Der erste und zweite Beritt rücken aus, alle anderen Männer halten die Mauern." Garodem warf Larwyn noch einen letzten Blick zu, dann hastete er die Treppe in den Hof hinunter, wo der Bannerträger das Reitpferd des Pferdefürsten schon bereithielt.

Garodem saß auf und zückte sein Schwert. „Der erste Beritt dringt mit mir in die Stadt vor, der zweite Beritt hält den Stadtrand. Es wird Überlebende geben, die die Bestien noch nicht gefunden haben. Doch haltet die Formation eng und geschlossen, geratet nicht in Unordnung, wenn die Bestien angreifen. Tötet sie. Und bleibt selbst am Leben, verstanden? Sorgt euch zunächst nicht um die Verletzten, egal wie schlimm es um sie stehen mag. Kümmert euch zuerst um die Bestien. Tötet sie, dann bleibt noch immer Zeit genug, sich um die Überlebenden Eternas' zu kümmern. Achtet auf das Horn, es wird euch sagen, was zu tun ist. Also, vorwärts, ihr Pferdelords. Schneller Ritt ..."

„... und scharfer Tod", brüllten die Pferdelords.

Sie waren von Zorn und Rachedurst erfüllt, als sie aus dem Tor preschten. Garodem bot auf, was ihm an Berittenen zur Verfügung stand, und fast einhundertsechzig Pferdelords zogen sich zu zwei weit gefächerten Linien auseinander. Ein paar

Orks, die sich noch zwischen den Leichen auf dem Feld vor der Burg befanden, wurden einfach überritten. Das Donnern der Hufe schien das gesamte Tal zu erfüllen, und zwischen den Häusern der Stadt wurden jetzt einzelne Rundohren und Spitzohren sichtbar.

„Sie sind nicht nachgerückt", hörte Larwyn die überraschte Stimme Kormunds. Der verletzte Scharführer stützte sich auf einer der Zinnen ab. „Sie sind tatsächlich nicht nachgerückt." Er sah Larwyns fragenden Blick. „Ich meine die Legion. Mit dem Angriff in der Nacht wollten sie anscheinend tatsächlich nur ein wenig Unruhe stiften, und ihr Erfolg muss sie völlig überrascht haben. Die große Legion hat die Stadt noch nicht besetzt, versteht Ihr?"

Garodem und sein Bannerträger ritten an der Spitze des ersten Beritts, und die Klingen der hundert Pferdelords blitzten in der aufgehenden Sonne blutrot auf. Immer mehr Orks tauchten zwischen den Häusern auf, doch es war kaum eine Kohorte, die sich dort nun formierte. Das Horn blies fordernd zum Sturm, und einige Sättel leerten sich, als die Orks mit ihren Bogen zu schießen begannen. Aber schon ein paar Sekunden später preschte Garodems Beritt zwischen die Häuser, und die Pferdelords kannten in ihrem Zorn kein Halten und kein Erbarmen. Orks rannten quiekend durch die Gassen und versuchten nicht einmal mehr, in die Häuser zu stürmen, um dort Schutz zu finden. Das Blut von Pferdelords und Orks spritzte an Hauswände und auf das Pflaster der Gassen. Aus einigen Häusern erklangen menschliche Hilfeschreie, als die dortigen Überlebenden erkannten, dass Hilfe eintraf.

Garodem spaltete den Schädel eines Rundohrs. „Zum südlichen Stadtrand", brüllte er erregt. „Zum südlichen Stadtrand."

Der zweite Beritt verharrte am nördlichen Stadtrand und

sicherte die Umgebung, während Garodems Männer durch die Gassen jagten und töteten, was ihnen vor die Klingen kam. Der Anblick ihrer erschlagenen Männer, Frauen und Kinder machte sie rasend vor Wut.

Garodem trieb zwei quiekende Spitzohren vor sich die Hauptstraße entlang, und hinter ihm preschten der Bannerträger mit der Fahne der Hochmark und der Hornbläser dahin, dessen Axt ebenso blutig war wie die Klingen der beiden Schwertmänner, welche die Fahne schützten.

Es ging zu leicht!

Der Gedanke drängte sich in Garodems Hirn und verließ ihn nicht mehr. Er dachte an die vielen engen Gassen der Stadt, in denen sein Beritt nun verstreut war und die so schmal waren, dass zwei Pferdelords gerade noch nebeneinanderreiten und kämpfen konnten. Die Hilfeschreie aus den Häusern! Warum waren die Orks nicht in die Gebäude eingedrungen und hatten ihre hilflosen Bewohner getötet? Garodem hob unbewusst das Schwert und zügelte sein Pferd. Die kleine Gruppe in seiner Begleitung verharrte, und Garodem sah, wie sie ihn fragend ansahen. Die engen Gassen, die Hilfeschreie aus den Häusern, keine Orks in Sicht, außer den wenigen, die noch vor den Reitern flüchteten … Garodem hörte in der Stadt die Laute des Kampfes. Hufgetrappel zwischen den Häusern, das Sausen der Klingen, die erregten Schreie der Pferdelords. Einige Schreie von Orks und vereinzelte Hilferufe, die noch immer aus den Häusern drangen.

Instinktiv spürte Garodem nun die Gefahr, in der er sich und sein Beritt befanden. Er musterte die Türen der Häuser in seinem näheren Umkreis und wurde dann bleich. Einige der Türen waren aufgebrochen, aber wieder in die Rahmen gelegt worden, so dass sie für einen flüchtigen Betrachter noch intakt schienen.

„Die Orks sind in der Stadt, ihr Pferdelords", brüllte Garodem. Er sah den Hornbläser an. „Blast zum Rückzug! Sofort! Zurück in die Burg, ihr Männer, und zwar rasch!" Das Horn ertönte, und nach einigen Augenblicken senkte sich eine merkwürdige Stille über die Stadt Eternas, als die Pferdelords ihre Tiere zügelten und verwirrt dem Signal lauschten. „Zurück", schrie Garodem erneut. „Aus der Stadt hinaus!"

Ein Pfeil verfehlte Garodem nur knapp und durchschlug das Banner der Hochmark.

Auf einmal erhoben sich erneut Schreie über Eternas, doch diesmal war es das angriffslustige Gebrüll von Orks, das von überall ertönte. Türen wurden aus den Rahmen gedrückt, und in leeren Fensteröffnungen zeigten sich Spitzohren, die ihre Pfeile lösten. Sättel leerten sich, denn die Reiter brauchten einen Moment, bevor sie reagieren und ihre Pferde wenden konnten. Hier, in den engen Gassen, waren sie verwundbar, dennoch war der Hinterhalt der Orks nicht ganz aufgegangen. Sie hatten wohl gehofft, dass die Pferdelords bis ganz zum Südrand der Stadt vorrücken würden, und deshalb auf ein gemeinsames Signal zum Angriff gewartet. Dort, am Rande Eternas', lauerte die Hauptmacht der Horde, während sich in den Häusern nur einige Gruppen verborgen hatten, die den Pferdelords den Rückweg abschneiden sollten. Aber Garodem hatte zu früh gehalten und die Falle erkannt. Die Orks, die seinem Beritt den Rückzug hätten abschneiden sollen, befanden sich nun nicht in seinem Rücken, sondern waren auf gleicher Höhe mit ihm.

Klingen hoben und senkten sich, Lanzen stießen vor und Pfeile zischten durch die Luft, aber der Beritt kämpfte sich frei und bahnte sich seinen blutigen Weg zurück nach Norden, und obwohl sich nochmals weitere Sättel leerten, gelang es den meisten Pferdelords, sich aus Eternas zurückzuziehen. Aus der

Stadt war das zunehmende Geschrei der Orks zu hören, die durch die engen Gassen vordrangen, während Garodem den ersten Beritt sammelte und mit den Männern des zweiten vereinte.

Mehr als dreißig seiner Männer hatte er verloren, und einige der Reiter waren so schwer verletzt, dass sie sich nur noch mühsam auf ihrem Pferd hielten. „Zurück in die Burg“, befahl Garodem. „Hier gibt es nichts mehr zu retten. Ordnet euch und zieht euch zurück, ihr Pferdelords der Hochmark.“

Garodem und seine kleine Gruppe um den Bannerträger verharrten und blickten zur Stadt zurück. Dort tauchten nun die ersten Orks zwischen den Gebäuden des Nordrands auf und brüllten enttäuscht, als sie sahen, dass ihr Hinterhalt nicht gelungen war. Sie erkannten einen riesigen Ork, der nun Befehle erteilte, woraufhin sich Rundohren und Spitzohren rasch formierten. Der Pferdefürst seufzte schwer. Die Stadt war verloren und mit ihr viele Leben. „Zurück in die Burg und besetzt die Mauern“, befahl er mit ruhiger Stimme. „Die Horde wird sie bald berennen.“

Die Männer ritten in die Burg ein, deren Hof inzwischen wieder überraschend leer wirkte. Scharführer Tasmund und die Hohe Dame Larwyn standen am Eingang des Haupthauses, als Garodem absaß und sein Pferd einem Knappen übergab. „Es war ein Hinterhalt“, berichtete er enttäuscht. „Wir vermochten niemanden mehr zu retten.“ Garodem trat an den plätschernden Brunnen und schöpfte Wasser mit der hohlen Hand. „Sie haben sich in den Häusern verborgen, und der Lärm hat ihre Stimmen so verzerrt, dass wir sie für Hilferufe der unsrigen hielten. Ich hätte es wissen müssen. Die Bestien hatten in der Dunkelheit genug Zeit, um die wenigen Überlebenden in ihren Häusern zu überwältigen.“

„Du hast richtig gehandelt, Garodem, mein Herr und Gemahl.“ Larwyn legte ihm tröstend die Hand auf den Arm. „Du musstest ausschließen können, dass in der Stadt noch hilflose Menschen auf ihre Rettung warten.“ Sie wies mit einer unbestimmten Geste um sich. „Fast tausend Seelen wurden gerettet und erreichten den Schutz der Burg.“

Tasmund räusperte sich. „Ich habe alle Männer und Knaben dazu abgestellt, den Kämpfern beizustehen. Auch wenn sie keine Waffe halten können, so vermögen sie doch, den Schützen frische Pfeile zu bringen und die Verletzten zu versorgen. Die Frauen und Kinder sind in den Gewölben unter der Burg in Sicherheit, mein Hoher Lord.“

„Gut.“ Garodem nickte und blickte dann auf die blutige Klinge seines Schwertes. „Es wird kaum lohnen, es zu säubern. Die Horde wird nun rasch kommen.“

Auf den Türmen und Mauern standen die Verteidiger, und ihre Linien wirkten dicht und stark. Aber Garodem wusste, dass dieser Eindruck täuschte. Die Mauern waren nicht lang und die Anzahl ihrer Verteidiger bedrückend gering, setzte man die Stärke der orkischen Horde dagegen. Aber die Lage war keinesfalls hoffnungslos. „Unsere Mauern sind besetzt und stark“, sagte er grimmig. „Und die Köcher stecken voller Pfeile. Wir werden es den Bestien schwer machen, Eternas' Burg zu erstürmen.“

„Solange die Bestien keine Kriegsmaschinen einsetzen, Hoher Lord“, warf Tasmund ein. „Sie verstehen sich auf die Gerätschaften zur Belagerung und Erstürmung einer Feste. Vor allem ihre schweren Katapulte oder Schleudern können uns schwer schaden.“

Garodem nickte. „Wir werden dem zu begegnen wissen, Hoher Herr Tasmund.“

Der Gedanke, dass die Orks schweres Kriegsgerät einsetzen könnten, bereitete ihm erhebliche Sorgen. Eternas' Mauern hatten dem nicht viel entgegenzusetzen, und die Pferdelords waren zu wenige und daher zu schwach, um einen Ausfall zu wagen und Katapulte oder Schleudern zu zerstören. Und selbst wenn ihnen dies gelänge, könnten ihre Verluste so hoch sein, dass die Mauern danach kaum noch zu besetzen wären. Dennoch würde den Pferdelords keine Wahl bleiben. Wenn die Orks schwere Kriegsmaschinen aufstellten, so mussten diese zerstört werden oder aber die Mauern würden fallen. Er blickte zu den Plattformen der Türme hinauf. Dort waren die beiden neuen Waffen zu erkennen, deren Funktion ihm Beomunt gestern noch genau erklärt hatte.

Tasmunds Augen folgten seinem Blick. Der Scharführer räusperte sich. „Merawyn, die Graue Frau, hat eine Idee, die nützlich sein könnte, Herr. Sie hat die Bolzenwerfer gesehen und meinte, sie wolle uns etwas zusammenbrauen."

„Hat sie Näheres gesagt?" Als Tasmund den Kopf schüttelte, runzelte Garodem die Stirn. „Dann sollten wir uns das einmal genauer ansehen."

„Die Graue Frau ist in ihren Räumen unter der Unterkunft der Schwertmänner, mein Herr."

Garodem nickte seiner Gemahlin zu und schritt dann mit dem Scharführer über den vorderen Innenhof, um zu hören, was die Graue Frau ihm zu sagen hatte.

Im hinteren Innenhof humpelte währenddessen Scharführer Kormund mit schmerzverzerrtem Gesicht die Treppe zur Rundmauer hinauf, als eine ältere Frau auf ihn zutrat. „Auf ein Wort, guter Herr."

Am Ende der Treppe, oben auf der Mauerkrone, wandte sich ein Lanzenträger um. „Gebt endlich Ruhe, gute Frau, und belästigt den guten Herrn Scharführer nicht. Ihr seht doch, dass er verletzt ist.“

„Die Bestien“, sagte die ältere Frau drängend und zog an Kormunds Umhang. „Sie sind da.“

Kormund verharrte und sah die Frau mitfühlend an. Was mochte sie in dieser Nacht an Schrecklichem erlebt haben. Er konnte ihren Schock gut nachvollziehen. „Nur Mut, gute Frau. Wir werden ihnen standhalten. Habt keine Sorge. Eternas’ Mauern sind stark und werden ...“

„Ihr versteht nicht.“ Erneut zog die Frau an seinem Umhang. „Ich habe es dem Narren auf der Mauer schon berichtet, aber er glaubt mir nicht. Sie sind hier, mein Herr. Die Bestien sind in der Burg.“

„Sie irrt, mein Herr“, rief der Lanzenträger. „Sie meint, dass die Bestien in der Nacht über den Nordwall geklettert und in die Burg eingedrungen sind. Doch das sind sie nicht, dessen seid gewiss. Die Mauer war besetzt, und keine der Wachen hier hat eine der Bestien gesehen. Die Frau ist verwirrt und hat schwache Augen.“

„Meine Augen sind anscheinend besser als die Euren“, schrie die Frau den Posten wütend an. Der Blick, mit dem sie Kormund musterte, wurde flehend. „Herr, ich habe die Bestie gesehen. So genau, wie ich Euch jetzt vor mir sehe. Sie kam über den Wall, als alle nach Eternas hinüberstarrten. Niemand hat bemerkt, wie die Bestie eindrang.“

Kormund kratzte nachdenklich an seinem Brustverband, und die Berührung ließ ihn schmerzerfüllt zusammenzucken. „Um diese Zeit brannten keine Feuer in der Burg, gute Frau. Die Dunkelheit wird Euch getäuscht haben.“

„Die Bestie schlich dort entlang“, sagte die Frau und wies zu dem Dach über der Schmiede, „und sprang dann in den

Hof. Es war ein Rundohr, ich konnte es genau erkennen. Ich habe nach der Wache gerufen, aber das Rundohr war schon verschwunden. Dort hinein." Die Frau wies auf das Vorratsgebäude.

„Das ist nicht möglich, gute Frau", murmelte Kormund. „Vor dem Haus stehen immer zwei Wachen. Sie hätten den Ork bemerken müssen."

„Aber sie waren nicht da", beschwor ihn die Frau. „Sie waren in die Tore des mittleren Wehrganges getreten, um von dort aus zum Haupttor hinübersehen zu können. Dort kamen doch all die Menschen aus der Stadt herein."

Eigentlich bezweifelte Kormund, dass es einem Ork gelungen sein könnte, in den Hof einzudringen. Aber immerhin war es schon einmal passiert, dass eine kleine Gruppe Orks nachts in die Burg gelangt war. Zwar waren die Mauern nun besetzt, aber der nächtliche Angriff der Orks auf die Stadt hatte die Aufmerksamkeit der Burgbesatzung tatsächlich völlig auf sich gezogen. Nein, es war nicht ganz auszuschließen, dass die Frau Recht hatte.

Kormund legte der Frau also beruhigend die Hand auf die Schulter. „Seid bedankt, gute Frau. Wir werden nachsehen, ob Euch Eure Sinne tatsächlich nicht getäuscht haben."

Der verwundete Scharführer versuchte, sich zu recken, gab den Versuch aber sofort wieder auf. Die Brustwunde schmerzte noch zu stark, außerdem bestand noch immer Gefahr, dass sie bei einer heftigen Bewegung aufreißen würde. Es ärgerte ihn, nicht selbst nach der imaginären Bestie suchen zu können. Aber falls wirklich ein Rundohr in der Burg war, würde Kormund es in seinem Zustand schwerlich stellen und bekämpfen können. Also schritt er zu dem Vorratshaus hinüber, vor dem die beiden Wachen standen.

„Habt ihr in der Nacht etwas Besonderes gesehen?“, fragte er eindringlich. „Ein Rundohr, vielleicht sogar hier in der Burg?“ Einer der Männer lachte auf, während der andere grinsend den Kopf schüttelte. Doch Kormund wollte ganz sicher sein. „Habt ihr die Tür überprüft?“

„Wozu?“ Der lachende Wächter wies auf die schwere Bohlentür. „Wer an die Vorräte will, muss erst an uns vorbei. Und wir standen die ganze Zeit vor der Tür, Herr.“

„Die ganze Zeit?“ Kormund, der bemerkte, wie einer der Männer errötete, nickte dann langsam. „Dachte ich es mir doch. Öffnet die Tür, ich will sehen, ob im Vorratshaus auch wirklich alles in Ordnung ist.“

Also öffneten die beiden Wächter die dicke Bohlentür, und das breite Lächeln gefror ihnen augenblicklich. Licht fiel durch die offene Tür in den unteren Lagerraum, der ansonsten dunkel war. Schon das allein war ungewöhnlich, denn hier brannte stets eine Fettlampe. Dann erblickten sie den Schwertmann der Wache. Er lag gleich hinter der Türe, und seine Kehle war aufgeschlitzt. Kormund versteifte sich. „Holt mehr Männer“, herrschte er die beiden erschrockenen Wachen an. „Rasch.“

Kormund überlegte kurz, während die Rufe der beiden Posten weitere Männer herbeieilen ließen. Das Vorratshaus war ein plumper Bau mit massiven Wänden und ohne Fenster. Hier lagerten die Vorräte der Burg, und man hielt die Räume immer gut verschlossen, damit keine Nager eindringen konnten. Dies ließ sich jedoch nicht ganz verhindern, weshalb sich auch stets eine Wache in den Räumen befand, die besonders auf die Anwesenheit der pelzbedeckten Schädlinge zu achten hatte. Trockenfleisch, Mehl, Gemüse und Obst wurde hier aufbewahrt, und es wurde regelmäßig geprüft, ob etwas davon verdorben war. Die Vorräte dienten dazu, die Bevölkerung über einen langen Winter hinwegzubringen oder sie im Fall einer Belagerung zu verproviantieren. Die Räume waren dunkel und vollkommen trocken. Sowieso musste man in der Burg tief graben, um auf Wasser zu stoßen, denn der Pferdefürst hatte diesen Platz mit Bedacht gewählt, um einen möglichst festen Stand für seine Festung zu erhalten. Tatsächlich erhob sich die Burg Eternas auf felsigem Grund, weshalb man auch die Gewölbe hatte nutzen können. Diese waren in Wirklichkeit eine Reihe von Höhlen, die sich über den Standort der Burg hinaus durch den gesamten felsigen Boden zogen und welche nun die geflohenen Frauen und Kinder aus Eternas beherbergten. Doch nur für kurze Zeit, denn die Höhlen waren nur schlecht belüftet, und die Menschen würden sie schon in wenigen Tagen wieder verlassen müssen. Es gab eine steile Stiege, die vom Vorratshaus direkt in die Gewölbe hinunterführte, und Kormund wurde übel bei dem Gedanken, dass ein orkisches Rundohr zwischen die wehrlosen Frauen und Kinder geraten sein könnte. Vielleicht war die Feste doch nicht so gut geplant worden, wie sie alle immer gedacht hatten.

Hinter Kormund hatte sich eine Gruppe von Männern um die beiden Wachtposten versammelt, und der Scharführer kniff die Augen zusammen, als er einen der Männer unter ihnen wiedererkannte.

„Parem", stieß er leise hervor. Es war tatsächlich Parem, der junge Pferdelord aus seiner Schar, der so feige geflohen war, als sie am Pass überfallen worden waren. Instinktiv legte Kormund die Hand an den Griff seines Schwertes, und wieder durchfuhr ihn ein intensiver Schmerz. Schwer atmend sah er den errötenden Parem an. Kormund konnte und wollte die Flucht des Reiters nicht auf sich beruhen lassen. Parem war es nicht wert, den grünen Umhang der Pferdelords zu tragen.

„Scharführer?" Einer der Posten sah Kormund auffordernd

an, und dieser nickte unbewusst. Denn zunächst galt es, sich um den eingedrungenen Ork zu kümmern.

„Eine der Bestien besucht uns gerade“, sagte er ironisch. „Kontrolliert also die Räume des Vorratshauses. Das Biest kann in jeder der Kammern stecken. Nehmt Brennsteinlampen und Fackeln mit, denn es ist dunkel da drinnen.“

„Ich möchte das Biest nicht in der Dunkelheit an den Hals bekommen“, knurrte einer der Männer betroffen.

„Kann mir auch was anderes zum Knarzen vorstellen“, bestätigte ein schlanker Bauer. Der Mann hielt eine Lanze in den Händen, und die Art, wie er dies tat, machte deutlich, dass seine Ausbildung erfolgreich verlaufen war. Zwar passte ihm sein Helm nicht richtig und rutschte ihm immer wieder in den Nacken, doch er hielt die Lanze kurz und fest am Körper, genau wie der Kampf in einem Gebäude dies erforderte.

„Zwei Ebenen über der Erde und darunter noch ein tiefes Kellergeschoss. Die Zugänge der Räume sind jeweils eng. Wenn die Bestie hinter einem lauert, macht sie Hackfleisch aus uns“, murmelte einer.

Kormund sah die Männer grimmig an. „Ich weiß nicht, ob dem Ork unsere Vorräte schmecken, sonst würde ich sagen, wir hungern ihn einfach aus und warten, bis er wieder herauskommt, und empfangen ihn dann mit einem ordentlichen Geschosshagel. Aber wenn wir Pech haben, frisst das Biest uns die ganzen Vorräte weg und überwintert im Vorratshaus.“ Ein paar der Männer lachten halbherzig. „Das größere Problem ist jedoch, dass vom Keller aus ein Weg in die Gewölbe führt. Zu den Frauen und Kindern.“

Der Bogenschütze namens Naik seufzte entsagungsvoll. „Also sollten wir nicht mehr länger zögern, sondern das Biest sofort aufscheuchen.“

Kormund nickte wortlos. „Euer Bogen wird Euch da drinnen wenig nützen."

Der Bogenschütze grinste. „Mein Bogen begleitet mich überallhin, Scharführer. Doch ich führe auch eine gute Lanze."

Bogenschütze Naik hing sich seinen Bogen auf den Rücken und nahm dann einem der Posten die Lanze ab. Er grinste Kormund scheinbar unbeschwert an und betrat das Vorratshaus. Die anderen Männer folgten ihm, und Kormund warf Parem einen drohenden Blick zu. „Hier gibt es keinen Weg zurück, Parem", knurrte er leise. „Tretet Ihr alleine aus der Tür, so wird Euch meine Klinge wieder hineintreiben."

Naik übernahm ganz selbstverständlich die Führung der Gruppe und teilte sie in kleine Trupps auf. „Nehmt Lampen und Fackeln und haltet euch bereit. Seht sorgfältig in jede Ecke und achtet auf die Schatten."

Die Männer verschwanden im Vorratshaus. Im vorderen Raum nahmen sie Brennsteinlampen und Fackeln auf, deren Schein den Raum und die Männer in ein unheilvoll flackerndes Licht tauchte. Nachdem der Raum relativ groß war und das Licht lange Schatten warf, blieb mancher Winkel im Dunkel. Kormund sah den unruhigen Widerschein der Lampen, die sich vom Eingang entfernten und dann ganz verschwanden. Einigen der Männer krampfte sich der Magen bei der Vorstellung zusammen, in dem finsteren Gebäude nur mit Fackeln und Brennsteinlaternen nach einem kampfbereiten Rundohr suchen zu müssen.

Bogenschütze Naik schritt den anderen voran. Der Lichtschein seiner Fackel huschte unruhig über die Wände des Ganges, und der Mann gestand sich ein, dass seine Hand nicht ganz so ruhig war, wie sie hätte sein sollen. Mit ihm zusammen tappten der junge Pferdelord Parem und zwei bewaffnete Bürger

Eternas' durch den langen Gang.

„Finster wie im Hintern eines Pelzbeißers“, maulte einer der Männer.

„Maul halten“, zischte Naik sofort. „Was wir nicht sehen, können wir vielleicht hören.“

„Oder riechen“, erwiderte der Mann. „Die Hosen von meinem Nebenmann kann ich jedenfalls riechen.“

„Haltet endlich die Klappe“, meinte der junge Pferdelord Parem. Die Augen des Mannes waren unnatürlich weit aufgerissen, und Naik konnte seine Furcht spüren. Das Gebäude war aus massiven Natursteinen erbaut, und ihre Schritte hallten in den Gängen und Räumen wider, obwohl sie sich redlich bemühten, leise zu sein. Gelegentlich hörten sie andere Laute, die sie unwillkürlich zusammenfahren ließen, doch meistens waren es nur die Schritte oder Rufe der anderen beiden Suchtrupps, einige andere Geräusche konnten sie jedoch nicht zuordnen. Regale, Kisten und die Balken der Dachkonstruktion ächzten und knarrten.

„Bei den Finsteren Abgründen“, schrie Parem da auf einmal entsetzt auf. Instinktiv wandte sich Naik ihm mit der Fackel in der Hand zu. Der Mann hatte sich an die Wand gedrückt, und seine Augen blickten panisch.

„Verflucht, es ist nur ein Nager“, brüllte Naik unbeherrscht. „Hier gibt es noch mehr von diesen pelzigen Dingern“, fügte er leiser hinzu. „Und wenn Ihr bei jedem von ihnen so schreit, werdet Ihr entweder bald tot oder morgen heiser sein.“

Der Mann nickte zögernd. Naik blickte nach unten. Die Hose des jungen Pferdelords war nass, und an seinen Füßen bildete sich eine feuchte Lache. Der Unterführer schnaubte verächtlich durch die Nase. Dieser Mann war es nicht wert, den grunen Umhang zu tragen.

Sein Schnauben wurde erwidert.

Naik und die anderen erstarrten.

Der junge Pferdelord an der Wand rutschte an dieser zu Boden. Parem zitterte am ganzen Körper, und es störte ihn wohl nicht, dass er in seiner eigenen Nässe saß. Aber Naik beachtete ihn bereits nicht mehr. Der Mann würde keine Hilfe für sie sein. Naik hob zwei Finger und krümmte sie zum Warnzeichen. Die Finger symbolisierten die Fänge eines Orks. Die Männer nickten nur stumm, und Naik umklammerte den Schaft seiner Lanze fester. Wie gern wünschte er in diesem Moment, seine gewohnte Waffe nutzen zu können. Aber hier in den engen und dunklen Räumen war die Lanze sinnvoller. Einer der bewaffneten Stadtbewohner neben Naik formte mit den Lippen eine lautlose Frage, und Naik wies in den angrenzenden Raum hinein.

Die Fackel flackerte und warf unregelmäßige Schatten, und obwohl das Tuch gefettet war, reichte das Licht nur wenige Meter weit. Der Unterführer verfluchte die Tatsache, dass die Fackel ihn selbst und die anderen gut sichtbar machte, während ihnen der Feind jedoch noch immer verborgen war.

Naik warf einen Blick zur Decke. Hier im Erdgeschoss bestand sie noch aus Stein, war fest gefügt und niedrig. Das große Rundohr konnte also keinen Schlag von oben herab auf sie führen, da seine Waffe sonst die Decke berührt hätte, sondern konnte nur nach vorne stoßen, um, wie die Menschen auch, auf die Brust des Gegners zu zielen.

Erneut ertönte das leise Grollen. Dann ein merkwürdig krachendes und splitterndes Geräusch. Eine Gänsehaut kroch über Naiks Rücken. Das Biest nagte wohl gerade an irgendeinem Unglücklichen herum und zerkleinerte seine Knochen. Er schüttelte sich. Immerhin, das Biest war beschäftigt. Besser, jetzt zu handeln als zu warten, bis es sich nach einem passenden Nachtisch umsah.

Naik warf die Fackel einfach in den Nebenraum hinein und hechtete sofort hinterher. Im irrlichternden Schein der Fackel sah er aus den Augenwinkeln heraus eine flüchtige Bewegung. Ein grauer Schemen, der sofort wieder aus seinem Blickfeld verschwunden war. Dafür sah er aber nun das bluttriefende Maul des Orks vor sich, der zusammengekauert in einer Ecke hockte und sich gerade vorbeugte, um erneut seinen Imbiss zu sich zu nehmen. Die Bestie reagierte ungewöhnlich langsam, und als sie ihm den Kopf zuwandte, erkannte Naik auch den Grund dafür. Der Helm des Rundohrs wies an einer Seite eine tiefe Beule auf. Ein schwerer Schlag musste den Ork dort getroffen und dabei seinen Schädel verletzt haben. Die Wunde blutete. Nicht besonders stark, aber sie musste die Bestie geschwächt haben. Naik sah das dunkle Blut, das am Hals des Rundohrs herabsickerte. Möglicherweise hatte sich der getötete Schwertmann im Vorraum des Vorratshauses noch zur Wehr setzen können.

Naik konnte seine Lanze schräg von der Seite in die Brust des Rundohrs bohren, noch bevor dieses brüllend sein Maul aufriss. Einer der Stadtbewohner stürmte an dem Unterführer vorbei und rammte seine Lanze ebenfalls mit aller Wucht von unten gegen den Leib des Gegners. Die Klinge glitt jedoch am Brustharnisch des Orks ab und drang nur seitlich in dessen Hüfte ein.

Die Bestie brüllte erneut auf und richtete sich im Reflex auf, wobei ihr Schädel dumpf gegen die Decke des Raumes schlug. Blut sprühte aus ihren Wunden. Naik versuchte, seine Lanze wieder aus dem Leib des Orks herausziehen, doch dafür bewegte sich das Rundohr zu heftig. Schon war der dritte

Mann heran, aber auch seine Lanze prallte am Harnisch ab und traf stattdessen die Wand hinter dem Ork. Wieder bäumte sich die Bestie auf und schlug im Todeskampf um sich. Naik wurde von einem ungezielten Schlag getroffen und gegen eine Wand geschleudert, während sich der erste Stadtbewohner abrollte und durch die Tür floh. Der Farmer aber, dessen Stoß fehlgegangen war, blickte fassungslos auf die Bestie und auf seine Lanze, die für ihn unerreichbar an der Wand hinter dem Rundohr lag. Dann gab es ein reißendes Geräusch, dem ein dumpfes Patschen folgte, und Naik sah, wie das Schlagschwert des Orks dem Farmer den Unterleib aufschlitzte. Der Mann stand einfach da und musste hilflos mitansehen, wie sich seine Gedärme auf den Boden ergossen. Dann fiel er stumm vornüber, und das Rundohr sackte über ihm zusammen. Ein paarmal zuckte die Bestie noch mit ihren Armen und Beinen, dann war es vorüber.

Naik nahm sich nicht die Zeit, um neben die Bestie zu treten oder um Fackel und Lanze wieder an sich zu nehmen. Er schrie einfach so lange, bis einer der anderen Suchtrupps auftauchte. Im Schein ihrer Fackeln betrachteten sie den Kadaver. Danach besah sich Naik den Raum noch etwas genauer und meinte dann zu den anderen Männern: „Ihr bleibt hier und haltet die Augen offen."

Er reagierte nicht auf ihre Fragen, sondern hastete zum Ausgang. Dort fand er den Scharführer Kormund. Trotz seiner Schwäche saß dieser auf einem Schemel, den man ihm dorthin gestellt hatte, und seine Hand ruhte auf dem Griff seines Schwertes.

Naik gab dem einen Posten seine Lanze zurück und wies auf das Vorratshaus. „Wir haben das Biest, Scharführer." Er kratzte sich unbewusst am Kopf. „Ich habe außerdem etwas

Graues davonhuschen sehen. Ich bin mir nicht sicher, Kormund, aber ich fürchte, einer der Grauen Zauberer ist in der Burg. Ein Wesen jener Art, die uns bereits am Hammerturm begegnete."

Kormund sah den Unterführer einen Moment lang schweigend an, bevor er seinen Mund zu einem schmalen Lächeln verzog. „Also, noch eine kleine Jagd, nicht wahr, Unterführer Naik?"

Naik kratzte sich erneut. „So vergnügungssüchtig bin ich nun auch wieder nicht, Scharführer."

Dieser lachte trocken. „Wenn Ihr so weitermacht, Unterführer, dann werdet Ihr es höchstwahrscheinlich noch zum Scharführer bringen."

Naik grinste. „Das wird mir dann doch zu anstrengend. Aber wenn Ihr mir erst einmal eine kleine Erfrischung gönnt und ein paar gute Männer ausleiht, dann will ich sehen, ob wir dieses graue Nagetier nicht wieder aus dem Bau heraustreiben können."

„Ihr bekommt beides, Unterführer", meinte Kormund. „Und den Pelz des Grauen könnt Ihr danach sogar behalten."

Mit einem der anderen Männer zusammen trat nun auch der junge Pferdelord Parem aus der Tür. Seine Augen waren weit aufgerissen, und an seinen Beinkleidern war zu sehen, dass er unter sich gemacht hatte. Das Gesicht des rothaarigen Burschen wurde noch blasser, als er in Kormunds grimmig dreinschauendes Gesicht starrte. Parem wollte sich rasch an den anderen Männern vorbeischieben, doch Kormunds kalte Stimme hielt ihn zurück.

„Halt, Parem, steht fest." Kormund richtete sich ächzend auf und musterte den jungen Mann angewidert. „Euer Beinkleid zeigt mir, dass Ihr es nicht wert seid, ein Pferdelord zu sein. Ihr habt den grünen Umhang entehrt. Legt ihn ab, auf der Stelle."

Parem biss sich auf die Unterlippe und sah die Umstehenden nervös an. Deren Gesichter waren kühl und abweisend. Der junge Pferdelord schien etwas erwidern zu wollen, doch dann löste er die Spange seines Umhanges und zog ihn sich von den Schultern. Als er ihn Kormund reichen wollte, ließ ihn dieser mit einem verächtlichen Schnauben fallen.

„Ihr habt Eure Ehre verloren und verdient nicht einmal, sie mit der Klinge wieder zu erlangen", polterte der Scharführer. „Aber Ihr sollt sie behalten. Auch wenn Ihr nicht zu kämpfen vermögt, so mag Euer Körper doch der Hochmark nützen, und sei es nur, indem Ihr die Aufmerksamkeit des Feindes auf Euch zieht. So mag ein Pfeil oder eine orkische Klinge Euer Blut vergießen und einen ehrenhaften Mann an Eurer statt verschonen. Geht mir aus den Augen, Parem. Wenn dies vorbei ist und Ihr noch leben solltet, so wird Euch der Richtspruch der Pferdelords treffen, und Ihr werdet nie wieder den Rücken eines Pferdes berühren." Kormund wies auf den Helm Parems. „Nehmt den Rosshaarschweif ab. Ihr seid nun kein Pferdelord und schon gar kein Mann der Wache mehr."

Parem löste den Helm, hielt ihn einen Moment in den Händen und legte ihn dann auf den Boden, bevor er sich hastig abwandte. Scharführer Kormund wies gleich darauf auf Helm und Umhang. „Verbrennt dies. Kein wahrer Mann des Pferdevolkes soll die einmal entehrten Symbole eines Pferdelords je wieder aufnehmen."

Der verletzte Scharführer blickte zum Haupthaus hinüber. Der Bogenschütze Naik glaubte also, einen Grauen in der Burg gesehen zu haben. Das hatte ihnen gerade noch gefehlt, dass sich jetzt auch noch einer der Grauen Zauberer in der Burg verbarg.

Er kniff die Augen zusammen. Oder war es die Graue Frau gewesen? Kormund erhob sich. In jedem Fall mussten Garodem und die anderen Führer sofort davon erfahren. Naiks Augen und Reflexe waren gut, und Kormund glaubte nicht, dass der Unterführer sich getäuscht hatte.

## 38

Merawyn, die Graue Frau, stellte mehrere Schalen auf den massiven Holztisch. „Gebt acht, Garodem, mein Hoher Lord, der Anblick wird Euch erfreuen."

Die Graue Frau hatte früher ein kleines Haus am östlichen Stadtrand Eternas' bewohnt, doch sie war, als die ersten Anzeichen von Gefahr aufgetreten waren, zur Burg gekommen, um Garodem ihre Hilfe beim Schutz der Hochmark anzubieten. Der Pferdefürst vermutete hinter ihrem Angebot eher Merawyns Bedürfnis nach Sicherheit. Sie schien ihm nicht besonders mutig, aber das musste sie als Heilerin wohl auch nicht sein. Bislang hatte sie tatsächlich kräftig bei der Heilung der Verletzten mitgeholfen, sonst jedoch nicht viel zur Abwehr des Feindes beigetragen. Merawyn standen zwei kleine Räume im Keller der Unterkunft der Schwertmänner zur Verfügung, die nunmehr als Hospital für die Erkrankten und Verletzten diente. Zuvor waren die Räume lange Zeit als Lagerraum benutzt worden, und reparaturbedürftiges Lederzeug und Möbel waren hier abgestellt worden. Nun hatte man hier Raum für die Graue Frau und ihre zahllosen Töpfe und Tiegel geschaffen. Schalen und Mörser standen in einem scheinbar unübersichtlichen Wirrwarr auf Tisch und Regalen, aber Merawyn schien sich blind in dem Chaos ihrer Gerätschaften orientieren zu können. Auch der Schmutz schien sie nicht zu stören. Ebenso wenig wie der Gestank.

Garodem fühlte sich bei ihrem Anblick nicht besonders wohl. Ihr Gewand erinnerte ihn stets an die Grauen Zauberer, die seine Gruppe bei Hammerturm bezwungen hatte. Doch Merawyn war unzweifelhaft eine Frau und konnte als solche nicht der unheimlichen Zunft der Zauberer angehören. Mochte sie auch noch so geheimnisvoll tun, ihr Handeln hatte bislang nur wenig mit Magie zu tun gehabt. Immerhin verstand sich die Graue Frau auf Kräuter und Tinkturen, obwohl Garodem und seine Begleiter sich fragten, was sie nunmehr wohl für sie zusammenmischen mochte. Im Raum roch es nach Kräutern und anderen Substanzen, von denen einiges der menschlichen Nase angenehm war, während viele andere in Garodem Widerwillen hervorriefen.

„Wozu braucht Ihr all den Unrat?“, knurrte Beomunt mit gerümpfter Nase.

„Das werdet ihr gleich sehen, meine Herren“, versicherte die Graue Frau. „Es wird Euch gefallen.“

Merawyn rührte eine dicke graue Paste an, die ziemlich merkwürdig roch. Doch das lag offensichtlich an den Bestandteilen, die Merawyn hierfür zusammenrührte: Holzkohle, gelbes Pulver und eine Substanz, die sie aus dem Dung von Mensch und Tier zu gewinnen schien. Beomunt zog Garodem fürsorglich zur Seite, als ein Knappe in den Raum trat und einen Eimer mit frischem Mist vor dem Tisch abstellte.

Beomunt räusperte sich und wedelte mit der Hand vor der Nase. „Wollt Ihr die Orks durch den Gestank vertreiben, Graue Frau? Obschon die Bestien selbst recht übel stinken, das hier scheint mir noch weit übler.“

Merawyn blickte kurz auf und lachte. „Keine Sorge, Ihr Herren, nicht der Duft wird die Bestien vertreiben. Ihr werdet es gleich sehen, ich bin fast fertig.“

Sie mischte weiterhin so lange Holzkohle, Gelbpulver und etwas von der selbst gerührten Substanz aus dem Dung in einer

Schale mit Wasser zusammen, bis die Paste zäh und von stumpfer grauer Farbe war. Dann richtete sie sich vom Tisch auf und sah sich suchend um. Sie deutete auf einen alten Schemel. „Seid doch so gut und gebt mir ein Stück des Schemels, Ihr Herren. Eines der Beine wäre recht."

Beomunt trat gegen das baufällige Möbel und zerbrach es. Mit einem spöttischen Lächeln reichte er der Grauen Frau ein abgebrochenes Bein. „Viel Gestank und etwas hartes Holz? Da gibt es effektivere Methoden, Graue Frau, um den Schädel eines Rundohrs zu erweichen."

Merawyn sah ihn diesmal sichtlich wütend an. „Seid kein Narr, Beomunt von des Pferdekönigs Hof." Sie nahm das Holzteil, strich etwas von der grauen Paste darauf und hielt das Schemelbein direkt unter Beomunts Nase. „Könnt Ihr es nun sehen, Pferdelord?"

„Vor allem kann ich es riechen", knurrte der Schwertmann.

Merawyn sah ihn ausdruckslos an und nahm daraufhin einen Eimer Wasser zur Hand, den sie in die Mitte des Raumes stellte. Dann sah sie Garodem und seine Scharführer spöttisch an und ließ das mit Paste bestrichene Holzstück in den Eimer hineinfallen. Ein Knistern war zu hören, im Wasser spiegelte sich plötzlich ein heller Schein, und schließlich fuhr eine Stichflamme aus dem Eimer heraus.

Fassungslos starrten die Männer auf die kräftige Flamme, deren Hitze sie zurückweichen ließ.

„Bei den finsteren Abgründen", ächzte Tasmund. „Es brennt im Wasser."

„Ja, das tut es", stimmte Merawyn triumphierend zu. „Es ist sogar das Wasser selbst, das die Flamme entzündet, Ihr Herren." Sie deutete auf den Eimer, in dem das Holzstück bis weit über die Paste versunken war, aber dennoch brannte die graue

Masse mit intensiver Hitze. „Es kommt nur auf die richtige Mischung an. Man mische sieben mit einem und einem", sagte sie auflachend. „Das Wasser entzündet es, Ihr Herren. Jegliches Wasser. Versteht Ihr jetzt, Ihr Herren?"

Garodem und die Scharführer blickten sich ein wenig ratlos an. „Was soll uns dies nützen, Merawyn?", fragte der Pferdefürst schließlich.

„Kriegsmaschinen", sagte die Graue Frau und lächelte boshaft. „Die Orks werden welche erbauen, Ihr versteht? Frisch geschlagenes Holz enthält aber Wasser, daher knistert und kracht es auch, wenn man es ins Feuer wirft. Jeder Brandpfeil lässt sich löschen, doch ein Geschoss, mit dieser Paste bestrichen, wird jede neue Kriegsmaschine in Brand setzen, und kein Ork wird sie dann noch löschen können."

„Kein Brandpfeil trägt so weit wie eine große Schleuder", sinnierte Garodem. Dann lächelte er. „Ah, ich verstehe, Graue Frau. Ihr denkt an die großen Bolzenwerfer."

„Nehmt ein nicht zu schweres Geschoss, und der Werfer wird es weiter tragen, als die Schleudern entfernt sein werden." Merawyns Lächeln nahm einen dämonischen Ausdruck an. „Streicht das Geschoss mit der Feuerpaste ein, und die Kriegsmaschine wird brennen, und kein Wasser der Welt vermag sie noch zu löschen." Die Graue Frau deutete auf die Paste. „Man darf sie nur nicht mit den Händen berühren, denn die Haut könnte feucht sein und deshalb gleich in Flammen stehen. Ihr müsst die Feuerpaste sehr behutsam handhaben. Der Feuerpfeil mag sich schon im Flug entzünden, doch dies muss Euch nicht betrüben. Er wird jede Kriegsmaschine der Orks verbrennen."

Beomunts Gesicht wirkte ein wenig skeptisch, doch der Erste Schwertmann Tasmund schien reine Verzückung zu empfinden, und auch Garodem nickte beifällig. „Guntram mag ein paar hölzerne Bolzen fertigen. Dann tragen die Werfer noch weiter. Und unterrichtet ihn von der Feuerpaste unserer Grauen Frau."

Garodem nickte Merawyn anerkennend zu. „Ihr habt wahrhaftig ein wundersames Werk vollbracht, Graue Frau Merawyn. Die Hochmark wird Euch viel zu verdanken haben."

Die Graue Frau nickte. „Ihr mögt nun anders über meine Künste denken, Garodem, Herr der Hochmark. Aber jetzt will ich mich eilen und Euch noch mehr von meiner Feuerpaste zubereiten."

„Was braucht Ihr noch dazu?"

„Ein paar willige Hände für die Vorbereitungen und noch etliche Eimer frischen Dung, ihr Herren. Dann vermag ich Euch einen Feuerzauber zu bereiten, wie Ihr ihn noch nie zuvor erlebt habt." Sie überlegte kurz. „Vielleicht noch drei größere Kisten, Ihr Herren. Sehr stabil und wasserfest, so dass ich die Paste sicher darin aufbewahren kann."

„Ihr sollt alles bekommen, Graue Frau", versicherte ihr Garodem.

Garodem und die Scharführer verließen den Raum wieder über die enge Steintreppe, die ins Erdgeschoss des Hospitals hinaufführte. Garodem wollte die Gelegenheit nutzen, um auch gleich noch nach den Kranken zu sehen, die hier lagen, und ihnen Mut zuzusprechen. Beomunt und Tasmund hingegen hatten es eilig, dem alten Schmied Guntram die gute Nachricht zu übermitteln. Als er das Behandlungszimmer der Heiler betreten wollte, stieß der Pferdefürst beinahe mit einer hübschen blonden Frau zusammen.

„Verzeiht, ich war ungeschickt", sagte Garodem und trat zur Seite. Er musterte sie neugierig. „Ihr kommt mir bekannt vor, gute Frau."

„Meowyn, des Balwins Weib, Hoher Lord", erwiderte sie

und verzog dabei schmerzlich das Gesicht. „Nun, ich war sein Weib, denn er ist tot.“

„Ich erinnere mich.“ Garodem nickte mitfühlend. „Larwyn, meine Gemahlin, erzählte mir davon, und ich glaube mich zu entsinnen, dass Ihr auch Euren Sohn vermisst, nicht wahr?“

„Nedeam? Oh ja.“ Die junge Frau seufzte. „Er ist erst zwölf und wünschte sich so sehr, ein Pferdelord zu werden. Ich glaube, er hat die Burg zusammen mit den Boten verlassen, die Eure Gemahlin entsandt hat.“

Die Boten waren bisher nicht mehr wieder aufgetaucht. Nur das Pferd des einen war wieder in die Stadt zurückgekehrt, mit blutbeflecktem Sattel. Garodem nahm an, dass die Boten ihre Aufgabe nicht hatten erfüllen können und längst tot waren. Und wenn der Knabe ihnen wirklich gefolgt war, so hatte ihn wohl das gleiche Schicksal ereilt. „Verliert nicht den Mut, gute Frau Meowyn.“ Er lächelte freundlich. „Euer Sohn Nedeam soll ein gutes Pferd reiten. Er wird in Sicherheit sein.“

Die junge Frau lächelte unmerklich. „Ihr meint, weil er außerhalb der Burg ist, nicht wahr?“

Garodem schüttelte den Kopf. „Seid guten Mutes, gute Frau Meowyn. Eternas wird standhalten, und Ihr werdet auch Euren Sohn wiedersehen. Ihr wart verletzt. Was macht Eure Wunde?“

„Sie heilt gut, und ich will nun sehen, ob ich nicht eine Beschäftigung für mich finde.“

„Es ist immer gut, die Zeit nicht nutzlos verstreichen zu lassen.“ Garodem dachte an die Graue Frau. „Wenn es Euch nichts ausmacht, gute Frau Meowyn, so denke ich, dass die Graue Frau Merawyn Eure Hilfe gut gebrauchen könnte. Richtet ihr außerdem aus, dass ich noch weitere Hände zu ihr senden werde.“

Meowyn stieg zögernd die enge Stiege hinab in den Keller. Die Aussicht, der Grauen Frau zu begegnen, war ihr ein wenig unheimlich. Die Tür zur Kammer war geschlossen, und als Meowyn sie öffnete, fuhr die Graue Frau von einer kleinen Kiste hoch, in der Meowyn viele schwarze Körner erkennen konnte, die die Kiste fast ausfüllten. Die Graue Frau schloss hastig den Deckel.

„Klopft an die Tür, wenn Ihr Einlass begehrt, Frau", stieß Merawyn unfreundlich hervor. „Es ist nicht ungefährlich, einfach die Tür aufzureißen, wenn ich meine Substanzen mische. Was wollt Ihr?"

„Garodem, der Hohe Lord, schickt mich", erwiderte Meowyn. „Ich soll Euch behilflich sein, sofern ich dies kann. Ich wollte Euch nicht stören, Graue Frau."

„Ah, schon gut. Kommt nur herein." Merawyn winkte die blonde Frau zu sich. „Ihr werdet mir ganz sicher helfen können. Frauen haben behutsamere Hände als diese männlichen Tölpel. Ich werde Euch zeigen, was zu tun ist, und Ihr werdet danach darauf achten, dass die anderen auch alles richtig machen. Ich selbst habe noch so vieles zu tun."

Ein paar Männer kamen in den Kellerraum, und Merawyn demonstrierte ihnen die Wirkung der Feuerpaste. Dann zeigte sie ihnen auch, wie die Substanzen miteinander gemischt und verrührt werden mussten, um die Paste herzustellen. Meowyn zuckte zusammen, als die Graue Frau Wasser in eine Schüssel gab, um die Paste darin zu verrühren. Die Graue Frau lachte auf. „Nein, keine Angst, noch kann es nicht brennen. Sie muss in jedem Fall zuerst mit Wasser vermischt werden, damit sie formbar und zäh bleibt. Erst wenn ich ein paar Körnchen hiervon hinzugeben würde", die Graue Frau wies lachend auf eine tönerne Flasche, „dann würde es wahrlich heiß in diesem Keller werden.“ Sie lachte erneut. „Doch nun begebt euch ans Werk. Der Pferdefürst will die Paste rasch haben. Und achtet darauf, dass eure Hände trocken sind.“

Zehnteltage verbrachten sie in dem Kellerraum, und immer wieder trugen Männer verbranntes Holz und Dung hinein. Im gesamten Raum stank es mittlerweile furchtbar, denn der Dung musste beständig fein geknetet werden. Zwei der Helfer traten den mit etwas Stroh vermischten Dung dann in einem Bottich zu Brei, während andere Helfer Holzkohle von den angesengten Ästen schabten.

Immer wieder sah Merawyn den Helfern auf die Finger. „Ganz fein muss es sein, ganz fein“, ermahnte sie die Männer und Frauen. „Es darf keine Körner geben. Keine Körner.“

Sie arbeiteten Zehnteltag um Zehnteltag, bis die Graue Frau endlich zufrieden war. „Geht nun, geht“, sagte sie zu den anderen und machte eine scheuchende Bewegung mit der Hand. „Es ist gut getan.“ Sie musterte einen der Männer. „Ihr da, Ihr werdet bleiben und mir helfen, alles richtig zu verpacken.“

Dem Mann schien die Aussicht, mit der Grauen Frau alleine zu bleiben, nicht besonders zu gefallen, aber er wagte nicht, ihr zu widersprechen. Während Meowyn und die anderen den Keller verließen, schob die Graue Frau den Mann in Richtung des Nebenraumes. „Folgt mir.“

Der Nebenraum diente Merawyn als Schlafgemach, und neben einer provisorischen Bettstatt befand sich hier auch ein hölzernes Gestell, auf dem sich mehrere Bretter befanden, die mit einer schwarzgrauen Masse bestrichen waren. „Keine Angst, sie ist ungefährlich“, sagte Merawyn auflachend. „Tragt sie mir hinüber in den großen Raum.“

„Es ist die Feuerpaste“, erklärte sie, während er die Bretter nacheinander zu dem großen Tisch trug. „Aber sie ist nun trocken. Daher sieht sie so dunkel aus. Und sie ist hart geworden wie Holzkohle. Ihr werdet sie nun brechen. In kleine Stücke, die Ihr mir nach und nach herüberreicht."

Merawyn stellte einen Eimer neben den Tisch und setzte sich auf ihren Schemel. Der Mann kratzte an der getrockneten Paste, die nun schwärzlich und rissig wirkte, und sofort lösten sich ein paar größere Stücke davon.

„Etwas kleiner, du Narr", wies Merawyn ihn an.

Sie nahm die Stücke entgegen, gab sie in einen großen Napf und griff dann nach einem Mörser, in dem sie die Stücke so lange vorsichtig zerrieb, bis ein körniges Pulver aus ihnen entstanden war. Der Mann sah sie verwirrt an, und Merawyn lachte auf. „Ja, ja, es ist ein Pulver, ich weiß." Sie lachte erneut. „Macht Ihr nur Eure Arbeit, ich werde die meine verrichten."

Merawyn gab das körnige Pulver in den Eimer und trug ihn, sobald er gefüllt war, in ihr Schlafgemach. Der Mann hörte, wie sie den Eimer dort leerte, wieder zurückkam und erneut damit begann, die Körner zu fertigen. Bei der Arbeit waren etliche der Körner auf den Boden zu Merawyns Füßen gefallen. Und als sich die Graue Frau erneut erhob, trat sie mit dem Fuß auf ein Häufchen der Körner und presste es zusammen. Der Mann fuhr entsetzt zurück, als es zischte und eine gleißende Stichflamme unter Merawyns Fuß hervorbrach. Die Graue Frau verzog schmerzhaft das Gesicht.

Der Mann schien wie erstarrt. Er hielt ein paar Brocken der schwärzlichen Masse in den Händen, die nun zu zittern begannen. Merawyn sah ihn wütend an. „Was starrt Ihr denn so?"

„Euer ... Euer Gesicht..."

„Oh." Merawyn sah ihn spöttisch an. „Stört Euch etwa mein Bart?"

Der Mann war leichenblass geworden und fixierte noch immer das Gesicht der Grauen Frau, das sich auf so furchtbare Art und Weise verändert hatte. Falten waren dort entstanden, und ein dichter Bart bedeckte den unteren Kinnbereich. Doch noch während der Mann in das veränderte Gesicht starrte, begann es sich schon wieder zu wandeln. Falten und Bart verschwanden, und je mehr das Antlitz sich wieder glättete, umso stärker traten Merawyns weibliche Züge erneut zum Vorschein.

„Seid so gut und erhebt Euch", sagte die Graue Frau mit sanfter Stimme. „Und tretet ein wenig vom Tisch zurück."

Der Mann stieß ein heiseres Krächzen aus, fand dann aber irgendwie die Kraft, sich zu erheben. „Ein ... ein Grauer", stammelte er. „Ihr seid ein Grauer."

„Tretet noch ein wenig weiter vom Tisch zurück", bat Merawyn freundlich. „Ja, so dürfte es genügen."

Mit einer fließenden Bewegung legte sie dem schockierten Mann eine Hand flach auf die Brust. „Schmerz überwindet manchen Zauber", sagte sie in entschuldigendem Tonfall. „Ihr hättet dies nicht sehen sollen. Doch nun seid Ihr weit genug vom Tisch zurück. Seid bedankt für Eure Hilfe. Ich brauche sie nun nicht mehr."

Der Mann verspürte eine sengende Hitze, die von Merawyns Hand auszugehen schien. Er wollte schreien, doch seiner Kehle entrang sich nur ein leises Krächzen. Die Hitze breitete sich in seiner Brust aus, und der Mann blickte gebannt auf die Stelle seines Körpers, an der ihn die Hand der Grauen Frau berührte. Dort sah er Rauch und Flammen aufsteigen und spürte qualvolle Schmerzen. Ein seltsames Ächzen wurde hörbar, als die Hitze die Luft aus seinen Lungen trieb. Seine Haut schwärzte sich, brach auf und begann nach verbranntem Fleisch und brennenden Kleidern zu stinken.

Merawyns Hand und Kleidung selbst blieben merkwürdigerweise von den Flammen unberührt, und die gesamte Zeit über lächelte die Graue Frau, während der Leib des Mannes zu verkohlen begann.

Schließlich tippte sie gegen den verbrannten Leichnam, der mit einem hässlichen Laut auf den Boden stürzte. Gewebeteile und verbrannte Stoffreste lösten sich. Doch die Graue Frau musterte nur ihre unverletzte Hand, warf einen missmutigen Blick auf ihren Fuß und untersuchte sorgfältig die Sohle ihres Schuhwerks, die ein wenig angesengt war. Merawyn war ärgerlich, dass sie die kleine Verpuffung des Sprengpulvers unter ihrem Fuß so aus der Fassung gebracht hatte, dass sie dabei ihre Konzentration verloren und ihre Gestalt hatte zeigen müssen. Ein Fehler, der sich jedoch noch korrigieren ließ. Sie musste nur rasch handeln und alles nach einem schrecklichen Unfall aussehen lassen.

Die Graue Frau hörte Schritte auf der Stiege, die in den Keller hinabführte, und stieß einen grimmigen Fluch aus, als es an ihre Tür klopfte. Schnell tauchte sie ihre Fingerspitzen in den Eimer mit Wasser, benetzte ihr Gesicht und verlieh ihm einen schockierten Ausdruck. „Kommt herein“, rief sie dann mit weinerlicher Stimme. „Was für ein schreckliches Unglück“, schluchzte sie laut. „Oh, der arme Mann.“

Es war Meowyn, welche die Tür öffnete und entsetzt in der Öffnung verharrte. Der ätzende Gestank verbrannten Fleisches hatte die blonde Frau bereits erreicht, noch bevor sie die verkohlte Leiche überhaupt sah. Würgend taumelte sie zurück und stolperte auf den Stufen, wo sie sich übergeben musste.

Ein Posten erschien oben auf der Treppe. „Was geht da vor sich, Graue Frau?“

„Ein furchtbarer Unfall“, schluchzte Merawyn. „Dabei habe ich ihn noch ermahnt, nur ja behutsam zu sein …“

Auch der Posten musste gegen seine Übelkeit ankämpfen, und dies gab Merawyn Gelegenheit, ihre Wangen erneut zu befeuchten. Rasch drangen nun auch andere Männer und der Erste Schwertmann Tasmund in den Raum ein, und man trug die verbrannte Leiche aus dem Raum. Merawyn gab sich betroffen, aber niemand schöpfte Verdacht, da mittlerweile jeder wusste, dass ihre Feuerpaste zwar gefährlich, doch hilfreich bei der Verteidigung der Burg sein würde. Tasmund bot ihr sogar an, in einem der anderen Räume zu übernachten, da der Gestank nicht aus ihren Gemächern weichen wollte.

„Habt Dank für Eure Fürsorge, Hoher Herr Tasmund", lehnte die Graue Frau mit einem gezwungen wirkenden Lächeln ab. „Doch wie Ihr seht, sind die Substanzen in diesem Raum hier sehr gefährlich, wenn man nicht damit umzugehen versteht, und ich fürchte einen erneuten und vielleicht noch schlimmeren Unfall, wenn jemand in meiner Abwesenheit hier eindringt."

Endlich war die Graue Frau wieder alleine und sank erleichtert auf den Schemel vor ihrem Arbeitstisch. Ihr Blick fiel auf die schwarzen Körner, die noch immer auf dem Boden lagen und nicht unter ihrem Fuß verbrannt waren. Ihr Gesicht verzog sich zu einem Lächeln. Rasch schob sie die Körner zusammen und trug sie in ihr Schlafgemach. Zwei Kisten waren nun bis obenhin gefüllt. Es waren zwar keine großen Kisten, doch wenn sie nahe genug an ihr Ziel herangebracht werden würden, würde ihre Wirkung ausreichen. Der Tölpel war wirklich hilfreich gewesen, und Merawyn bedauerte es fast, dass er die Früchte seiner Arbeit nun nicht mehr würde genießen können.

# 39

Für ihre Angriffe bevorzugten die Orks meist die Dämmerung oder die Dunkelheit, denn sie verschaffte ihnen Vorteile gegenüber den Menschen, deren Augen stärker auf das Tageslicht angewiesen waren. Das hieß jedoch nicht, dass die Horden der Orks nicht auch bei hellem Sonnenlicht kämpfen konnten. Zwar schätzten die Orks das grelle Licht der Sonne nicht besonders, aber ihre Helme wiesen dicke Stirnwülste direkt über den Augenbrauen auf, die ihnen einen gewissen Blendschutz verliehen.

Es war ein sonniger Tag in der Hochmark, und am Himmel zogen friedlich ein paar Vögel ihre Kreise, nicht ahnend, dass das Tal unter ihnen schon bald in Blut getaucht werden würde. Aus der Stadt Eternas stiegen dort, wo die Brände noch genug Nahrung fanden, noch immer einzelne Rauchsäulen in den Himmel. Die meisten der Gebäude waren mittlerweile aber nur noch rauchgeschwärzte Ruinen, deren steinerne Fassaden mit Ruß und Blut beschmiert waren. Orks waren triumphierend durch die Gassen gezogen und hatten die Zeichen ihrer Kohorten mit dem Blut der erschlagenen Menschen an die Wände gemalt. Auch die Felder vor der Stadt hatten die Bestien mit Feuer überzogen, die inzwischen aber wieder erloschen waren. Jetzt rückten die letzten Kohorten der Orks über die Aschefelder vor, marschierten von Süden kommend in die Stadt hinein und verließen sie im Norden wieder, um sich dort, auf dem riesigen Feld zwischen Stadt und Burg, zu formieren.

Das Stampfen ihres Marschtrittes war von dumpfen Trommelschlägen und rhythmischem Gebrüll begleitet, als Kohorte um Kohorte in Gefechtsformation ging. Die schwarzen Banner mit den Symbolen der Dunklen Macht wehten über den Köpfen von Rund- und Spitzohren aus, und viele Rundohren in den vorderen Reihen hatten die Köpfe erschlagener Männer, Frauen oder Kinder auf ihre Spieße gesteckt und streckten diese dem Feind herausfordernd entgegen. Eines der Rundohren führte sogar den abgetrennten Schädel eines Pferdes mit sich.

Garodem stand mit seinen Scharführern und dem Elfen Lotaras dicht gedrängt auf dem Beobachtungsturm des Haupthauses, dessen kleine Plattform sie sich zusätzlich noch mit einer Handvoll Bogenschützen teilen mussten. Die Männer blickten angespannt über das weite Tal von Eternas, und die Menschen unter ihnen taten das Gleiche, soweit ihnen ihr Standort dies erlaubte. Alle wehrfähigen Männer und Knaben standen nunmehr unter Waffen und besetzten die Mauern. Garodem hatte außerdem schweren Herzens fünfzig Pferdelords von den Wehrgängen abgezogen, die ihm als eiserne Reserve für den Fall dienen sollten, dass die Horde einen der Mauerabschnitte erstürmen würde.

„Fünfzehn Kohorten“, stellte der Pferdefürst fest, nachdem die letzten schwarzen Banner der Orks auf das Feld geführt worden waren. „Fast dreitausend Bestien. Es sieht wahrlich so aus, als ob sie das ganze Tal füllen würden.“

Das war zwar sicherlich übertrieben, aber sie alle waren beeindruckt von der großen Anzahl ihrer Gegner. „Wir haben hundertzwanzig Pferdelords“, stellte Garodem sachlich fest. „Hinzu kommen noch dreihundert mehr oder weniger wehrfähige Männer und Knaben.“

„Und ein Elf“, ergänzte Lotaras ernsthaft.

„Und ein Elf“, bestätigte Garodem und lächelte für einen Moment. Dann wies er auf das freie Feld und auf die Horde, die sich nun fast vollständig formiert hatte. „Sie scheinen nur von Süden aus angreifen zu wollen, denn dort ist die Mauer schmal und bietet nicht vielen Verteidigern Raum. Dennoch glaube ich, dass die Kohorten des Feindes vorhaben, uns später von allen Seiten zu umfassen. Wir lassen die Wälle im Süden, Osten und Westen daher voll besetzt. Dafür werden wir Männer vom Nordwall abziehen und dem Entsatztrupp beistellen. Ich frage mich, warum uns die Bestien noch nicht angegriffen haben, obwohl sie schon lange bereit dazu sind."

Die Formation der Orks war fünf Kohorten breit und drei Kohorten tief. Wie gewöhnlich wurden die vorderen Reihen der Kohorten von Rundohren mit langen Spießen und Schlagschwertern eingenommen, während hinter ihnen die Spitzohren mit ihren Bogen bereitstanden.

„Seht Ihr die riesige Bestie dort?" Lotaras wies in die Schlachtformation hinein. „Das wird ihr Anführer sein."

„Ja, das denke ich auch." Sie beobachteten den ungewöhnlich großen Ork, der offensichtlich das Kommando über die Horde innehatte und dessen Brustpanzer ungewöhnlich grell im Sonnenlicht glitzerte. Garodem betrachtete kritisch die Aufstellung des Feindes. „Bislang dachte ich immer, dass die Horden der Orks nur für den Hinterhalt oder blindes Voranstürmen taugen würden. Aber die Kohorten dort unten sind wohl geordnet und diszipliniert. Eine Armee, wie sie sich ein König nur wünschen könnte."

„Sie werden ihre Disziplin rasch verlieren, wenn sie zu stürmen beginnen", meldete sich Beomunt zu Wort. „Dann werden sie dem Blutrausch verfallen, und ihr klares Denken wird aussetzen. Der riesige Ork scheint mir der Einzige ihrer Anführer zu sein, der wirklich etwas taugt. Wenn wir ihn erledigen könnten ..."

Garodem sah Lotaras fragend an, aber der Elfenmann schüttelte bedauernd den Kopf. „Ein reizvoller Gedanke, Garodem, mein Freund, doch diese Distanz lässt sich selbst mit meinem elfischen Bogen nicht überbrücken."

„Vielleicht könnten ihn die Bolzenwerfer erreichen." Beomunt blickte zum westlichen Südturm, der sich vor ihnen erhob. Dort waren Guntram und die Männer zu erkennen, welche die Waffe später bedienen würden.

Garodem schüttelte entschlossen den Kopf. „Wir konnten keinen Probeschuss mehr abfeuern, und ich möchte unsere Waffen und deren Reichweite nicht zu früh dem Feind verraten. Ein Fehlschuss, und die Horde wäre gewarnt. Ich bin schon recht zufrieden, dass sie uns bei Tag und nicht bei Nacht entgegentreten. Schade nur, dass die Sonne von der Seite kommt und sie nicht blendet."

Noch immer brüllten die Orks und schlugen rhythmisch ihre Trommeln. Einige von ihnen schlugen sich auch mit den Waffen an ihren Harnisch oder stießen ihre Spieße auf den Boden. Die Verteidiger der Burg sahen ihnen schweigend dabei zu. In manch einem der Gesichter zeigte sich Entschlossenheit, in anderen dagegen Furcht. Und auf nochmals anderen lag jener Ausdruck von Gleichgültigkeit, den ein Kämpfer immer dann bekam, wenn er mit dem Leben abgeschlossen hatte. Der Wind bewegte die Umhänge der Männer und ließ das Banner der Hochmark über dem Tor auswehen. Es war notdürftig geflickt worden, aber noch immer mit menschlichem und orkischem Blut besudelt. Wie eine trotzige Herausforderung wehte es über dem Tor der Burg.

„Ich hasse dieses Warten", bekannte Tasmund.

„Wir alle hassen es", knurrte Garodem. „Jeder Kämpfer hasst es, mein Freund. Selbst diese Bestien werden es hassen.

Ich frage mich wirklich, worauf sie noch warten."

„Seht dort hinüber, Garodem, mein Freund", sagte Lotaras und wies auf den östlichen Wald, wo nun ein paar Gruppen von Orks zu sehen waren, die zwischen die Bäume traten. Axtschläge begannen zu hallen.

Garodem nickte. „Das ist es also. Sie sind nur angetreten, um uns ihre Stärke zu zeigen und um uns mürbe zu machen. Jetzt werden sie damit beginnen, Kriegsmaschinen und Leitern zu errichten. Das wird uns zusätzliche Zeit verschaffen. Außerdem werden sie die Waffen zuerst auf das Feld bringen müssen, bevor sie damit angreifen können. Und dann ist der Moment gekommen, in dem wir sehen werden, was Guntrams neue Bolzenwerfer und Merawyns Feuerpaste taugen." Der Pferdefürst sah Beomunt und Tasmund an. „Wir lassen zwei Drittel der Männer ruhen. Allerdings sollen sie in ihren Stellungen bleiben, aber ich denke, die Orks werden mit allem Weiteren warten, bis sie ihr Kriegsgerät bereithaben. Unser Elfenfreund Lotaras mag die Bestien von hier aus im Auge behalten."

Sie wollten den Turm gerade verlassen, als sich ihnen ein Mann auf dem Wehrgang zuwandte. „Sie ziehen ab, Herr."

Tatsächlich marschierte die Horde der Orks vom Feld herunter. Garodem schlug dem Mann auf die Schulter, als er neben ihn auf den Wehrgang trat. „Keine Sorge, mein Freund, sie werden rasch genug zurückkommen."

# 40

Wildtiere und Pferde waren ihm genug begegnet, und einmal hatte Nedeam sogar eine verlassene Schafherde entdeckt, die friedlich am Steppenkraut gezupft und ihn dümmlich angesehen hatte, als er auf Stirnfleck an ihr vorbeigetrabt war. Von zweibeinigen Lebewesen hatte der Zwölfjährige bislang jedoch keinerlei Spuren gefunden. Weder Mensch noch Ork kreuzten seinen Weg, und Nedeam verspürte ein Gefühl der Einsamkeit. Er war weiterhin nach Süden geritten, dann aber nach Südwesten abgebogen. Der Anblick der gewaltigen Orkhorde hatte ihn zutiefst erschreckt. Inzwischen war er sich außerdem sicher, dass diese Horde nicht die einzige war, die durch die Marken der Pferdelords streifte, denn immer wieder stieß er auf neue Spuren der Orks.

Zurückgelassene Ausrüstungsteile, die Reste von Lagerstätten und Exkremente zeigten ihm deutlich, dass eine ganze Reihe größerer und kleinerer Gruppen durch das Land gezogen war. Die meisten von ihnen schienen allerdings nach Süden oder Südwesten gezogen zu sein, wo die Bergfestung des Pferdekönigs lag.

Alle in der Hochmark hatten schon von dieser riesigen und unbezwingbaren Festung gehört, auch wenn die wenigsten von ihnen sie jemals zu Gesicht bekommen hatten. Nedeam war außerdem nicht bekannt, wo sie sich ganz genau befand. Er wusste nur, dass es südwestlich im Gebirge eine große Schlucht geben musste, an deren Ende sich die Festung des Pferdekönigs befinden sollte: hineingebaut in eine gewaltige Felsspalte und umgeben von unbezwingbaren Felswänden, die zu steil waren, um sie zu erklimmen. Es hieß, dass es schon so manchen Versuch gegeben hatte, die Bergfestung zu erstürmen, doch stets hatte sie das Volk der Pferdelords vor allen Angriffen geschützt.

Wenn Nedeam den König der Pferdelords also irgendwo finden konnte, dann dort. Hier allein konnten die Männer und Frauen der unteren Marken Schutz vor den großen Horden gefunden haben. Wenigstens hoffte der Zwölfjährige dies von ganzem Herzen, denn wenn er dort keine Hilfe mehr erhalten würde, fürchtete er, dass das Volk der Pferdelords besiegt und die Hochmark ihre letzte Zuflucht wäre.

Er kam an einer Stelle vorbei, an der ein schwerer Kampf stattgefunden haben musste. Er fand erschlagene Orks und einige tote Pferde, jedoch keine getöteten Pferdelords. Also hatten hier zumindest ein paar Männer der Marken den Feind bezwungen. Nedeam trieb sein Pferd weiter und erreichte schließlich nach langen Zehnteltagen die alte Handelsstraße. Folgte man ihr in Richtung Süden, führte sie direkt in die Stadt des Pferdekönigs, aber Nedeam musste die Festung finden. Und so überquerte er die Straße und ritt auf die Ausläufer des Gebirges zu.

Nedeam stellte fest, dass er sich in der Nähe der Berge um vieles besser fühlte als zuvor in den flachen Ebenen. Dort war er sich schutzlos und allen Blicken ausgesetzt vorgekommen. Sicher konnte sich ein Feind in den Bergen dafür leichter verstecken, aber die schroffen Felsklippen, sanften Hänge und Täler wirkten irgendwie vertraut auf ihn. Der Zwölfjährige überlegte, wie er die Festung wohl am besten finden könnte. Doch wenn der König mit den Bewohnern der Marken in ihr Schutz gesucht hatte, mussten sich auch Spuren finden lassen. Viele Menschen hinterließen stets viele Hinweise, das ließ sich nur schwerlich verhindern.

Wie er gehofft hatte, stieß er auf Spuren, aber es waren die Spuren einer großen Horde, sogar einer ganz gewaltigen Horde. Tausende und Abertausende von Orks mussten hier marschiert sein, denn sie hatten einen breiten Pfad in den Boden gestampft. Nedeams Hoffnungen schwanden, je weiter er ins Gebirge vorstieß. Als er schließlich einen Hügel überquerte und ein kleines grünes Tal vor sich liegen sah, das sich zwischen zwei sanften Hügeln hinzog, stieß der Junge ein hilfloses Krächzen aus. Die Hänge und der Grund des Tales wiesen Zeichen eines schweren Kampfes auf, an dem viele Pferdelords und Orks beteiligt gewesen sein mussten, denn Hunderte von ihnen lagen nun tot auf dem felsigen Boden, dessen Moos und Farne das Blut der Erschlagenen aufgesogen hatten.

Nedeam zählte eine große Anzahl toter Pferdelords und eine noch größere Anzahl von Orks, zwischen denen die verwesenden und aufgedunsenen Kadaver toter Pferde lagen. Am schlimmsten war für Nedeam aber der Furcht erregende Anblick der Ungeheuer. Pelzige Kreaturen mit furchtbaren Gebissen, die nun auf dem Boden lagen, aber selbst im Tod noch unverhohlene Gewalt ausstrahlten. Die pelzigen Ungeheuer trugen fremdartige Sättel und Zaumzeug. Nedeam hatte nie zuvor davon gehört, dass Orks auch Reittiere benutzten, doch ganz offensichtlich war dies der Fall. Pfeile und andere Waffen steckten in den toten Leibern und im Boden. Der zerfetzte Wimpel eines Beritts flatterte an einer zerbrochenen Lanze. Dennoch mussten die Pferdelords hier gesiegt haben, denn auch wenn ihre Toten nicht bestattet waren, hielten sie doch alle ihre Waffen in den Händen. Nichtsdestotrotz beschlich Nedeam zum ersten Mal in seinem Leben das Gefühl, dass auch ein Sieg schrecklich sein konnte.

Trauer und Zweifel brannten in ihm, während er das Tal

durchquerte und auf dessen anderer Seite den Hügel wieder hinaufritt. Hier wich seine Trauer jedoch einer vollständigen Hoffnungslosigkeit. Denn tief unter ihm erstreckte sich das große Tal, an dessen Ende sich die Bergfestung des Pferdekönigs erhob. Nedeam war zu weit entfernt, um dort eine Bewegung erkennen zu können, aber er sah ganz deutlich die Mauer der Festung, welche den gewaltigen Spalt zwischen den zwei steil aufragenden Felswänden versperrt hatte. Die Mauer war zerstört. Ein gewaltiges Stück war aus ihr herausgebrochen, und jetzt gab es keinen Zweifel mehr. Die Bergfestung des Pferdekönigs war angegriffen worden, und sie war gefallen.

Nedeam zog Stirnfleck herum, und der treue Hengst trug den Jungen durch die Berge zurück, die ihm nun finster und drohend erschienen. Wie betäubt saß er auf seinem großen Pferd, die Sinne stumpf für jeden äußeren Reiz. Er achtete nicht mehr auf das Poltern von Steinen oder auf die Schreie von Vögeln, er befürchtete auch nicht mehr den raschen Angriff einer Raubkralle oder den Pfeil eines Orks. Tränen füllten Nedeams Augen, liefen über seine Wangen und wurden vom steten Wind der Berge getrocknet. Schließlich gab Nedeam dem großen Hengst die Zügel frei und ließ das Tier galoppieren, so rasch es dies vermochte. Nedeam wollte nur noch fort von diesem Gebirge des Todes, und so verließen sie die Berge. Der Zwölfjährige sah kaum noch auf den Weg, sondern überließ es seinem Reittier, den richtigen Pfad zu finden. Nach Nordwesten, heimwärts, alles andere zählte nun nicht mehr.

Irgendwann hielt Stirnfleck jedoch inne, und Nedeam, der zusammengesunken im Sattel saß und nicht einmal den beißend kalt gewordenen Wind spürte, bemerkte erst jetzt, dass der Hengst vollkommen erschöpft war. Nedeam beugte sich vor und klopfte Stirnfleck den Hals.

Da drang auf einmal ein leises Pochen an seine Ohren, das sich ihm rasch näherte. Nedeam sah sich um. Stirnfleck war erschöpft, und er selbst fühlte sich wie ausgelaugt. Doch noch hatte ihn sein Kampfgeist nicht ganz verlassen. Sollte es denn so sein, so würde er wenigstens wie ein Pferdelord sterben. Also nahm er seinen Bogen, legte einen Pfeil auf die Sehne und sah dann zu dem Hügel hinüber, hinter dem sich das Pochen näherte. Unentschlossen ließ er den Bogen wieder sinken. Das war der Hufschlag eines Pferdes, und kein Ork ritt ein Pferd.

Ein behelmter Kopf erschien über der Hügelkuppe, begleitet von der funkelnden Schneide einer gewaltigen Streitaxt. Dann der Körper eines riesigen Wallachs und der Leib eines Pferdelords, der zusammengesunken auf seinem Pferd hing. Erst als das Pferd näher kam, erkannte Nedeam, dass der Reiter nicht zusammengesunken, sondern völlig aufrecht auf seinem Pferd saß. Trotz seiner Mattigkeit blickte Nedeam dem kleinwüchsigen Mann ungläubig entgegen. Ein Pferdelord, wenn auch von unglaublich kleiner Statur.

Der Reiter ritt ruhig an Nedeam heran und musterte ihn dabei ausgiebig. „Ihr scheint mir ein wenig jung für einen Pferdelord zu sein“, meinte er schließlich nicht unfreundlich.

„Und Ihr erscheint mir ein wenig klein für einen solchen“, erwiderte Nedeam trotzig.

Der kleine Mann lachte auf und schien sich kaum noch auf seinem Pferd halten zu können. „Gut gekontert, mein junger Herr. Ihr tragt keinen Umhang, kleiner Freund. Seid Ihr denn schon im Mannesalter? Nun, Ihr müsst es wohl sein, denn sonst würdet Ihr hier wohl kaum alleine herumstreifen. Ich bin Dorkemunt, Pferdelord und Hirte, aus dem Grüngrundweiler des Pferdekönigs. Und wem darf ich nun den Schutz meiner Axt anbieten?“

„Nedeam, des Balwins Sohn“, erwiderte der Knabe. „Aus der Hochmark.“

„Aus der Hochmark?“ Der kleine Reiter runzelte die Stirn.

„Das ist wohl eine längere Geschichte“, seufzte Nedeam.

„Oh, Ihr könnt sie mir ruhig erzählen.“ Der kleine Reiter reichte Nedeam seine Wasserflasche, doch Nedeam wies nur auf seine eigene und begann dann stockend, dem ersten Menschen, der ihm in den Marken des Königs lebend begegnete, seine Abenteuer zu berichten. Dorkemunt hörte ihm aufmerksam zu und schlug dem Knaben dann anerkennend auf den Schenkel.

„Ihr habt Euch wacker gehalten, mein junger Herr Nedeam. Auch wenn Ihr jung an Jahren seid, so habt Ihr Euch den Umhang des Pferdelords redlich verdient. Doch nun lasst uns überlegen, was zu tun ist. Die Feste des Königs ist gefallen, sagtet Ihr?“ Und als Nedeam bestätigend nickte, seufzte der kleine Reiter. „Demzufolge haben wir noch viel zu tun, mein junger Freund. Hilfe zu finden und“, er strich sanft über die Schneide seiner Axt, „ein paar orkische Schädel zu knacken.“

## 41

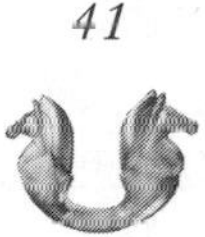

Man hörte das Schlagen von Äxten und das typische Ächzen und Rauschen von Bäumen, die zu Boden fielen, gefolgt von dem Geräusch der Äxte, wenn die Äste danach entfernt wurden und die Sägen ihre Arbeit aufnahmen. So ging es den ganzen Tag und fast die ganze Nacht über, und jeder in der Burg Eternas wusste, was dies zu bedeuten hatte. Die Kämpfer, die auf der südlichen und westlichen Mauer oder auf den Türmen standen, konnten sogar zusehen. Selbst in der Nacht, denn zusätzlich zum Licht des nächtlichen Sternenhimmels erhellten zahlreiche Fackeln das Areal, auf dem die Bestien arbeiteten. Dort, zwischen dem westlichen Stadtrand Eternas' und dem Westwald, entstanden die Kriegsmaschinen der Orks.

Neben Garodem gähnte einer der Männer, der für die Bedienung des Bolzenwerfers eingeteilt war, und Garodem fragte sich, ob dieses Gähnen eher der Müdigkeit oder aber der Furcht geschuldet war. Beides war möglich. Kaum jemand fand Schlaf. Und daran waren nicht die Arbeitsgeräusche der Orks schuld, sondern das unbewusste Lauschen, mit dem ein jeder in der Burg darauf wartete, dass die Geräusche verstummen würden. Denn würde das Hämmern und Sägen erst einmal verstummen, würden auch die Kriegsmaschinen bereit sein. Und dann würde die Horde endlich zum Angriff antreten.

„Kaum zu glauben, dass die Bestien so etwas hinbekommen", murmelte Guntram, der an seinem Bolzenwerfer lehnte. Sie alle sprachen leise, so als müssten sie ihre Anwesenheit vor den Orks verbergen. Oder als wollten sie die Ruhenden, die ohnehin keinen Schlaf fanden, nicht stören.

Garodem stützte sich mit den Händen auf eine Zinne des Turms. „Sie bekommen es hin. Schon damals, zur Zeit des alten Bundes, konnten sie Kriegsmaschinen bauen. Sie mögen vielleicht nicht so perfekt und schön gearbeitet sein wie die unseren, aber sie funktionieren." Er wandte sich dem Schmied zu, dessen weißgraues Haar im Mondlicht silbrig schimmerte. „Was meint Ihr, Freund Schmied, wird Euer Bolzenwerfer die Kriegsmaschinen der Bestien erreichen?"

„Das wird er, Hoher Lord", sagte Guntram überzeugt. „Ich habe die Sehnen aus zwanzig Strängen besten Materials selbst gedreht." Man konnte sehen, wie der Schmied seine Schultern reckte, während er sprach. „Natürlich wird seine Reichweite am frühen Morgen nicht ganz so hoch sein, wenn die Sehnen noch feucht sind und dadurch etwas an Spannkraft verloren haben. Ich wollte deswegen sogar noch eine andere Spannvorrichtung konstruieren, doch die Zeit war zu knapp, Herr. Günstig wäre es, wenn die Horde erst am Mittag angreifen würde. Dann sind die Sehnen gut durchgetrocknet und haben höchste Spannkraft. Nein, Herr Garodem, macht Euch keine Sorgen. Die Bolzen werden die Maschinen erreichen, und, wenn das magische Zeug, welches die Graue Frau gemischt hat, hält, was es verspricht, dann, mein Herr, werden wir die Maschinen auch zerstören."

„So wird es sein", meinte Garodem mit mehr Überzeugung in der Stimme, als er tatsächlich empfand. Er hörte ein leises Schnarchen und blickte auf den Boden der Turmplattform. Dort hatte sich einer der Bogenschützen zusammengerollt und schien tatsächlich fest zu schlafen. Garodem überlegte kurz. Wie hieß der Mann doch wieder? Ah ja, Naik. Der Kämpfer, der den Ork im Vorratshaus zur Strecke gebracht und von jenem Zauberer berichtet hatte, den man trotz intensiver Suche noch immer nicht gefunden hatte. Garodem stieg vorsichtig über den Schläfer hinweg und trat dann an die westliche Brüstung des Turms.

Die Landschaft unter ihm schien leer und leblos. Die Horde der Orks hatte sich in die Stadt Eternas zurückgezogen, wo noch immer einzelne Brände glosten und die Orks zusätzlich Fackeln aufgestellt hatten. Gelegentlich konnte man in ihrem Schein auch die Gestalten der Bestien erkennen, die dort Wache hielten. Garodem fand den Gedanken äußerst reizvoll, die Bestien durch einen nächtlichen Überfall seiner Pferdelords aufzuschrecken, aber er wusste auch, dass es ein Fehler wäre, dies zu tun, denn die wenigen Wachen dort unten waren nicht mehr als ein Köder, solange in den Häusern und um die Stadt herum noch fünfzehn Kohorten des Feindes lagerten. Fast dreitausend Gegner. Dennoch sah Garodem eine Chance.

Lotaras schien seine Gedanken zu erraten. Der Elfenmann zog sich seinen blauen Umhang fester um die Schultern. „Wenn wir ihre Schleudern und Katapulte zerstören, werden wir die Mauern halten können, Garodem, mein Freund. Und dann sind sie gezwungen, über das Feld zu stürmen und in den Pfeilhagel unserer Schützen hinein. Sie werden dabei schwere Verluste erleiden."

Garodem legte dem Elf die Hand auf die Schulter. „Ja, sie werden schwere Verluste haben, aber das wird sie nicht abschrecken. Ich kann mich noch an die Schilderungen meines Vaters erinnern, als er mir und meinem Bruder vom großen Krieg des alten Bundes erzählte." Garodem räusperte sich. Es schmerzte ihn, seinen Bruder zu erwähnen. „Die Horden haben niemals aufgegeben, sie kämpften damals bis zum letzten Mann und haben auch bis zum bitteren Ende noch Menschen mit sich in den Tod gerissen."

„Und Elfen, mein Freund."

„Ja, und Elfen. Verzeiht, Lotaras."

Der Elf lächelte. „Für die Bestien macht es Sinn, bis zum letzten Mann zu kämpfen. Sie können ihre Verluste rasch ausgleichen. Wir jedoch ... Jeder Mensch oder Elf, der auf dem Schlachtfeld fällt, kann später keinen Sohn mehr zeugen." Lotaras wies zum Lager der Orks hinüber. „Die Horden des Feindes wachsen schnell, Garodem, mein Freund." Trauer schwang in Lotaras' Stimme mit, als er fortfuhr: „Unsere Häuser hingegen werden immer kleiner, denn es gibt nicht viele Kinder, denen wir das Leben schenken können. Das ist der Fluch und der Preis für unsere Unsterblichkeit und der Grund, warum uns jedes Leben doppelt und dreifach kostbar ist." Der Elfenmann seufzte. „Manchmal beneide ich euch Menschen um das Glück, viele Kinder zeugen zu können. Auch Eure Gemahlin wird bald einem das Leben schenken, nicht wahr?"

„In einigen Monden." Garodem blickte zum Mond hinauf, der über der Landschaft stand und sie erhellte. „In einigen Monden. Es wird unser erstes Kind sein."

Lotaras schwieg einen Moment. Er konnte die Zweifel um die Zukunft spüren, die Garodem quälten. Wie musste es wohl sein, wenn man sich nicht nur um sich selbst, sondern auch um seine Kinder Sorgen machen musste? Lotaras hatte unter den flüchtenden Bürgern Eternas, die auf dem Feld getötet worden waren, auch Kinder erblickt. Ein Anblick, der ihn besonders entsetzt hatte. Denn Kinder waren die Zukunft eines Volkes. Und besonders des Volkes der Elfen, welche das Geschenk neuen Lebens nur so selten erhielten. Vielleicht war es sogar ein Zeichen für die Bösartigkeit der orkischen Natur, dass diese Wesen keine Kindheit kannten, sondern mehr oder minder fertig aus dem Schlamm der Erde krochen.

Er blickte zum Arbeitsplatz der Orks am westlichen Stadtrand hinüber. Seine elfischen Augen nahmen mehr Details wahr als die der Menschen neben ihm. Lotaras konnte sehen, wie die Kriegsmaschinen der Orks heranwuchsen und dass die Bestien durchaus geschickt darin waren, sie zu bauen.

Aus der Stadt erklang metallisches Hämmern, und Guntram, der alte Schmied, der ein wenig gedöst hatte, schreckte nun auf. Er lauschte in die Nacht hinein und stieß dann ein grimmiges Knurren aus. „Den Klang kenne ich. Das ist mein Amboss." Er fluchte laut und schreckte damit Naik auf. Der Bogenschütze murmelte etwas, drehte sich dann aber einfach auf die andere Seite. Guntram jedoch trat neben Garodem und Lotaras und wies auf die Stadt. „Das ist mein Amboss, Ihr Herren. Nur er macht dieses Geräusch. Diese Bestien sind doch tatsächlich in meiner Schmiede."

Garodem lächelte wehmütig. „Sie werden Beschläge, Zapfen, Bänder und manches andere Teil für ihre Kriegsmaschinen brauchen. Sie sind nicht dumm. Sie nutzen, was Eternas ihnen zu bieten hat."

„Ich hatte noch eine Menge Eisen und Brennstein in der Schmiede gelagert." Guntram fluchte erneut. „Wenn ich das gewusst hätte, hätte ich alles in die Burg gebracht. Jetzt schmieden die Bestien doch tatsächlich aus meinem Material die Waffen, die uns vernichten sollen."

Garodem schüttelte den Kopf. „Grämt Euch nicht, guter Herr Guntram. Eure Schmiede ist nicht die einzige in Eternas. Zudem beherrschen die Bestien, gerade so wie wir, die Kunst, im Felde zu schmieden."

Die Kriegsmaschinen wuchsen schnell, und die hohen Gerüste machten dabei deutlich, dass es sich um große Schleudermaschinen handeln musste. Zwischen leicht konisch zulaufenden seitlichen Balken war der große Hebelarm deutlich zu erkennen, der an einer Seite die Schleuder für das Geschoss hielt und am anderen Ende mit einem Gegengewicht beschwert wurde.

„Keine Belagerungstürme mit Sturmrampen", stellte Lotaras fest. „Und auch keine Leitern."

„Nein? Dann verlassen sie sich ganz darauf, die Mauern zerstören zu können." Garodem blickte in den dunklen Burghof hinunter. „Sind die Breschen erst einmal geschlagen, werden die Bestien durch sie hereinstürmen. Vielleicht haben wir Glück, und sie zerstören nur den vorderen Wall. Wenn sie diesen stürmen, kann der innere Wall sie immer noch aufhalten."

„Sie werden sich Zeit nehmen", vermutete Lotaras. „Diese Horde dort unten wird nicht blind anstürmen, dazu ist sie zu diszipliniert, und ihr riesiger Anführer scheint die Verluste gering halten zu wollen."

„Hoffentlich schieben sie die verdammten Maschinen noch etwas weiter vor", brummte Guntram. „Von hier aus kann ich ihre Schleudern noch nicht treffen. Sie müssen weiter heran."

„Es wird noch eine Weile dauern." Garodem strich über die Zinne des Turms.

Die Steine waren fest gefügt, und es hatte viele Jahre gedauert, um die kleine Burg zu errichten. Erst vor fünf Jahren waren die letzten Teile der Nebengebäude fertig gestellt geworden. Felsstück um Felsstück war in einem nahen Seitental aus einer Felswand herausgebrochen worden. Dort hatte man die Steine vor Ort schon einmal grob behauen und sie danach an die Baustelle der Burg gebracht. Erst hier hatten ihnen die Steinmetze dann das richtige Maß gegeben und sie Stein um Stein eingepasst. Auch wenn Eternas' Mauern nicht besonders hoch waren, waren sie doch sorgfältig gebaut worden und zeugten von der Handwerkskunst ihrer Erbauer. Die Mauer war an ihrer Krone drei Längen stark und unten gute fünf. Nur wenig fruchtbarer Boden hatte ausgehoben werden müssen, um den stabilen Felsgrund zu erreichen, auf dem sich nun die Wehrmauern erhoben. Dabei hatte man auch die Felsenhöhle – das Gewölbe – entdeckt, von der Garodem nicht wusste, wie sie einst entstanden war.

Garodem sah die anderen an. „Es wird noch dauern. Wir sollten so lange versuchen, noch etwas zu ruhen."

„Ja", stimmte Lotaras zu. „Das solltet ihr."

Doch keiner von ihnen machte auch nur den geringsten Versuch. Gemeinsam standen sie auf der Plattform des Turms, nur der Bogenschütze Naik schnarchte weiterhin leise vor sich hin. Schließlich begann der Mond zu sinken, und das klare Sternenlicht der Nacht wich langsam aufsteigendem Dunst, der aus dem feuchten Talgrund aufstieg und alles in Nebel zu hüllen begann. Die Stadt Eternas entschwand ihren Blicken, ebenso die Stelle, an der die Orks ihre Kriegsmaschinen errichteten. Wie Geisterfinger ragten die Gerüste der Schleudern noch bis zuletzt über den Dunst hinaus, dann waren auch sie schließlich in ihm verschwunden. Das große Feld zwischen Stadt und Burg wurde nun ebenfalls von dichter werdenden Schleiern bedeckt, die die Toten gnädig verhüllten, aber auch alle Geräusche dämpften.

„Hört ihr noch etwas?", fragte Garodem leise.

Sie lauschten in die Nacht hinaus, und Lotaras, der noch dichter an die Zinnen des Turms herangetreten war, schüttelte den Kopf. „Nein. Aber ich glaube, das Hämmern und Klopfen hat aufgehört."

„Seid Ihr Euch sicher?"

Da war auf einmal ein leises Quietschen zu vernehmen.

Kaum vernehmlich zwar, aber als sie sich darauf konzentrierten, konnten sie es auch alle wahrnehmen.

„Sie bewegen die Maschinen“, flüsterte Garodem.

Minutenlang standen sie still und lauschten, dann wurde das Quietschen lauter: gewaltige hölzerne Radscheiben, die sich an hölzernen Achslagern drehten und trotz der aufgetragenen Fette ein nervenzerfetzendes Geräusch verursachten. Allmählich drang nun auch ein dumpfes Rumpeln durch den Dunst. Leises Gebrüll war zu hören, und die Männer auf dem Turm konnten sich nur allzu gut vorstellen, wie die Orks ihre schweren Maschinen zogen und schoben und ihre Unterführer sie dabei antrieben.

„Der Boden ist noch feucht vom Nebel“, meinte Garodem. „Und das bedeutet, dass sich die Räder tief in den Boden drücken und das Vorankommen verzögern werden.“

Unter ihnen waren Schritte zu hören, und jemand betrat die Leiter, die zur Plattform hinaufführte. Guntram bückte sich und stieß den schlafenden Bogenschützen an. „Auf, mein Freund, wir bekommen Besuch.“

Naik wälzte sich verschlafen herum. Er schien wirklich zu den wenigen zu gehören, die in dieser Nacht Ruhe gefunden hatten. „Die Bestien?“

Es hämmerte von unten an die schwere Luke der Plattform. „Nein, mein Freund, noch nicht.“

Als der Bogenschütze sich schließlich erhob und Platz machte, wurde die Luke nach oben gestemmt, und der goldene Rosshaarschweif des Schwertmanns des Königs erschien in der Öffnung. Fragend blickte Beomunt die Männer an. „Habt Ihr es gehört, Garodem?“

Lotaras reichte dem Schwertmann den Arm und half ihm auf die Plattform. Gemeinsam starrten sie in den dichten Dunst hinaus. „Sie könnten jetzt durch den Nebel vorrücken", meinte Beomunt. „Er gibt ihnen Deckung."

„All diese Kohorten können sich auch im Nebel nicht anschleichen, Beomunt, Pferdelord", erwiderte Lotaras. „Wir würden sie hören. Aber sie bringen ihre Kriegsmaschinen nach vorne."

„Sobald der Nebel sich lichtet, werden sie mit dem Beschuss beginnen." Garodem machte eine unbestimmte Geste in den Dunst. „Sie müssen nur noch die großen Gegengewichte befüllen, bevor sie die ersten Geschosse auflegen können."

„Das wird rasch gehen. Sie sind zahlreich genug."

Guntram klopfte an seinen Bolzenwerfer. „Das hier wird ihnen nicht schmecken."

„Ist die Feuerpaste der Grauen Frau bereit?"

„Ja, Garodem, mein Herr. In einer versiegelten Kiste und in bestes Fettpapier eingeschlagen, so dass sie keine Feuchtigkeit entzünden kann." Guntram wies auf eine längliche Kiste. „Ich habe ebenfalls eine Reihe von Bolzen wasserfest verstaut und die Bolzenrinne des Werfers gut abgedeckt. Vor dem Schuss werde ich sie außerdem noch sorgsam trocknen."

Das Rumpeln und Quietschen sowie die Rufe der Orks drangen noch immer gedämpft zu ihnen herüber, aber es war nicht zu überhören, dass sie sich näherten. Dann verstummten die Laute auf einmal.

„Haltet trockenes Leinen und Wolle bereit, Guntram", sagte Garodem leise. „Es wird bald beginnen. Denn nun werden sie die großen Gegengewichte mit Sand, Erde und Steinen füllen und sich bereit machen."

Die Spitzen der umgebenden Berge begannen bereits rötlich zu glühen, und das Grau der Dämmerung machte zunehmendem Tageslicht Platz. Schatten begannen dem Licht zu weichen, und verschwommene Konturen nahmen feste Formen an. Der Nebel hob sich und löste sich langsam auf. Nach und nach wurden die großen Schleudermaschinen erkennbar, und der Feind nahm Gestalt an.

Zwei schwere Schleudermaschinen standen in Höhe des nördlichen Stadtrandes von Eternas, und vor der Stadt selbst formierten sich nun die Kohorten der Orks. Noch ragten die langen Hebelarme der Schleudern fast senkrecht in die Höhe, und unter den großen Maschinen waren Dutzende von Orks damit beschäftigt, Gewichte zu den Geräten zu tragen und sie in die riesigen Kisten, die sich an den unteren Enden der großen Hebel befanden, zu füllen. Guntram sog prüfend die Luft ein und deckte den Bolzenwerfer ab. Akribisch begann er, die Waffe mit trockenem Leinen abzureiben. Er konzentrierte sich dabei ganz auf seine Tätigkeit und achtete kaum noch auf das, was sich um ihn herum ereignete.

Garodem oder seine Scharführer brauchten keine gesonderte Anweisung zu erteilen. Alle wehrfähigen Männer und Knaben nahmen automatisch ihre Positionen ein. Auf den vorderen Mauerbereichen standen die Bogenschützen in zwei Reihen, weit genug auseinander, um sich beim Schuss nicht gegenseitig zu behindern. Mit Pfeilen gefüllte Köcher hingen über ihren Schultern, und viele weitere lehnten griffbereit entlang der Mauereinfassung. Hinter den Schützen stand eine Reihe von Männern mit Schilden, Schwertern, Äxten oder Lanzen, die bereit waren, den Orks entgegenzutreten, sollten diese den Versuch unternehmen, auf die Mauern zu gelangen.

„Gleich ist es so weit“, flüsterte Beomunt.

Da wurde an einer der Schleudern der erste Hebelarm nach unten gezogen. Das schwere Gegengewicht hob sich an, und mehrere Orks wuchteten einen großen Steinblock in die Auflage der Schleuder. Als sie zurücktraten, wurde ein Hebel gezogen, die Sperre gelöst, und der Hebelarm bewegte sich. Erst ganz langsam, dann mit erstaunlich zunehmendem Schwung. Der Steinblock löste sich, stieg hoch in den Himmel und begann sich dann wieder zu senken. Garodem krampfte die Hände in die Brüstung des Turms, obwohl er sofort erkannt hatte, dass der Schuss nicht treffen würde. Dennoch duckten sich viele Männer auf den Mauern instinktiv, als der Block rauschend über sie hinwegflog und mit einem dumpfen Laut ein gutes Stück neben der Burg in den Boden schlug.

„Kein schlechter Schuss", knurrte Garodem grimmig. „Zwei oder drei Korrekturen und die Bestien werden ihr Ziel finden."

„Zurücktreten, ihr Herren." Guntram öffnete die Kiste und zog einen der Bolzen heraus, vergewisserte sich, dass er trocken war, und legte ihn in die Rinne des Werfers ein. Er prüfte die Spannung der Sehne und knurrte verdrießlich. „Noch ein wenig feucht, ihr Herren, aber es wird gehen." Dann nahm der alte Schmied ein Öltuch aus der Kiste, schlug es behutsam auseinander und strich die Feuerpaste der Grauen Frau auf den vorderen Teil des Bolzens. Schon während er den Rest der Paste wieder sorgfältig verhüllte, begann dessen Spitze zu knistern. „Tretet zurück, ihr Herren", warnte der alte Schmied. „Die Luft ist feucht und ..."

Es gab ein puffendes Geräusch, und Flammen hüllten den vorderen Teil des dicken und armlangen Bolzens ein. Automatisch wichen Garodem und die anderen Männer ein Stück zur Seite, und der Schmied richtete den Bolzenwerfer aus. Er zog einen Hebel, und ein schlagendes Geräusch ertönte. Die Sehne trieb den brennenden Bolzen durch die Führung der Rinne. Das flackernde Geschoss schien seltsam langsam zu fliegen, aber sie alle wussten, wie sehr dieser Eindruck täuschen konnte.

Die Menschen in der Burg und die Orks vor der Stadt starrten gleichermaßen fasziniert auf den brennenden Bolzen, der zu den Wurfmaschinen hinüber flog, dort aber einige Meter vor einer der Schleudern in den Boden schlug. Sofort brüllten die Bestien triumphierend auf und traten heran, um die Flammen zu ersticken, aber ihr Triumph wich erschrockenen Lauten, als ihnen dies nicht gelang. Allein der Anblick der verwirrten Orks ließ die Verteidiger Eternas' in Jubelschreie ausbrechen.

Ein weiterer Felsblock aus einer Schleuder der Orks schlug ein, diesmal nahe an der Südmauer, in der Nähe des Tores, und der Jubel der Verteidiger erstarb. Im Gegenzug flog wiederum ein brennender Bolzen zu den Orks hinüber, der dieses Mal vom Bolzenwerfer des anderen Turms abgeschossen war. Guntram knurrte in einer Mischung aus Enttäuschung und Triumph, denn der andere Schütze hatte mehr Glück als er.

Der brennende Bolzen traf einen der Stützbalken der großen Schleuder, und die Flammen griffen sofort auf das frische Holz über. Rauch stieg auf, und die Orks rannten mit Behältern herbei und gossen Wasser in die Flammen, um erschrocken festzustellen, dass sich das Feuer dadurch noch rascher ausbreitete. Von zornigem Gebrüll der Horde begleitet, ging die gesamte Schleuder schließlich in Flammen auf.

Garodem spürte einen heftigen Schlag. Ein Felsblock der noch intakten Schleuder hatte gerade den Fuß des Wehrturms getroffen und diesen heftig erschüttert. Zugleich erhob sich bei der riesigen Formation der orkischen Horde forderndes Gebrüll. „Haltet euch bereit“, brüllte Garodem. „Sie greifen an!“

Die Kohorten der Orks rückten vor. Im stampfenden Gleichschritt marschierten sie über das freie Feld, und ihre Tritte und ihr rhythmisches Gebrüll erfüllten die Luft.

Der zweite Bolzen Guntrams traf die noch intakte Schleuder der Orks fast gleichzeitig mit einem Bolzen des anderen Werfers. „Ich werde wohl langsam alt“, grummelte der Schmied, während die Schleuder in Flammen aufging.

Für Lotaras kamen die Kohorten des Feindes nun in Schussweite. Sein elfischer Langbogen trug eine Hundertlänge weiter als die kürzeren Bogen der Menschen und Orks. Der Elf trat in den Freiraum zwischen zwei Zinnen und begann seine Pfeile abzuschießen. Orks stürzten zu Boden, andere rückten nach. Dann begannen auch die anderen Bogenschützen, ihre Pfeile zu lösen. Sie hatten einen großen Vorrat an Pfeilen parat, und ihr Ziel war kaum zu verfehlen. Die Orks brüllten wütend, als immer mehr von ihnen getroffen wurden und fielen. Ihre vorderen Reihen begannen die Spieße nach vorne zu strecken.

„Was für ein verdammter Unsinn“, knurrte Garodem zufrieden. „Dabei haben sie noch nicht einmal Leitern dabei. Sie werden die Mauern niemals erstürmen.“

Männer schrien auf und stürzten rücklings zu Boden, als sie ihrerseits von Pfeilen der orkischen Kohorten getroffen wurden. Auch Garodem duckte sich, als ein Pfeil die Zinne neben ihm traf, richtete sich aber sofort wieder auf. Jetzt wurde in der mittleren Kolonne ein mächtiger Balken sichtbar, dessen vorderes Ende mit schwerem Eisen überzogen war. Lotaras fällte einen seiner Träger, dann einen zweiten, doch sofort traten andere Orks an deren Stelle. Immer näher kam der Rammbalken.

Garodem kannte die Stärke seines Tores, aber er wollte kein Risiko eingehen. „Nehmt euch die Balkenträger vor“, brüllte er zur Wehrmauer hinunter. „Die Ramme!“

Doch um die Träger zu treffen, die den Balken trugen, mussten sich die Bogenschützen weiter aus der Deckung wagen, und Menschen und Orks stürzten getroffen zu Boden. Garodem sprang zur Seite, als ein flammender Bolzen gefährlich nahe an ihm vorbeizischte und weit hinten in die Formation der nachdrängenden Orks fuhr. Dort stoben die Bestien nur so auseinander, wälzten sich getroffen am Boden oder waren sofort tot.

Der Schmied fluchte grimmig. „Der Winkel ist nicht gut, ihr Herren. Für die Schleudern war er perfekt, doch nun sind die Bestien schon zu nahe."

„Keine Sorge, guter Herr Guntram", sagte Garodem. „Sie kommen nicht durch, das werden sie rasch einsehen." Tatsächlich begann die Horde bereits zu weichen. Zwar zischten noch immer Pfeile durch die Luft, aber es war offensichtlich, dass die Orks in die Stadt zurückwichen. Die Verteidiger brachen in Jubel aus. Auch Garodem nickte zufrieden. „Nur mit der Ramme und ohne Leitern schaffen sie es nicht, das hätten sie wissen müssen. Was für ein sinnloser Angriff."

„Ihr Zorn mag sie dazu verleitet haben", vermutete der Elfenmann und blickte über das Feld. Zwischen den Toten der letzten Nacht lagen dort nun viele Rundohren wie auch Spitzohren. Einige der Bestien waren nur verwundet und versuchten, sich in Sicherheit zu bringen. Doch die Bogenschützen auf den Mauern töteten alle, die sich in Schussweite befanden. Sie gaben keinen Pardon, denn sie wussten nur zu gut, dass ihnen der Feind im umgekehrten Fall ebenfalls keine Gnade gewähren würde. Lotaras wies zur Stadt. „Nun werden sie es richtig machen. Das nächste Mal kommen sie mit Sturmleitern. Damit werden sie auf die Mauern gelangen."

Garodem nickte. „Das mag sein, aber wir werden es ihnen schwer machen. Ich schätze, dass an die vierhundert der Bestien gefallen sind und nun tot auf dem Feld liegen."

„Wir haben dagegen nur fünfundzwanzig der Unseren verloren", stellte Beomunt fest. „Ein geringer Preis."

„Sagt das jenen, die sich nie wieder erheben werden“, meinte Lotaras. „Und jenen, die um sie trauern.“

„Das nächste Mal, wenn sie tatsächlich mit Sturmleitern kommen und auf unsere Mauern dringen, wird unser Preis höher ausfallen.“ Garodem sah sie ernst an. Erneut drang das Schlagen von Äxten aus dem Wald zu ihnen. „Ja, jetzt werden sie es richtig machen“, sagte Garodem leise. „Ich frage mich nur, warum sie es nicht schon zuvor getan haben.“

## 42

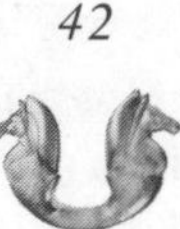

Die Luft ist noch in Ordnung, Garodem, Pferdefürst“, sagte Leoryn, die gemeinsam mit dem Herrn der Hochmark durch die Felsengewölbe unter der Burg schritt. Die Frauen und Kinder hier unterhielten sich leise und sprachen sich gegenseitig Mut zu. Nur wenige Männer befanden sich unter ihnen, und diese waren zu alt für den Waffendienst oder litten an Behinderungen, die ihnen nicht mehr erlaubten, eine Waffe zu führen. Das Gewölbe war feucht, was daran lag, dass sich in seiner Mitte eine offene Wasserstelle befand, die mehrere Längen durchmaß und deren Tiefe nicht abzuschätzen war. Ängstliche Mütter umsorgten ihre kleinen Kinder, auf dass diese nicht ins Wasser stürzten und womöglich ertranken. Fackeln und einige kleine Brennsteinbecken tauchten die Höhle in unruhiges Licht.

Die Elfenfrau wies auf einige der Fackeln. „Ich habe die Menschen angewiesen, auf die Fackeln zu achten, besonders auf jene, die ich auf den Boden stellen ließ. Wenn die Luft schlecht wird, werden diese zuerst erlöschen, und dann müssen die Menschen die Höhle verlassen, Garodem, Pferdefürst.“

„Was schätzt Ihr denn, wie viel Zeit sie hier noch zubringen können?“

Leoryn seufzte leise und zuckte die Schultern. „Das lässt sich nur schwer sagen. Die Höhle ist groß und hat eine hohe Decke, aber frische Luft dringt nur durch jene breite Spalte ein, an der sich die Treppe befindet. Es sind viele Menschen hier unten, Garodem, Pferdefürst, und es mag noch Tage dauern, vielleicht aber auch nur noch Zehnteltage, bis die Luft hier verbraucht ist.“

Kisten, Truhen und Säcke mit Vorräten lagerten in dem Gewölbe. Lauter Dinge, die man vor dem Fall der Stadt noch kurz hierher gebracht hatte, denn in der Nacht, in der die Menschen aus der Stadt hatten fliehen müssen, hatte kaum jemand mehr als sein nacktes Leben retten können.

„Ich denke, es wird sich bald entscheiden." Garodem ging mit der Elfenfrau zu der langen und steilen Treppe hinüber, die an einer der Felswände hinauf zum Innenhof der Burg führte. Er senkte seine Stimme zu einem Flüstern. „Die Orks werden bald genug Leitern haben, um es erneut zu versuchen, und ich fürchte, dann wird es schwierig werden, ihnen standzuhalten. Und wenn die Bestien über die Mauern kommen, wird den Menschen hier unten nur die Wahl zwischen dem Erstickungstod oder dem Tod durch die Horde bleiben."

Sie begannen die Stufen hinaufzusteigen. Doch obwohl an den Wänden Fackeln brannten, lagen manche der Stufen im Dunkeln, und sie mussten vorsichtig sein, um nicht zu stolpern und in die Höhle hinabzustürzen. „Unsere Chancen stehen nicht besonders gut, Leoryn aus dem Hause Elodarions. Ich hoffe, dass die Orks nur den vorderen Hof erstürmen werden, so dass die innere Burg intakt bleibt, und wir werden ihnen üble Verluste bereiten. Vielleicht verlieren sie dann den Mut."

Leoryn lächelte ihn im Halbdunkel an. „Ihr wisst, dass dies nicht der Fall sein wird."

Garodem lachte leise auf. „Vielleicht nicht, aber solange noch Kraft in unseren Armen ist, werden wir auch Hoffnung haben, und solange unser Mut nicht sinkt, wird auch Eternas' Mauer stehen."

„Wohl gesprochen, Pferdelord. Aber ich spüre sehr wohl die Mutlosigkeit und Verzweiflung, die sich unter all den Menschen ausbreitet. Und ich weiß, dass auch Ihr sie verspürt."

Der Pferdefürst wies die Stufen hinauf. „Lasst uns weitergehen, Hohe Frau Leoryn. Es mag sein, dass uns der Mut ein wenig schwindet, doch lasst die Bestien angreifen, dann wird uns unser Zorn helfen, sie zurückzuwerfen. Die Hochmark ist noch lange nicht am Ende."

Eine Weile später befanden sie sich bereits wieder im hinteren Innenhof der Burg, wo eine Schar Pferdelords bei ihren gesattelten Pferden stand und Sattel und Zaumzeug überprüfte. In der Schmiede, die Guntram genutzt hatte, wurden derweil weitere Pfeilspitzen gefertigt und an Schäften befestigt. Die Waffenträger standen, saßen oder lagen entlang der Mauern. Sie versuchten sich zu entspannen und warteten auf den Augenblick, der über Eternas' Zukunft entscheiden würde. Der Rundbogen der Nordmauer war nur schwach besetzt. Doch auch dort lagen auf der Mauerkrone Köcher mit Pfeilen bereit, und einige Kisten mit Schlag- und Stoßwaffen wurden gerade zusätzlich noch von einigen Helfern und mehreren Frauen hinaufgetragen.

Beomunt, Tasmund und Kormund standen im vorderen Innenhof. Als sie Garodem mit Leoryn erblickten, kamen sie zu ihnen herüber.

„Lotaras lässt sich nicht vom Turm locken. Er will den Feind mit seinen elfischen Augen im Blick behalten", berichtete Kormund lächelnd. Seine Brustwunde machte ihm noch immer zu schaffen, und er konnte keine Rüstung anlegen. So trug er über seinem hellen Brustverband nur den Umhang des Pferdelords und seinen Helm. Außerdem hielt er eine Lanze in der Hand, doch sie hatte eher symbolischen Charakter, denn seine Verletzung erlaubte es dem Scharführer einfach noch nicht, wieder eine Waffe zu führen.

Beomunt wies zur Nordmauer. „Die Vorbereitungen dort sind abgeschlossen. Aber die Mauer ist kaum besetzt."

„Sie wird es sein, wenn der Feind uns dort angreift", versicherte Tasmund. „Die Männer sind bereits eingeteilt und wissen, was zu tun ist."

Garodem ließ den Blick über seine Burg schweifen. „An Stelle der Horde würde ich nicht nur an einer Stelle frontal angreifen, sondern die Mauern ganz umfassen. Doch bislang scheinen sie sich nur für den Südteil der Anlage zu interessieren. Wir hoffen, dass es so bleibt. Das nächste Mal werden sie mit Rammbock und Sturmleitern kommen, und dann wird sie auch der dichteste Pfeilhagel nicht mehr daran hindern können, die Mauer zu ersteigen. Wir müssen dafür sorgen, dass sich unsere Bogenschützen dann rasch von der Südmauer in den gedeckten Wehrgang zwischen Haupthaus und Hospital zurückziehen können. Von dort aus können sie die Mauern und den vorderen Innenhof bestreichen. Zugleich müssen die Männer mit den Schilden die Mauern so lange wie möglich zu halten versuchen. Auch die Türme können gut verschlossen und verteidigt werden und dabei helfen, die Kraft des Ansturms zu brechen." Garodem sah auf die Pferde im Innenhof. „Wir werden eine Schar von Pferdelords im hinteren Burghof bereithalten."

Beomunt stieß ein heiseres Knurren aus. „Ich bin schon froh, dass die Orks dieses Mal wenigstens keine Grauen Zauberer an ihrer Seite haben. Das Bild von der Furt am Eisen geht mir nicht aus dem Kopf."

Garodem und Tasmund nickten, und auch wenn Tasmund am Eisen nicht dabei gewesen war, so hatte er doch die Schilderungen der anderen vernommen. „Es muss schrecklich sein, so zu verbrennen und sich nicht dagegen wehren zu können."

„Zu verbrennen." Leoryn trat mit nachdenklichem Gesichtsausdruck näher.

„Ihr seht bestürzt aus, Elfenfrau", stellte Tasmund fest.

„Ich hatte es wohl verdrängt“, sagte die Elfin leise. „Auch ich kann mich noch gut an die Bilder erinnern. Die toten Männer der Reitermark an jenem Gehöft. Sie verbrannten von innen“, murmelte sie. Leoryn hob den Kopf und sah die Männer mit bleichem Gesicht an. „Verzeiht, ihr Herren, doch ich muss mich vergewissern.“

„Vergewissern? Wessen wollt Ihr Euch vergewissern?“, rief Garodem ihr nach.

Doch die Elfenfrau achtete bereits nicht mehr auf seine Worte, sondern hastete zum Hospital hinüber. Garodem wollte ihr schon folgen, doch Tasmund hielt ihn zurück. „Verzeiht, mein Herr, aber Guntram, der Schmied, möchte gerne noch die Stellung der Bolzenwerfer wechseln. Er sagt, ihr Schusswinkel sei vom Turm aus für einen erfolgreichen Beschuss des Feindes zu ungünstig.“

Garodem wandte sich dem Scharführer zu. „Dann lasst uns überlegen, an welchem Platz wir die Bolzenwerfer neu aufstellen können.“

# 43

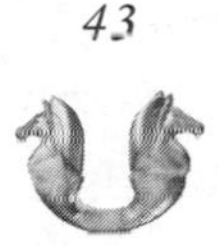

Es war nicht richtig." Missmutig trat Bluthand gegen einen angekohlten Balken. Das Holz ächzte und stürzte dann polternd auf die Überreste der verbrannten Schleuder. „Er hätte das nicht tun dürfen."

„Halte deine Fänge stumpf." Blauauge sah den Unterführer drohend an. „Du weißt, dass es zum Plan des Schwarzen Lords gehört."

„Der Plan ist Dung. Wir hätten die Menschenfeste schon längst genommen." Bluthand betrachtete die Überreste. Besonders die verbogenen und teilweise geschmolzenen Metallteile interessierten ihn. Sie verrieten, unter welch ungewöhnlicher Hitzeeinwirkung die Schleuder verbrannt war. Ein normaler Brand hätte solche Temperaturen niemals entwickeln können. „Mit Leitern wären wir schon längst auf ihren Mauern gewesen. Meinst du, das andere Zeug wirkt ebenso wie das hier?"

„Noch viel besser." Blauauge blickte grollend auf das weite Feld. Es gefiel ihm nicht, vierhundert Kämpfer verloren zu haben, obwohl ihn ihr Verlust als solcher nicht störte. Sie jedoch in einem einzigen Angriff eingebüßt zu haben, der zudem hatte scheitern *sollen,* das nagte an ihm. Auch seinen Männern gefiel es nicht, und sie hatten ihn zunächst mit unverhohlenem Groll angesehen. Erst als er ein paar der vorlauten Zungen von ihren Gebissen gelöst hatte, war die Disziplin wiederhergestellt gewesen. Aber seine Ehre war geschändet. Zwar wussten die Orks, dass er, Blauauge, sie dennoch zum Sieg führen würde, doch Vierhundert der ihren waren unnötig gestorben, und lieber hätte er zweitausend verloren, wenn er dafür aber über die

Mauern der Burg gelangt wäre.

„Wozu bauen wir jetzt überhaupt noch Leitern?", murrte Bluthand. „Wir werden sie ohnehin nicht benutzen, wenn der Plan gelingt." Er lachte auf. „Ah, der Graue zweifelt selbst, nicht wahr?"

Da schoss Blauauges Hand vor und schloss sich um Bluthands Kehle. Dieser stieß ein entsetztes Krächzen aus, als Blauauge ihn scheinbar mühelos in die Höhe hob und am ausgestreckten Arm zappeln ließ. „Der Plan gelingt, du Made."

Bluthand umklammerte mit seinen Händen den Arm Blauauges und versuchte sich zu befreien. Hilflos strampelte er mit seinen Beinen in der Luft. Er fletschte die Fänge und spürte, wie seine Augen aus den Höhlen zu treten begannen. Unwillkürlich machte er unter sich und fühlte, wie seine Beinkleider von scharfem Urin getränkt wurden. Genauso unvermittelt wie Blauauge seine Hand zuvor um Bluthands Hals geschlossen hatte, öffnete er sie jetzt wieder. Einen Augenblick hing Bluthand noch mit seinen eigenen Händen am Arm des riesigen Anführers, dann plumpste er schwer zu Boden, wo er keuchend sitzen blieb und nach Luft rang.

„Alles ist genau so, wie es sein soll", grollte Blauauge. „Du wirst es sehen und hören. Alle werden es sehen und hören." Er fletschte die Fänge in einem erwartungsvollen Lachen. „Und dann gibt es keine Pferdelords mehr."

# 44

Sie spielen mit uns." Der Mann schlug wütend mit der flachen Hand auf die Brüstung des Turmes. „Sie hätten uns schon längst angreifen können. Ihre Leitern sind seit langem bereit, und es ist dunkel. Warum kommen die Bastarde also nicht?"

„Nur ruhig, guter Herr Pferdelord", sagte Lotaras mit leiser Stimme und legte dem Mann seine Hand auf die Schulter. „Sie werden noch früh genug erscheinen, und noch spenden der Mond und die Sterne uns genügend Licht für unsere Bogen. Die Orks werden auf die Morgendämmerung und den Dunst des Nebels warten."

Garodem, der neben ihm stand, nickte zu seinen Worten. „Ja, jetzt ist es endlich so weit, nachdem sie uns auch noch den Rückweg abgeschnitten haben." Er lachte leise. „Aber wir wären sowieso niemals über das freie Feld nach Norden gegangen. Oh nein, hier auf Eternas' Mauern werden wir es austragen."

Am späten Nachmittag waren zwei Kohorten der Orks im Westen an der Burg vorbeimarschiert und standen nun oben im Norden, wo die alte Straße weiter ins Gebirge und ins Land der Zwerge führte. Doch das war kein Weg, den Garodem genommen hätte. Zu schutzlos wären die Menschen der Hochmark dort der Verfolgung der Horde ausgesetzt gewesen. Aber die vierhundert Bestien im Norden hatten Garodem dazu gezwungen, mehrere Männer von den anderen Mauerabschnitten abzuziehen und auf die runde Nordmauer zu entsenden.

Wieder lag die Festung der Hochmark im Dunkel und wurde nur vom Licht der Sterne und des Mondes beschienen. Bogenschützen spähten im Schutz der Zinnen auf das Land hinaus. Es war hell genug, um einem Angriff der Orks mit Pfeilen begegnen zu können, die dem Feind schon auf große Entfernung Verluste zufügen würden. Aber die Orks würden erst kommen und versuchen, Eternas' Wälle zu ersteigen, wenn der Nebel aufsteigen und man kaum noch etwas sehen würde.

Im Inneren der Burg war kaum Bewegung. Der Burghof wirkte leer, aber auf den Mauerkronen waren die Menschen dicht an dicht gedrängt. Ihre Blicke waren nach unten und auf die Orks gerichtet, dorthin, wo die Gefahr drohte. Keiner von ihnen rechnete damit, dass ihnen die wirkliche Bedrohung aus der eigenen Mitte erwachsen sollte.

Allenfalls Leoryn, die elfische Heilerin, hatte einen furchtbaren Verdacht, den sie jedoch noch niemandem mitgeteilt hatte. Nur Meowyn, die blonde Frau, deren Verletzung zunehmend heilte, teilte die Befürchtung der Elfin. Leoryn hatte sie angesprochen, sie befragt und sich im Anschluss danach erkundigt, wo die Leiche des Mannes zu finden war, der bei dem Feuer in Merawyns Raum umgekommen war. Schließlich hatten sie einen Mann gefunden, der ihnen Auskunft erteilen konnte.

„Den Mann, der so furchtbar verbrannt ist?" Der Bewaffnete kratzte sich im Nacken. „Nehmt es mir nicht übel, ihr guten Frauen, aber er hat furchtbar gestunken und war kaum noch einem Menschen ähnlich."

„Ja, ja, das wissen wir", sagte Leoryn sanft. „Doch wohin habt ihr ihn gebracht?"

„Den Verbrannten?" Der Mann kratzte sich erneut und dachte nach. „Lasst mich überlegen. Verzeiht, ihr guten Frauen, aber es gab so furchtbar viel zu tun. Vorräte mussten aufgefüllt werden, Wasser bereitgestellt werden, falls es brennen würde. Wir haben Pfeile …"

„Wo ist er?“, drängte nun Meowyn. „Es ist wichtig.“

Der Mann seufzte. „Ja, wo ist er?“ Er kratzte sich wiederum, diesmal am Gesäß. „Entschuldigt, ihr guten Frauen, aber es gab wirklich viel zu tun. Dreißig gute Kriegspferde mussten versorgt werden und ... Ja, ja, gute Frauen, ich weiß, es eilt euch. Der Verbrannte war es, nicht wahr? Der so furchtbar stank. Wirklich, ein entsetzlicher Anblick. Ah, jetzt fällt es mir wieder ein.“ Der Mann machte eine entschuldigende Geste. „Wir konnten ihn nicht vor die Burg bringen, ihr guten Frauen, das müsst ihr verstehen. All diese grässlichen Orks, ihr guten Frauen. Mein Großvater hat schon gegen sie gekämpft, müsst ihr wissen. Er ...“ Der Mann hielt erschreckt den Atem an, als Meowyn plötzlich ihren Dolch zog und dessen Spitze gegen sein Wams drückte. „Verstehe, verstehe. Dort hinter dem Stall, ihr guten Frauen. Und nehmt euren Dolch fort, er fühlt sich furchtbar spitz an.“

„Welcher Stall und wo genau?“, zischte Meowyn.

Der Mann sagte es ihnen. „Ihr müsst verstehen“, sagte er entschuldigend. „Er war wirklich furchtbar verbrannt und hat entsetzlich gestunken. Ich meine, es hat ihm doch sicher nicht mehr geschadet, nicht wahr?“ Er kratzte sich und sah ihnen kopfschüttelnd nach, als sie seinen Worten entsprechend zu dem linken Stallgebäude hinübergingen.

„Es ist nicht recht, was sie getan haben“, sagte Meowyn erbost. „So geht kein Leben aus dem Volk der Pferdelords zu den Goldenen Wolken ein.“

„Lasst es gut sein, Meowyn“, sagte die Elfenfrau und eilte auf das Gebäude zu. „Man kann das Versäumte später nachholen. Doch jetzt gilt es vor allem, den Toten zu finden und in Augenschein zu nehmen.“

Die Stallungen zogen sich im Halbkreis an der Innenseite

der Nordmauer entlang, und rechts und links von ihnen waren Treppen, die auf die Wehrmauer hinaufführten. Der Mann hatte ihnen berichtet, dass sich unter den Treppen mehrere Hohlräume befanden, in denen die Stallburschen normalerweise den Mist aufzubewahren pflegten, bevor er aus der Burg und auf die Felder gebracht wurde. Die Elfin zog Meowyn mit sich und folgte dem schärfer werdenden Geruch des Dungs, der sie zu einem Misthaufen unter der Treppe führte. Ohne lange zu zögern begann die Elfenfrau darin zu wühlen.

„Hier ist er", sagte sie nach einer Weile. „Sein Leib fühlt sich brüchig an. Wir müssen ihn behutsam hervorholen. Dazu brauchen wir Männer und Licht. Sowie etwas Wasser."

Meowyn lief über den Hof und fand einen Mann, den sie damit beauftragte, mehrere Helfer und die gewünschten Dinge zu ihnen zu bringen. Danach kehrte sie zu Leoryn zurück. Die Elfin hatte währenddessen weiter in dem Mist gegraben und bereits einen Teil des Toten freigelegt, als sie Schritte hörten und die herbeigerufenen Männer zu ihnen traten.

„Seid ihr toll geworden?", ertönte Scharführer Tasmunds Stimme. „Wisst ihr denn nicht, warum es kein Licht in der Burg gibt? Wollt ihr etwa die Bogenschützen und die anderen Männer auf den Mauern in Gefahr bringen?"

„Das Licht der Nacht macht sie ohnehin zum Ziel", sagte Leoryn entschieden. „Und ich brauche das Licht dringend, um etwas erkennen zu können."

„Oh, Ihr seid es, Hohe Elfenfrau." Tasmund räusperte sich. „Verzeiht, aber was macht Ihr dort?"

„Ich muss die Leiche des Mannes untersuchen, der in Merawyns Räumen zu Tode kam." Die elfische Heilerin richtete sich auf. Sie starrte vor Schmutz und verströmte einen einschlägigen Geruch, der die Männer zurückweichen ließ. „Nun kommt und eilt euch. Holt ihn hervor, dazu bringt mir Licht und Wasser."

Tasmund gab den Männern einen Wink und sie traten zögernd vor, schoben sich an der Elfenfrau vorbei und gruben den Leichnam frei. Begleitet von vielfachen Verwünschungen zogen sie ihn aus dem Mist hervor, und Leoryn wies sie an, ihn zu einer freien Fläche zwischen Stall und Treppe zu tragen.

„Ich brauche Wasser. Einige Eimer davon. Der Tote muss gesäubert werden, aber vorsichtig. Und macht mir endlich mehr Licht."

Wasser wurde herbeigeholt, und zwei der Männer entzündeten Fackeln. Auf der Mauer wurden protestierende Rufe laut, aber Tasmund rief den Männern dort oben zu, dass sie schweigen sollten. Dann sah er zu, wie der Tote unter Anleitung der Heilerin mit immer mehr Wasser abgespült wurde. Die Männer verzogen das Gesicht beim Anblick des verstümmelten Körpers, und Leoryn kniete sich neben die Leiche, deren Gliedmaßen in einer verkrümmten Haltung erstarrt waren. Sie streckte Tasmund die Hand entgegen. „Eure Klinge." Tasmund zog achselzuckend sein Schwert, doch die Elfin schüttelte ärgerlich den Kopf. „Nein, guter Pferdelord, nicht eine solche Schlachterklinge. Ich brauche einen scharfen Dolch."

„Hier, nehmt meinen." Meowyn reichte der Heilerin ihren eigenen Dolch und verzog dann ebenfalls ihr Gesicht, als die Elfin dem Toten die Reste seiner verbrannter Kleidung und verbranntes Gewebe durchschnitt.

Die Elfin ließ sich eine der Fackeln reichen und beugte sich noch tiefer über die verkohlte Leiche. „Unzweifelhaft ist er durch Feuer zu Tode gekommen", murmelte sie tief in Gedanken versunken. „Es muss eine unglaubliche Hitze gewesen sein. Größer als die eines gewöhnlichen Feuers. Der Knochen hier ist geborsten, das Mark verkocht. Aber die Hitze hat die inneren Organe noch stärker zerstört als das äußere Gewebe. Seht ihr, hier kann man es besonders gut sehen. Wartet, ich zeige es euch besser.“ Die Elfin machte einen tiefen Schnitt in das knirschende Gewebe, und die Umstehenden verzogen die Gesichter. Leoryn zögerte kurz, doch dann legte sie den Dolch zur Seite und zog die Schnittränder kraftvoll auseinander. Einer der Männer übergab sich im Dunkel. „Seht Ihr es, Hoher Herr Tasmund? Der Muskel ist stärker verbrannt als die darüberliegende Fettschicht und die Haut. Dieser Mann verbrannte von innen her und nicht von außen, wie es normalerweise bei einem Feuer üblich ist.“

„Von innen heraus“, murmelte Tasmund ächzend. „Bei den finsteren Abgründen, Ihr meint ...“

„Ja, ich meine“, sagte Leoryn und erhob sich. „Genau wie bei einem Flammenzauber. Dieser Mann wurde nicht von Merawyns Feuerpaste getötet, sondern durch den Zauber eines Grauen oder Weißen.“ Die Elfin wusch sich ihre Hände und Arme in einem Eimer mit Wasser und sah Tasmund dann herausfordernd an. „Es gibt nicht viele Graue Gewänder in dieser Burg, Tasmund, Pferdelord.“

„Nein, nicht viele“, stimmte Tasmund grimmig zu und sah die umstehenden Männer an. „Nur eines, und das werden wir uns jetzt einmal sehr sorgfältig ansehen.“ Er lächelte die Elfin an. „Derweil solltet Ihr Euch ein ausgiebiges Bad gönnen, Hohe Frau Leoryn. Ein orkischer Schütze könnte sich sonst wohl an Eurem Duft orientieren.“

Die Elfenfrau erwiderte nichts, während Tasmund erneut sein Schwert zog und dann mit seinen Männern hinüber zum Hospital lief. Dort würde er ein paar ernste Worte mit der Grauen Frau Merawyn zu reden haben, und sein Schwert würde seinen Fragen notfalls den nötigen Nachdruck verleihen.

# 45

Es war sehr heiß, denn das Höhlensystem befand sich tief unter der Erde. Es war verwinkelt und schroff, und spitze Felsen ragten von seinem Boden auf und hingen von der Felsendecke herab. Dunst waberte durch die Höhlen, der durch Stellen im Boden hervorgerufen wurde, in denen glühend flüssiges Gestein waberte. Ein Teil der Glut diente den Essen und Schmieden, in denen kräftige Rundohren glühendes Eisen in Form brachten, aus dem sie in einem endlos scheinenden Strom Rüstungsteile und Waffen formten. Schlagschwerter, die Spitzen von Spießen und Pfeilen und all jene anderen Metallteile, wie sie zum Betrieb einer Armee gebraucht wurden. In einer der angrenzenden Höhlen waren weitere flinke Hände zahlloser Rundohren wiederum damit beschäftigt, die hölzernen Schäfte von Pfeilen zu fertigen und sie dann mit der Befiederung und den Spitzen zu verbinden. Auch die langen Stangen der Spieße wurden hier mit ihren tödlichen Klingen versehen. Viele der Pfeile und Spieße erschienen zwar krumm und kaum geeignet, ihr Ziel auf geradem Wege zu finden. Doch die Waffenmeister der Horden nutzten jedes Holz, das sie fanden, und waren die Pfeile krumm, konnten sie in Massen abgeschossen dennoch tödlich sein.

Ein Ork, dessen Gesicht nahezu menschliche Züge aufwies, stapfte auf einem hölzernen Steg entlang, den man durch die Höhlen gezogen hatte, schob dabei knurrend ein anderes Rundohr zur Seite und trat dann in eine Seitenhöhle, die dunkel, heiß und sehr feucht war. Der Ork war ungewöhnlich groß und trug, im Gegensatz zu seinesgleichen, keine Rüstung, sondern eine tiefrote Robe. Er war der Brutmeister dieses Höhlensystems und der Herr über Leben und Tod.

Aus dem Gestein dieser Nebenhöhle drangen seltsam stöhnende Laute, ganz als ob der Felsen lebendig wäre. Und nur wenn man mit einer Fackel nahe genug herantrat, konnte man erkennen, dass die Wände nicht aus massivem Fels bestanden, sondern mit einer blasigen Schleimschicht bedeckt waren, die braun wie dunkler Lehm und vor Feuchtigkeit glänzend war. Die Blasen in der Schicht bewegten sich gelegentlich und lieferten einen Hinweis darauf, dass tatsächlich Leben in ihnen war. Ab und zu begann eine der Blasen aufzureißen, dann eilten Orks im Dunkeln herbei, weiteten den Riss und zerrten eine zusammengekauerte Gestalt heraus, die sich in ihrem Schleimbeutel am Boden wand, bis auch diese letzte Hülle beseitigt war. Die frisch geworfenen Orks wurden danach mit Wasser bespritzt, um sie vom Schleim zu reinigen, wobei man sehr darauf achtete, dass sie ihre Augen erst langsam öffneten. Denn die Augen eines neu geworfenen Orks waren seine empfindlichste Stelle. Setzte man sie dem Licht zu rasch aus, konnte der Ork erblinden und taugte dann nur noch als Futter für seine Artgenossen oder deren Reitbestien.

Der Brutmeister sah ein Spitzohr in der braunen Robe eines Zuchtgehilfen und winkte es zu sich heran. „Der Schwarze Lord will, dass wir die Wurfrate erhöhen."

Der Gehilfe zuckte nervös mit den Ohren. „Das ist nicht möglich, Brutmeister. Ihr wisst, die Rate ist von den Nährstoffen im Schleim abhängig und von der Hitze, der der Schlamm ausgesetzt ist."

„Dann brauchen wir eben mehr Nährstoffe und eine höhere Temperatur." Der Brustmeister betastete die Felsen und verzog sein Gesicht unwillig. „Wenn wir eine tiefer liegende Höhle wählen, wird auch die Hitze größer sein."

„Ja, Brutmeister", stimmte der Gehilfe zu. „Doch die Nährstoffe werden fehlen."

„Dann zerkleinert die Menschenkadaver sorgfältiger und verteilt sie feiner in den Nährschlamm", sagte der Brutmeister grollend. „An Nährstoffen soll es nicht fehlen."

„Wenn wir eine tiefere Höhle mit größerer Hitze nehmen, so wird diese die Nährstoffe zersetzen, Brutmeister." Das Spitzohr strich nervös über die braune Robe. „Er, äh, müsste das doch wissen. Wir können die Wurfrate nicht nach Belieben steigern. Die Würfe haben schon ihre Maximalzahl erreicht."

„Zieh ihn nicht in Zweifel", knurrte der Brutmeister. „Du weißt, wie wenig dir das bekommen könnte."

„Wir werden also versuchen, eine der Nebenhöhlen zu aktivieren, Brutmeister. Doch es wird schwierig sein, den Schleim zu transferieren und sein Wachstum anzuregen. Wir brauchen dazu eine Höhle wie diese, wollen wir mehr Würfe erhalten."

„Wir bräuchten vor allem bessere Maden als diese", knurrte der Brutmeister verdrießlich. „Zwar kommen sie schon als brauchbare Schläger aus dem Schleim, aber ihnen fehlt die Ausbildung, um sie gezielt für unsere Kohorten einsetzen zu können. Es braucht Monde, bis sie ausgebildet sind. Vor allem bei euch Spitzohren."

„Das Schießen der Bogen und Querbogen ist eine Fertigkeit, die erlernt werden muss", entgegnete das Spitzohr, nicht ohne Stolz. „Den Gegner über eine größere Distanz hinweg zu treffen ist einfach etwas anderes, als mit dem Schlagschwert auf ihn draufzuhauen."

Die Bemerkung gefiel dem Brutmeister zwar nicht, aber er musste sie als Tatsache hinnehmen. „Es wird Zeit, dass die neuen Höhlen fertig werden."

„Die der Zwerge?"

„Eben diese." Der Brutmeister grunzte zufrieden. „Die Zwerge haben mit ihrer Suche nach Metallen und Erzen gute Vorarbeit geleistet. In einer ihrer Städte, die wir bereits genommen haben, gibt es bereits Höhlen, die für unsere Zwecke gut geeignet sind. Dennoch wird es noch eine geraume Zeit brauchen, sie nach unseren Bedürfnissen herzurichten."

„Vielleicht brauchen wir die neuen Höhlen gar nicht mehr." Das Spitzohr grinste. „Es heißt, dass es um die Menschenwesen schlecht steht."

„Ja, das tut es", erwiderte der Brutmeister. „Aber noch sind sie nicht endgültig bezwungen." Der große Ork blickte zur Haupthöhle hinüber, aus der das unentwegte Hämmern der Schmiede zu hören war. „Aber bald, sehr bald, werden sie es sein."

## 46

Nedeam und Dorkemunt trieben ihre Pferde in den kleinen Weiler. Hier mussten einst vier Gehöfte gestanden haben, die wohl der ganze Stolz ihrer Bewohner gewesen waren. Nun lagen deren verwesende Körper, von Orks zerstückelt und von Aasfressern zerbissen, zwischen den einzelnen Häusern und in den Räumen. Einige tote und halb zerfressene Pferde und Rinder waren ebenfalls zu sehen. Und zwischen ihnen immer wieder die aufgedunsenen Kadaver der Bestien.

Dorkemunt schwang sich mit seiner Axt aus dem Sattel und deutete mit der Waffe zu einem der Holzhäuser. Es hatte wie die anderen gebrannt, doch aus irgendeinem Grund war das Feuer vorzeitig erloschen und hatte sein Werk nicht ganz vollendet. Vielleicht hatte auch ein Regenguss seine vollständige Zerstörung verhindert. Pfeile steckten in seinen angekohlten Balken.

„Lasst uns dort nachsehen, Nedeam, mein junger Freund. Dort scheint es den letzten Widerstand gegeben zu haben, denn keines der anderen Häuser sonst hat derartig viele Pfeile abbekommen.“ Der alte Pferdelord seufzte. „Was wir sehen werden, mag unerfreulich sein, doch es zieht ein schwerer Sturm herauf, und das Haus ist das einzige noch halbwegs erhaltene.“

Nedeam blickte zum Himmel hinauf, der sich rasend schnell verdunkelte. Schwere Wolken zogen von Westen herauf, und man konnte in der Ferne sehen, dass das Land unter ihnen in schweren Regenböen versank. Solche Unwetter gab es ab und an auch in der Hochmark, und der Zwölfjährige kannte die Kraft, die ein solcher Regensturm mit sich bringen konnte. In der Hochmark bestand dann stets die Gefahr, dass sich Felsen und Geröll lösten und in die Täler hinabrutschten, während die Bäche im Gebirge zu reißenden Strömen anschwollen, die alles mit sich rissen, was in ihren Sog geriet.

„Kommt schon, der Regensturm ist bald da", rief ihm Dorkemunt vor dem noch stehenden Haus zu. „Und wir haben noch eine Menge zu tun." Nedeam führte Stirnfleck an das Haus heran und merkte, wie der treue Hengst vor dem Verwesungsgeruch zurückscheute. Dorkemunt, der bereits unter der offenen Türöffnung stand, winkte den Knaben heran. „Atmet durch den Mund und nicht durch die Nase", empfahl er. „Das macht es ein wenig leichter."

Das Haus wies die typische Einteilung in Wohnstube und Schlafkammern auf, wie sie in den Pferdemarken üblich war. Die Einrichtung war zertrümmert und mit Blut bespritzt. Orks und Menschen lagen noch immer in der Position, in der sie der Tod ereilt hatte. Wenn man einmal davon absah, dass einige der toten Menschen im Nachhinein noch von den überlebenden Orks bewegt worden waren, als diese sich die besten Fleischstücke aus ihnen herausgerissen hatten. Drei oder vier Männer und ebenso viele Frauen und Kinder fanden sie in der Wohnstube. Nedeam konnte es nicht genau sagen, denn die Leiber waren schon zu sehr verstümmelt und der Gestank bestialisch. Er klammerte sich an dem angesengten Türrahmen fest, wandte sich nach draußen und übergab sich.

Dorkemunt klopfte ihm auf die Schultern. „Lasst es gut sein, mein junger Freund."

Der alte Pferdelord trat wieder in den Raum, stieg über den aufgeschlitzten Leib einer älteren Frau hinweg und ging dann zu einer der beiden Schlafkammern. Sein Gesicht verzog sich, als er dort zwei weitere verstümmelte Kinder und eine ebenso übel zugerichtete junge Frau fand, neben deren schlaffen Hand ein mit Orkblut befleckter Dolch lag. Die junge Mutter musste damit um ihr Leben und das ihrer Kinder gekämpft und diesen Kampf verloren haben. Für einen kurzen Moment sah Dorkemunt wieder seinen Sohn und seine Schwiegertochter vor sich, und seine Hände verkrampften sich um den Stiel der Streitaxt. Seufzend wandte er sich schließlich ab und blickte in die angrenzende Schlafkammer, die ebenfalls verwüstet worden war, in der aber keine Leichen mehr lagen. Der alte Mann nahm eine der Decken von der zertrümmerten Bettstatt und trat in die Wohnstube zurück. „Eine der Kammern können wir nutzen, Nedeam. Ihr Dach ist zwar beschädigt, aber sie wird uns dennoch etwas Schutz bieten. Geht Ihr in die Kammer und macht dort ein wenig Ordnung. Ich kümmere mich um alles Weitere hier."

Nedeam nickte. Er fühlte sich wie benommen, und ihm war noch immer schlecht. Abermals würgte er, als er zwischen den Leichen hindurch in die Kammer ging, die Dorkemunt ihm genannt hatte. Er hörte die Geräusche, als der alte Pferdelord die Toten bewegte, und war ihm unendlich dankbar dafür, ihm dabei nicht helfen zu müssen. Dorkemunt hüllte die toten Menschen und Orks nacheinander in die Decke, zerrte sie dann aus der Wohnstube hinaus und legte sie neben dem Gebäude ab. Auch dem alten Pferdelord fiel diese Arbeit nicht leicht, zumal ihm weder die Zeit noch die Möglichkeit blieb, die Menschen ehrenvoll zu bestatten. Aber sie brauchten den Wohnraum, um die beiden Pferde darin unterzubringen, denn der Sturm schien sehr heftig zu werden, und sie mussten um jeden Preis verhindern, dass die Tiere zu Schaden kamen oder eventuell sogar verletzt wurden. Sie hatten keine Ersatzpferde, und ohne ihre Pferde würden ihre Überlebenschancen in diesem vom Tod heimgesuchten Land noch weiter schwinden.

Dorkemunt hatte seine traurige Arbeit gerade beendet, als die ersten Tropfen vom Himmel fielen. Hastig zog er die beiden sich sträubenden Pferde in die Stube hinein, in der es noch immer nach Tod roch. Beruhigend streichelte er die beiden Tiere und öffnete dann seine Provianttasche, die kaum noch Vorräte enthielt. Er gab den beiden Pferden ein wenig Brot und tränkte sie aus der hohlen Hand, zuletzt schlang er ihre Zügel um die Reste einer hölzernen Sitzbank, damit sie wegen des Gestanks und während des Sturms nicht doch noch fliehen konnten. Es war bei Weitem besser, die beiden Tiere gleich festzubinden, als sie später draußen suchen zu müssen. Erneut klopfte Dorkemunt den Tieren an den Hals, dann ging er in die hintere Kammer, in der Nedeam bereits auf ihn wartete.

Der Knabe hatte die halbwegs intakte Auflage der Bettstatt schräg gegen eine der Wände gelehnt, damit ihnen die Bretter etwas Schutz gegen Wind und Regen bieten konnten, und so kauerten sich die beiden unter die Deckung und lauschten den Geräuschen des sich nähernden Regensturms. Aus einem ersten leichten Schauer wurde ein kräftiger Guss, dann kam das Unwetter heran. Heftige Windböen zerrten an dem beschädigten Haus, rissen einen weiteren Teil des schon abgedeckten Daches ab, und schwerer Regen klatschte in die Kammer. Er war so kraftvoll, dass es schmerzte, wenn er auf ungeschützte Haut traf. Doch die Reste der Bettstatt und Dorkemunts Umhang boten Nedeam und Dorkemunt ausreichenden Schutz.

„Jetzt ist die Ernte ganz hin", murmelte Dorkemunt gedankenverloren. Nedeam sah ihn fragend an, und der alte Pferdelord seufzte leise. „Es ist Erntezeit, mein Junge. Die Felder stehen voll, und einen solchen Regensturm überstehen die Ähren nicht. Der Wind bricht sie, und der Regen weicht sie auf. Was vor solch einem Regensturm nicht in die Vorratshäuser eingebracht worden ist, geht verloren und taugt nur noch als Dünger für die nächste Aussaat." Dorkemunt schwieg einen Moment. „In manchen Gegenden der königlichen Marken ist der fruchtbare Boden recht dünn. Ein solches Unwetter kann ihn mit sich fortreißen und in den Fluss spülen. Deshalb ist der Fluss nach einem solchen Sturm immer ganz braun. Habt Ihr das schon einmal gesehen?"

Nedeam nickte. „Ja, das kenne ich auch aus unseren Tälern."

Dorkemunt öffnete die Provianttasche und musterte deren kümmerlichen Inhalt. „Es ist nicht mehr viel drin, mein junger Freund. Wir müssen schon sehr bald nach neuen Vorräten suchen, aber vielleicht finden wir ja hier noch etwas, sobald das Unwetter aufgehört hat." Er blickte zwischen den Spalten der Bettstatt nach oben, und Wassertropfen schlugen ihm schmerzhaft in sein Gesicht. „An Wasser wird es uns jedenfalls nicht mangeln."

Sie teilten sich ein paar Streifen getrockneten Fleisches, dann brach Dorkemunt das letzte Brot und gab Nedeam das größere Stück davon. „Hier, mein Freund, schließlich müsst Ihr im Gegensatz zu mir noch etwas zulegen."

Nedeam sah das Brotstück zweifelnd an. „Sollten wir es nicht lieber für Stirnfleck und Euren Wallach aufheben?"

„Unsinn." Der alte Pferdelord grinste. „Die beiden finden genug zu fressen. Das Land des Pferdevolkes ist voller guter Weiden für Pferde, Rinder und Schafe, so dass auch wir uns keine Sorgen machen müssten, wenn uns das Steppengras schmecken würde. Nun", schränkte der kleinwüchsige Mann grinsend ein, „einige der Kräuter und Beeren sind in jedem Fall sehr bekömmlich. Wir werden uns einschränken müssen, aber wir werden ganz sicher durchkommen."

„Ja, das mag sein", sagte Nedeam zweifelnd. „Doch welchen Sinn soll das haben?“

„Verlässt Euch der Mut, junger Freund?“ Dorkemunt legte die Hand tröstend auf Nedeams Schenkel. „Wir werden unser Volk schon finden, Nedeam. Es hat noch immer bestanden, egal, welche Gefahr ihm auch drohte. Der König wird dem Feind ausgewichen sein, um alle Pferdelords versammeln zu können, und dann, Nedeam, wird er den Feind schlagen.“

„Die Bergfestung ist gefallen.“

„Ihr wisst nicht einmal, ob sie besetzt war“, brummte Dorkemunt. „Möglicherweise fiel sie, als der König und die unseren gar nicht dort waren.“

„Aber wo ist er dann?“, rief Nedeam verzweifelt. „Wo sind all die Pferdelords, und wo ist unser Volk?“

„Nach Süden ausgewichen“, meinte Dorkemunt kauend. „Es gibt keinen anderen Weg. Der König wird dem Reich der weißen Bäume entgegengezogen sein.“

„Dem Reich der weißen Bäume?“

Dorkemunt grinste. „Ihr in eurer Hochmark, ihr kommt nicht oft aus euren Bergen heraus, nicht wahr? Habt Ihr denn wirklich noch nie davon gehört, Nedeam? Das Reich der weißen Bäume, das Königreich von Alnoa, ist das letzte der alten Königreiche, das noch Bestand hat.“ Der alte Pferdelord zuckte die Achseln. „Es war einmal sehr groß und sehr, sehr mächtig. Inzwischen ist viel von seiner alten Macht geschwunden. Aber es stellt noch immer eine starke Kraft dar. Früher stand es im alten Bund mit unserem Volk zusammen. Nein, Nedeam, wenn die Gefahr zu groß geworden ist, wird der König unser Volk dorthin geführt haben, und von dort wird der König der Pferdelords auch zurückkommen.“ Dorkemunt nickte bekräftigend. „Und dann werden die Pferdelords die Horden der Orks vernichten.“

Dorkemunt stieß Nedeam beruhigend an. „Vertraut dem

Wort eines alten Pferdelords, der schon viel gesehen und manchen Kampf gefochten hat. Auch wenn es momentan nicht gut um uns zu stehen scheint, letztlich werden unsere schnellen Pferde und unsere scharfen Klingen uns vor dem Untergang bewahren. Doch nun versucht, ein wenig zu ruhen. Sobald das Unwetter aufhört, werden wir weiter nach Süden reiten."

Mit der Nässe des Regensturms kam auch ein kalter Wind auf, und Nedeam zog fröstelnd seine Schultern zusammen. Dennoch war ihm weiterhin kalt, und so war er dankbar, als Dorkemunt näher an ihn heranrückte und seinen dicken grünen Umhang um ihre beiden zusammengekauerten Gestalten legte. Der einzige Vorteil des Sturmes war, dass er den Gestank des Todes aus der Luft wusch. Nedeam, der zunächst nicht einschlafen konnte, war überrascht, wie schnell der alte Pferdelord neben ihm in ein leises und monotones Schnarchen fiel, das ihn an seinen Vater erinnerte, an Balwin, der nun tot war. Nedeam schluchzte leise, bis auch er schließlich in den Schlaf sank.

Als Nedeam wieder erwachte, war er allein, und der Regensturm hatte sich verzogen. Ächzend erhob sich der Knabe und reckte seine schmerzenden Glieder, wobei er gegen die Schräge der Bettstatt stieß, die sich mit einem Poltern verschob. Schon nach wenigen Augenblicken spähte Dorkemunt mit ernstem Gesicht zu ihm herein.

„Still, Nedeam", flüsterte der alte Pferdelord besorgt. „Etwas nähert sich dem Weiler."

Nedeam fuhr erschrocken zusammen. „Orks?"

„Ich weiß es noch nicht. Der Boden ist nass und schwer, und die Geräusche sind noch nicht eindeutig genug. Aber sie kommen von dem Hügel dort drüben." Dorkemunt wies zur Seite und auf eine der Wände des Hauses. „Wir sollten uns in jedem Fall bereithalten. Wenn Gefahr droht, müssen wir rasch verschwinden, denn was sich uns auch immer von dort nähert, hat sehr viele Füße."

Die beiden traten wieder in die Wohnstube, in der es wegen der beiden Pferde ein wenig beengt war, und Dorkemunt stellte sich an eine der offenen Fensteröffnungen. Er wies nach Südosten. „Es kommt von dort drüben. Könnt Ihr es hören?"

Nedeam trat neben den kleinwüchsigen Pferdelord und umklammerte nervös den Bogen. „Ja, ich höre es."

Das Stampfen wurde kontinuierlich lauter, der Feind musste tatsächlich sehr zahlreich sein. Ihm Widerstand zu leisten, würde keinen Sinn ergeben. Nedeam fühlte eine tiefe Hoffnungslosigkeit in sich aufsteigen. Wohin sollten sie sich noch wenden? Und wozu? Dorkemunt schlug ihm aufmunternd auf die Schulter und prüfte die Schneide seiner Streitaxt. „Keine Sorge, mein junger Freund. Wer auch immer dort naht, wird erst der Schneide meiner Axt begegnen."

Das Stampfen wurde lauter, war nun direkt hinter der Hügelkuppe, und dann wurde auf einen Schlag sichtbar, was es ausgelöst hatte.

# 47

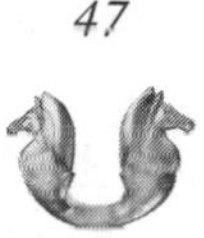

Der Morgen würde bald über den Ruinen der Stadt Eternas aufgehen und auch die Burg in das erste Licht des Tages kleiden. Die Männer, Frauen und Kinder waren von den Kämpfen, den Wartepausen dazwischen und von den Gedanken, denen sie während dieser Pausen nachhingen, alle gleichermaßen erschöpft. Die Reihen der Verteidiger auf den Wällen wurden immer dünner, obwohl auch immer mehr tote Bestien auf dem Feld zwischen der Stadt und der Burg lagen. Noch immer griffen die Kohorten der Horde nur vom Süden aus an, und keiner der Verteidiger konnte verstehen, warum die Bestien nicht längst einen umfassenden Angriff auf alle Mauern vortrugen, denn die Orks waren dafür noch immer zahlreich genug. Andererseits waren die Verteidiger froh, dass die Bestien keine Anstalten machten, auch die anderen Mauerabschnitte zu berennen, denn sie wären nicht mehr in der Lage gewesen, alle Abschnitte zu verteidigen.

So kurz vor Morgengrauen mussten sich die Wachtposten auf den Türmen und Mauern immer wieder zusammenreißen, um nicht doch noch einzunicken, und nur ihre Furcht, einen Angriff zu spät zu erkennen, und die Knüffe ihrer Kameraden hielten sie noch wach. Nur wenige Menschen bewegten sich um diese Zeit in der Dunkelheit. Allein bei der Unterkunft der Schwertmänner, die als Hospital diente, war immer Bewegung, denn dort waren die Heiler unentwegt bemüht, die Verletzten und Erkrankten zu versorgen.

Die elfische Frau suchte in Meowyns und Tasmunds Begleitung nach der Grauen Frau Merawyn. Nach der Untersuchung des verbrannten Toten stand für die Elfin nunmehr fest, dass Merawyn den Tod des Mannes gezielt herbeigeführt und ihn ermordet hatte.

Und so folgten Tasmund und eine Handvoll seiner Schwertmänner Leoryn mit gezogenem Schwert, obwohl der Scharführer noch immer nicht ganz glauben konnte, dass Leoryns Vermutung tatsächlich stimmen sollte. „Graue Frauen sind keine Zauberer, ihr guten Frauen“, meinte er skeptisch. „Sie verstehen sich auf Kräuter und vielleicht auch noch auf die Herstellung einer Brennpaste, aber doch nicht auf wirklichen Zauber. Zudem hat sie uns geholfen, die Kriegsmaschinen der Horde zu zerstören. Ihr müsst Euch irren, Leoryn aus dem Hause Elodarions.“

„Die Wunden sind mir Beweis genug“, erwiderte die Elfin. Sie hasteten die Stiege zu den Räumen der Grauen Frau hinunter, und die Elfenfrau versuchte, sie zu öffnen. „Sie ist verschlossen. Öffnet sie, Tasmund, eilt.“

„Nun, wie Ihr meint.“ Tasmund sah die elfische Heilerin noch immer zweifelnd an, aber er trat vor und schlug mit dem Schwertknauf an die dicke Bohlentür. „Graue Frau, hier steht Tasmund, Erster Schwertmann Garodems. In seinem Namen, öffnet Eure Tür, Graue Frau Merawyn.“

„Eilt Euch“, drängte Leoryn, als keine Antwort kam.

Tasmund zuckte die Achseln, warf sich dann aber gegen die Tür, die seinem Versuch, sie aufzubrechen, jedoch widerstand, woraufhin sich einer der anderen Schwertmänner zwischen Leoryn und Meowyn hindurch und neben seinen Anführer schob. Gemeinsam warfen sich die zwei Pferdelords nun gegen die Tür, und diesmal gab sie nach. Knirschend riss der Riegel aus seiner Auflage, und die Bohlentür sprang auf. Die Männer und die beiden Frauen drangen in den Raum der Grauen Frau ein.

„Leer", knurrte Tasmund nach einem kurzen Blick und eilte dann in den Nebenraum, wo die Graue Frau ihre Bettstatt hatte. „Hier ist sie auch nicht."

Leoryn drängte sich an ihm vorbei. Ihr Blick fiel auf eine Stelle am Boden, wo im Staub noch die Abdrücke zweier Kisten zu sehen waren. Um die Abdrücke herum lagen zahlreiche schwarzgraue Körner. Die Elfin drängte den Scharführer zur Seite, bückte sich kurz und zerrieb dann einige der Körner zwischen ihren Fingern. „Dies ist keine Feuerpaste der Grauen Frau", sinnierte sie. Leoryn sah Tasmund nachdenklich an. „Reicht mir kurz eine Fackel, Tasmund."

Dieser zog eine Fackel aus einer der Halterungen im Arbeitsraum und gab sie der Elfin. Leoryn brachte die Fackel nunmehr in die Nähe der Körner, und schon war eine kleine Stichflamme zu sehen. Tasmund runzelte die Stirn, während Leoryn langsam nickte. „Es brennt weit schneller als die Feuerpaste, Tasmund, Pferdelord. Und ich habe bereits schon einmal von einem solchen Pulver gelesen." Die Elfin erhob sich und sah die Umstehenden ernst an. „Wenn man ein solches Pulver in großen Mengen und an der richtigen Stelle einsetzt, vermag es Felsen zu spalten."

Tasmund stieß ein heiseres Krächzen aus. „Oder Mauern."

„Ja", sagte Leoryn leise und nickte ihm bestätigend zu. „Oder Mauern."

„Sucht die Graue Frau Merawyn", brüllte Tasmund die Männer an. „Bringt sie auf der Stelle zu mir, und wenn sie sich widersetzt, so wendet eure Klingen an."

„Achtet auch auf zwei Kisten", rief Leoryn, „in denen sich das schwarze Pulver befinden muss. Und achtet darauf, dass ihnen kein Feuer zu nahe kommt!"

Die Männer hasteten die Stiege hinauf. Leoryn ergriff Meowyns Arm. „Kommt, gute Meowyn, wir müssen Garodem, dem Pferdefürsten, von unserem Verdacht berichten. Die Graue Frau mag sich irgendwo versteckt haben und auf eine Gelegenheit warten, ihren schändlichen Plan in die Tat umzusetzen. Wir werden noch mehr Männer brauchen, um sie daran zu hindern."

Merawyn, die Graue Frau, versteckte sich jedoch keineswegs. Noch schien niemand einen ernsthaften Verdacht gegen sie zu schöpfen, und so hatte sie sich ein paar Männer gerufen, die ihr nun die zwei hölzernen Kisten über den vorderen Burghof trugen. „Tragt sie behutsam, ihr Männer", ermahnte sie die Träger immer wieder. „Das Mittel ist nicht ungefährlich."

„Hauptsache, es wird den Orks nicht schmecken", erwiderte einer der Männer grinsend.

Merawyn deutete auf die Silhouette des östlichen Wehrturms. „Tragt die Kisten dort hinüber, zum östlichen Torturm und stellt sie dann dort unter die Treppe, dort stehen sie gut."

Keiner der anderen Menschen achtete besonders auf die kleine Gruppe, die mit ihrer Last zu der Treppe hinüberging, die zum östlichen Turm und auf den südlichen Wehrgang hinaufführte. Dazu waren die Menschen, die immer wieder frische Pfeile oder andere Dinge zu den Mauern brachten, viel zu müde und erschöpft. Die Gruppe hatte ihr Ziel erreicht. Hier gab es, wie bei den meisten gemauerten Treppen Eternas, einen Hohlraum, und Merawyn wies die Männer an, die Kisten dort in die Höhlung zu stellen.

„Es ist gut", sagte sie schließlich. „Ich brauche eure Dienste nicht mehr. Ihr könnt euch nun wiederum anderen Pflichten zuwenden."

Die Männer waren nicht undankbar, sich von der Grauen Frau und ihren Kisten entfernen zu können. Denn auch wenn sich die Graue Frau bislang als überaus hilfreich erwiesen hatte, so erschien sie den Männern doch noch immer etwas unheimlich. Merawyn griff in einen dicken Beutel an ihrem Gürtel und holte eine geflochtene Schnur aus ihm hervor. Mehrere Lagen Wolle hatte sie sorgsam zu einem viele Längen messenden Zopf geflochten, den sie außerdem mit einem gut brennbaren Fett beschmiert hatte. Allzu gerne hätte sie ihre Feuerpaste angewandt, doch die Feuchtigkeit des Bodens oder auch ein kurzer Regenschauer hätten ihren Plan schnell zunichte machen können. Merawyn öffnete eine der Kisten, schob dann den langen Zopf zu den schwarzen Körnern hinein und schloss den Deckel. Lächelnd begann sie, den Zopf auszulegen, und entfernte sich dabei immer weiter von den Kisten.

„He, was macht Ihr da?“ Oben auf der Treppe beugte sich ein Lanzenträger vor und beäugte Merawyn neugierig. „Ah, Ihr seid es, Graue Frau.“

Der Posten wandte sich schon wieder ab, als hinter Merawyn plötzlich laute Rufe ertönten. Sie kamen aus der Richtung des überdachten Wehrgangs, der die Unterkunft der Schwertmänner mit dem Haupthaus verband und die Burg in zwei Höfe teilte. Der Posten und Merawyn drehten sich gleichermaßen nach den dort erscheinenden Gestalten um, deren Rufe mittlerweile gut zu verstehen waren.

„Haltet sie auf, was auch immer sie tut“, war Tasmunds Stimme zu vernehmen, und in der Hand des Ersten Schwertmannes blitzte die gezückte Klinge auf.

Im Innenhof und auf den Mauern entstand Bewegung, als die Verteidiger auf seinen Ruf reagierten, doch keiner von ihnen begriff auch nur annähernd, worum es dem Ersten Schwertmann wirklich ging. Auch der Posten oberhalb von Merawyn sah noch immer den heraneilenden Gestalten entgegen. „Was ist das Begehr?", lautete seine Frage.

Da nutzte die Graue Frau Merawyn die Gelegenheit. Sie bückte sich hastig, zückte ein gefaltetes Papier mit Feuerpaste und gab diese auf den langen Zopf. Dann spuckte sie auf die Paste, die sofort in einer hellen Flamme aufging. Langsam begann die Feuerspur den Zopf entlang und auf die Kisten zuzuwandern.

Der Posten auf der Treppe sah Merawyn unschlüssig an. „Was macht Ihr da?"

Erst jetzt machte der Mann Anstalten, die Treppe herabzukommen, doch Merawyn streckte nur einen Arm gegen ihn aus, und ihre Augen loderten kurz auf. Wie von einem furchtbaren Sturm erfasst, wurde der Posten daraufhin angehoben und nach hinten geschleudert. Mit entsetzlicher Wucht prallte er gegen eine Zinne der Wehrmauer, und man konnte das Bersten seiner Knochen hören.

Immer mehr Männer wurden nun auf Merawyn aufmerksam und riefen wirr durcheinander, während Tasmund und eine Handvoll Männer auf den Innenhof und der Grauen Frau entgegenstürmten. Zwei Männer auf dem Wehrgang eilten zur Treppe, um sich Merawyn zu nähern, aber erneut streckte diese ihren Arm aus, und die Leiber der Unglücklichen wurden wie von einer unsichtbaren Hand erneut zermalmt. Die Flammenspur näherte sich unterdessen unbehindert den Kisten, und Merawyn sah sich rasch noch einmal um und hastete dann die Steintreppe zur Wehrmauer hinauf.

Da zischte der Pfeil eines Bogenschützen heran und traf die Graue Frau in die Seite. Sie taumelte, und ihre Gestalt begann sich plötzlich auf schreckliche Weise zu verändern. Die heraneilenden Männer wichen entsetzt zurück, als ihre weiblichen Gesichtszüge anfingen zu zerfließen. Selbst in der noch herrschenden Dunkelheit wurde erkennbar, wie ihr Gesicht härter und faltiger wurde und ein langer Bart aus dem Nichts zu wachsen schien. Die Männer schrien auf und machten magische Zeichen, um sich gegen einen Fluch zu verwehren, und selbst Tasmund hielt kurz inne, eilte aber sofort wieder weiter. Einer seiner Männer überholte ihn und reckte seine Stoßlanze weit vor, um sie möglichst rasch dem unheimlichen Wesen in den Leib rammen zu können.

Merawyn streckte zum dritten Mal ihren Arm aus, doch in diesem Moment traf sie ein weiterer Pfeil. Zwischen den Zinnen wurde das Blau von Lotaras Umhang sichtbar. Schon schoss der Elfenmann seinen zweiten Pfeil ab und ließ den dritten folgen. Beide trafen das Wesen fast gleichzeitig, das nun gegen eine der Zinnen zurücktaumelte und einen lauten Schrei ausstieß. Der vierte Pfeil des Elfen drang der grauen Gestalt in die Kehle und ließ sie schweigend nach hinten kippen und zwischen den Zinnen hindurch, auf das weite Feld vor der Burg, hinabstürzen. Doch es war schon zu spät.

Im gleichen Augenblick wie der Lanzenträger erreichte auch die Flammenspur die beiden Kisten, und beide, Kisten und Lanzenträger, verschwanden in einem sich ausdehnenden Feuerball.

Für einen kurzen Augenblick schien sich die Festung der Explosion zu widersetzen, doch dann begannen sich die Treppe, ein Stück der Mauer und der Ostturm sanft zu heben. Ein ohrenbetäubendes Donnern erklang, und die Steine barsten auseinander. Männer wurden wie Spielzeugpuppen über die Mauer vor die Burg geschleudert, und Tasmunds Schar wirbelte haltlos über den Innenhof der Burg. Ein großes Stück der Südmauer brach in sich zusammen und riss den Wehrgang mit sich; auch der östliche Wehrturm sackte zur Seite und begrub seine Besatzung und die dort aufgestellte Bolzenschleuder unter seinen Trümmern. Die Druckwelle warf sogar die Statue des alten Königs von ihrem Sockel und deckte zum Teil die Dächer des Haupthauses und der Unterkunft der Schwertmänner ab. Ebenso knickte sie den hohen Beobachtungsturm mit dem Signalfeuer des Haupthauses und warf ihn auf die Nordmauer, wo drei Männer unter seinen Quadern ihr Ende fanden. Ein Teil des überdachten Wehrgangs der mittleren Mauer wurde ebenfalls zerstört, und die Holztrümmer flogen nur so umher und verletzten dabei Männer und Frauen. Allein die mittlere Mauer hielt stand und war nur leicht verschoben, auch wenn sich Risse in ihr zeigten.

Die Druckwelle pflanzte sich über den Boden fort und erschütterte die Gewölbe, in denen die alten Männer, Frauen und Kinder Schutz gefunden hatten, die nun ängstlich auf die Fackeln starrten und zusammenfuhren, als sich Felsbrocken und Steine von der Decke lösten und herabstürzten. Splitter verletzten oder erschlugen die hilflosen Menschen. Panik brach aus, als diese versuchten, sich vor den herabfallenden Geschossen in Sicherheit zu bringen. Sie eilten zur Treppe, die nach oben führte, wobei Einzelne unter ihnen keine Rücksicht kannten und die vor ihnen Fliehenden einfach von den Stufen drängten und in den Tod rissen, wenn es ihnen zu langsam ging, bis zwei Posten schließlich ihre Bogen nahmen und die Rücksichtslosen von den Stufen schossen. Da hörte das Rumoren und Poltern plötzlich wieder auf. Nur noch vereinzelte Steine fielen zu Boden, und eine Wolke aus Staub verbarg gnädig den Anblick der Opfer. Besonnene Männer und Frauen gewannen die Oberhand und schafften es, die angsterfüllten Menschen wieder zu beruhigen.

Der Lärm der Explosion und die Druckwelle hatten alle

Männer, die die Burg verteidigten, betäubt, und nur zögernd nahmen sie nunmehr wahr, wie sich unter die verzweifelten Hilferufe der Verletzten und das Poltern der Trümmer die triumphierenden Schreie der Orks mischten. Dann mischte sich das Stampfen stürmender Kohorten in das Gebrüll.

## 48

Viele der Verteidiger auf den Mauern waren verletzt oder getötet worden, und als sich die Kampffähigen endlich wieder benommen aufrichteten, hasteten schon die ersten Kohorten der Orks über das Getreidefeld heran. Zeitgleich ging auch die Sonne auf und tauchte Burg und Vorfeld in ein blutrotes Licht, was den Verteidigern wie ein böses Omen vorkam. Eternas' Mauern waren durchbrochen, und viel zu wenige Männer waren kampfbereit, um den Kohorten Widerstand leisten zu können.

Dennoch versuchten sie es.

Guntram, der Schmied, und Naik, der Bogenschütze, hoben mühsam den umgestürzten Bolzenwerfer auf sein Dreibein zurück, um die Waffe so schnell wie möglich wieder einsatzbereit zu machen, während Lotaras und zwei Bogenschützen unermüdlich auf die Horde schossen. Auch an einigen wenigen Stellen der beschädigten Südmauer wurden Pfeile auf die Orks gelöst, doch viel zu wenige, um ihren Ansturm ernsthaft aufzuhalten.

Beomunt und Garodem stürzten mit gezückten Schwertern aus dem Haupthaus heraus und sahen geschockt auf den eingestürzten Teil der Südmauer. Auch das Haupttor war nicht mehr länger sicher. Es hatte sich verzogen, einige seiner massiven Balken waren zersplittert und die beiden Torflügel hingen schief in den Angeln.

„Zieht euch in den inneren Hof zurück, ihr Männer", brüllte Garodem. „Rückzug in die innere Burg. Lasst euch zurückfallen! Der Vorhof ist nicht mehr zu halten. Eilt in die innere Burg!" Der Pferdefürst stieß Beomunt an. „Alle Bogen von der

Nordmauer in den Wehrgang oder das, was von ihm übrig geblieben ist. Besetzt die Tore der mittleren Mauer. Dort müssen wir die Horde aufhalten.“ Garodem wandte sich an zwei Pferdelords, die hinter ihnen aus dem Haupthaus herausgetreten waren. „Bereitet die Verteidigung des Hauses vor!“

Tatsächlich hatten sie keine Chance, den vorderen Burghof zu halten.

Brüllende Orks drangen in die Bresche der Südmauer ein. Zwar fielen einige von ihnen durch Pfeile tapferer Bogenschützen, und wieder anderen stellte sich eine Handvoll Verteidiger mutig mit Schwertern und Spießen entgegen. Doch die Männer wurden förmlich überrannt. Schon waren die Reste des Südwalls und der Ostwall der vorderen Burg von den Orks eingenommen, und die Männer im Westturm drohten vom inneren Teil der Burg abgeschnitten zu werden.

Die ersten Orks drängten schon gegen den Zugang des Turms, wo sie mit einigen Pferdelords ins Handgemenge gerieten. Doch jeder Mann, der diese Angreifer abwehrte, fehlte nun dringend bei der Abwehr derjenigen, die noch immer durch die Bresche drangen. Die Situation für Lotaras und seine Männer wurde unhaltbar. „Kämpft euch über die Westmauer zum Haupthaus durch, ihr Männer des Pferdevolkes. Wir geben den Turm auf“, brüllte er durch den Kampflärm.

Sie räumten die Plattform des Turms, wo Guntram schweren Herzens den Bolzenwerfer zurückließ. Der alte Schmied nahm seine Axt und zerschlug damit die Sehnen der Waffe, dann folgte er Lotaras und den anderen Männern und stieg mit ihnen in den Turm hinunter, dessen untere Ebene bereits heiß umkämpft war. Der Elfenmann hing seinen nutzlos gewordenen Bogen um seine Schulter. Er hatte mittlerweile all seine Pfeile verschossen, und so zog er nun sein Schwert aus bestem elfischen Stahl. Sie kämpften mit Lanze und Schwert und hieben und stachen, was ihre Kräfte hergaben. Wie durch ein Wunder drängten sie die Orks zurück und schafften es, den Westwall zu erreichen, der gerade erst von einigen Orks erklommen wurde. Einzelne Pfeile zischten von den vorderen Wällen und dem Burghof auf die Gruppe um Lotaras zu. Verzweifelt kämpfte sich die Handvoll Männer die Mauerkrone entlang und auf das Haupthaus zu.

Dort wurde jetzt eine schmale Tür geöffnet, die vom Obergeschoss des Hauses auf den Wehrgang führte, und eine kleine Gruppe Männer drängte sich auf die Mauer und Lotaras' Gruppe entgegen. Unter dieser Gruppe befand sich auch Scharführer Kormund, dessen Verband sich bereits wieder mit seinem Blut rötete. Dennoch stieß der Verletzte mit einem Spieß nach den Orks und tötete wie seine Männer. Bis ihn schließlich ein reißender Schmerz in seiner Brust zusammenfahren ließ. Kormund spürte sofort, dass seine Brustwunde wieder aufgerissen war. Stöhnend taumelte er zurück und stützte sich mühsam gegen die Mauer, außerstande, die Waffe weiter zu führen, die seinen kraftlosen Händen entglitt. Doch sein tapferer Ausfall hatte der Gruppe von Lotaras die Möglichkeit verschafft, sich mit der Kormunds zu vereinen. Der Elf und die anderen Männer deckten nun den stöhnenden Scharführer, und gemeinsam kämpften sie sich zu der kleinen Nebentür des Haupthauses zurück. Orks drängten ihnen nach, Männer und Bestien stürzten in den Burghof hinab oder fielen leblos auf den Boden des Wehrgangs.

„Ins Haupthaus", schrie Lotaras und musterte Kormund, dessen Verband sich tiefrot färbte. „Ihr voraus, guter Herr Pferdelord. Ihr habt schon genug vollbracht, jetzt denkt an Eure Sicherheit. Ins Haupthaus, Kormund oder ich werde Euch dorthin schlagen. Ihr werdet noch gebraucht."

Aber Kormund war sowieso viel zu mitgenommen und schmerzerfüllt, um noch ernsthaft widersprechen zu können. Er merkte kaum noch, wie ihn hilfreiche Hände in das Gebäude zerrten und ein paar Frauen sich daranmachten, seine Wunde erneut zu versorgen.

Nogud, der Heiler, kam kurz herein und betrachtete sich die Verletzung. „Gut. Die Verletzung ist zwar aufgerissen, doch noch nicht zu weit. Die Lunge ist noch geschlossen. Wenn er Ruhe hält, wird er durchkommen." Der Heiler sah die Frauen ernst an. „Notfalls bindet ihn auf seine Bettstatt. Aber er darf unter keinen Umständen wieder aufstehen, verstanden? Gut, ich sehe nach den anderen."

Die Bestien waren in der Burg. Schreien und Kampflärm waren von überallher zu hören. Doch im vorderen Burghof wurde bereits nicht mehr gekämpft. Wer den Orks dort zuletzt noch Widerstand geleistet hatte, war mittlerweile tot. Jetzt berannten die Kohorten die Türen der Gebäude und die Tore der mittleren Mauer.

Tasmund und zwei seiner Begleiter waren bei der Explosion so heftig gegen die mittlere Mauer geschleudert worden, dass sie dort reglos am Boden liegen geblieben waren, nur der Erste Schwertmann hatte noch schwache Lebenszeichen von sich gegeben. Ein paar Männer hatten seinen schlaffen Körper in den inneren Hof gezerrt und ihn dort zu Boden gleiten lassen, um sich sofort gegen eines der kleineren Tore zu werfen und es wieder zu schließen.

Beomunt packte mit an, zerrte an einem Balken und presste ihn gemeinsam mit mehreren Männern und Frauen gegen die angeschlagene Mittelmauer. Von dem halb zerstörten überdachten Wehrgang wurden Flüche und Schreie der Bogenschützen laut, die von dort aus in den vorderen Burghof schossen. Die kleinen Tore der Mittelmauer waren noch intakt, denn sie hatten bei der Explosion offen gestanden und waren deshalb unbeschädigt geblieben. Die Mauer selbst jedoch war angeschlagen, und es zeigten sich einige Risse im Mauerwerk. Aber immerhin hatten die Verteidiger die Tore schließen können, und nun versuchten sie, die Mauer so zu stützen, dass sie dem Ansturm der Orks widerstehen würde. Die Orks im vorderen Burghof dagegen zerrten Balken aus den Trümmern des Ostturms hervor und begannen mit diesen gegen die angeschlagene Wand und ihre Tore zu rammen. Aus den Seitenfenstern des Haupthauses und der Unterkunft der Schwertmänner begannen Pfeile auf die Balkenträger der Orks zu zischen.

„Mehr Balken", brüllte Beomunt verzweifelt. „Wir brauchen mehr Balken und mehr Hände, sie zu stützen." Letztendlich war es hoffnungslos.

Nicht mehr lange, dann würde auch diese Barrikade fallen, und die Horde würde über die innere Burg ausschwärmen und jegliches Leben auslöschen.

Doch unvermittelt begannen sich die Orks plötzlich zurückzuziehen. Erst einzeln, dann in Gruppen, eilten sie durch die Bresche in der Südmauer und ließen dort die leblosen Leiber von Menschen und ihresgleichen zurück. Stattdessen besetzten jetzt einzelne Orks den geräumten Westturm, und ihre Bogen begannen sich mit denen der Menschen ein tödliches Duell zu liefern.

„Nimm den Kopf zurück, Larwyn." Garodem packte seine Frau an den Schultern und zog sie vom Fenster zurück, als auch schon der Pfeil eines Orks durch die Öffnung schlug und an die hintere Wand des Arbeitsraumes prallte. „Siehst du? Die warten nur auf eine solche Gelegenheit, um dir die Haare zu stutzen."

Larwyn strich sanft über seine von Orkblut verschmierte Hand. „Es mag nun zu Ende gehen, Garodem, mein geliebter

Mann." Sie streichelte wehmütig seine Wange. „Aber vorher will ich dir noch sagen, wie dankbar ich für all die Jahre des Glücks bin, die ich mit dir teilen durfte."

Garodems grimmiges Gesicht wandelte sich, als er Larwyn für einen Moment an sich zog und sie sanft küsste. Dann löste er sich wieder von ihr. „Noch hält meine Hand die Klinge, und noch weht das Banner der Hochmark. Wir werden es den Bestien nicht leicht machen, Larwyn."

Sie standen am Fenster zum vorderen Burghof und konnten von hier aus auf all die Toten, auf die Trümmer und auf die große Bresche im Wall blicken. Kein Ork war dort mehr zu sehen, und es schien, als wäre die Horde spurlos verschwunden. Doch das war ein Trugschluss. Die Bestien hatten sich nunmehr im noch intakten Westturm und hinter der Bresche verschanzt und warteten dort darauf, auch noch den letzten Widerstand zu brechen. Dennoch war Garodem dankbar für die unerwartete Kampfpause.

Hinter ihnen betrat Beomunt den Arbeitsraum des Pferdefürsten. Wie alle anderen Verteidiger der Burg war er schmutzig und ausgelaugt, aber in seinen Augen war noch immer das gewohnte Feuer zu sehen. „Die Mittelmauer ist abgestützt, so gut wir es vermochten, Garodem, Pferdefürst", meldete der Schwertmann. Er nahm seinen Helm mit dem angesengten Rosshaarschweif vom Kopf und blickte dann vorsichtig durch die Fensteröffnung. „Sie wird allerdings nicht lange widerstehen können, wenn sie es erneut versuchen."

„Eine Weile wird sie noch standhalten", erwiderte Garodem grimmig. „Wie wir alle noch eine Weile standhalten werden. Wie geht es Tasmund?"

Der Schwertmann vom Hof des Königs zuckte die Achseln. „Die elfische Heilerin sagt, es sei ein Wunder, dass er überhaupt noch lebt. Seine Schwertschulter ist gebrochen, und er wird vielleicht nie wieder eine Klinge führen können, aber sie hofft, dass er überleben wird."

„Sofern wir standhalten werden", erwiderte Garodem nachdenklich.

Beomunt wiegte den Kopf. „Der Hauptbrunnen im vorderen Hof liegt nun im Schussfeld der Orks, und der innere Brunnen vermag nicht genug Wasser für uns alle zu liefern. Ich lasse daher die Frauen Wasser aus dem unteren Gewölbe nach oben holen."

Larwyn sah den Schwertmann traurig an. „Dies wird uns leider nicht lange nützen, denn Leoryn, die elfische Heilerin, hat mir berichtet, dass von Felsen erschlagene Menschen in seinem Wasser treiben."

Beomunt nickte. „Wir haben versucht, sie aus dem Wasser zu ziehen, aber wir konnten sie nicht alle erreichen. Ich weiß, Herrin, das Wasser wird rasch verderben."

„Rationiert es und füllt so viel, wie noch brauchbar ist, in Behälter ab." Garodem betrachtete seine blutige Hand. „Ah, das Blut der Bestien stinkt ebenso wie ihre Leiber."

Beomunt wies über sich. „Wir haben nun Bogenschützen auf den Dächern postiert. Aber sie finden dort keine rechte Deckung. Zwar werden nur wenige von ihnen tödlich getroffen, dafür aber umso mehr verletzt; vor allem Armverletzungen sind häufig. Denn so dicht sich die Männer auch an ihre Deckung schmiegen, sobald nur irgendetwas von ihnen sichtbar wird, wird es von den Bestien sofort ins Visier genommen." Beomunt seufzte. „Das einzelne Spitzohr mag zwar am Bogen nicht viel taugen, aber sie haben nun einmal sehr viele Bogen. Und gerade die im Kampf noch nicht so erprobten Stadtbewohner bewegen sich ungeschickt und nehmen nur wenig Deckung. Dennoch fügen sie den Bestien weit schlimmere Wunden zu als diese uns."

„Die Bestien stecken hinter dem Wall und im Turm. Ich frage mich, warum sie noch immer nicht stürmen." Garodem schlug mit der Faust gegen die Wand. „Diese verfluchte Merawyn. Ein Grauer Zauberer. Niemals hätte ich für möglich gehalten, dass so etwas geschehen kann."

Beomunt räusperte sich. „Verzeiht, Garodem, Pferdefürst, ich muss Euch noch etwas anvertrauen."

„Etwas anvertrauen?" Garodem lächelte unmerklich. „Nun denn, so tut es, Beomunt, mein Freund."

Beomunt zog sein Schwert, umfasste es mit der Hand an der Spitze und hielt das Heft dann dem Pferdefürsten entgegen. „Ich, Beomunt, des Beogards Sohn und Schwertmann des Königs, tat Unehrenhaftes, Hoher Lord Garodem, Pferdefürst. Ich vermag nicht mehr zwischen den Goldenen Wolken zu reiten, denn ich tat Unrecht."

Garodem kniff kurz die Augen zusammen und musterte Beomunt dann ernst. Er sah Larwyn an, und diese verstand seine unausgesprochene Bitte, zumal sie schon seit Tagen von dem verletzten Kormund wusste, was Beomunt Garodem nun sagen würde. Doch sie hatte abgewartet, ob Beomunt nicht noch selbst den entscheidenden Schritt machen würde. Larwyn nickte den beiden Männern zu und verließ dann Garodems Raum.

Dieser wartete noch, bis sie in den hinteren Gemächern verschwunden war, und sah Beomunt dann auffordernd an. „Ihr seid ein tapferer Mann, Beomunt, und ich vermag nicht zu glauben, dass Ihr irgendetwas getan habt, was Eure Ehre als Pferdelord verletzen könnte. Steckt also Eure Klinge zurück und berichtet mir, um was es sich handelt."

„Ich geriet in Streit mit Eurem Scharführer Derodem", gestand Beomunt mit leiser Stimme.

„Derodem?" Garodem stieß ein leises Ächzen aus. „Also

Ihr wart es, Beomunt? Wie konntet Ihr nur ein solches Werk vollbringen?“

„Ich war es, Garodem, Pferdefürst, und es gibt nichts, was diese Schuld von mir nehmen könnte. Ich hörte damals unabsichtlich ein Gespräch zwischen Euren Scharführern Derodem und Kormund mit an. Sie sprachen darüber, welche Belastung die Menschen Eodans für Euren Rückzug und die Hochmark darstellten. Und Derodem sprach sich dafür aus, die hilflosen Menschen zurückzulassen und sie zu opfern. Er besprach sich mit Kormund, wie dies am besten ohne Euer Wissen geschehen könnte. Ich konnte dies nicht zulassen, Garodem, Pferdefürst, denn all diese Menschen waren meinem Schutz anvertraut.“

„Auch dem meinen“, warf Garodem grimmig ein. „Und ich hätte dies ebenfalls niemals zugelassen, Beomunt. Doch sprecht weiter.“

„Ich stellte Derodem zur Rede. Ich zeigte ihm das Schlagschwert eines Orks und fragte ihn, ob er es mit seiner Ehre vereinbaren könne, die Menschen Eodans einer solchen Klinge auszuliefern. Doch er lachte mich aus. Da vergaß ich mich und stieß ihn nieder.“

„Ihr hättet ihn fordern können“, rief Garodem wütend. „Bei den Goldenen Wolken, ich selbst hätte ihn gefordert! Wie konntet Ihr ihn einfach schlachten? Ihr hättet es in Ehren austragen müssen, Beomunt, das wisst Ihr!“

„Ich habe den Verstand verloren und auch meine Ehre. Ich erschlug Euren Scharführer, Garodem, und stellte es danach als die Tat einer Bestie hin. Aber ich selbst war diese Bestie.“ Beomunt atmete tief durch. „Euer Scharführer Kormund beobachtete die Tat. Aber er schwieg, um mir die Gelegenheit zu geben, Euch meine Schuld selbst einzugestehen. Stattdessen schoss ich während des Kampfes einen Pfeil auf ihn ab.“

Garodem nickte. „Und versuchtet danach nochmals, den Schwerverletzten zu ermorden."

Beomunt nickte schweigend.

Garodem schloss kurz seine Augen, und als er sie wieder öffnete, lag Trauer darin. „Ihr habt Euren Eid verletzt und Eure Ehre als Pferdelord verloren, Beomunt. Es gibt nichts, was eine solche Tat sühnen kann. Ich müsste Euch nun Eure Klinge und den Umhang abnehmen und Euch außerdem sofort dem Tod überantworten." Garodem legte eine Pause ein und wandte sich dem Fenster zu. „Doch zu diesem Zeitpunkt vermag ich dies nicht zu tun. Denn wenn Eure Tat jetzt bekannt werden würde, würde der Mut der Männer und Frauen noch weiter sinken. Ihr flößt ihnen Zuversicht ein, Beomunt, und ich, ich brauche Eure Dienste."

Garodem wandte sich dem Schwertmann wieder zu und sah ihn grimmig an. „Ihr werdet demnach das Äußerste tun und Euer Äußerstes geben, Beomunt, und wenigstens in Ehre sterben, wenn Ihr schon nicht in Ehre gelebt habt. Und nun geht, Beomunt, des Beogards Sohn, und seid gewiss, dass Euch die Goldenen Wolken verwehrt bleiben werden."

Beomunt nickte schweigend und verbeugte sich vor dem Pferdefürsten. Einen Augenblick lang schien er noch etwas sagen zu wollen, dann aber wandte er sich schweigend um und verließ den Raum.

Garodem trat indessen abermals an die Fensteröffnung, die zum vorderen Hof führte. Tote Menschen und Orks bedeckten das im Pflaster eingelegte Symbol der Hochmark. Müde überdachte er die Situation und versuchte zu verdrängen, was Beomunt ihm soeben gestanden hatte.

Der Feind stand vor und in der Burg, aber der innere Hof und die Gebäude wurden noch gehalten. Auf den Dächern des Haupthauses, des Hospitals und dem Wehrgang der mittleren Mauer gelang es den Verteidigern immer wieder, ein gutes Schussfeld auf einzelne Bestien zu erhalten, während sich die Horde für den Moment mit einer erneuten Belagerung begnügte, denn sie wusste nur zu gut, dass die Zeit die Verteidiger weiter schwächen und schließlich aus ihren Deckungen herauslocken würde. Nein, die Angreifer würden keine weiteren Verluste mehr in einem Sturmangriff riskieren, wenn ihnen ihre Beute auch einfacher in die Hände fallen konnte. Wahrscheinlich hatten die Bestien anfänglich geglaubt, dass die furchtbare Explosion die Verteidiger lähmen würde, außerdem schienen sie merkwürdigerweise nicht damit gerechnet zu haben, dass die mittlere Mauer standhalten könnte.

Garodem seufzte entsagungsvoll. Ein wenig Zeit mochte dem Banner der Hochmark noch verbleiben. Wohl würden die Bestien ihre Fänge zuletzt in das Fleisch der letzten Menschen schlagen, doch die Menschen Eternas' und Eodans würden ihr Fleisch zu den teuersten Bissen machen, die die Bestien je gekostet hatten.

Der Bogenschütze Naik betrat den Raum, den man seinen Männern und einigen leicht Verwundeten zugewiesen hatte. Er befand sich direkt unter dem beschädigten Dach des Haupthauses, und über ihnen waren immer wieder die Flüche und leisen Zurufe der Männer zu hören, die vom Dach aus auf die Orks herabschossen. Hier, in diesem Raum, konnten sich die Männer etwas erholen und ihre Köcher auffüllen. Ein paar von ihnen saßen auf Schemeln oder Möbelstücken und hielten ihre Bogen bereit.

„Sie haben noch etwa acht einsatzbereite Kohorten, Lotaras", sagte Naik grimmig. „und das, nachdem wir mindestens die Hälfte ihrer Horde getötet oder verletzt haben."

Der Elf nickte. „Das Problem ist nicht ihre Anzahl, fürchte ich, sondern dass sie uns jetzt in den Gebäuden festnageln werden. Sie werden versuchen, uns vom Wasser abzuschneiden. Und wir sind nicht mehr stark genug, um auszubrechen und sie zu vertreiben."

„Ihr habt eine düstere Stimmung, mein elfischer Freund." Naik sah kurz zum Dach hinauf, wo ein Geschoss hörbar auf die Schindeln klatschte. Zwei der Bogenschützen auf dem Dach ließen daraufhin ihre Pfeile als Antwort zurückschnellen, und einer von ihnen grunzte zufrieden. Naik sah den Elfen müde an. „Guntram, der Schmied, und der Nagerjäger Barus wollen ein paar Schleuderbretter bauen, mit denen wir die Orks hinter dem Südwall mit Geschossen eindecken können. Die Katapulte auf der Nordmauer taugen dazu leider nicht. Allerdings werden wir mehr mit Trockenfleisch als mit Steinen werfen können, und ich weiß nicht, was härter treffen wird."

„Wir sollten versuchen, angezündeten Brennstein oder die Feuerpaste der Grauen Frau auf die Orks zu schleudern. Die Bestien hätten Mühe, sie zu entfernen, und wenn wir den Brennstein anfeuchten, gäbe es außerdem Rauch, in dessen Schutz wir zum vorderen Brunnen vordringen könnten."

„Oder in dessen Schutz die Orks zu uns vordringen würden.", erwiderte Naik.

„Nichts in der Hochmark scheint im Augenblick ohne Risiko zu sein."

„Ja, Lotaras. Das scheint mir auch so."

Das mangelnde Trinkwasser drohte immer mehr zum Hauptproblem der Verteidiger zu werden. Vor allem für die wenigen Verteidiger des großen Portals am Haupthaus war der nahe gelegene Brunnen eine stete Verlockung. Eine tödliche Verlockung allerdings, denn der Weg zum Brunnen lag im direkten

Schussfeld der orkischen Bogenschützen, die sich im Westturm verschanzt hatten. Allenfalls die Dunkelheit bot den Kämpfern eine Chance, an das Wasser des Hauptbrunnens zu gelangen.

So vergingen die Zehnteltage mit quälendem Warten und zunehmenden Durst, denn das noch verfügbare Wasser wurde zuerst den Verwundeten und den Frauen und Kindern gegeben. Der Tag war heiß, und der Durst wurde zur Qual. Einer der Männer trank von dem Wasser aus dem Gewölbe, das durch die Zersetzung der Toten vergiftet war, und starb wenig später unter grauenvollen Krämpfen.

Schließlich begann sich erneut die Nacht über das Tal von Eternas zu senken.

Im Hospital herrschte derweil nach wie vor geschäftiges Treiben. Merawyns Zauber, durch den die Südmauer gefallen war, hatte auch einen Regen von Steinsplittern aufgewirbelt, der viele Menschen getroffen hatte, und die Waffen der Orks taten ein Übriges. Stöhnen und Schreien drang durch die Nacht. Einem der Männer war der Bauch durch einen Splitter geöffnet worden, und seine Därme waren zerrissen. Doch trotz seiner grauenhaften Wunde verweigerte der Tod dem Mann seine Gnade, und so wand sich dieser in grauenvollen Schmerzen. Seine verzweifelten Schreie hallten durch das Hospital und drangen bis in den letzten Winkel der Burg. Manch einer von ihnen litt mit dem Verletzten, andere wünschten sich dagegen nur, dass es endlich ein Ende haben möge. Aber erst nach zwei Zehnteltagen wurden die Schreie schließlich leiser, bis sie zuletzt endgültig verstummten. Alle waren darüber erleichtert, schämten sich jedoch für dieses Gefühl.

# 49

Die Nacht tauchte den Burghof in Finsternis. Es waren keine Sterne zu sehen, und auch der Südwall war vom Haupthaus aus kaum noch zu erkennen. Dies war der Grund, warum das Portal des Haupthauses nicht fest verbarrikadiert worden war. Man hatte zwar den Sturmbalken zunächst davorgelegt und schwere Möbel davorgeschoben, aber die Gruppe von Männern, die hier Wache hielten, hatte die Barrikade möglichst leise wieder abgebaut. Ihr Durst und die Dunkelheit hatten sie dazu verleitet, den Versuch zu wagen, Wasser vom Brunnen zu holen. Sie wussten, dass ihr Vorhaben gefährlich war und Garodem ihnen dies niemals gestattet hätte, aber sie handelten in dem festen Glauben, sich und den anderen Verteidigern einen großen Dienst zu erweisen. Jedes Mal, wenn die Männer mit einem der Möbel irgendwo anstießen, hielten sie inne, um sich zu vergewissern, dass nur ja keiner der anderen ihr Vorhaben bemerkte und sie vorzeitig verraten konnte. Eine Reihe von Eimern und Wasserflaschen lag schon zum Befüllen bereit.

Im Haupthaus brannte kein Licht, weil die beleuchteten Fenster den orkischen Bogenschützen eine gute Gelegenheit zum Schuss geboten hätten. Zudem hatte man auch nicht mehr genug Material, um die Fenster abzudichten. Nur im Obergeschoss brannten ein paar Brennsteinlampen in den Räumen, die dem hinteren Hof zugewandt waren. Dort versorgte Nogud, der Heiler, mit der elfischen Heilerin Leoryn zusammen noch immer die erkrankte Hohe Frau Jasmyn, die sich nur langsam von den Flecken erholte.

Direkt unterhalb des Behandlungsraums der Heiler, am Portal des Hauses, waren die durstigen Männer mittlerweile dabei, den schweren Vorlegebalken behutsam aus seiner Verankerung zu heben. Schweigend nickten sie sich zu, lauschten und öffneten dann einen der massiven Türflügel einen Spalt breit. Draußen war nichts zu hören und zu sehen als das verlockende Plätschern des Brunnens. Zwei der Männer nahmen Eimer und Wasserflaschen und schlichen damit in die Dunkelheit hinaus. Die drei anderen Männer hörten das leise Plätschern des Brunnens und stellten sich bereits vor, wie sich die Behälter mit dem klaren Wasser des Brunnens füllten. Sie leckten sich über die rau gewordenen Lippen.

Erneut plätscherte es, diesmal etwas lauter: Einem der Wasserholer musste wohl ein Eimer in den Brunnen gefallen sein. Einer der Posten an der Tür trat in den offenen Spalt und blickte zum Brunnen hinüber, den er kaum erkennen konnte. „Seid leise, ihr Narren“, flüsterte er. Dann sah er, wie eine Gestalt vom Brunnen zurückkam. „Habt Ihr es? Sagt schon, wie ist das Wasser?“ Er beugte sich gierig nach vorne, doch die Gestalt streckte ihm kein Wasser entgegen.

Es war der klassische Eröffnungsschnitt eines Schlagschwertes. Der gerade Einstich in Höhe des Unterleibes mit der Weiterführung zum Herzen hin. Der durstige Posten stand einfach nur da und hatte noch immer nicht begriffen, dass ihm seine Gedärme aus dem Bauch herausquollen und er bald keinen Durst mehr haben würde. Es folgte ein leise schmatzendes Geräusch, als das Rundohr die Waffe aus dem weichen Leib befreite. Die Bestie ließ den Toten langsam zu Boden sinken und winkte mit der freien Hand. Andere Gestalten huschten lautlos heran und sammelten sich rechts und links von der Tür, hinter der sie die leisen Fragen der beiden anderen Wachen vernehmen konnten.

Sie warteten, bis sich die Wachen nicht mehr länger beherrschen konnten und aus der Tür traten, um zu sehen, wo die beiden anderen blieben. Zwei dumpfe Schläge, und der letzte Widerstand am Portal war gebrochen. Der erste Ork huschte in den Flur hinein, dann folgten ihm die anderen.

Ein Mann, der gerade den Gang entlangkam, entdeckte sie. „He, verdammt, lasst die Tür zu. Ihr wisst, was der Pferdefürst gesagt hat. Die Tür muss …"

Es gab ein schlürfendes Geräusch, als der Mann versuchte, Luft zu holen. Doch durch den breiten Schnitt in seiner Kehle drang das Blut in seinen Hals ein und erstickte seinen Schrei zu einem nassen Gurgeln. Sein Kopf kippte haltlos auf die Schultern zurück, und mit einem weiteren Schnitt trennte ihm das Rundohr den Kopf vollkommen vom Rumpf.

Fast zwanzig Rundohren und Spitzohren standen nun in dem engen Gang und stiegen nacheinander lautlos über die Leichen hinweg. Sie waren nicht mehr als ein Stoßtrupp, der völlig ungeplant in die Burg eingedrungen war, als die Gelegenheit günstig gewesen war. Sie huschten weiter durch den Gang, an dessen Ende sie die Tür zur Eingangshalle erreichten. Dort saßen zwei Männer und schliefen erschöpft. Einer von ihnen bemerkte nicht einmal mehr, dass er aufgeschlitzt wurde. Der andere sank mit leisem Poltern und aufgerissenen Augen von der Sitzbank.

Die Orks verharrten. Doch alles blieb ruhig. Zehn von ihnen teilten sich nun in Zweiergruppen auf und hasteten auf die anderen Türen im Erdgeschoss zu. In einem Raum fanden sie ein paar Frauen, die zwei verletzte Männer versorgten. Ein kleines Kind krähte in seiner Wiege. Für ein paar Sekunden hallten ihre Schreie durch den Raum, dann färbten sich die Wände mit ihrem Blut und Gewebeteilen. Die anderen zehn Bestien sahen währenddessen lauernd zu der breiten Treppe hinüber, die ins Obergeschoss hinaufführte. Lautlos stiegen sie die steinernen Stufen empor und spähten vorsichtig umher, ob weitere Posten auftauchen würde.

Der Posten, der vor dem Arbeitszimmer Garodems stand, sah sie erst, als ihre Köpfe auf den oberen Stufe sichtbar wurden, und stieß einen kurzen Überraschungsruf aus. Er stand in der Mitte des Ganges, noch zu weit entfernt für einen raschen Kampfschnitt, doch nah genug für einen Pfeil. Eine Tür flog auf, und zwei weitere Pferdelords erschienen. Warnschreie ertönten, während Pfeile einen der beiden Männer tot nach hinten warfen. Der andere warf geistesgegenwärtig die Tür wieder hinter sich zu. Doch zwei Rundohren hechteten dagegen und hoben die dünne Tür aus ihren Angeln. Der Pferdelord tötete den ersten Ork mit einem Schwertstreich, doch dann trennte ihm das Schlagschwert des zweiten seinen Arm vom Leib. Seine Schreie verstummten, als der Kampfschnitt seinen Leib öffnete.

„Habt Ihr das gehört, Leoryn?“ Nogud stand wie erstarrt im Schlafgemach Jasmyns und blickte entsetzt auf die Tür. „Das waren Schreie. Hier im Haus.“

Der Heiler eilte zur Tür hinüber und öffnete sie. Ein Mann taumelte ihm entgegen, den Rücken vom Hieb eines Schlagschwertes zerfetzt, die Wirbelsäule freigelegt. Zuckend und schreiend lag der Mann am Boden, als schon ein Rundohr nachsetzte. Instinktiv packte Nogud die Hände des Wesens und hielt sie verzweifelt fest, damit die Bestie die Waffe nicht einsetzen konnte.

„Flieht, Leoryn. Flieht um Euer Leben“, schrie Nogud panisch. Der Heiler sah noch, wie das Rundohr den Rachen aufriss, und schrie in Todesangst, dann hatte das Wesen seine Fänge auch schon in Noguds Kehle gegraben und sie zerfetzt.

Fast im gleichen Moment hatte die Elfenfrau das Schwert des toten Pferdelords aufgenommen und rammte es dem Mörder in den Leib. Das Wesen schrie in einer nahezu menschlich klingenden Weise auf. Leoryn dachte an Noguds sanfte Wesensart und ließ sich noch etwas Zeit, bevor sie die Klinge nach oben führte. Als Lärm auf dem Flur ausbrach, riss sie das Schwert heraus und blickte zu Jasmyn hinüber.

„Geht, doch gebt mir zuvor das Schwert", stöhnte die Hohe Frau leise. „Bitte."

Leoryn fühlte Tränen auf ihren Wangen, aber es gab keinen anderen Weg. Wortlos drückte sie Jasmyn das Schwert in die Hand und eilte dann aus dem Raum in den Flur hinaus. Dort fochten zwei Pferdelords gegen fünf oder sechs der Bestien. Einer der Schwertmänner überlebte den Kampf und erreichte die Elfenfrau. „Kommt, Hohe Frau, rasch. Es sind noch mehr von ihnen im Haus."

Der Mann zog die Elfin weiter mit sich, den Gang entlang. Ein Ork kam die Treppe herauf und wurde vom Schwert des Pferdelords zurückgeworfen. Da zischte etwas hinter ihnen, und der Schwertmann taumelte, als er von einem Pfeil getroffen wurde. Stöhnend lehnte sich der Mann gegen die Wand. „Flieht, Frau Elfin. Am Ende des Ganges, wo die Tür zum Aussichtsturm führt, ist eine Fluchttür. Sie bringt Euch ... in den hinteren Hof."

Der sterbende Schwertkämpfer wurde von zwei weiteren Pfeilen gleichzeitig getroffen, und sein sich windender Leib schützte Leoryn für einen kurzen Moment. Sie schrie auf und rannte den Gang entlang. Ein Pfeil raste an ihr vorbei, zersplitterte aber an der Wand. Sie erreichte die schmale Tür und zerrte verzweifelt an ihrem Hebel. Hinter ihr hörte sie die Orks herankommen. Wo waren nur Garodem und die anderen Verteidiger der Burg? Konnten die Orks denn tatsächlich schon alle Verteidiger des Haupthauses überwältigt haben?

Leoryn zog und drehte so lange, bis der Hebel metallisch klickte. Als die Tür endlich aufglitt, war die Bestie bereits dicht hinter ihr. Licht fiel durch den Spalt, dann traf sie ein Schlag. Mit einem gellenden Schrei stürzte Leoryn zu Boden und glaubte zu spüren, wie ein Schlagschwert sie durchstieß. Doch es war nur die Tür, die gegen ihren Körper geschlagen war. Ein dunkler Schatten war vor ihr, und Licht fiel auf die Bestie, welche gerade das Schwert zum Stoß erhob. Da trafen die Klinge eines Schwertes und drei oder vier Pfeile das Rundohr gleichzeitig und schleuderten es in den Gang zurück. Eine finstere Gestalt beugte sich über Leoryn und zog sie vom Boden hoch, und erst in diesem Moment erkannte sie Garodem.

„Seid Ihr in Ordnung, Hohe Frau Leoryn?“ Sie nickte stumm und war nicht in der Lage, auch nur ein einziges Wort zu sprechen. Garodem schob sie aus der Tür und in den hinteren Hof der Burg hinein, wo zwei Männer sie rücksichtslos in Deckung zerrten, während andere an ihr vorbeieilten.

„Los, ihr Pferdelords und Männer Eodans, vielleicht können wir noch jemanden retten“, stieß Garodem wütend hervor und verschwand mit seinen Kämpfern im Haupthaus.

Die elfische Heilerin saß einfach an die Rückseite des Haupthauses gelehnt, atmete heftig und spürte die Kälte der Steine durch ihr zerrissenes Gewand hindurch. Wie gerne hätte sie jetzt einen Schluck zu sich genommen, doch die Männer um sie herum hatten selbst nichts mehr zu trinken. Lärm drang aus dem Haus. Flüche, Schreie und Waffenklirren. Von den Dächern wurden plötzlich wieder Pfeile abgeschossen, doch nur für kurze Zeit, dann kehrte erneut beklemmende Stille ein.

Nach einiger Zeit kehrte Garodem mit finsterem Gesicht zurück. Eine blutige Strieme zog sich über sein Gesicht. „Wir haben das Portal wieder geschlossen. Es ist nur ein kleiner Trupp der Bestien eingedrungen. Die anderen haben wohl zu spät gemerkt, dass ihresgleichen schon im Haus sind, und als sie nachsetzen wollten, haben unsere Bogenschützen sie rasch zurückgetrieben. Aber dort drinnen gleicht alles einem Totenhaus."

„Die Hohe Frau Jasmyn", stammelte Leoryn schließlich.

Der Pferdefürst schüttelte den Kopf. „Ein Totenhaus. Aber sie hatte das Schwert in der Hand."

„Was ... ist mit Eurer Gemahlin?"

Garodem lächelte einen Moment von Dankbarkeit erfüllt. „Sie war mit mir im Gewölbe, um den Frauen und Kindern dort Mut zuzusprechen. Sie ist unversehrt."

„Was wird jetzt geschehen?"

„Wir werden auf den morgigen Tag warten. Er wird die endgültige Entscheidung bringen."

„Weil sie uns dann angreifen und überwältigen werden?"

Garodem lächelte unmerklich. „Nein, nicht deshalb. Noch haben unsere Arme Kraft, doch ohne Wasser wird sie zweifellos rasch schwinden."

Leoryn begriff. „Ihr wollt ihnen also entgegentreten? Und Eure Deckung verlassen?"

„Wenn wir weiterhin hinter dieser Deckung warten, wird der Feind bald nur noch wehrlose Männer, Frauen und Kinder vorfinden, die ihm nicht mehr entgegentreten können", sagte Garodem finster. „Die Menschen hier haben es nicht verdient, wehrlos geschlachtet zu werden." Der Pferdefürst lächelte Leoryn an. „Und Ihr auch nicht, elfische Heilerin. Nein", sagte er entschlossen, „morgen ist der Tag des Kampfes, der alles entscheiden wird."

Vielleicht spürten die Orks, dass sie nicht mehr lange auf ihre Beute zu warten brauchten, jedenfalls verhielten sie sich für den Rest der Nacht ruhig. Im letzten Zehnteltag der Nacht, kurz vor der Morgendämmerung, versammelte Garodem dann all jene um sich, die noch ein Schwert, eine Axt oder eine Lanze zu führen vermochten. Die verbliebenen Bogenschützen lagen auf den Dächern, die gefüllten Köcher neben sich.

Garodem hatte die vorderen Reihen seiner kleinen Streitmacht aus Pferdelords zusammengesetzt, die mit ihren Pferden bereitstanden. Sie würden sterben, wie es sich für Pferdelords geziemte. Auf dem Rücken ihrer Pferde und mit der Klinge in der Hand. Hinter ihnen kamen dann all die Männer und Frauen, die ihr Leben mit der Waffe in der Hand verteidigen wollten. Unter ihnen befand sich auch der alte Schmied Guntram, der mit finsterem Gesicht einen überlangen Schmiedehammer in seinen Händen hielt. Grimmiges Schweigen lag über den Versammelten. Nur ihr Atmen war zu hören und ab und zu ein leises Klirren, wenn Waffen aneinanderschlugen. Hinter Garodem standen die Letzten seiner Wache mit dem Banner der Hochmark, und selbst der schwer verletzte Kormund hatte sich nicht davon abhalten lassen, seine Klinge in die Hand zu nehmen.

„Gewiss vermag ich sie nicht mehr zu führen", flüsterte Kormund dem Pferdefürsten entschlossen zu. „Doch mein Leib mag ein guter Schild für Euer Banner sein." Der Scharführer sah zu Beomunt hinüber, der vor den bewaffneten Männern und Frauen Stellung bezogen hatte. „Der dort sagte mir, er habe sich Euch offenbart, mein Herr."

Garodem nickte nur. Er glaubte noch immer den langen Kuss zu schmecken, den seine geliebte Larwyn ihm zum Abschied gegeben hatte. Der Herr der Hochmark lächelte verzerrt. „Er soll dennoch mit der Klinge in der Hand sterben."

Kormund schniefte leise. „Das wird er, mein Herr, und es mag sein, dass dieser Tag ihm seine Ehre zurückgibt. So wie uns allen dieser Tag zur Ehre gereichen wird."

Ein sanfter roter Schimmer zeigte sich auf dem First der Dächer, und Garodem wandte sich um. „In die Sättel, ihr Pferdelords."

Leises Klirren von Waffen und das Knarren von Sattelzeug begleiteten die Männer, als sie sich auf ihre Pferde schwangen, die zu spüren schienen, dass es in den Kampf ging, und unruhig schnaubten. Garodem rückte sich im Sattel zurecht und vergewisserte sich, dass sein Rundschild den gewohnten Druck an seinem Bein auslöste. Leise flappte das grüne Banner der Hochmark hinter ihm. Schweigend sahen sie zu, wie der rote Schein allmählich über das Dach wanderte und erste Helligkeit hereinbrach. Die Spitzen der erhobenen Waffen begannen bereits rötlich zu funkeln, während die Männer selbst noch im Dunkel waren. Garodems Hengst scharrte unruhig mit den Hufen, und er mahnte ihn zur Ruhe. Der Pferdefürst prüfte seine Gefühle und war ein wenig überrascht, dass er so gar keine Furcht empfand. Nur eine gewisse Traurigkeit, dass es nun zu Ende ging, gemischt mit Stolz auf die Art und Weise, in der es geschehen würde. Das Sonnenlicht erreichte sein Gesicht und blendete ihn für einen Moment. Er beugte sich vor und zog das lange Schwert aus seiner Scheide. Dann legte er die Klinge an seine rechte Schulter und nickte den Frauen zu, welche an den Riegeln der Tore in der Mittelmauer standen. Leise knarrend begannen sich die Torflügel zu öffnen.

Ein letztes Mal wandte sich Garodem im Sattel um. Danach würde es keinen Blick mehr zurück geben. Was hätte er den wartenden Männern und Frauen auch noch sagen sollen? Sie alle wussten, um was es ging. Also nickte er ihnen nur zu und hob sein Schwert. „Auf schnellen Ritt …“

„… und scharfen Tod“, kam das Echo, als bräche ein Bann.

Die Hufe donnerten über das Pflaster, als die kleine Schar der Pferdelords dem Banner der Hochmark folgte, und die Pferdelords brüllten erregt. Die Männer und Frauen zu Fuß begannen ebenso zu schreien und folgten den Berittenen.

„Tod den Bestien“, brüllte Garodem und trieb seinen Hengst auf die Bresche in der Südmauer zu. Vor ihm tauchte ein verwirrtes Spitzohr auf und wurde von einem Pfeil Lotaras’ zurückgeworfen. „Tod! Tod!“

Der Hornbläser neben Garodem stieß in das metallene Horn der Hochmark, und dessen stolzer Ruf hallte trotzig durch das ganze Tal.

Da ertönte von Süden die Antwort.

# 50

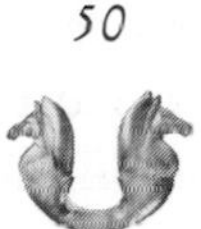

Es gab einfach nicht genug Orks für alle, und Dorkemunt erkannte dies schon, als sich die Beritte am Südeingang des Tales von Eternas sammelten und formierten. Der kleinwüchsige Pferdelord versuchte, sich weiter nach vorne zu drängen, doch keiner der anderen Pferdelords machte ihm Platz, denn sie waren alle begierig, den Treueid zu erfüllen. Beritt um Beritt trabte in das Tal hinein und formierte sich in Linien, gegliedert nach den Marken des Königs, aus denen sie stammten. Sie alle trugen ihre grünen Rundschilde und die grünen Umhänge der Pferdelords, die sich nur durch die Farben ihrer Säume voneinander unterschieden. Und so sah man die goldenen Säume der Königsmark neben dem Dunkelgrün der Reitermark, dem Gelb der Westmark und dem Schwarz der Ostmark. Selbst ein Beritt mit dem dunkelroten Saum der Nordmark hatte sich zwischen den Farben der anderen formiert. Sie alle hatten sich unter den Wimpeln ihrer Beritte gesammelt.

Dorkemunt war in die hinteren Reihen verbannt worden. Nicht wegen seiner kleinen Gestalt, sondern weil er ein Auge auf den Knaben Nedeam haben sollte, der mit ihnen zusammen ritt. Sicher hätte der Hohe Herr Torkelt, der Erste Schwertmann des Königs und Kommandeur der Pferdelords, ein paar Männer zu Nedeams Schutz zurücklassen können, doch welchen seiner Pferdelords hätte er damit beauftragen sollen? Ein jeder dachte nur noch an den Kampf, und es wäre wie eine Strafe für die Männer gewesen, zurückbleiben zu müssen.

Sie hatten sich bereits im ersten Licht des neuen Tages formiert und sahen nunmehr die Ruinen der Stadt und dahinter die Burg von Eternas vor sich. Dazwischen bewegten sich die Kohorten der Orks, die sich ebenfalls zu formieren begannen und noch nichts von ihrer Anwesenheit ahnten.

„Den Goldenen Wolken sei Dank“, knurrte Torkelt, als er die Orks vor der Burg sah. „Es muss noch Leben darin geben, sonst wären die Bestien längst in sie eingefallen.“

Wie zur Antwort ertönte aus den Trümmern der Festung ein metallenes Horn. Ein Jubelschrei entfuhr den Kehlen der Pferdelords des Königs, den auch die ersten Orks vernahmen, worauf sie verwundert herumfuhren. Da richtete Torkelt seine Klinge nach vorne und gab die Parole, und zwölfhundert Pferdelords erwiderten sie. Die Hörner der Beritte riefen in die Schlacht.

Torkelt hatte die Pferdelords der Wachen mit ihren langen Rosshaarschweifen in die vorderen Linien beordert, denn er schätzte ihre kalte Disziplin und die Präzision ihrer Bewegungen. Die zwölf Beritte trabten an, gingen dann in einen leichten Galopp über und fielen schließlich in den vollen. Dann raste der Tod den Orks entgegen. Nedeam, der noch nie zuvor den Angriff eines Beritts erlebt hatte, war nunmehr Zeuge von deren zwölf, die zum Angriff übergingen, und es war ein unglaubliches und berauschendes Gefühl, das Nedeam niemals wieder vergessen würde.

„Lasst mir wenigsten einen einzigen übrig“, schrie Dorkemunt nahezu verzweifelt. Der kleine Pferdelord versuchte, sich auch weiterhin nach vorne zu drängen, und Nedeam folgte ihm, so gut es ging.

Die vorderen Reihen der Pferdelords ritten eng geschlossen, gerade noch mit genug Raum zwischen den einzelnen Männern, damit diese ihre Waffen wirkungsvoll einsetzen konnten. Dahinter drängten sich die einberufenen Wehrfähigen, die nicht genug Übung besaßen, um sich in diesen engen Formationen zu bewegen. So gelang es dem kleinwüchsigen Dorkemunt, sich allmählich immer weiter nach vorne zu schieben, und Nedeam folgte ihm auf dem starken Stirnfleck. Wie ein grüner Teppich ergossen sich die Pferdelords in das Tal, wo sie die Stadt Eternas im Westen umrundeten und dann mit den schockierten Kohorten der Orks zusammenprallten. Die Linien der Orks brachen augenblicklich auseinander. Eine ihrer vorderen Gruppen versuchte sogar verzweifelt, in das Innere der Burg einzudringen, um dort Schutz zu finden, sah sich aber mit einer grimmigen Schar von Pferdelords konfrontiert, die die Bresche nun erbittert mit ihren letzten Kräften verteidigten.

Es gab wirklich nicht mehr genug Rundohren und Spitzohren, um die Pferdelords in ihrer Kampfeswut zufrieden zu stellen. Die Schwertmänner der Wachen hatten schon so viele Kämpfe erlebt, dass sie nur noch mit einer kalt wirkenden Präzision töteten und kaum noch schrien, sondern sich ihre Kraft für den Schwung ihrer Arme sparten, mit denen sie die Orks schlachteten. Die Pferdelords hinter den Wachen schrien ihre Erregung jedoch ungehemmt heraus, und einer von ihnen übertönte dabei sogar, trotz seiner kleinen Statur, alle übrigen.

„Lasst mir einen übrig“, heulte Dorkemunt enttäuscht, der soeben seinen Wallach auf eine Gruppe Orks gelenkt hatte, die aber schon wieder niedergestreckt war, als er sie erreichte. Von überallher tönten die Schreie der Orks, und es waren Schreie der Furcht und des Schmerzes. Dorkemunt sah einen riesigen Ork aus dem dichten Gewühl aufragen, wo eine weitere Gruppe der Horde gerade versuchte, sich dem Ansturm der Pferdelords zu erwehren. „Lasst ihn mir!“

Er reckte seine Axt vor und trieb den Wallach auf die Gruppe zu, die immer weiter dahinschmolz. Schließlich ragte nur noch das gewaltige Rundohr auf und leistete Gegenwehr. Der Ork trug eine seltsam glitzernde Rüstung, die an der Brust einen roten Fleck aufwies. Er blutete aus zwei Wunden, die ihm von zwei Pferdelords beigebracht worden waren, die er danach vom Pferd geschlagen und getötet hatte. Als sich das Gewirbel um den Ork kurz lichtete, zwang Dorkemunt seinen Wallach mitten hinein und ließ seine gewaltige Axt in einem furchtbaren Schlag auf den Riesen herabsausen.

Das Ungetüm parierte den Schlag im letzten Augenblick mit seiner Klinge, aber der Schlag erschütterte Mann und Bestie gleichermaßen. Dorkemunt spürte, wie der Stiel seiner Streitaxt zerbrach. Die blitzende Klinge wurde davongeschleudert und schlug patschend in den leblosen Körper eines am Boden liegenden Spitzohrs. Der kleinwüchsige Pferdelord wurde unter der Wucht des Schlages aus dem Sattel gehoben, wirbelte durch die Luft und fiel dann schwer zu Boden. Der Aufprall trieb ihm die Luft aus seinen Lungen, und für einen Augenblick war Dorkemunt wehrlos. Aber auch das riesige Rundohr hatte den Hieb zu spüren bekommen. Das mächtige Schlagschwert war seiner Hand entglitten und zu Boden gefallen. Außerdem schien die Hand des Orks gebrochen zu sein, denn er bückte sich, um die Waffe mit der anderen Hand wieder aufzunehmen.

Dorkemunt richtete sich ebenfalls vom Boden auf und sah im gleichen Augenblick einen toten Pferdelord, dessen Hand noch die Klinge umfasst hielt. Dem alten Pferdelord wäre eine Streitaxt lieber gewesen, aber immerhin handelte es sich um ein solides Schwert. Er hob es auf, nahm aus den Augenwinkeln heraus gerade noch eine Bewegung wahr und sprang zur Seite. Mit einem dumpfen Schlag hieb die Klinge des Orks genau dort in den Boden, wo Dorkemunt noch eben zuvor gekauert hatte. Für einen Moment sah der Pferdelord in das Gesicht des

Rundohrs und bemerkte verwirrt, dass die Bestie ein rotes und ein blaues Auge hatte. Dann musste er sich auch schon eines erneuten Schlages erwehren. Die Schwerter prallten aufeinander. Funken stoben, und Dorkemunt knurrte schmerzerfüllt, doch er behielt die Klinge in der Hand. Der riesige Ork war bei weitem stärker als er und verfügte außerdem über eine größere Reichweite, also blieb Dorkemunt nur, die Entfernung zwischen ihnen zu verkürzen. Er duckte sich unter einem Schwertstreich hinweg, hechtete vor und kam fast zwischen den Beinen der Bestie zum Halt. Dort stieß er mit einem harten Ruck sein Schwert nach oben.

Die Spitze drang Blauauge direkt unter dem Ansatz seines Brustharnischs in den Leib und fuhr von unten hinter seine Rippen. Der riesige Ork brüllte schmerzerfüllt und richtete sich auf, als wolle er sich die Klinge aus dem Leib reißen. Doch Dorkemunt setzte nach, drückte sie tiefer, und der Ork sackte brüllend auf die Knie. Seine Arme sanken kraftlos herab und Dorkemunt zog die Klinge mit einem schmatzenden Laut aus dem Leib der Bestie heraus. Keuchend sahen sich Mann und Bestie an. „Dein Schädel", ächzte der alte Pferdelord schließlich, „zählt doppelt."

Der Hieb trennte Blauauges Kopf vom Rumpf, und sein lebloser Körper sackte haltlos vornüber.

Es war vorbei.

Von den beiden nördlich stehenden orkischen Kohorten hatten mittlerweile einige Bestien versucht, sich in diese Richtung abzusetzen, doch die Tiere der Pferdelords waren schneller gewesen als die orkischen Beine. Im Tal von Eternas ritten nun Gruppen der Pferdelords auf der Suche nach versprengten Orks.

Männer saßen von ihren Reittieren ab, gaben verletzten Bestien den Todesstoß und versorgten ihre Verwundeten, andere richteten die Standarten der orkischen Kohorten auf und steckten die Köpfe ihrer erschlagenen Anführer darauf. Eine kleine Gruppe der Pferdelords, unter dem Banner des Pferdekönigs, trabte auf die Burg von Eternas zu, über deren Bresche das Banner der Hochmark flatterte.

Dorkemunt hingegen ritt währenddessen wieder zu Nedeam zurück. „Habt Ihr das gesehen, mein junger Freund? Der Riese hatte ein blaues Auge. Dergleichen habe ich noch nie zuvor gesehen."

Aber Nedeam achtete nicht mehr auf die Worte seines kleinwüchsigen Freundes, sondern sah nur noch zu den beiden flatternden Bannern an der Bresche hinüber und zu dem hellen Kleid, das dort zu sehen war. Er kannte diese langen blonden Haare, und nichts konnte ihn nunmehr zurückhalten.

„Mutter", schrie Nedeam triumphierend und trieb Stirnfleck an.

Der Kampf war vorbei, und Nedeam kehrte nun endlich heim.

# 51

Garodem, der Pferdefürst der Hochmark, stützte sich auf die Brüstung des Fensters und blickte von seinem Amtszimmer hinaus auf das Tal von Eternas, in dessen Seitentäler noch immer etwas Rauch aufstieg und in der Luft zerfaserte. Dort brannten nun schon seit langem die Kadaver der getöteten Orks, und einige der Schädel und Fahnen der Horden würde man sorgfältig säubern, um sie den Trophäen vergangener Siege hinzufügen. Ja, es war ein Sieg gewesen, auch wenn ihn sich die Pferdelords blutig hatten erkaufen müssen. Er hatte viele Opfer gekostet, und vor allem der Verlust der Frauen und Kinder schmerzte tief.

Garodem musterte die Scharen der Pferdelords, die durch das Tal und die gesamte Hochmark patrouillierten. Von der Stadt Eternas stieg erneuter Rauch in den Himmel, doch nun war es der Rauch zahlreicher Kochfeuer, Baustellen und Handwerker, die sich bemühten, die Spuren der Verwüstung möglichst schnell wieder zu beseitigen. Es würde noch lange dauern, alle Schäden zu beheben. Doch vor allem die schlimmen Erinnerungen würden sich nicht so schnell vertreiben lassen. Aber mit der Zeit würden alle Wunden heilen. Neue Kinder würden geboren werden und heranwachsen, und die Erinnerungen würden anfangen, Geschichte zu werden und ihren Einzug in die Lieder und Sagen des Pferdevolkes nehmen. So war der Lauf der Dinge seit jeher.

Larwyn trat von hinten an ihn heran, und Garodem legte einen Arm um ihre schmalen Schultern. „Es schmerzt, all dies zu sehen, mein geliebter Mann“, sagte sie nachdenklich und wies dabei auf eine Schar Kinder, die am Flussufer spielte, aufmerksam beäugt von zwei Pferdelords. „Sie werden es wohl als Erste vergessen haben."

Garodem schüttelte den Kopf. „Nein, das werden sie nicht. Die Kinder gehen nur anders damit um als wir, und sie können ihren Kummer vielleicht ein wenig besser überdecken." Garodem zuckte die Achseln. „Aber sie sind es, die uns daran erinnern, für was wir gekämpft haben und wofür so viele Menschen gestorben sind."

„Er fehlt dir, nicht wahr?"

Garodem wusste sofort, wen sie meinte. „Ich hätte mich so gerne noch mit ihm versöhnt und ihm gestanden, wie sehr ich ihm verbunden bin. Doch nun ist er tot, gefallen in der großen Schlacht vor der weißen Stadt des Königreiches Alnoa."

„Er findet seinen Weg zwischen den Goldenen Wolken, Garodem, und dort wird er auch wissen, was du ihm noch sagen wolltest."

Garodem streichelte ihre Hand und ihren gerundeten Leib. Er freute sich auf das Kind, das sie ihm bald schenken würde. „Sein Sohn Reyodem führt nun das Banner des Königs", sagte er leise. „Es ist gut so, denn ich erhebe keinen Anspruch auf die Krone. Mein Platz ist hier, in unserer Hochmark. Aber der König wird in uns immer treue Vasallen finden, die den Eid der Pferdelords erfüllen."

Überall in der Stadt und in der Burg war Lärm zu hören. Das Tal barst vor Aktivitäten. Das Haupttor der Burg war neu gerichtet worden, und die Lücke der Bresche begann sich zu füllen. Allein, bis der Ostturm und der Signalturm neu errichtet wären, würde noch etwas Zeit vergehen. Dennoch staunte Garodem, wie schnell die ärgsten Spuren der Kämpfe verschwunden waren. Auf der Plattform des Westturms sah er den alten

Schmied Guntram, der gerade dabei war, zwei Pferdelords der Westmark seinen Bolzenwerfer zu erklären, und sicher ein paar Ausschmückungen vornahm. Der Schmied trug einen Verband um eines seiner Beine, denn er war bei der Verteidigung der Bresche verwundet worden, wie so manch andere gute Mann und einige der Frauen, die dort den Tod gefunden oder eine Verletzung erlitten hatten. Die Menschen aus Eodan halfen den Bürgern Eternas, ihre Stadt neu aufzubauen. Einige hatten sich sogar dazu entschlossen, in der Hochmark zu bleiben, wenn auch die meisten von ihnen wieder nach Eodan gehen und ihre eigene Stadt neu erstehen lassen wollten.

Garodems Blick schweifte zum Ostufer des Flusses, und erneut füllte tiefe Trauer sein Herz. Larwyn konnte es ihm nachempfinden. Stumm sahen beide auf die Männer, die dort noch immer eine lange Grube mit den Leibern der Männer, Frauen und Kinder füllten, die ihr Leben gelassen hatten und die nun zu den Goldenen Wolken reiten würden. An der Tür des Amtszimmers klopfte es, und Garodem wandte den Kopf.

„Wenn Ihr erlaubt, Hoher Lord.“ Scharführer Kormund führte eine ungelenke Verbeugung durch und trat dann ein. Die Brustwunde schmerzte ihn noch immer, dennoch hatte der Verwundete seinen Harnisch angelegt. „Der Hohe Herr Torkelt lässt ausrichten, dass nun alles so weit ist.“

„Dann lasst das Signal geben, guter Herr Kormund, auf dass man sich versammeln möge.“

Vom Innenhof her tönte das metallene Horn der Hochmark, das sich mit dem dumpferen Klang der Hörner der anderen Marken des Königs mischte.

Garodem legte nun seine volle Rüstung an und gürtete sein Schwert, während Larwyn ihm den Helm reichte. „So lass uns nun diese traurige Pflicht erfüllen“, sagte sie leise. „Auf dass die Mark künftig nicht mehr von Trauer, sondern nur noch von Freude erfüllt sein möge."

Sie gingen die lange Treppe zum Untergeschoss hinab, wo ihnen die beiden Pferdelords der Wache ihren Gruß entboten und Garodem und Larwyn die Zügel ihrer Pferde von einem Stallburschen entgegennahmen. Mit ihnen zusammen formierten sich nun auch die Pferdelords, die nicht zur Wache eingeteilt waren, und die anderen Bewohner der Burg. Auch in der Stadt würde nun jede Arbeit ruhen, und ihre Bewohner würden sich ebenfalls auf den Weg zum Ostufer begeben, um dort Abschied von den Toten zu nehmen.

Garodem saß von seinem Pferd ab und schritt an den Trauernden vorbei, sah jedes der Opfer an und prägte sich sein Gesicht genau ein, um nur ja nie zu vergessen, welche Verantwortung er trug. An einer der stillen Gestalten blieb Garodem etwas länger stehen. Für einen Augenblick war er sich unsicher, doch dann zückte er sein Schwert und trat in die Grube hinein. Dort legte er das Heft in Beomunts kalte Hand hinein, und als er von dem Grab zurücktrat, nickte Kormund.

„Ihr habt wohlgetan, Herr." Der Scharführer räusperte sich verlegen. „Er verlor seine Ehre, doch er hat sie zurückerlangt. Lassen wir ihn nun, von unseren Herzen begleitet, zu den Goldenen Wolken eilen."

Männer begannen das große Grab zu schließen, und die Erde der Hochmark bedeckte für immer die Menschen, die ihr Leben für ihr Land gegeben hatten. Garodem saß auf und wandte sein Pferd der wartenden Menge zu. Hinter ihm formierten sich Torkelt und zwei weitere Pferdefürsten. Garodem räusperte sich verlegen und hob dann zu sprechen an, als ihn seine Frau Larwyn aufmunternd ansah.

„Vor vielen Jahren habe ich Menschen aus den Marken des

Königs herausgeführt und hier in der Hochmark, eine neue Heimat gefunden. Falscher Stolz hat mich damals dazu getrieben, den Kontakt zu meinem Bruder abzubrechen und den Menschen der Hochmark die Isolation aufzuzwingen." Garodem räusperte sich abermals. „Heute weiß ich, dass dies falsch war. Doch damals hatte ich für einen Moment vergessen, dass wir alle Menschen des Volkes der Pferdelords sind. Ich empfand Stolz dabei, die alten Symbole des Pferdevolkes durch die der Hochmark zu ersetzen, und auch das war falsch. Doch jetzt, im Angesicht all dieser Toten, erneuere ich, bei meiner Ehre als Pferdelord, den Treueschwur der Pferdelords. Nie wieder soll falscher Stolz die Marken des Königs voneinander trennen. Und so gelobe ich nochmals den alten Eid, wie es der Tradition unseres Volkes entspricht." Garodem reckte sich in seinem Sattel, und Kormund trat zu ihm, um dem Pferdefürsten seine Klinge für den Schwur zu leihen. Garodem reckte sie dem Himmel entgegen.

„In des Lebens Wonne und des Todes Not soll Eile sein stets das Gebot, in Treue fest dem Pferdevolk, der Hufschlag meines Rosses grollt, soll Lanze bersten, Schild zersplittern, so wird mein Mut doch nie erzittern, ich stehe fest in jeder Not, mit schnellem Ritt und scharfem Tod."

Die Menge hörte dem Treueschwur schweigend zu, doch als Garodem geendet hatte, brandete Jubel auf, und der Pferdefürst sah Torkelt und die anderen Pferdefürsten unmerklich nicken. Der Kommandeur der Pferdelords lenkte sein Pferd neben Garodem, und der Bannerträger mit der Königsstandarte folgte ihm. „So lasst uns nun die Toten ehrenvoll zu den Goldenen Wolken geleiten."

Die Menge schwieg erneut, und alle berittenen Pferdelords zogen ihre Klingen, um sie in einem langsamen Rhythmus an ihre Rundschilde zu schlagen. Der Takt wurde schneller und glich schließlich dem Hufschlag galoppierender Pferde, bis er dann unvermittelt mit einem letzten Schlag abbrach.

Das Horn der Hochmark blies ein letztes Mal zum gestreckten Galopp, dann nahm es der Hornbläser ab, und die Erde des Grabes bedeckte das Instrument. Nie wieder würde dieses Horn erklingen, und sein Bläser würde später ein neues aus den Händen Garodems empfangen.

Die Menge begann sich zu zerstreuen.

Larwyn schob ihre Hand in die ihres Gemahls. Sie lächelte den beiden Elfen zu, die neben dem Hohen Lord Torkelt auf ihren Pferden saßen und sich gemeinsam mit den Männern des Königs zurück auf den Weg zum Hof machen würden. „Es ist nun vorbei, Garodem, mein geliebter Gemahl", sagte sie sanft. „Der Krieg ist vorbei und von uns gewonnen, und all die braven Pferdelords werden sich nun zerstreuen und zu ihren Gehöften und Weilern zurückkehren."

Garodem nickte und lächelte sie dann an. „Nur eine Kleinigkeit, Larwyn, eine Kleinigkeit bleibt uns noch zu tun."

## 52

Der kleine Beritt mit der Fahne der Hochmark hatte sich in zwei Gliedern im vorderen Innenhof der Burg Eternas aufgereiht, und die Männer standen neben ihren Pferden, hielten die Zügel straff in der linken Hand und trugen ihre volle Rüstung. Alles war auf Hochglanz poliert, und obwohl dies allein eine Sache der Hochmark war, hatte der Hohe Herr Torkelt es sich nicht nehmen lassen, zum Zeichen des Respekts mit einer Schar der Königsmark ebenfalls an der Zeremonie teilzunehmen. Auch der schwer verletzte Erste Schwertmann Tasmund war an einem der Fensterbogen des Haupthauses zu erkennen. Seine rechte Schulter und sein Oberkörper waren dick bandagiert, und er wurde von einem Helfer gestützt, aber er hatte sich nicht daran hindern lassen, zu sehen, wie ein neuer Pferdelord in feierlicher Zeremonie aufgenommen wurde. Selbst die beiden Elfen sahen interessiert zu.

Drei der Menschen im Hof der Burg schienen vor Stolz und Nervosität förmlich zu vergehen. Meowyn stand in ihrem besten Gewand, welches sie von Larwyn geschenkt bekommen hatte, in der Menge der Schaulustigen, und der kleinwüchsige Dorkemunt stand mit stolzgeschwellter Brust neben Nedeam. Nedeam, dem Knaben, und Nedeam, dem künftigen Pferdelord.

Garodem bemühte sich, ein wenig strenger als sonst und damit dem Anlass angemessen auszusehen. „Wer bürgt mit seiner Ehre für die Ehrenhaftigkeit dieses künftigen Pferdelords?"

Dorkemunt trat einen Schritt vor. „Ich, Dorkemunt, des Dorims Sohn, verbürge mich."

„Wer gibt Euch dieses Recht, Dorkemunt, des Dorims Sohn?“

„Die Hochmark des Königs und meine Ehre als Pferdelord“, erwiderte Dorkemunt. Der kleinwüchsige Pferdelord hatte sich entschlossen, nicht in die alte Mark zurückzukehren, sondern in der Hochmark zu bleiben und Meowyn und ihrem Sohn beizustehen.

„So tritt denn vor, Nedeam, des Balwins Sohn“, sagte Garodem und nahm den grünen Umhang aus Kormunds Armen entgegen. Er wartete, bis der nervöse Nedeam vor ihn trat, und legte dann den Umhang des Pferdelords um dessen schmale Schultern. „So tragt nun, als sichtbares Zeichen der Ehre, den grünen Umhang der Pferdelords, Nedeam, Balwins Sohn.“ Als Nächstes nahm Garodem den Waffengurt mit einem neuen Schwert von Kormund entgegen und legte ihn um Nedeams Taille. Einige Männer grinsten, als der Pferdefürst etwas Mühe dabei hatte, den Gurt um den schmalen Leib zu schließen, aber Dorkemunt warf den Männern einen eisigen Blick zu. „So tragt denn nun auch die Waffe eines Pferdelords, damit Ihr die Ehre eines Pferdelords für immer verteidigen könnt. Und nun sprecht den Eid.“

Nedeams Stimme klang ein wenig unsicher, als er die ersten Worte sprach, doch dann wurde seine Stimme sicherer. „In des Lebens Wonne und des Todes Not, soll Eile sein stets das Gebot, in Treue fest dem Pferdevolk, der Hufschlag meines Rosses grollt, soll Lanze bersten, Schild zersplittern, so wird mein Mut doch nie erzittern, ich stehe fest in jeder Not, mit schnellem Ritt und scharfem Tod.“

Garodem sah den Jungen ernst an und lächelte dann. „Ihr seid nun der jüngste Pferdelord, den ich je sah, Nedeam, Balwins Sohn. Es ist immer eine Ehre, den Umhang zu tragen.

Doch Ihr habt ihn Euch über alle Maßen verdient, und so seid Ihr es, der an diesem Tag den Umhang des Pferdelords ehrt."

Und erst in diesem Moment wurde es Nedeam richtig bewusst. Was er sich immer erträumt hatte, war nun eingetreten:

Er war ein Pferdelord.

*– ENDE –*

**Freuen Sie sich schon jetzt auf den zweiten Band der Pferdelords: „Die Pferdelords und die Kristallstadt der Zwerge“**

*LESEPROBE*

Balruk atmete schwer und lehnte sich für einen Moment an einen der Felsen. Er war ein kraftvoller Mann und mit seinen Hundertzwanzig Jahren im allerbesten Zwergenalter, aber seine Beine waren einfach nicht dafür geschaffen, seinen stämmigen Körper so weit und schnell zu tragen. Während er um Atem rang, blickte er den schmalen Pass zurück, über den er gekommen war. Er und seine letzten drei Begleiter.

„Wir müssen weiter, mein König“, ächzte einer der anderen. „Die Bestien sind uns dicht auf den Fersen.“

„Sie sind größer und schneller als wir“, brummte Balruk missmutig. „Aber solange noch Kraft in unseren Armen ist, werden wir es ihnen nicht leicht machen.“

Einer der Begleiter wischte unbewusst mit seinem braunen Umhang über die von schwarzem Blut bedeckte Axt und betastete dann missmutig die tiefe Kerbe in einer der beiden Schneiden. „Das waren die verfluchten Rundohren“, brummte er. „Möge der feurige Abgrund sie verschlingen. Ihre Panzer sind dick und hart.“

„Nicht dick und hart genug für unsere Streitäxte.“ Balruk stieß sich von dem Felsen ab. Gelegentlich erklang das leise Poltern herabstürzender Steine, aber dies war im Gebirge völlig normal. Die Erosion forderte ihren Tribut. Doch nun zuckten Balruk und seine Begleiter nervös zusammen, denn jetzt konnte jedes Geräusch vom Fuß eines Orks ausgelöst worden sein, der sich ihnen näherte.

Einer von Balruks Begleitern wies auf die einfache Axt, die Balruk in den Händen hielt. „Sie haben Eure Axt Grünschlag gestohlen, mein König.“ Wir müssen sie zurück erhalten.“

Balruk nickte. „Das wird nicht ohne Hilfe gehen. Möge der ſeurige Abgrund die Bestien verschlingen.“

Er dachte an die glitzernde grüne Doppelschneide der Axt. Ihre Schneiden bestanden aus bestem geschliffenen Grünkristall und waren zu spröde, um zum Kampf zu taugen. Doch Grünschlag war auch keine Streitaxt, sondern das zeremonielle Symbol der Königswürde. Ihr Griff bestand aus massivem Gold und die heiligen Symbole des Volkes waren in Silber darin eingelassen. Das Ende des Griffstückes war aus bestem Stahl geschmiedet und wies zahlreiche Einkerbungen und Dornen auf. Was auf den ersten Blick wie Verzierung wirkte, war jedoch der Schlüssel zur Macht über die Stadt des Zwergenvolkes. Denn wer auch immer den Stiel der Axt in den Thron des Zwergenkönigs steckte, der gebot über die Menschen des kleinen Volkes. Aber nun würde ein orkisches Rundohr Grünschlag in den Thron stecken.

**Freuen Sie sich auch schon auf den**
**3. Band der Pferdelords:**
**„Die Pferdelords und die Barbaren des Dünenlandes"**

## *LESEPROBE*

Es war ein sanfter und warmer Wind, kaum mehr als ein Hauch und er strich unmerklich von Westen nach Osten. Es war ein Hauch, der nicht ahnen ließ, zu welchem Sturm er anwachsen und welche Gewalt er bringen konnte. Der Wind bewegte die langen Umhänge, welche die Schultern der Reiter bedeckten. Grüne Umhänge, deren Farben schon lange verblichen waren. Die Reiter standen in langen Reihen und es waren viele Reihen, eine hinter der anderen gestaffelt. Jeder der Reiter sah nach Osten, dorthin, wo sich steile Gebirgszüge erhoben. Dort, in den großen Ebenen, lag die neue Heimat des Pferdevolkes, geschützt von mächtigen Bergen.
Zweitausend Reiter sahen ihrer neuen Heimat entgegen, doch keiner von ihnen würde sie je erreichen.
Die ausgeblichenen Umhänge waren verschlissen und verfallen, so wie das Fleisch der Reiter und ihrer Pferde längst verfallen war. Hölzerne Stützen hielten Mann und Ross aufrecht, und vermittelten den Eindruck von Leben, wo schon so viele Jahre kein Leben mehr war.
Der Wind ließ Rüstungsteile und Knochen aneinander schlagen, und rief ein leises Klappern hervor, als pochten die Hufe der Pferde noch über den Sand, als schlügen die Reiter noch immer kampfeswillig die Waffen gegen ihre grünen Rundschilde. Der Wind und der Sand des Dünenlandes forderten ihren Tribut.

Sie hatten die Knochen von den Sehnen gelöst und zwischen den Reihen der Reiter lag ausgebleichtes Gebein. Es wurde von Sand bedeckt, den der Wind heran trug, und vom nächsten Wind wieder freigelegt.
Die Toten trugen ihre Helme, an denen noch die Reste stolzer Rosshaarschweife zu erkennen waren. Aber die Helme bedeckten keine Köpfe mehr, sondern steckten auf kurzen Stangen, denn jene, die das Leben der Reiter einst nahmen, hatten den Toten auch die Schädel genommen, als Zeichen des Triumphes über die Männer mit den grünen Umhängen.
Die Toten waren Pferdelords und waren einst die Wache des Ersten Königs gewesen. Sie hatten die Grenzen des Pferdevolkes bewacht und das Volk beschützt. Nun hatte ihr Volk eine andere Heimat gefunden, aber die tote Wache des Königs hielt noch immer die alte Grenze.

*Deborah Hale*
Die Prophezeiung
von Umbria

Ein fesselnder Liebesroman voller Magie und Fantasy, der dort beginnt, wo der Zauber von Avalon endet …

Band-Nr. 65004
7,95 € (D)
ISBN: 3-89941-359-8

Deutsche Erstveröffentlichung
Dieser Roman erscheint im Dezember 2006

*Maria V. Snyder*
Yelena und die Magierin des Südens

Sie hat die Wahl:
Schneller Tod … oder langsames Gift.

Band-Nr. 65005
7,95 € (D)
ISBN: 3-89941-360-1

*Robin D. Owens*
Die Hüterin
von Lladrana

Die magischen Grenzen fallen und das Böse kommt immer näher. Es ist Zeit für die Marshalls von Lladrana, der alten Tradition zu folgen und die Hüterin aus dem exotischen Land zu rufen.

Band-Nr. 65006
7,95 € (D)
ISBN: 978-3-89941-361-8